Latinum für Studenten

Christoph Kuhn

Latinum für Studenten

Altklausuren mit Übersetzung und Kommentar

Schmetterling Verlag

Bibliografische Informationen *Der Deutschen Nationalbibliothek*
Die Deutsche Nationalbibliothek verzeichnet diese Publikation in der Deutschen Nationalbibliografie;
detaillierte Daten sind im Internet über http://dnb.d-nb.de abrufbar.

Schmetterling Verlag GmbH
Lindenspürstr. 38b
70176 Stuttgart
www.schmetterling-verlag.de
Der Schmetterling Verlag ist Mitglied von aLiVe.

ISBN 3-89657-841-3
1. Auflage 2009
Alle Rechte vorbehalten
Satz und Reproduktionen: Schmetterling Verlag
Druck: EuroPB, s. r. o., Tschechische Republik

Inhalt

Altklausuren – Cicero **10**
    Includuntur in carcerem condemnati. 10
    Ego minus saepe mitto ad vos litteras … 11
    Mihi quidem Scipio … 12
    Herculis templum est apud Agrigentinos … 13
    Nolite arbitrari, o mihi carissimi filii, … 14
    Hunc ego non diligam … 15
    Quis ergo iste optimus quisque … 16
    Qui rei publicae praefuturi sunt … 17
    Scipio: Etiam sapientiorem Socratem … 18
    Multa enim et in deos et in homines … 19
    Credo ego vos, iudices … 20
    Non vereor, ne quis audeat … 21
    Me cuncta Italia … 22
    Antequam de incommodis Siciliae dico … 23
    Hic quidem tyrannus ipse iudicavit … 24
    Rex ille … 25
    Dicendum est enim … 26
    Primum mihi videtur … 27
    Si qui deus mihi largiatur … 28
    Nihil agis, nihil moliris … 29
    Tandem aliquando, Quirites, … 30
    At etiam sunt, qui dicant … 31
    Etenim recordamini, Quirites … 32
    Ignosce, ignosce, Caesar … 33
    Segesta est oppidum pervetus … 34
    Et quoniam mihi videris … 35
    Vetus est haec opinio … 36
    Quaeris a me … 37
    Bellum Gallicum, patres conscripti … 38
    Venio nunc ad istius … 39
    In eo sacrario intimo … 40
    Sciunt ei, qui me norunt … 41

Altklausuren – Caesar **42**
    At hostes … 42
    Erant in ea legione … 43
    Ipse, cum maturescere frumenta inciperent … 44
    Proximo die … 45
    Quieta Gallia Caesar … 46

Altklausuren – Sallust **47**
    Ea tempestate mihi imperium populi Romani … 47
    Dux atque imperator vitae mortalium … 48
    Bellum scripturus sum … 49
    Qui ubi primum adolevit … 50
    Micipsa paucos post annos … 51
    Ceterum mos partium et factionum … 52
    Igitur de Catilinae coniuratione … 53
    Urbem Romam … 54
    Sed ubi labore atque iustititia … 55
    His rebus conparatis Catilina … 56
    Postremo, ubi multa agitanti … 57

Mündliche Prüfungstexte – Cicero **58**
    Quare, cum lex sit civilis societatis 58
    Nolite, quaeso, iudices, ... 58
    Ergo, ut omittam tuos peculatus 59
    Cicero Attico sal. 59
    Quod ad me scribis de sorore tua 60
    Tullius s. d. Terentiae suae 60
    Tullius Terentiae suae s. d. 60
    Vitiorum peccatorumque nostrorum 61
    Dici non potest 61
    Est enim amicitia 62
    Cum essem biennium versatus 62
    Non est vobis, Quirites, ... 63
    Sed tenetur, premitur, urgetur 63
    Si tu apud Persas 64
    Est igitur, inquit Africanus 64
    O di immortales! 65
    Itaque quartum quoddam genus 65
    Habetis consulem 66
    Siculi nunc populati atque vexati 66
    Est autem maritimis urbibus 67
    Carus fuit Africano superiori 67
    Quam multos scriptores rerum suarum 67

Mündliche Prüfungstexte – Caesar **68**
    Caesar ad flumen Tamesim 68
    Agri culturae non student 68
    Ac fuit antea tempus 69
    Depopulata Gallia 69
    Postero die Vercingetorix 70

Mündliche Prüfungstexte – Sallust **71**
    Iam primum adulescens 71
    Sed iuventutem 71
    His amicis sociisque confisus 72
    Ea tempestate plurumos quoiusque generis 72
    Sed multi mortales 72
    Ea cum Ciceroni nuntiarentur 73
    Praeterea regis Bocchi proxumos 73
    Et iam antea Iugurthae filia 74
    Superioribus annis taciti 74
    Piso in citeriorem Hispaniam 74

Übersetzung und Kommentar: Altklausuren – Cicero **75**
    Includuntur in carcerem condemnati. 75
    Ego minus saepe mitto ad vos litteras 78
    Mihi quidem Scipio 81
    Herculis templum est apud Agrigentinos 84
    Nolite arbitrari, o mihi carissimi filii, ... 87
    Hunc ego non diligam 92
    Quis ergo iste optimus quisque 97
    Qui rei publicae praefuturi sunt 100
    Scipio: Etiam sapientiorem Socratem 104
    Multa enim et in deos et in homines 107
    Credo ego vos, iudices 110
    Non vereor, ne quis audeat 114
    Me cuncta Italia 118
    Antequam de incommodis Siciliae dico 122

    Hic quidem tyrannus ipse iudicavit … 125
    Rex ille … 128
    Dicendum est enim … 133
    Primum mihi videtur … 136
    Si qui deus mihi largiatur … 139
    Nihil agis, nihil moliris … 143
    Tandem aliquando, Quirites, … 146
    At etiam sunt, qui dicant … 149
    Etenim recordamini, Quirites … 153
    Ignosce, ignosce, Caesar … 156
    Segesta est oppidum pervetus … 160
    Et quoniam mihi videris … 164
    Vetus est haec opinio … 168
    Quaeris a me … 171
    Bellum Gallicum, patres conscripti … 175
    Venio nunc ad istius … 179
    In eo sacrario intimo … 184
    Sciunt ei, qui me norunt … 190

Übersetzung und Kommentar: Altklausuren – Caesar **194**
    At hostes … 194
    Erant in ea legione … 197
    Ipse, cum maturescere frumenta inciperent … 203
    Proximo die … 208
    Quieta Gallia Caesar … 213

Übersetzung und Kommentar: Altklausuren – Sallust **218**
    Ea tempestate mihi imperium populi Romani … 218
    Dux atque imperator vitae mortalium … 222
    Bellum scripturus sum … 226
    Qui ubi primum adolevit … 230
    Micipsa paucos post annos … 235
    Ceterum mos partium et factionum … 240
    Igitur de Catilinae coniuratione … 244
    Urbem Romam … 248
    Sed ubi labore atque iustitia … 252
    His rebus conparatis Catilina … 256
    Postremo, ubi multa agitanti … 260

Übersetzung und Kommentar: Mündliche Prüfungstexte – Cicero **264**
    Quare, cum lex sit civilis societatis … 264
    Nolite, quaeso, iudices, … 265
    Ergo, ut omittam tuos peculatus … 266
    Cicero Attico sal. … 267
    Quod ad me scribis de sorore tua … 268
    Tullius s. d. Terentiae suae … 269
    Tullius Terentiae suae s. d. … 270
    Vitiorum peccatorumque nostrorum … 271
    Dici non potest … 272
    Est enim amicitia … 273
    Cum essem biennium versatus … 274
    Non est vobis, Quirites, … 275
    Sed tenetur, premitur, urgetur … 276
    Si tu apud Persas … 277
    Est igitur, inquit Africanus … 278
    O di immortales! … 279
    Itaque quartum quoddam genus … 280
    Habetis consulem … 280

Siculi nunc populati atque vexati ... 281
   Est autem maritimis urbibus ... 282
   Carus fuit Africano superiori ... 283
   Quam multos scriptores rerum suarum ... 284

Übersetzung und Kommentar: Mündliche Prüfungstexte – Caesar ... 286
   Caesar ad flumen Tamesim ... 286
   Agri culturae non student ... 287
   Ac fuit anta tempus ... 289
   Depopulata Gallia ... 290
   Postero die Vercingetorix ... 292

Übersetzung und Kommentar: Mündliche Prüfungstexte – Sallust ... 294
   Iam primum adulescens ... 294
   Sed iuventutem ... 295
   His amicis sociisque confisus ... 296
   Ea tempestate plurumos quoiusque generis ... 297
   Sed multi mortales ... 298
   Ea cum Ciceroni nuntiarentur ... 299
   Praeterea regis Bocchi proxumos ... 301
   Et iam antea Iugurthae filia ... 302
   Superioribus annis taciti ... 303
   Piso in citeriorem Hispaniam ... 304

Vorwort

Liebe Studentin, lieber Student,

in diesem Band finden sich ausschließlich Altklausuren und mündliche Prüfungstexte, die in den vergangenen Jahrzehnten im Latinum gestellt wurden. Viele davon sind bislang unveröffentlicht, andere altbekannte Klassiker des Latinums. Bei der Auswahl der Autoren habe ich mich auf Cicero, Caesar und Sallust beschränkt, weil nahezu ausschließlich diese drei noch im Latinum gestellt werden.

Erste Pionierarbeit für diese längst überfällige Publikation haben Reinhild Fuhrmann mit ihren «Texten der schriftlichen und mündlichen Latinumsprüfung» und Hermann Schmid mit seinem «Lektüreheft Cicero» geleistet. Auch im Internet haben sich Egon Gottwein auf der Internetplattform *www.gottwein.de* und nicht zuletzt Gregor Reiter mit seiner großartigen Seite *www.latinum-vorbereitung.de* große Mühe gegeben die ersten wirklich latinumsrelevanten Lernhilfen für Studenten und Ergänzungsprüflinge anzubieten. Leider vereint keine der genannten Publikationen alle wichtigen Anforderungen an ein Latinum-Lesebuch in einem, nach denen doch unter den Studenten immer wieder eine große Nachfrage besteht: eine gedruckte, benutzerfreundlich gesetzte Kombination aus Klausurtext, Parallelübersetzung und sprachlichem Kommentar. Diese letzte Synthese habe ich in diesem Buch vollzogen.

Zu Beginn findest du die Altklausuren auf Arbeitsblättern mit großer Schrift und zweizeiligem Satz. Anschließend sind die Klausuren nochmals Satz für Satz abgedruckt, diesmal mit Übersetzung und zweispaltigem Kommentar, so dass du Schritt für Schritt deine Arbeitsübersetzung mit der Musterübersetzung abgleichen und bei Verständnisproblemen unmittelbar auf den sprachlichen Kommentar zurückgreifen kannst. Dieses teils den alten Schülerpräparationen, teils den zweisprachigen Ausgaben nachempfundene Konzept ermöglicht ein frühzeitiges und zügiges Vorstoßen im harten, aber absolut notwendigen Umgang mit dem Originaltext. Dabei ist die Sprache der Übersetzungen in Ausdruck und Stellung bewusst im sehr wörtlichen, möglichst ungeglätteten Zustand geblieben. Die «studentischen» Arbeitsübersetzungen sollten den Abgleich mit dem lateinischen Original erleichtern und zugleich keine falsche Vorstellung über das sprachliche Niveau, bzw. den übersetzungstechnischen Freiheitsgrad wecken, die der durchschnittliche Latinumsprüfling zum erfolgreichen Bestehen erreichen muss. Schließlich sieht es ja auch beim Kochen am Ende nie so aus, wie auf dem Serviervorschlag im Buch – und schmeckt trotzdem.

Im sprachlichen Kommentar habe ich mich um eine einfache, präzise, zuweilen auch witzig pointierte Sprache bemüht. Dennoch ist ein Verständnis ohne solide Kenntnis grammatischer Grundbegriffe, der Formen- und Konstruktionslehre kaum möglich. Ich empfehle dir daher dich zunächst im ersten Band damit vertraut zu machen.

Für das Zustandekommen dieses Lesebuchs zeichnen meine Studenten verantwortlich. Ihnen ist es trotz nervlicher Anspannung immer wieder gelungen, Texte aus den Prüfungen heraus zu retten und sie so für die Studenten späterer Generationen zugänglich zu machen.

Frohes Schaffen beim Durcharbeiten und viel Erfolg für die Prüfung!

Altklausuren – Cicero

Includuntur in carcerem condemnati.

> Verres ließ gegen geltendes Recht sizilische Nauarchen (die «Kapitäne» der antiken Schiffe) zum Tode verurteilen. Der grausame Liktor Sextius, einer von Verres' Handlangern, schlägt aus dem Elend der Opfer und besonders ihrer Eltern Kapital: humanes Sterben nur gegen Aufpreis. Der war allerdings Verhandlungssache.

Includuntur[1] in carcerem condemnati. Supplicium constituitur in illos, sumitur de miseris parentibus nauarchorum: prohibentur adire ad filios, prohibentur liberis suis cibum vestitumque ferre. Patres hi, quos videtis, iacebant in limine matresque miserae pernoctabant ad ostium carceris ab extremo conspectu liberorum exclusae. Quae nihil aliud orabant, nisi ut filiorum suorum postremum spiritum ore excipere liceret. Aderat ianitor carceris, carnifex praetoris, mors terrorque sociorum civiumque Romanorum, lictor Sextius, cui ex omni gemitu doloreque certa merces comparabatur: «Ut adeas, tantum dabis; ut tibi cibum vestitumque intro ferre liceat, tantum.»[2] Nemo recusabat. «Quid? Ut uno ictu securis adferam mortem filio tuo, quid dabis? Ne diu crucietur? Ne saepius feriatur? Ne cum sensu doloris aliquo spiritus auferatur?» Etiam ob hanc causam pecunia lictori dabatur. [...] Non vitam liberorum, sed mortis celeritatem pretio redimere cogebantur parentes. Atque ipsi etiam adulescentes cum Sextio de plaga et de uno illo ictu loquebantur, idque postremum parentes suos liberi orabant, ut levandi cruciatus sui causa lictori pecunia daretur. Multi et graves dolores inventi parentibus, multi; verum tamen mors sit extrema. Non erit! Estne aliquid ultra, quo[3] crudelitates progredi possint? Reperietur! Nam illorum, cum erunt securi[4] percussi ac necati, corpora feris obicientur. Hoc si luctuosum est parentibus, redimant pretio sepeliendi potestatem! (199; Schwierigkeitsstufe: niedrig)

---

1 Subjekt sind hier die Nauarchen.
2 In Anführungszeichen zitiert Cicero hier und im Folgenden die Schutzgeldforderungen des Sextius.
3 ultra, quo: darüber hinaus, wohin
4 Ablativ der i-Deklination

Ego minus saepe mitto ad vos litteras ...

Cicero wurde im Jahre 58 v. Chr. – vorgeblich für seine widerrechtliche Bestrafung der Catilinarier – aus Rom verbannt. In Wahrheit ging die Verbannung auf den Einfluss seines Erzfeindes Publius Clodius Pulcher zurück, der sich des unliebsamen innenpolitischen Gegners entledigen wollte. Am 29. April 58, unmittelbar vor seiner Abreise nach Griechenland, schrieb Cicero von Brundisium aus den folgenden Brief an seine Familie.

Ego minus saepe mitto ad vos litteras quam possum propterea, quod omnia mihi tempora sunt misera. Tum vero, cum scribo ad vos aut vestras litteras lego, conficior lacrimis sic, ut ferre non possim. [...] Ego vero te quam primum, mea vita, cupio videre et in tuo complexu emori, quoniam neque di[1], quos tu castissime
5 coluisti, neque homines, quibus ego semper servivi, nobis gratiam rettulerunt. [...] O me perditum, o me adflictum! Quid nunc? Rogem te, ut venias, mulierem aegram, et corpore et animo confectam? Non rogem? Sine te igitur sim? Opinor, sic agam: si est spes nostri reditus, eam confirmes et rem adiuves; sin, ut ego metuo, transactum est[2], quoquo modo potes, ad me venias. Sed quid Tulliola mea fiet?
10 Etiam id vos videte; mihi deest consilium. [...] Quid? Cicero meus quid aget? Iste vero sit in sinu semper et complexu meo. Non queo plura iam scribere; impedit maeror. Tu quid egeris, nescio, utrum aliquid teneas an, quod metuo, plane sis spoliata. [...] Sustenta te, mea Terentia, ut potes honestissime. Viximus, floruimus; non vitium nostrum, sed virtus nostra nos adflixit. [...] Mea Terentia, fidissima
15 atque optima uxor, et mea carissima filiola et spes reliqua nostra, Cicero, valete.
(192; Schwierigkeitsstufe: niedrig)

---
1 di = dei
2 transactum est: es ist aus und vorbei

Mihi quidem Scipio ...

In Ciceros Dialog «De amicitia» erinnert sich der Politiker, Redner und Dichter Gaius Laelius Sapiens an seine enge Freundschaft mit Publius Cornelius Scipio Africanus, dem Jüngeren (185–129 v. Chr.), der kurz zuvor verstorben ist.

Mihi quidem Scipio, quamquam est subito ereptus, vivit tamen semperque vivet. Virtutem enim amavi illius viri, quae extincta non est. Nec mihi soli versatur ante oculos, qui illam semper in manibus habui, sed etiam posteris erit clara et insignis. [...] Equidem ex omnibus rebus, quas mihi aut fortuna aut natura tribuit, nihil habeo, quod cum amicitia Scipionis possim comparare. In hac mihi de re publica consensus, in hac rerum privatarum consilium, in eadem requies plena oblectationis fuit. Numquam illum ne minima quidem re offendi, quod quidem[1] senserim, nihil audivi ex eo ipse, quod nollem. Una domus erat, idem victus, isque communis, neque solum militia, sed etiam peregrinationes rusticationesque communes. Nam quid ego de studiis dicam cognoscendi semper aliquid atque discendi? In quibus remoti ab oculis populi omne otiosum tempus contrivimus. Quarum rerum recordatio et memoria si una cum illo occidisset, desiderium coniunctissimi atque amantissimi viri ferre nullo modo possem. Sed nec illa extincta sunt alunturque potius et augentur cogitatione et memoria mea, et, si illis plane orbatus essem, magnum tamen adfert mihi aetas ipsa solacium. Diutius enim iam in hoc desiderio esse non possum. Omnia autem brevia tolerabilia esse debent, etiamsi magna sunt.
(193 Wörter; Schwierigkeitsstufe: niedrig)

---

1   quod quidem: soweit jedenfalls

Herculis templum est apud Agrigentinos ...

Zu den zehn Arbeiten des Herkules zählte bekanntlich auch der gefürchtete erymanthische Eber. Doch der griechische Held hätte es sich wohl kaum träumen lassen, dass zu römischer Zeit noch einmal eine elfte Arbeit auf ihn wartete, und obendrein wieder ein «männliches Schwein» – der Prätor und Kunsträuber Verres.

Herculis templum est apud Agrigentinos non longe a foro, sane sanctum apud illos et religiosum. Ibi est ex aere simulacrum ipsius Herculis [...]. Ad hoc templum, cum esset iste Agrigenti[1], duce Timarchide repente nocte intempesta servorum armatorum fit concursus atque impetus. Clamor a vigilibus fanique custodibus tollitur. Qui primo, cum obsistere ac defendere conarentur, male mulcati clavis ac fustibus repelluntur. Postea [...] demoliri signum ac vectibus labefactare conantur.[2] Interea ex clamore fama tota urbe percrebruit expugnari deos patrios, [...] ex cohorte praetoria manum fugitivorum instructam armatamque venisse. Nemo Agrigenti neque aetate tam adfecta neque viribus tam infirmis fuit, qui non illa nocte eo nuntio excitatus surrexerit telumque [...] arripuerit. Itaque brevi tempore ad fanum ex urbe tota concurritur. Horam amplius[3] iam in demoliendo signo permulti homines moliebantur[4]; illud interea nulla lababat ex parte. Ac repente Agrigentini concurrunt; fit magna lapidatio; dant sese in fugam istius praeclari imperatoris nocturni milites. Duo tamen sigilla perparvula tollunt, ne omnino inanes ad istum praedonem religionum revertantur. Numquam tam male est Siculis, quin[5] aliquid facete et commode dicant, velut in hac re aiebant in labores Herculis non minus hunc immanissimum verrem[6] quam illum aprum Erymanthium referri oportere.
(188; Schwierigkeitsstufe: niedrig)

---

1 Agrigenti: in Agrigent (Stadt in Sizilien)
2 Subjekt dieses Satzes sind die *servi armati* aus Satz 3.
3 horam amplius: mehr als eine Stunde
4 moliri (hier): sich abquälen, sich abmühen
5 quin (hier): dass nicht
6 *verres* ist nicht nur der Beiname des räuberischen Prätors, sondern als Substantiv auch ein lateinisches Wort für Eber. Der Witz spielt auf den erymanthischen Eber (aper Erymanthius) an, «der ... die Gegend des Berges Erymanthos verwüstete» (Schwab) und dessen Jagd zu den 10 Arbeiten (labores) des Herkules zählte, die ihm der König Eurystheus auferlegt hatte, um den lästigen Konkurrenten los zu werden.

Nolite arbitrari, o mihi carissimi filii, ...

Auf dem Sterbebett spricht der Perserkönig Kyros mit seinen Söhnen über die Unsterblichkeit der Seele.

Nolite arbitrari, o mihi carissimi filii, me, cum a vobis discessero, nusquam aut nullum fore. Nec enim, dum eram vobiscum, animum meum videbatis, sed eum esse in hoc corpore ex iis rebus, quas gerebam, intellegebatis. Eum igitur esse creditote, etiamsi eum non videbitis. Nec vero honores praeclarorum virorum post mortem permanerent, si nihil animi eorum efficerent, quo[1] diutius memoriam eorum teneremus. Mihi quidem numquam persuaderi[2] potuit animos, dum in corporibus essent mortalibus, vivere, sed, cum excessissent ex iis, mori. Atque etiam, cum hominis corpus morte dissolvitur, perspicuum est, quo[3] quaeque ceterarum rerum discedat – abeunt enim illuc omnia, unde orta sunt. Animus autem solus nec, cum adest, nec, cum discessit, apparet. Iam vero videtis nihil esse morti tam simile quam somnum. Atque dormientium animi maxime declarant divinitatem suam. Multa futura enim, cum remissi et liberi sunt, prospiciunt. Ex quo intellegitur, quales futuri sint, cum se plane a corporis vinculis relaxaverint. Quare, si haec ita sunt, sic me colitote ut deum. Sin autem una est interiturus animus cum corpore, vos tamen deos verentes, qui hanc omnem pulchritudinem mundi tuentur et regunt, memoriam mei pie inviolateque servabitis. (194; Schwierigkeitsstufe: niedrig)

---

1 quo (+ Komparativ): damit umso
2 persuadere (hier): weismachen
3 quo (hier): wohin

Hunc ego non diligam ...

«Der Dichter Archias kam im Jahr 102 v. Chr. nach Rom und erhielt nach einigen Jahren das römische Bürgerrecht. Als ihm im Jahr 62 v. Chr. vorgeworfen wurde, daß er sich das Bürgerrecht nur anmaße, drohte ihm im Falle einer Verurteilung die Ausweisung aus Rom. Cicero, damals auf dem Höhepunkt seiner politischen Erfolge, übernahm die Verteidigung des Dichters. Er nutzte seinen Auftritt zu einem großartigen Plädoyer nicht nur für das Bleiberecht des Archias, sondern im übertragenen Sinn für das Heimatrecht der Bildung in einem dem Bildungsgedanken noch zu wenig aufgeschlossenen Rom.»[1]

Hunc[2] ego non diligam, non admirer, non omni ratione defendendum putem? Atque sic a summis hominibus eruditissimisque accepimus: ceterarum rerum studia ex doctrina et praeceptis et arte constare, poetam natura ipsa valere et mentis viribus excitari et quasi divino quodam spiritu inflari. Quare [...] iure noster ille Ennius sanctos appellat poetas, quod quasi deorum aliquo dono atque munere commendati nobis esse videantur. Sit igitur, iudices, sanctum apud vos, humanissimos homines, hoc poetae nomen, quod nulla umquam barbaria[3] violavit. Saxa atque solitudines voci respondent, bestiae saepe immanes cantu flectuntur atque consistunt: Nos instituti rebus optimis non poetarum voce moveamur? Homerum Colophonii[4] civem esse dicunt suum, Chii[5] suum vindicant, Salaminii[6] repetunt, Smyrnaei[7] vero suum esse confirmant. Itaque etiam delubrum eius in oppido dedicaverunt. Permulti alii praeterea pugnant inter se atque contendunt. Ergo illi alienum, quia poeta fuit, post mortem etiam expetunt. Nos hunc vivum, qui et voluntate et legibus noster est, repudiamus, praesertim cum omne olim studium atque omne ingenium contulerit[8] Archias ad populi Romani gloriam laudemque celebrandam? [...] Neque enim quisquam est tam aversus a Musis, qui non mandari versibus aeternum suorum laborum praeconium facile patiatur. (183; Schwierigkeitsstufe: mittel)

---

1 zitiert nach: www.latinum-vorbereitung.de
2 hunc: gemeint ist Archias
3 barbaria: ungebildete Rohheit
4 Colophonii: die Colophonier, Einwohner der kleinasiatischen Stadt Colophon
5 Chii: die Chier, Einwohner der Insel Chios
6 Salaminii: die Salaminier, Einwohner der griechischen Stadt Salamis
7 Smyrnaei: die Smyrnäer, Einwohner der kleinasiatischen Stadt Smyrna
8 conferre ad: verwenden auf, einsetzen für

Quis ergo iste optimus quisque ...

Was heißt konservative Politik?

Quis ergo iste optimus quisque[1]? Ut tollatur error, brevi circumscribi et definiri potest. Omnes optimates sunt, qui neque nocentes sunt nec natura improbi nec furiosi nec malis domesticis impediti. Esto igitur, ut ii sint, quam[2] tu «nationem»[3] appellasti, qui et integri sunt et sani et bene de rebus domesticis constituti. Horum qui voluntati, commodis, opinionibus in gubernanda re publica serviunt, defensores optimatium ipsique optimates gravissimi et clarissimi cives numerantur et principes civitatis. Quid est igitur propositum his rei publicae gubernatoribus, quod intueri et quo cursum suum derigere debeant? Id, quod est praestantissimum maximeque optabile omnibus sanis et bonis et beatis: cum dignitate otium. Hoc qui volunt, omnes optimates, qui efficiunt, summi viri et conservatores civitatis putantur; neque enim rerum gerendarum dignitate homines ecferri ita convenit[4], ut otio non prospiciant, neque ullum amplexari otium, quod abhorreat a dignitate. Huius autem otiosae dignitatis haec fundamenta sunt, haec membra, quae tuenda principibus et vel capitis periculo defendenda sunt: religiones[5], auspicia[6], potestates magistratuum, senatus auctoritas, leges, mos maiorum, iudicia, iuris dictio, fides, provinciae, socii, imperii laus, res militaris, aerarium. (175; Schwierigkeitsstufe: hoch)

---

1 optimus quisque: übersetze als Plural «die Optimaten». Passe das Prädikat entsprechend an!
2 im Deutschen erwarten wir hier quos statt quam
3 natio: Sippschaft. Der Gegner hatte verächtlich vom Staat als einer Optimaten-Sippschaft gesprochen.
4 homines ecferri ita convenit, ut: es kommt soweit, dass die Menschen so überheblich werden, dass
5 religiones: religiöse Werte
6 auspicia: Rituale

Qui rei publicae praefuturi sunt ...

Wie ein idealtypischer Staatsmann sein soll und wie er nicht sein soll

Qui rei publicae praefuturi sunt, duo Platonis praecepta teneant: unum, ut utilitatem civium sic tueantur[1], ut, quaecumque agunt, ad eam referant[2] obliti commodorum suorum, alterum, ut totum corpus[3] rei publicae curent, ne, dum partem aliquam tuentur, reliquas deserant. Ut enim tutela, sic procuratio rei publicae ad eorum utilitatem, qui commissi sunt, non ad eorum, quibus commissa est, gerenda est. Qui autem parti civium consulunt, partem neglegunt, rem perniciosissimam in civitatem inducunt, seditionem atque discordiam. Ex quo evenit, ut alii populares, alii studiosi optimi cuiusque[4] videantur, pauci[5] universorum. Hinc apud Athenienses magnae discordiae, in nostra re publica non solum seditiones, sed etiam pestifera bella civilia. Quae gravis et fortis civis et [...] dignus principatu fugiet atque oderit[6] tradetque se totum rei publicae neque opes aut potentiam consectabitur totamque eam sic tuebitur, ut omnibus consulat. Nec vero criminibus falsis in odium aut invidiam quemquam vocabit omninoque ita iustitiae honestatique adhaerescet, ut, dum ea conservet, quamvis[7] graviter offendat mortemque oppetat potius quam deserat illa [...]. Miserrima omnino est ambitio honorumque contentio, de qua praeclare [...] est[8] [apud] Platonem facere eos, «qui inter se contenderent, uter potius rem publicam administraret, ut si nautae certarent, quis eorum potissimum gubernaret». (191; Schwierigkeitsstufe: mittel)

---

1 utilitatem tueri: die Interessenvertretung wahrnehmen
2 referre ad: beziehen auf, einsetzen für
3 totum corpus: übersetze «mit Leib und Seele»
4 studiosus optimi cuiusque: Parteigänger der Optimaten
5 pauci: ergänze *studiosi*, Parteigänger
6 oderit; Futur 2 eines präsentischen Perfekts *(odi, odisse: hassen, verachten)* muss als Futur 1 übersetzt werden: «er wird verachten»
7 quamvis (hier): noch so
8 est (hier): es heißt, es steht (leitet einen AcI ein)

Scipio: Etiam sapientiorem Socratem ...

In der griechischen Philosophie unterscheidet man die Vorsokratiker, unter ihnen Pythagoras, und die Philosophenschulen, die sich um Sokrates von Athen bildeten, darunter vor allem die Akademie des Platon. Die Vorsokratiker, auch Naturphilosophen genannt, befassten sich mit der Erforschung der Natur, Mathematik, Geometrie und Harmonie. Sokrates hingegen gilt als erster Moralphilosoph, als Erfinder von Psychologie und Ethik. Da er selbst jedoch nichts Schriftliches hinterlassen hatte, wurde er von seinem Schüler Platon dennoch mit den Naturphilosophen in Verbindung gebracht. Im folgenden Dialog geht es vor allem um die Einflüsse der Pythagoreer.

Scipio: [...] Etiam sapientiorem Socratem soleo iudicare, qui omnem eius modi curam deposuerit eaque, quae de natura quaererentur, aut maiora [esse], quam[1] hominum ratio consequi posset, aut nihil omnino ad vitam hominum adtinere[2] dixerit. Dein Tubero: Nescio, Africane, cur ita memoriae[3] proditum sit, Socratem omnem istam disputationem reiecisse et tantum de vita et de moribus solitum esse quaerere. Quem enim auctorem de illo locupletiorem Platone laudare possumus? Cuius in libris multis locis ita loquitur Socrates, ut etiam, cum de moribus, de virtutibus, denique de re publica disputet, numeros tamen et geometriam et harmoniam studeat Pythagorae more coniungere. Tum Scipio: Sunt ista, ut dicis, sed audisse te credo, Tubero, Platonem Socrate mortuo primum in Aegyptum discendi causa, post in Italiam et in Siciliam contendisse, ut Pythagorae inventa perdisceret, eumque et cum Archyta Tarentino[4] et cum Timaeo Locro multum fuisse et Philolei commentarios esse nanctum, cumque eo tempore in iis locis Pythagorae nomen vigeret, illum se et hominibus Pythagoreis et studiis illis dedisse. Itaque, cum Socratem unice dilexisset eique omnia tribuere voluisset, leporem Socraticum subtilitatemque sermonis cum obscuritate Pythagorae et cum illa plurimarum artium gravitate contexuit. (182; Schwierigkeitsstufe: mittel)

---

1 quam (hier): als dass
2 nihil adtinere ad: nichts zum Leben der Menschen beitragen
3 memoria (hier): Nachwelt
4 Timaeus Locrus, Archytas Tarentinus, Philoleus: Anhänger des Pythagoras (Pythagoreer)

Multa enim et in deos et in homines …

Die Verbrechen, deren sich Verres schuldig gemacht hatte, überstiegen auch das Maß der römischen Toleranz: Hinrichtung Unschuldiger, Entweihung von Heiligtümern, Diebstahl altehrwürdiger Götterbilder. Im folgenden Text fordert Cicero nicht nur Schadensersatz, sondern deutet sogar die Todesstrafe für den grausamen Prätor an.

Multa enim et in deos et in homines impie nefarieque commisit. Agunt eum praecipitem[1] poenae civium Romanorum, quos partim securi percussit, partim in vinculis necavit, partim implorantis iura libertatis et civitatis in crucem sustulit. Religiones vero caerimoniaeque omnium sacrorum fanorumque violatae,
5 simulacraque deorum, quae non modo ex suis templis ablata sunt, sed etiam iacent in tenebris ab isto retrusa atque abdita, consistere eius animum sine furore atque amentia non sinunt. Neque iste mihi videtur se ad damnationem solum offerre, neque hoc avaritiae supplicio communi, qui se tot sceleribus obstrinxerit,[2] contentus esse: singularem quandam poenam istius immanis atque importuna natura desiderat. Non
10 id solum quaeritur, ut isto damnato bona restituantur iis, quibus erepta sunt, sed etiam religiones deorum immortalium expiandae[3] et civium Romanorum cruciatus multorumque innocentium sanguis istius supplicio luendus est. Non enim furem, sed ereptorem, non adulterum, sed expugnatorem pudicitiae, non sacrilegum, sed hostem sacrorum religionumque, non sicarium, sed crudelissimum carnificem
15 civium sociorumque in vestrum iudicium adduximus, ut ego hunc unum eius modi reum post hominum memoriam fuisse arbitrer, cui damnari expediret[4]. Nam quis hoc non intellegit istum absolutum dis hominibusque invitis tamen ex manibus populi Romani eripi nullo modo posse? (191; Schwierigkeitsstufe: niedrig)

---

1 aliquem praecipitem agere: jemanden ins Verderben stürzen
2 Der Relativsatz ist immer noch auf *iste* zu beziehen.
3 ergänze: sunt
4 expedit: es nützt

Credo ego vos, iudices ...

Im Jahre 80 vor Christus übernahm Cicero unter der Diktatur Sullas als junger Anwalt die Verteidigung für einen gewissen Sextus Roscius. Der junge Mann war angeklagt ein Jahr zuvor seinen Vater, einen reichen römischen Ritter, ermordet zu haben. Tatsächlich war dieser jedoch Opfer der Proskriptionen geworden. Sullas Schergen fürchteten, der Sohn könnte nachträglich Anspruch auf den unrechtmäßig konfiszierten Besitz erheben. Dennoch wagte niemand die offensichtlich falschen und unhaltbaren Beschuldigungen zu widerlegen. Aufgrund seiner Jugend und politischen Unbefangenheit hatte Cicero den Mut sich deutlichere Worte gegen den politisch motivierten Justizskandal zu erlauben als andere.

Credo ego vos, iudices, mirari, quid sit, quod,[1] cum tot summi oratores hominesque nobilissimi sedeant, ego potissimum surrexerim, [...] qui neque aetate neque ingenio neque auctoritate sim cum his, qui sedeant, comparandus. Omnes hi, quos videtis adesse in hac causa, iniuriam novo scelere conflatam[2] putant oportere defendi. Defendere ipsi propter iniquitatem temporum non audent. Ita fit, ut adsint propterea, quod officium sequuntur, taceant autem idcirco, quia periculum vitant. Quid ergo? Audacissimus ego ex omnibus? Minime. An tanto officiosior quam ceteri? Ne istius quidem laudis ita sum cupidus, ut aliis eam praereptam velim. Quae res me igitur praeter[3] ceteros impulit, ut causam Sex. Rosci susciperem? Quia, si qui istorum dixisset, quos videtis adesse, in quibus summa auctoritas est atque amplitudo, si verbum de re publica[4] fecisset (id [est], quod in hac causa fieri necesse est), multo plura dixisse, quam dixisset, putaretur. [...] Ceterorum neque dictum obscurum potest esse[5] propter nobilitatem et amplitudinem neque temere dicto concedi[6] propter aetatem et prudentiam. [...] Ego si quid liberius dixero, vel occultum esse propterea, quod nondum ad rem publicam accessi, vel ignosci adulescentiae meae poterit. (177; Schwierigkeitsstufe: hoch)

---

1 quid est, quod: was ist der Grund, dass
2 iniuriam conflare: ein Unrecht planen
3 praeter (+ Akkusativ hier): anders als
4 res publica (hier und im Folgenden): Politik
5 esse (hier und im Folgenden): bleiben
6 concedere (+ Dativ): nachsehen, verzeihen

Non vereor, ne quis audeat ...

Im Jahre 75 v. Chr. bekleidete Cicero sein erstes Staatsamt: die Quästur. Zu den Aufgaben eines Quästors gehörte die Finanz- und Wirtschaftsverwaltung der Provinz. Cicero ging als einer von zwei Quästoren nach Sizilien, wo er sich durch seine vorbildliche, gewissenhafte und gerechte Amtsführung einen hervorragenden Ruf bei den Provinzbewohnern machte – nicht zuletzt deswegen wurde ihm wenige Jahre später die Staatsanwaltschaft im Prozess gegen Gaius Verres anvertraut.
Als Cicero nach einjähriger Dienstzeit die Insel wieder verließ, war er von sich und seiner Amtsführung so begeistert, dass er glaubte, auch seine Mitmenschen hätten kein anderes Gesprächsthema. Er wurde eines Besseren belehrt...

Non vereor, ne quis audeat dicere ullius in Sicilia quaesturam aut clariorem aut gratiorem fuisse. Vere mehercule hoc dicam: sic tum existimabam nihil homines aliud Romae nisi de quaestura mea loqui. Frumenti in summa caritate maximum numerum miseram. Negotiatoribus comis, mercatoribus iustus, mancipibus liberalis, sociis abstinens, omnibus eram visus in omni officio diligentissimus. Excogitati quidam erant a Siculis honores in me inauditi. Itaque hac spe decedebam, ut mihi populum Romanum ultro[1] omnia delaturum putarem. At ego, cum casu diebus iis itineris faciendi causa decedens e provincia Puteolos[2] forte venissem, cum[3] plurimi et lautissimi in iis locis solent esse, concidi paene, iudices, cum ex me quidam quaesisset, quo die Roma exissem et num quidnam esset novi. Cui cum respondissem me e provincia decedere: «Etiam mehercule», inquit, «ut opinor, ex Africa.» Huic ego iam stomachans fastidiose: «Immo[4], ex Sicilia,» inquam. Tum quidam, quasi qui omnia sciret: «Quid? Tu nescis,» inquit, «hunc quaestorem Syracusis[5] fuisse?» Quid multa? Destiti stomachari et me unum ex eis feci, qui ad aquas[6] venissent. Sed ea res, iudices, haud scio, an plus mihi profuerit, quam si mihi tum essent omnes gratulati. (184; Schwierigkeitsstufe: mittel)

---

1 ultro: von sich aus
2 Puteolos: nach Puteoli. Puteoli war ein nobler Badeort an der kampanischen Küste.
3 cum: übersetze «zu einer Zeit, zu der»
4 immo: Nein, Unsinn!
5 Syracusis: in Syrakus. Es gab damals auf Sizilien zwei Quästoren mit unterschiedlichen Amtssitzen: einem in Syrakus, einem in Lilybaeum. Cicero hatte seinen Amtssitz in Lilybaeum und nicht in Syrakus.
6 ad aquas: zum Baden

Me cuncta Italia ...

> Zu den politischen Gegnern Ciceros gehörte Lucius Calpurnius Piso, spätestens seit dem Jahre 58 v. Chr., als er an Ciceros Verbannung durch Publius Clodius Pulcher bereitwillig mitgewirkt hatte. Als sich beide im Jahre 55 in der Politik wiederbegegnen, rechnet Cicero in einer Schmährede mit ihm ab, unter anderem, indem er die Erfolge seines Konsulatsjahres gegen Pisos Konsulat (58) aufrechnet.

Me cuncta Italia, me omnes ordines, me universa civitas non prius tabella quam voce[1] priorem consulem declaravit. Sed omitto, ut[2] sit factus uterque nostrum. Sit sane Fors domina campi.[3] Magnificentius est dicere, quem ad modum gesserimus consulatum quam quem ad modum ceperimus. [...]

Ego L. Catilinam caedem senatus, interitum urbis non obscure sed palam molientem egredi ex urbe iussi, ut, a quo legibus non poteramus[4], moenibus tuti esse possemus. Ego tela extremo mense consulatus mei intenta iugulis civitatis de coniuratorum nefariis manibus extorsi. Ego faces iam accensas ad huius urbis incendium comprehendi, protuli, exstinxi. Me Q. Catulus, princeps huius ordinis et auctor publici consili, frequentissimo senatu parentem patriae nominavit. Mihi hic vir clarissimus, qui propter[5] te sedet, L. Gellius, his audientibus civicam coronam deberi a re publica dixit. Mihi togato[6] senatus non, ut multis, bene gesta[7], sed, ut nemini, conservata re publica singulari genere supplicationis deorum immortalium templa patefecit. [...]

Atque ita est a me consulatus peractus, ut nihil sine consilio senatus, nihil non approbante populo Romano egerim, ut semper in rostris curiam, in senatu populum defenderim, ut multitudinem cum principibus, equestrem ordinem cum senatu coniunxerim. Exposui breviter consulatum meum. Aude nunc, o furia, de tuo dicere! (195; Schwierigkeitsstufe: niedrig)

---

1   vox (hier): Wählergunst
2   ut (hier): wie
3   *Fors* ist hier die Göttin des Schicksals. Mit *campus* ist der *campus Martius* gemeint, das Marsfeld, auf dem die Komitien, also die Wahlen der Beamten für das kommende Jahr, abgehalten wurden.
4   ergänze: tuti esse
5   propter (hier): neben
6   togatus: «mit der Toga bekleidet», in der Toga. Die Toga steht hier für die gewöhnliche bürgerliche Friedenskleidung. Cicero spielt auf die Zeit nach seinem Konsulat an.
7   ergänze: re publica

Antequam de incommodis Siciliae dico ...

Die Provinz Sizilien hatte unter Verres in einem Maße gelitten wie unter keinem Statthalter zuvor. Und das, obwohl den Römern aus geostrategischen, wirtschaftlichen und kulturellen Interessen an guten Beziehungen zu dieser ersten aller römischen Provinzen gelegen sein musste. Den folgenden historischen Exkurs über die Bedeutung Siziliens für Rom schickt Cicero vorweg, um die Dimensionen im Fall Verres abzustecken.

Antequam de incommodis Siciliae dico, pauca mihi videntur esse de provinciae dignitate, vetustate, utilitate dicenda. Nam cum[1] omnium sociorum provinciarumque rationem diligenter habere debetis, tum praecipue Siciliae, iudices, plurimis iustissimisque de causis, primum, quod omnium nationum exterarum princeps
5 Sicilia se ad amicitiam fidemque populi Romani adplicavit. Prima omnium [...] provincia est appellata, prima docuit maiores nostros, quam praeclarum esset exteris gentibus imperare. Sola fuit ea fide benevolentiaque erga Romanum, ut civitates eius insulae, quae semel in amicitiam nostram venissent, numquam postea deficerent, pleraeque autem et maxime inlustres in amicitia perpetuo
10 manerent. Itaque maioribus nostris in Africam ex hac provincia gradus imperi factus est. Neque enim tam facile opes Carthaginis tantae concidissent, nisi illud et rei frumentariae subsidium et receptaculum classibus nostris pateret. Quare P. Africanus Carthagine deleta Siculorum urbes signis monumentisque pulcherrimis exornavit, ut, quos victoria populi Romani maxime laetari arbitrabatur, apud eos
15 monumenta victoriae plurima collocaret. Denique ille ipse M. Marcellus, cuius in Sicilia virtutem hostes, misericordiam victi, fidem ceteri Siculi perspexerunt, non solum sociis in eo bello consuluit, verum etiam superatis hostibus temperavit.
(174; Schwierigkeitsstufe: mittel)

---

1 cum ... tum ...: sowohl ... als auch ...

Hic quidem tyrannus ipse iudicavit ...

In der berühmten Geschichte vom sprichwörtlichen Damoklesschwert demonstriert Dionysius, der Herrscher von Syrakus, das trügerische Glück der Tyrannen:

Hic[1] quidem tyrannus ipse iudicavit, quam esset beatus. Nam cum quidam ex eius adsentatoribus, Damocles, commemoraret in sermone copias eius, opes, maiestatem dominatus, rerum abundantiam, magnificentiam aedium regiarum negaretque umquam beatiorem quemquam fuisse: «Visne igitur», inquit, «o Damocle, quoniam te haec vita delectat, ipse eam degustare et fortunam experiri meam?» Cum se ille cupere dixisset, conlocari iussit hominem in aureo lecto strato[2] pulcherrimo textili stragulo magnificis operibus picto abacosque compluris ornavit argento auroque caelato. Tum ad mensam eximia forma pueros delectos iussit consistere eosque nutum illius intuentis diligenter ministrare. Aderant unguenta, coronae, incendebantur odores, mensae conquisitissimis epulis extruebantur. Fortunatus sibi Damocles videbatur. In hoc medio apparatu fulgentem gladium e lacunari[3] saeta equina aptum[4] demitti iussit, ut impenderet illius beati cervicibus. Itaque nec pulchros illos ministratores aspiciebat nec plenum artis argentum nec manum porrigebat in mensam. Iam ipsae defluebant coronae. Denique exoravit tyrannum, ut abire liceret, quod tam beatus nollet esse. Satisne videtur declarasse Dionysius nihil esse ei beatum, cui semper aliqui terror impendeat? (163; Schwierigkeitsstufe: niedrig)

---

1   hic: gemeint ist Dionysius
2   strato: übersetze als PPP von *sternere*, «bedecken»
3   lacunar, lacunaris n (i-Deklination! daher der Ablativ): getäfelte Decke, Kassettendecke
4   aptus: aufgehängt

Rex ille ...

> Der letzte König Roms, Tarquinius Superbus, wurde in der römischen Literatur zum Inbegriff des Gewaltherrschers stilisiert. Unter seiner Herrschaft kam es auch zum vielzitierten Lucretia-Skandal, der schließlich Anlass zu seinem Sturz («510 – Tarquinius muss geh´n») und zur Geburtsstunde der Republik wurde. An diesem berühmten Beispiel römischer Sittenstrenge demonstriert Cicero, wie die Monarchie zur Tyrannis degenerierte.

Rex ille[1] [...] optimi regis[2] caede maculatus integra mente non erat. [...] Cum metueret ipse poenam sceleris sui summam, metui se volebat. Deinde victoriis divitiisque subnixus exultabat insolentia. Neque suos mores regere poterat neque suorum libidines. Itaque, cum maior eius filius Lucretiae, Tricipitini[3] filiae, Conlatini[4]
5 uxori, vim attulisset mulierque pudens et nobilis ob illam iniuriam sese ipsa morte multavisset, tum vir ingenio et virtute praestans, L. Brutus, depulit a civibus suis iniustum illud durae servitutis iugum. Qui cum privatus esset, totam rem publicam sustinuit primusque in hac civitate docuit in conservanda civium libertate esse privatum neminem. Quo auctore et principe concitata civitas et hac recenti querella
10 Lucretiae patris ac propinquorum et recordatione superbiae Tarquinii multarumque iniuriarum et ipsius et filiorum exulem et regem ipsum et liberos eius et gentem Tarquiniorum esse iussit. Videtisne igitur, ut[5] de rege dominus[6] extiterit uniusque vitio genus rei publicae ex bono in deterrumum conversum sit? Hic est enim dominus populi, quem Graeci tyrannum vocant. Nam regem illum volunt esse,
15 qui consulit ut parens populo conservatque eos, quibus est praepositus, quam optima in condicione vivendi [...]. Simul atque enim se inflexit hic rex in dominatum iniustiorem, fit continuo tyrannus. (190; Schwierigkeitsstufe: niedrig)

---

1 Tarquinius Superbus
2 gemeint ist Servius Tullius, der Vorgänger von Tarquinius Superbus
3 Lucretius Tricipitinus: Vater der Lucretia und als Nachfolger des Tarquinius Conlatinus zweiter Konsul Roms.
4 Tarquinius Conlatinus: Verwandter des Königs und kurze Zeit an der Seite von Brutus erster Konsul Roms.
5 ut; (hier): wie
6 dominus: Gewaltherrscher

Dicendum est enim ...

Im Kampf um die Vorherrschaft in Kleinasien haben die Römer zwei erklärte Gegner: König Mithridates V. von Pontus und seinen Verbündeten und Schwiegersohn König Tigranes von Armenien. In zwei Kriegen, den sogenannten Mithridatischen Kriegen, ist es den römischen Feldherren Lucius Cornelius Sulla und Lucius Licinius Lucullus immer wieder gelungen, Mithridates und Tigranes mit zum Teil vernichtenden Niederlagen in ihren Expansionsbestrebungen einzudämmen. Doch im Dritten Mithridatischen Krieg kommt es zu schweren strategischen und politischen Fehlern: handlungsunfähige Oberbefehlshaber, Meutereien beim Militär und Steuerausfälle bringen die Römer immer stärker unter Druck. In dieser kritischen Phase scheint nur noch ein Mann den drohenden Verlust des Krieges aufhalten zu können: Gnaius Pompeius Magnus. Ein Senatsbeschluss, die Lex Manilia, soll Pompeius den militärischen Oberbefehl übertragen. Zu den Befürwortern der Lex Manilia gehört auch Cicero. In einer berühmten Rede vor dem Volk setzt er sich dafür ein.

Dicendum est enim de Cn. Pompei singulari eximiaque virtute. Huius autem orationis difficilius est exitum quam principium invenire. Ita mihi non tam copia quam modus in dicendo quaerendus est. Atque ut inde oratio mea proficiscatur, unde haec omnis causa ducitur[1]: bellum grave et periculosum vestris vectigalibus atque sociis a duobus potentissimis adfertur regibus, Mithridate et Tigrane, quorum alter relictus, alter lacessitus occasionem sibi ad occupandam Asiam oblatam esse arbitratur. Equitibus Romanis, honestissimis viris, adferuntur ex Asia cotidie litterae, quorum magnae res[2] aguntur in vestris vectigalibus exercendis[3] occupatae[4]. Qui ad me pro[5] necessitudine, quae mihi est cum illo ordine, causam rei publicae periculaque rerum suarum detulerunt, Bithyniae[6], quae nunc vestra provincia est, vicos exustos esse complures, regnum Ariobarzanis[7], quod finitimum est vestris vectigalibus[8], totum esse in hostium potestate; L. Lucullum magnis rebus gestis ab eo bello discedere; [M. Acilium Glabrionem,[9]] qui huic successerit, non satis esse paratum ad tantum bellum administrandum; unum ab omnibus sociis et civibus ad id bellum imperatorem deposci atque expeti; eundem hunc unum ab hostibus metui, praeterea neminem. Causa quae sit, videtis. Nunc, quid agendum sit, ipsi considerate. (179; Schwierigkeitsstufe: hoch)

---

1 duci (hier): anfangen
2 res (hier): Vermögen, Anlagen
3 exercere (hier): eintreiben
4 occupare (hier): anlegen, investieren
5 pro (hier): in Anbetracht
6 Bithyniae: in Bithynien (Königreich im Norden Kleinasiens westlich von Pontus).
7 Ariobarzanes, Ariobarzanis m: König von Kappadokien, das im Norden an Pontus grenzt.
8 vectigal (hier): Steuerprovinz
9 Marcus Acilius Glabrio war der erfolglose Nachfolger des Lucullus.

Primum mihi videtur ...

Cicero informiert die römischen Bürger über die vermeintlichen Hintergründe und Bedeutung des Dritten Mithridatischen Krieges. Der Ruhm des römischen Volkes, das Wohl der Bundesgenossen, der Besitz römischer Bürger und vor allem manifeste wirtschaftliche Interessen römischer Steuerpächter stünden auf dem Spiel. Und nicht zuletzt ein Umstand müsse dem römischen Volk ein Dorn im Auge sein: dass der Kriegsverbrecher Mithridates noch immer frei herumlaufe.

Primum mihi videtur de genere belli, deinde de magnitudine, tum de imperatore deligendo esse dicendum. Genus est eius belli, quod maxime vestros animos excitare atque inflammare ad persequendi studium debeat. In quo agitur populi Romani gloria, quae vobis a maioribus cum[1] magna in omnibus rebus tum summa in re militari tradita est. Agitur salus sociorum atque amicorum, pro qua multa maiores vestri magna et gravia bella gesserunt. Aguntur certissima populi Romani vectigalia et maxima, quibus amissis et pacis ornamenta et subsidia belli requiretis. Aguntur bona multorum civium, quibus est a vobis et ipsorum causa[2] et rei publicae consulendum. Et quoniam semper appetentes gloriae [...] atque avidi laudis fuistis, delenda vobis est illa macula Mithridatico bello superiore concepta. Quae penitus iam insedit ac nimis inveteravit in populi Romani nomine, quod is, qui uno die tota in Asia tot in civitatibus uno nuntio atque una significatione cives Romanos necandos trucidandosque curavit,[3] non modo adhuc poenam nullam suo dignam scelere suscepit, sed ab illo tempore annum iam tertium et vicesimum [...] ita regnat, ut se non Ponti neque Cappadociae[4] latebris occultare velit, sed emergere ex patrio regno atque in vestris vectigalibus[5] [...] versari. (187; Schwierigkeitsstufe: hoch)

---

1 cum ... tum ... = sowohl ... als auch besonders ...
2 sowohl auf «ipsorum» als auch auf «rei publicae» zu beziehen.
3 Cicero spielt mit dieser Bemerkung auf Mithridates an, der während des Ersten Mithridatischen Krieges im Jahre 87 vor Christus an einem einzigen Tag 80 000 römische Zivilisten ermorden ließ, die unbescholten in Kleinasien, vor allem in Ephesos, lebten (sogenannter «Blutbefehl von Ephesos»).
4 *Ponti* und *Cappadociae* sind Lokative: in Pontus, in Kappadokien
5 vectigal (hier): Steuerprovinz

Si qui deus mihi largiatur ...

In einem Dialog lässt Cicero den alten Marcus Porcius Cato (234–149 v. Chr.) über das Leben, das Alter und den Tod plaudern – und nicht zuletzt auch über das Leben nach dem Tod.

Si qui deus mihi largiatur, ut ex hac aetate repuerascam et in cunis vagiam, valde recusem nec vero velim quasi decurso spatio[1] ad carceres a calce revocari[2]. Quid habet enim vita commodi? Quid non potius laboris? Sed habeat sane, habet certe tamen aut satietatem aut modum. Non libet enim mihi deplorare vitam, quod multi et docti saepe fecerunt, neque me vixisse paenitet, quoniam ita vixi, ut non frustra me natum existumem, et ex vita ita discedo tamquam ex hospitio, non tamquam domo. Commorandi enim natura deversorium nobis, non habitandi dedit. O praeclarum diem, cum in illud divinum animorum concilium coetumque proficiscar cumque ex hac turba et conluvione discedam! Proficiscar enim non [modo] ad eos viros, de quibus ante dixi, verum etiam ad Catonem meum[3], quo nemo vir melior natus est, nemo pietate praestantior; cuius a me corpus est crematum, […] animus vero non me deserens, sed respectans in ea profecto loca discessit, quo mihi ipsi cernebat esse veniendum. Quem ego meum casum fortiter ferre visus sum, non quo[4] aequo animo ferrem, sed me ipse consolabar existumans non longinquum inter nos digressum et discessum fore. (183; Schwierigkeitsstufe: hoch)

---

1 spatium: Rennstrecke (beim Wagenrennen)
2 ad carceres a calce revocari: «zur Startlinie von der Ziellinie zurückgepfiffen werden», sprichwörtlich für «von Neuem anfangen müssen»
3 ad Catonem meum: gemeint ist hier Catos Sohn, der ebenfalls Cato hieß. Dieser war bereits als junger Mann gestorben.
4 non quo: nicht dass

Nihil agis, nihil moliris …

> Im Jahre 63 v. Chr. bekleidet Cicero das höchste Amt des römischen Staates: den Konsulat. Die Zeit ist beherrscht von politischer Krisenstimmung am Rande eines Bürgerkrieges. Armut, hohe Privatverschuldung, Volksverhetzung und Gewalt auf den Straßen greifen um sich. Diese Entwicklung gipfelt in der Verschwörung des Lucius Sergius Catilina. Dieser plant die Ermordung Ciceros und einen bewaffneten Staatsstreich. Die Aufdeckung und Niederschlagung dieser sogenannten catilinarischen Verschwörung gilt als größte politische Leistung Ciceros – nicht zuletzt wegen seiner Selbstdarstellung als überlegener und wachsamer Politiker in den berühmten Reden gegen Catilina. Im folgenden Text enthüllt Cicero die Vorgänge am Vorabend der Verschwörung. Der Angesprochene ist Catilina.

Nihil agis, nihil moliris, nihil cogitas, quod non ego non modo audiam, sed etiam videam planeque sentiam. Recognosce mecum tandem noctem illam superiorem; iam intelleges multo me vigilare acrius ad salutem quam te ad perniciem rei publicae.

5 Dico te priore nocte venisse inter falcarios[1] – non agam obscure – in M. Laecae[2] domum; convenisse eodem compluris eiusdem amentiae scelerisque socios. Num negare audes? Quid taces? Convincam, si negas. Video enim esse hic in senatu quosdam, qui tecum una fuerunt. Fuisti igitur apud Laecam illa nocte, Catilina, distribuisti partis Italiae, statuisti, quo quemque proficisci placeret, delegisti, quos
10 Romae relinqueres, quos tecum educeres, discripsisti urbis partis ad incendia, confirmasti te ipsum iam esse exiturum, dixisti paulum tibi esse etiam nunc morae[3], quod ego viverem. Reperti sunt duo equites Romani, qui te ista cura liberarent et se illa ipsa nocte paulo ante lucem me in meo lecto interfecturos esse pollicerentur. Haec ego omnia vixdum etiam coetu[4] vestro dimisso comperi. Domum meam
15 maioribus praesidiis munivi atque firmavi, exclusi eos, quos tu ad me salutatum[5] mane miseras, cum illi ipsi venissent, quos ego iam multis ac summis viris ad me id temporis venturos esse praedixeram. (189; Schwierigkeitsstufe: niedrig)

---

1 inter falcarios: in die Sichelmachergasse
2 Marcus Laeca m: ein Mitschverschwörer Catilinas
3 morae esse (Dativus finalis): lästig sein
4 coetus, coetūs m: Senatssitzung. Cicero hatte am Vortag eine Krisensitzung des Senates einberufen.
5 salutatum = zur Begrüßung. Die römische Gesellschaftsstruktur beruhte auf dem unbedingten Treueverhältnis zwischen Patron (patronus) und Klient (cliens), die sich gegenseitig gerichtlich und politisch unterstützten. Als Demonstration dieses Treueverhältnisses diente das allmorgendliche Ritual der «salutatio», einer Art Umtrunk im Hause des Patrons, zu dem sich alle seine Klienten einfanden. Zu den Klienten Ciceros zählten zahlreiche römische Ritter – war er doch selbst Ritter.

Tandem aliquando, Quirites, ...

In der ersten Rede gegen Catilina hat Cicero die Verschwörung gegen sich aufgedeckt und Catilina aufgefordert die Stadt zu verlassen. Da dieser vor allem beim einfachen Volk durchaus Sympathisanten hat, muss Cicero auch sie auf seine Seite bringen. In der folgenden zweiten Rede peitscht er in der Volksversammlung mit drastischer Hetzpropaganda gegen das neue Feindbild ein.

Tandem aliquando, Quirites, L. Catilinam furentem audacia, scelus anhelantem, pestem patriae nefarie molientem, vobis atque huic urbi ferro flammaque minitantem ex urbe vel eiecimus vel emisimus vel ipsum egredientem verbis prosecuti[1] sumus. Abiit, excessit, evasit, erupit. Nulla iam pernicies a monstro illo atque prodigio moenibus ipsis intra moenia comparabitur. Atque hunc quidem unum huius belli domestici ducem sine controversia vicimus. Non enim iam inter latera nostra sica illa versabitur, non in campo[2], non in foro, non in curia, non denique intra domesticos parietes pertimescemus. Loco ille motus est, cum est ex urbe depulsus. Palam iam cum hoste nullo impediente bellum iustum geremus. Sine dubio perdidimus hominem magnificeque vicimus, cum illum ex occultis insidiis in apertum latrocinium coniecimus. Quod[3] vero non cruentum mucronem, ut voluit, extulit, quod vivis nobis egressus est, quod ei ferrum e manibus extorsimus, quod incolumis civis[4], quod stantem urbem reliquit, quanto tandem illum maerore esse adflictum et profligatum putatis? Iacet ille nunc prostratus, Quirites, et se perculsum atque abiectum esse sentit et retorquet oculos profecto saepe ad hanc urbem, quam e suis faucibus ereptam esse luget. Quae quidem mihi laetari videtur, quod tantam pestem evomuerit forasque[5] proiecerit. (190; Schwierigkeitsstufe: mittel)

---

1 verbis prosequi: mit guten Wünschen geleiten
2 campo: ergänze *Martio*
3 quod (hier und im Folgenden): faktisches *quod*
4 zu lesen: incolumīs civīs
5 foras: vor die Tore, nach draußen

At etiam sunt, qui dicant ...

Nachdem Cicero die catilinarische Verschwörung aufgedeckt und Catilina aufgefordert hat die Stadt zu verlassen, ist dieser tatsächlich am folgenden Tag verschwunden. Nun werden Vorwürfe von seinen Gegnern laut, er habe Catilina, einen Bürger und Senator Roms, unrechtmäßig ins Exil geschickt. Gegen diese Vorwürfe versucht sich Cicero nun in einer Rede vor dem Volk zu verteidigen, unter anderem mit dem Argument, dass er auch als Konsul niemanden mit einer einzigen Senatsrede exilieren könne und dass Catilina freiwillig gegangen sei.

At etiam sunt, qui dicant, Quirites, a me eiectum esse Catilinam. Quod ego si verbo adsequi possem, istos ipsos eicerem, qui haec loquuntur. Homo[1] enim videlicet timidus aut etiam permodestus vocem consulis ferre non potuit. Simul atque ire in exsilium iussus est, paruit. Quin hesterno die, cum domi meae paene interfectus essem, senatum in aedem Iovis Statoris[2] convocavi, rem omnem ad patres conscriptos detuli. Quo[3] cum Catilina venisset, quis eum senatorem appellavit, quis salutavit, quis denique ita aspexit ut perditum civem ac non potius ut importunissimum hostem? Quin etiam principes eius ordinis partem illam subselliorum, ad quam ille accesserat, nudam atque inanem reliquerunt. Hic ego vehemens ille consul, qui verbo cives in exsilium eicio, quaesivi a Catilina, utrum in nocturno conventu ad M. Laecam fuisset necne. Cum ille homo audacissimus conscientia convictus primo reticuisset, patefeci cetera. Quid ea nocte egisset, ubi fuisset, quid in proximam[4] constituisset, quemadmodum esset ei ratio totius belli descripta, edocui. Cum haesitaret, cum teneretur, quaesivi, quid dubitaret proficisci eo, quo iam pridem pararet[5]. [...] In exsilium eiciebam, quem iam ingressum esse in bellum videram?
(177; Schwierigkeitsstufe: mittel)

---

1 homo: gemeint ist Catilina
2 Iupiter Stator, Iovis Statoris m: Jupiter Stator (der Erhalter); Cicero hatte diesen symbolischen Tempel nicht ohne Grund gewählt.
3 quo = eo (als Adverb!)
4 proximam: ergänze: noctem
5 pararet: ergänze: proficisci

Etenim recordamini, Quirites ...

Bis zum Zeitpunkt der catilinarischen Verschwörung (63 v. Chr.) hatte es immer wieder bürgerkriegsartige Zustände gegeben. Nachdem er jedoch zahlreiche Beispiele von gewaltsamen Ausschreitungen gegen Bürger aufgezählt hat, erklärt Cicero den Quiriten im folgenden Text, worin sich seiner Ansicht nach all diese von der gegenwärtigen Situation unterscheiden:

Etenim recordamini, Quirites, omnis civilis dissensiones, non solum eas, quas audistis, sed eas, quas vosmet[1] ipsi meministis atque vidistis. L. Sulla P. Sulpicium oppressit. C. Marium, custodem huius urbis, multosque fortis viros partim eiecit ex civitate, partim interemit. Cn. Octavius consul armis expulit ex urbe conlegam: omnis hic locus acervis corporum et civium sanguine redundavit. Superavit postea Cinna cum Mario: tum vero clarissimis viris interfectis lumina civitatis exstincta sunt. Ultus est huius victoriae crudelitatem postea Sulla; ne dici quidem opus est, quanta deminutione civium et quanta calamitate rei publicae. Dissensit M. Lepidus a clarissimo et fortissimo viro Q. Catulo. Attulit non tam ipsius interitus rei publicae luctum quam ceterorum.

Atque illae tamen omnes dissensiones erant eius modi, quae non ad delendam sed ad commutandam rem publicam pertinerent. Non illi nullam esse rem publicam, sed in ea, quae esset, se esse principes, neque hanc urbem conflagrare, sed se in hac urbe florere voluerunt. Atque illae tamen omnes dissensiones, quarum nulla exitium rei publicae quaesivit, eius modi fuerunt, ut non reconciliatione concordiae sed internecione civium diiudicatae sint. (175; Schwierigkeitsstufe: niedrig)

---

1 vosmet = vos

Ignosce, ignosce, Caesar ...

> Während des Bürgerkrieges zwischen Caesar und Pompeius stand König Deiotarus von Galatien auf der Seite des Pompeius, ging nach dessen Niederlage aber zu Caesar über. Im Jahre 45 v. Chr. ließ sich Caesar jedoch von Feinden des Königs zu einer Anklage verleiten unter dem Vorwand, Deiotarus habe einen Attentatsversuch auf ihn geplant. Mit einem Appell an Caesars sprichwörtliche Milde übernahm Cicero die Verteidigung und nutzte sie auch zu einem Nachruf auf seinen alten politischen Partner Pompeius.

Ignosce, ignosce, Caesar, si eius viri[1] auctoritati rex Deiotarus cessit, quem nos omnes secuti sumus; ad quem cum[2] di atque homines omnia ornamenta congessissent, tum tu ipse plurima et maxima. Nec enim, si tuae res gestae ceterorum laudibus obscuritatem attulerunt, idcirco Cn. Pompei memoriam amisimus. Quantum
5 nomen illius fuerit, quantae opes, quanta in omni genere bellorum gloria, quanti honores populi Romani, quanti senatus, quanti tui, quis ignorat? Tanto[3] ille superiores vicerat gloria, quanto tu omnibus praestitisti. Itaque Cn. Pompei bella, victorias, triumphos, consulatus admirantes numerabamus: tuos enumerare non possumus.

10 Ad eum igitur rex Deiotarus venit hoc misero fatalique bello, quem antea iustis hostilibusque bellis adiuverat, quocum erat non hospitio solum, verum etiam familiaritate coniunctus, et venit vel rogatus ut amicus, vel arcessitus ut socius, vel evocatus ut is, qui senatui parere didicisset. Postremo venit ut ad fugientem, non ut ad insequentem, id est: ad periculi, non ad victoriae societatem.

15 Itaque Pharsalico proelio facto a Pompeio discessit. Spem infinitam persequi noluit. Vel officio si quid debuerat, vel erroris si quid nescierat, satis factum esse duxit. Domum se contulit teque Alexandrinum bellum gerente utilitatibus tuis paruit.

(184; Schwierigkeitsstufe: mittel)

---
1 eius viri: gemeint ist Pompeius
2 cum ... tum ... hier: sowohl ... als auch besonders ...
3 tanto ... quanto ...: genau so ... wie ...

Segesta est oppidum pervetus ...

Im folgenden Text erzählt Cicero das wechselvolle Schicksal einer Diana-Statue aus der sizilischen Stadt Segesta, die nach Kriegen und Plünderungen an ihren Ursprungsort zurückkehrte, nur um dort Verres in die Hände zu fallen.

Segesta est oppidum pervetus in Sicilia, iudices, quod ab Aenea fugiente a Troia atque in haec loca veniente conditum esse demonstrant[1]. [...] Hoc quondam oppidum [...] a Carthaginiensibus vi captum atque deletum est omniaque, quae ornamento urbi esse possent, Carthaginem[2] sunt [...] deportata. Fuit apud Segestanos ex aere Dianae simulacrum, cum[3] summa atque antiquissima praeditum religione tum singulari opere artificioque perfectum. Erat admodum amplum et excelsum signum cum stola, verum tamen inerat in illa magnitudine aetas atque habitus virginalis: sagittae pendebant ab umero, sinistra manu retinebat arcum, dextra ardentem facem[4] praeferebat.

Aliquot saeculis post P. Scipio bello Punico tertio Carthaginem cepit. [...] Illo tempore Segestanis maxima cum cura haec ipsa Diana, de qua dicimus, redditur. Reportatur Segestam[5]. In suis antiquis sedibus summa cum gratulatione civium et laetitia reponitur. [...] Colebatur a civibus. Ab omnibus advenis visebatur. [...] Hanc cum iste[6] sacrorum omnium et religionum hostis praedoque vidisset, quasi illa ipsa face percussus esset, item flagrare cupiditate atque amentia coepit. Imperat magistratibus, ut eam demoliantur et sibi dent. Nihil sibi gratius ostendit futurum. [...] Iste tum[7] petere ab illis, tum minari [...]. Itaque aliquando multis malis magnoque metu victi Segestani praetoris imperio parendum esse decreverunt. Magno cum luctu totius civitatis [...] simulacrum Dianae tollendum locatur[8]. (195; Schwierigkeitsstufe: niedrig)

---

1 demonstrare (hier): den Anspruch erheben (mit AcI)
2 Carthaginem: nach Karthago
3 cum ... tum ...: sowohl ... als auch besonders ...
4 fax, facis f: Fackel
5 Segestam: nach Segesta
6 iste: Verres
7 tum ... tum ...: bald ... bald ...
8 locare: durchführen

Et quoniam mihi videris ...

Um den Konsulat für das Jahr 62 hatte sich Servius Sulpicius Rufus, ein Anwalt und Freund Ciceros, beworben. Als er sich jedoch nicht gegen seinen Mitbewerber Lucius Licinius Murena durchsetzen konnte, erhob er gegen diesen Anklage wegen Wählerbestechung. Cicero übernahm die Verteidigung Murenas. Im folgenden Text hält er Sulpicius, der große Stücke auf seine juristischen Fähigkeiten hielt, unter anderem entgegen, er verfüge für eine Kandidatur als Konsul nicht über das nötige Ansehen (dignitas).

Et quoniam mihi videris istam scientiam iuris tamquam filiolam osculari tuam, non patiar te in tanto errore versari, ut istud, [...] quod tanto opere didicisti, praeclarum aliquid esse arbitreris. Aliis ego te virtutibus, continentiae, gravitatis, iustitiae, fidei, ceteris omnibus, consulatu et omni honore semper dignissimum
5 iudicavi. Quod quidem[1] ius civile didicisti, [...] illud dicam: nullam esse in ista disciplina munitam ad consulatum viam. Omnes enim artes, quae nobis populi Romani studia concilient[2], et admirabilem dignitatem et pergratam utilitatem[3] debent habere. Summa dignitas est in eis, qui militari laude antecellunt. Omnia enim, quae sunt in imperio et in statu civitatis, ab his defendi et firmari putantur.
10 Summa etiam utilitas[4], si quidem eorum consilio et periculo cum[5] re publica tum etiam nostris rebus perfrui[6] possumus. Gravis etiam illa est et plena dignitatis dicendi facultas, quae saepe valuit in consule deligendo [...]. Quaeritur consul, qui dicendo non numquam comprimat tribunicios furores, qui concitatum populum flectat, qui largitioni resistat. Non mirum, si ob hanc facultatem homines saepe
15 etiam non nobiles consulatum consecuti sunt, praesertim cum haec eadem res plurimas gratias, firmissimas amicitias, maxima studia pariat. Quorum in isto vestro artificio, Sulpici, nihil est. (186; Schwierigkeitsstufe: mittel)

---

1   quod quidem: «was allerdings die Tatsache betrifft, dass ...»
2   studia conciliare: Wählerstimmen sichern
3   utilitas: Interessenvertretung
4   summa etiam utilitas: ergänze «est in illis»
5   cum ... tum etiam ...: sowohl ... als auch ganz besonders ...
6   perfrui (+ Ablativ): Nutzen ziehen aus

Vetus est haec opinio ...

In einem alten, bereits aus griechischer Zeit überlieferten Mythos wird erzählt, wie Dis Pater, der Totengott, Libera, die Tochter der Getreidegöttin Ceres, in die Unterwelt entführt. Im folgenden Text schildert Cicero, warum dieser Mythos und diese Gottheiten für die Insel Sizilien von besonderer Bedeutung sind.

Vetus est haec opinio [...] insulam Siciliam totam esse Cereri[1] et Liberae[2] consecratam. [...] Nam et natas esse has in his locis deas et fruges in ea terra primum repertas esse arbitrantur et raptam esse Liberam [...] ex Hennensium nemore[3]. Quam cum investigare et conquirere Ceres vellet, dicitur inflammasse taedas iis ignibus, qui ex Aetnae vertice erumpunt. [...] Henna autem, ubi ea, quae dico, gesta esse memorantur, est loco perexcelso atque edito, quo in summo[4] est aequata agri planities et aquae perennes, tota vero ab omni aditu circumcisa atque directa est. Quam circa[5] lacus lucique sunt plurimi atque laetissimi flores omni tempore anni, locus ut ipse raptum illum virginis [...] declarare videatur. Etenim prope est spelunca quaedam conversa ad aquilonem infinita altitudine[6], qua Ditem[7] patrem ferunt[8] repente cum curru exstitisse abreptamque ex eo loco virginem secum asportasse et subito non longe a Syracusis penetrasse sub terras lacumque in eo loco repente exstitisse, ubi usque ad hoc tempus Syracusani festos dies anniversarios agunt celeberrimo virorum mulierumque conventu. Propter huius opinionis vetustatem, quod horum in his locis vestigia ac prope incunabula reperiuntur deorum, mira quaedam tota Sicilia privatim ac publice religio est Cereris Hennensis. (187; Schwierigkeitsstufe: hoch)

---

1 Ceres, Cereris f: Ceres, auch bekannt unter dem griechischen Namen Demeter, die Göttin des Getreides und der Fruchtbarkeit
2 Libera, Liberae f: Libera, in Griechenland auch bekannt als Persephone, latinisiert Proserpina, Tochter der Ceres und später als Gemahlin des Dis Pater Göttin und Herrscherin der Unterwelt
3 Hennensium nemus: der heilige Hain von Henna, der wegen seiner zentralen Lage in der Mitte der Insel auch «Nabel Siziliens» genannt wird
4 quo in summo: auf dessen höchster Stelle (= Gipfel)
5 quam circa = circa quam. circa (+ Akkusativ): rings um
6 altitudo (hier): Tiefe
7 Dis pater, Ditis patris: Vater Dis, auch bekannt als Hades oder Pluto, Gott der Unterwelt und des Reichtums.
8 ferunt: sie überliefern, sie erzählen

Quaeris a me ...

Um die Nachfolge von Ciceros Konsulat hatten sich der Jurist Servius Sulpicius Rufus und Lucius Licinius Murena, ehemals Offizier im 2. Mithridatischen Krieg, beworben. Beide gehörten zu Ciceros optimatischen Parteigängern und zu beiden unterhielt er freundschaftliche Beziehungen. Dennoch favorisierte Cicero Murena, nicht zuletzt, weil er dem ehemaligen Militär eher zutraute die Folgen der catilinarischen Verschwörung zu beherrschen. Als Sulpicius gegen Murena Anklage wegen Wählerbestechung erhob, ergriff Cicero für seinen Wunschnachfolger das Wort:

Quaeris[1] a me, ecquid[2] ego Catilinam metuam. Nihil[3], et curavi, ne quis metueret, sed copias[4] illius, quas hic video, dico esse metuendas. Nec tam timendus est nunc exercitus L. Catilinae quam isti, qui illum exercitum deseruisse dicuntur. Non enim deseruerunt, sed ab illo in speculis atque insidiis relicti in capite atque in cervicibus nostris restiterunt. Hi et integrum consulem et bonum imperatorem et natura et fortuna cum rei publicae salute coniunctum deici de urbis praesidio et de custodia civitatis vestris sententiis[5] deturbari volunt. [...] His vos si alterum consulem tradideritis, plus multo erunt vestris sententiis quam suis gladiis consecuti. [...] Nolite arbitrari mediocribus consiliis aut usitatis viis eos uti. Non lex improba, non perniciosa largitio, non auditum aliquando aliquod malum rei publicae quaeritur. Inita sunt in hac civitate consilia, iudices, urbis delendae, civium trucidandorum, nominis Romani exstinguendi. Atque haec cives, cives, inquam, si eos hoc nomine appellari fas est, de patria sua et cogitant et cogitaverunt. Horum ego cotidie consiliis occurro, audaciam debilito, sceleri resisto. Sed moneo, iudices. In exitu iam est meus consulatus. Nolite mihi subtrahere vicarium meae diligentiae, nolite adimere eum, cui rem publicam cupio tradere incolumem ab his tantis periculis defendendam. (192; Schwierigkeitsstufe: niedrig)

---

1 der Angesprochene ist Sulpicius, der auf Klägerseite das Wort führt
2 ecquid = num
3 nihil (hier): «ganz und gar nicht»
4 copiae (hier): Anhänger
5 sententiae (hier und im Folgenden): Wählerstimmen

Bellum Gallicum, patres conscripti ...

Mit den Galliern hatten römische Feldherren seit Jahrhunderten immer wieder kriegerische Auseinandersetzungen ausgetragen, vornehmlich in defensiver Absicht. Als Caesar im Jahre 58 v. Chr. nach Gallien ging, hatte er im Gegensatz zu seinen Vorgängern nur ein erklärtes Ziel: die vollständige und endgültige Unterwerfung Galliens. Aus diesen Gründen sprach sich auch Cicero für den Einsatz aus:

Bellum Gallicum, patres conscripti, C. Caesare imperatore gestum est, antea tantum modo repulsum. Semper illas nationes nostri imperatores refutandas potius bello quam lacessendas putaverunt. [...] C. Caesaris longe aliam video fuisse rationem. Non enim sibi solum cum iis, quos iam armatos contra populum Romanum videbat, bellandum esse duxit[1], sed totam Galliam in nostram dicionem[2] esse redigendam. Itaque cum acerrimis nationibus et maximis Germanorum et Helvetiorum proeliis felicissime decertavit, ceteras conterruit, compulit, domuit, imperio populi Romani parere adsuefecit, et, quas regiones quasque gentis nullae nobis antea litterae, nulla vox, nulla fama notas fecerat, has noster imperator nosterque exercitus et populi Romani arma peragrarunt. Semitam tantum Galliae tenebamus antea, patres conscripti. Ceterae partes a gentibus aut inimicis huic imperio aut infidis aut incognitis aut certe immanibus et barbaris et bellicosis tenebantur. Quas nationes[3], nemo umquam fuit, quin frangi domarique cuperet. Nemo sapienter de re publica nostra cogitavit iam inde a principio huius imperi, quin Galliam maxime timendam huic imperio putaret. Sed propter vim ac multitudinem gentium illarum numquam est antea cum omnibus dimicatum. Restitimus semper lacessiti: nunc denique est perfectum, ut imperi nostri terrarumque illarum idem esset extremum[4].

(185; Schwierigkeitsstufe: hoch)

---

1   ducere (hier): überzeugt sein
2   in dicionem redigere: in die Gewalt bringen
3   *quas nationes* ist gleichzeitig relativer Anschluss und Subjektsakkusativ des *quin*-Satzes. Stelle entsprechend um!
4   extremum (hier): Grenze

Venio nunc ad istius ...

Der Senator Gaius Verres hatte seine Prätur in der Provinz Sizilien dazu missbraucht sich durch Raub und Erpressung zu bereichern. Doch eines seiner Verbrechen überstieg auch die Grenze römischer Toleranz: seine Kunstraube, die er in einem so pathologischen Ausmaße betrieben hatte, dass Cicero diesem Thema eine eigene Prozessakte widmete. Die folgende (leider nie gehaltene) Vorrede sollte den Auftakt der Verhandlung bilden.

Venio nunc ad istius, quemadmodum ipse appellat, studium[1], ut amici eius, morbum et insaniam, ut Siculi, latrocinium. Ego quo nomine appellem, nescio. Rem vobis proponam, vos eam suo, non nominis pondere penditote[2]. Genus ipsum prius cognoscite, iudices. Deinde fortasse non magno opere quaeretis, quo id nomine appellandum putetis. Nego in Sicilia tota, tam locupleti, tam vetere provincia, tot oppidis, tot familiis tam copiosis, ullum argenteum vas, ullum Corinthium aut Deliacum fuisse, ullam gemmam aut margaritam, quicquam ex auro aut ebore factum, signum ullum aeneum, marmoreum, eburneum, nego ullam picturam neque in tabula neque in textili[3], quin[4] conquisierit[5], inspexerit, quod placitum sit[6], abstulerit. Magnum videor dicere: attendite etiam, quemadmodum dicam. Neque enim verbi neque criminis augendi causa complector omnia. Cum dico nihil istum eius modi rerum in tota provincia reliquisse, Latine[7] me scitote[8], non accusatorie loqui. Etiam planius:[9] nihil in aedibus cuiusquam, ne in hospitis quidem, nihil in locis communibus, ne in fanis quidem, nihil apud Siculum, nihil apud civem Romanum, denique nihil istum, quod ad oculos animumque acciderit, neque privati neque publici neque profani neque sacri tota in Sicilia reliquisse. (183; Schwierigkeitsstufe: mittel)

---

1 studium (hier): Lieblingsbeschäftigung
2 penditote = pendite
3 Gedanklich ist noch immer «fuisse» zu ergänzen.
4 quin = quod non (Relativpronomen im Neutrum, bezieht sich aber gedanklich auf *vas, gemmam, margaritam, quicquam, signum* und *picturam* zusammen)
5 conquisierit = conquisiverit
6 placitum sit: *placere, «gefallen»,* liegt hier in Form des semideponenten Perfekts vor.
7 Latine loqui = «Lateinisch sprechen» war gleichbedeutend mit «klar, offen, ehrlich sprechen».
8 scitote = scite
9 Ergänze *dico* und beachte *istum* weiter unten!

In eo sacrario intimo ...

Cicero deckt auf, wie Verres als Prätor von Sizilien nicht einmal vor der Schändung von Heiligtümern zurückschreckte. Zu diesen Freveln zählt der Raub des Kultbildes aus dem Cerestempel von Catina. Die Schuld dafür versuchte er obendrein noch einem Unschuldigen zuzuschieben.

In eo sacrario intimo signum fuit Cereris perantiquum, quod viri non modo non, cuius modi esset, sed ne esse quidem sciebant. Aditus enim in id sacrarium non est viris. Sacra per mulieres ac virgines confici solent. Hoc signum noctu clam istius servi ex illo religiosissimo atque antiquissimo loco sustulerunt. Postridie sacerdotes[1] Cereris atque illius fani antistitae[2], maiores natu, probatae ac nobiles mulieres, rem ad magistratus suos deferunt. Omnibus acerbum, indignum, luctuosum denique videbatur. Tum iste permotus illa atrocitate negoti[3], ut ab se sceleris illius suspicio demoveretur, dat hospiti [...] cuidam negotium[4], ut aliquem reperiret, quem illud fecisse insimularet, daretque operam, ut is eo crimine damnaretur, ne ipse esset in crimine. Res non procrastinatur. Nam cum iste Catina profectus esset, servi cuiusdam nomen defertur. Is accusatur, ficti testes in eum dantur. Rem cunctus senatus Catinensium[5] legibus iudicabat. Sacerdotes vocantur. Ex iis quaeritur secreto in curia, quid esse factum arbitrarentur, quem ad modum signum esset ablatum. Respondent illae praetoris in eo loco servos esse visos[6]. Res, quae esset iam antea non obscura, sacerdotum testimonio perspicua esse coepit. Itur in consilium. Servus ille innocens omnibus sententiis absolvitur, quo[7] facilius vos hunc omnibus sententiis condemnare possitis. (190; Schwierigkeitsstufe: niedrig)

---

1 sacerdos (hier f): «die Priesterin», da es sich ja um eine weibliche Priesterschaft handelt
2 antistita: Hohepriesterin
3 negotium (hier): Tat
4 negotium (hier): Auftrag
5 Catinenses: Catinenser, Gemeinde von Catina
6 esse visos: *videri* steht hier nicht in deponenter, sondern ganz wörtlicher, passiver Bedeutung.
7 quo (+ Komparativ): damit umso

Sciunt ei, qui me norunt …

Im Jahre 82 v. Chr. übernahm Cornelius Sulla für drei Jahre als Diktator die Macht im römischen Staat. Zu seinen ersten Amtshandlungen gehörte die Wiederherstellung der Senatshoheit und die Entmachtung der Volksvertreter. Zu seinen weiteren Amtshandlungen gehörte die Enteignung und Ermordung sämtlicher innenpolitischer Gegner (sog. «Proskriptionen»). Wie Cicero diese Zeit erlebt und bewertet, legt er im folgenden Text dar.

Sciunt ei, qui me norunt[1], me pro mea tenui infirmaque parte, postea quam id, quod maxime volui, fieri non potuit, ut componeretur, id maxime defendisse, ut ei vincerent, qui vicerunt. Quis enim erat, qui non videret humilitatem[2] cum dignitate[3] de amplitudine contendere? Quo in certamine perditi civis erat non se ad eos iungere, quibus incolumibus[4] et domi dignitas et foris auctoritas retineretur. Quae perfecta esse et suum cuique honorem et gradum redditum gaudeo, iudices, vehementerque laetor eaque omnia deorum voluntate, studio populi Romani, consilio et imperio et felicitate L. Sullae gesta esse intellego. Quod[5] animadversum est in eos, qui contra omni ratione pugnarunt[6], non debeo reprehendere. Quod viris fortibus, quorum opera eximia in rebus gerendis exstitit, honos habitus est, laudo. Quae ut fierent, idcirco pugnatum esse arbitror meque in eo studio partium fuisse[7] confiteor. Sin [...] id actum est[8] et idcirco arma sumpta sunt, ut homines postremi pecuniis alienis locupletarentur et in fortunas unius cuiusque impetum facerent, et id non modo re[9] prohibere non licet, sed ne verbis quidem vituperare, tum vero in isto bello non recreatus neque restitutus, sed subactus oppressusque populus Romanus est. (185; Schwierigkeitsstufe: hoch)

---

1 norunt = noverunt
2 humilitas (hier): der untere Stand, Unterschicht
3 dignitas (hier): Senatsstand, Oberschicht
4 quibus incolumibus: durch deren Schonung
5 quod (hier und im folgenden Satz): faktisches *quod*
6 pugnarunt = pugnaverunt
7 in eo studio partium esse: auf dieser Seite der Parteien stehen
8 id actum est: es ging darum
9 re (hier): durch Handeln

Altklausuren – Caesar

At hostes ...

Caesar hat mit seinem Heer den Rhein, die Grenze zwischen Gallien und Germanien, überschritten. Nachdem er mit den Germanen in Unterhandlungen getreten ist, einigt man sich zunächst auf einen Waffenstillstand. Trotzdem wird die römische Reiterei in einem überraschenden Moment von den Germanen angegriffen. Caesar schildert den Hergang der Schlacht und im letzten Teil den tragischen Tod zweier Soldaten.

At hostes, ubi primum nostros equites conspexerunt, quorum erat quinque milium[1] numerus, cum ipsi non amplius octingentos[2] equites haberent, quod ii, qui frumentandi causa erant trans Mosam[3] profecti, nondum redierant, nihil timentibus nostris, quod legati eorum paulo ante a Caesare discesserant atque is dies indutiis erat ab his petitus, impetu facto celeriter nostros perturbaverunt. Rursus his[4] resistentibus sua consuetudine ad pedes desiluerunt[5] subfossisque[6] equis compluribusque nostris deiectis reliquos in fugam coniecerunt atque ita perterritos egerunt, ut non prius fuga desisterent quam in conspectum agminis nostri venissent.

In eo proelio ex equitibus nostris interficiuntur quattuor et septuaginta[7], in his vir fortissimus Piso Aquitanus amplissimo genere natus, cuius avus in civitate sua regnum obtinuerat, amicus ab senatu nostro appellatus. Hic, cum fratri intercluso ab hostibus auxilium ferret, illum ex periculo eripuit, ipse equo vulnerato deiectus, quoad potuit, fortissime restitit. Cum circumventus multis vulneribus acceptis cecidisset atque id frater, qui iam proelio excesserat, procul animadvertisset, incitato equo se hostibus obtulit atque item interfectus est. (161; Schwierigkeitsstufe: hoch)

---

1 quinque milium: «fünf der Tausend» = 5000
2 übersetze *quam octingentos*; octingenti: achthundert = 800
3 Mosa, Mosae f: die Maas
4 bezieht sich auf *nostros*
5 Subjekt sind die Feinde
6 subfodere, subfodio, subfodi, subfossum: von unten aufschlitzen
7 quattuor et septuaginta: «vier und siebzig» = 74

Erant in ea legione ...

Spätestens seit der Fernsehserie «Rom» sind sie weltberühmt: Die beiden Soldaten Titus Pullo und Lucius Vorenus aus Caesars 13. Legion. Der folgende Text, der als einziger ihre historische Existenz dokumentiert, erzählt ihre «wahre» Geschichte.

Erant in ea legione fortissimi viri, centuriones, qui iam primis ordinibus appropinquarent, Titus Pullo et Lucius Vorenus. Hi perpetuas inter se controversias habebant, uter alteri anteferretur, omnibusque annis de locis summis simultatibus contendebant.

Ex his Pullo, cum acerrime ad munitiones pugnaretur, «Quid dubitas,» inquit, «Vorene? Aut quem locum tuae probandae virtutis exspectas? Hic dies de nostris controversiis iudicabit.» Haec cum dixisset, procedit extra munitiones quaque[1] pars hostium confertissima est visa, irrumpit. Ne Vorenus quidem tum sese vallo continet, sed omnium veritus existimationem subsequitur. Mediocri spatio relicto Pullo pilum in hostes immittit atque unum ex multitudine procurrentem traicit. Quo percusso et exanimato hunc scutis protegunt, in hostem tela universi coniciunt neque dant progrediendi facultatem.[2] Transfigitur scutum Pulloni et verutum in balteo defigitur. Avertit hic casus vaginam et gladium educere conanti dextram moratur manum impeditumque[3] hostes circumsistunt. Succurrit inimicus illi Vorenus et laboranti subvenit. Ad hunc se confestim a Pullone omnis multitudo convertit. [...] Vorenus gladio rem comminus gerit[4] atque uno interfecto reliquos paulum propellit; dum cupidius instat, in locum inferiorem deiectus concidit. Huic rursus circumvento fert subsidium Pullo atque ambo incolumes compluribus interfectis summa cum laude sese in munitiones recipiunt [...], ne diiudicari posset, uter utri virtute anteferendus videretur. (196; Schwierigkeitsstufe: hoch)

---

1 quaque: und wo
2 Subjekt dieses Satzes sind die Feinde.
3 Zu *conanti* und *impeditum* ergänze gedanklich *Pulloni* bzw. *Pullonem*.
4 rem comminus gerere: im Nahkampf angreifen

Ipse, cum maturescere frumenta inciperent ...

Der Eburonenfürst Ambiorix gehörte zu Caesars meistgehassten Feinden, nachdem er im Jahre 54 vor Christus 15 Cohorten unter Quintus Titurius Sabinus vernichtend geschlagen hatte (die berüchtigte «clades Tituriana»). In der folgenden Episode, in der Ambiorix seinen Häschern wieder einmal knapp entkommen kann, führt Caesar seinen Misserfolg auf die Rolle des Glücks zurück.

Ipse[1], cum maturescere frumenta inciperent, ad bellum Ambiorigis profectus per Arduennam silvam[2], quae est totius Galliae maxima [...], L. Minucium Basilum cum omni equitatu praemittit, si[3] quid celeritate itineris atque opportunitate temporis proficere possit. Monet, ut ignes in castris fieri prohibeat, ne qua eius adventus procul significatio fiat. Sese confestim subsequi dicit. Basilus, ut imperatum est, facit. Celeriter contraque omnium opinionem confecto itinere multos in agris inopinantes deprehendit. Eorum indicio ad ipsum Ambiorigem contendit, quo in loco cum paucis equitibus esse dicebatur.

Multum cum[4] in omnibus rebus, tum in re militari potest Fortuna. Nam magno accidit casu, ut in ipsum incautum etiam atque imparatum incideret, priusque eius adventus ab omnibus videretur[5], quam fama ac nuntius adferretur. Sic magnae fuit fortunae[6] omni militari instrumento, quod circum se habebat, erepto, raedis equisque comprehensis ipsum effugere mortem. Sed hoc factum est, quod [...] comites familiaresque eius angusto in loco paulisper equitum nostrorum vim sustinuerunt. His pugnantibus illum in equum quidam ex suis intulit, fugientem silvae texerunt. Sic et ad subeundum periculum et ad vitandum multum Fortuna valuit. (172; Schwierigkeitsstufe: mittel)

---

1 ipse: Caesar
2 Arduennam silvam: Der Ardennenwald bildet gemeinsam mit dem Rhein die Grenze zwischen Germanien und Gallien.
3 si (hier): für den Fall, dass
4 cum ... tum ...: sowohl ... als auch besonders ...
5 videretur: *videri* hat hier nicht die deponente, sondern die passive Bedeutung.
6 magnae fuit fortunae (+ AcI): es war eine große Glückssache, dass

Proximo die ...

Warum die Germanen nicht kämpfen wollen

Proximo die [...] Caesar ex castris utrisque copias suas eduxit paulumque a maioribus castris progressus aciem instruxit hostibusque pugnandi potestatem fecit. Ubi ne tum quidem eos prodire intellexit, circiter meridiem exercitum in castra reduxit. Tum demum Ariovistus partem suarum copiarum, quae castra minora oppugnaret, misit. Acriter utrimque usque ad vesperum pugnatum est. Solis occasu suas copias Ariovistus multis et inlatis et acceptis vulneribus in castra reduxit. Cum ex captivis quaereret Caesar, quamobrem Ariovistus[1] proelio non decertaret[2], hanc reperiebat causam, quod apud Germanos ea consuetudo esset, ut matres familiae eorum sortibus vaticinationibusque declararent, utrum proelium committi ex usu esset[3] necne. Eas ita dicere: non esse fas[4] Germanos superare, si ante novam lunam proelio contendissent. Postridie [...] Caesar praesidio utrisque castris, quod satis esse visum est, reliquit. [...] Ipse triplici instructa acie usque ad castra hostium accessit. Tum demum necessario Germani suas copias castris eduxerunt generatimque constituerunt paribus intervallis [...] omnemque aciem suam raedis et carris circumdederunt, ne qua spes in fuga relinqueretur. Eo mulieres imposuerunt, quae ad proelium proficiscentes passis manibus flentes implorabant, ne se in servitutem Romanis traderent. (174; Schwierigkeitsstufe: mittel)

---

1 Der Suebenkönig Ariovist ist der größte germanische Heerführer und Caesars Antagonist im ersten Kriegsjahr des gallischen Krieges (58 vor Christus).
2 decertare: um die Entscheidung kämpfen
3 ex usu est (+ AcI): es ist von Nutzen, dass
4 fas est (+ AcI, hier): es ist Götterwille, dass

Quieta Gallia Caesar ...

Zu Beginn des Jahres 52 vor Christus kam es in Italien zu einer manifesten innenpolitischen Krise, die in Rom bürgerkriegsartige Zustände auslöste. Ausgelöst wurde sie durch die Ermordung des Parteiführers der Popularen Publius Clodius Pulcher durch den Optimaten Titus Annius Milo. Die Konsulwahlen blieben aus. Der Senat reagierte mit einem Notstandsgesetz, das Caesar und Pompeius in ganz Italien zu Truppenaushebungen aller Männer im wehrfähigen Alter ermächtigte. Diese Krise erschütterte auch den trügerischen Frieden in Gallien. Der Beginn eines gemeinsamen und organisierten gallischen Freiheitskampfes unter dem Arvernerfürsten Vercingetorix stellte Caesars Eroberungen aller vorangegangenen Jahre wieder in Frage. Mit diesen Ereignissen leitet Caesar das 7. Buch seines Bellum Gallicum über das letzte Kriegsjahr ein, das zugleich das blutigste und entscheidendste von allen werden sollte.

Quieta Gallia Caesar, ut constituerat, in Italiam ad conventus agendos[1] proficiscitur. Ibi cognoscit de P. Clodii caede de senatusque consulto certior factus[2], ut omnes iuniores[3] Italiae coniurarent,[4] dilectum tota provincia habere[5] instituit. Eae res in Galliam Transalpinam celeriter perferuntur. Addunt ipsi et adfingunt rumoribus Galli, quod res poscere videbatur: retineri urbano motu Caesarem neque in tantis dissensionibus ad exercitum venire posse. Hac impulsi occasione, qui iam ante se populi Romani imperio subiectos dolerent, liberius atque audacius de bello consilia inire incipiunt. Indictis inter se principes Galliae conciliis silvestribus ac remotis locis queruntur de Acconis morte[6]. Hunc casum ad ipsos recidere posse demonstrant. Miserantur communem Galliae fortunam. Omnibus pollicitationibus ac praemiis deposcunt, qui belli initium faciant et sui capitis periculo Galliam in libertatem vindicent[7]. Inprimis rationem esse habendam dicunt, priusquam eorum clandestina consilia efferantur, ut Caesar ab exercitu intercludatur. Id esse facile, quod neque legiones audeant absente imperatore ex hibernis egredi neque imperator sine praesidio ad legiones pervenire possit. Postremo in acie praestare[8] interfici, quam non veterem belli gloriam libertatemque, quam a maioribus acceperint, recuperare. (174; Schwierigkeitsstufe: mittel)

---

1 conventus agere: Gipfeltreffen abhalten
2 certior fieri: benachrichtigt werden, informiert werden
3 iuniores: Wehrfähige
4 coniurare: den Fahneneid leisten
5 dilectum habere: eine Truppenaushebung abhalten, eine Rekrutierung durchführen
6 Acconis morte: Der Senonenfürst Acco war Anführer einer kriegerischen Verschwörung mehrerer bereits unterworfener gallischer Stämme gewesen. Mit seiner exemplarischen Hinrichtung hatte Caesar viele Gallier erneut gegen sich aufgebracht.
7 in libertatem vindicare: kämpfend in die Freiheit führen
8 praestat ... quam ...: es ist besser ... als ...

Altklausuren – Sallust

Ea tempestate mihi imperium populi Romani ...

In der sogenannten «Pathologie» beschreibt Sallust die politischen und sozialen Missstände im Rom der späten Republik. Sie bildeten nach seiner Auffassung den idealen Nährboden für die Verschwörung des Catilina.

Ea tempestate mihi imperium populi Romani multo maxume miserabile visum est. Quoi quom ad occasum ab ortu solis omnia domita armis parerent, domi otium atque divitiae, quae prima mortales putant, adfluerent, fuere tamen cives, qui seque remque publicam obstinatis animis perditum irent.[1] Namque duobus senati decretis[2] ex tanta multitudine neque praemio inductus coniurationem patefecerat neque ex castris Catilinae quisquam omnium discesserat: tanta vis morbi erat atque uti tabes plerosque civium animos invaserat. Neque solum illis aliena mens erat, qui conscii coniurationis fuerant, sed omnino cuncta plebes novarum rerum studio[3] Catilinae incepta probabat. Id adeo more suo videbatur facere.[4] Nam semper in civitate, quibus[5] opes nullae sunt, bonis invident, malos extollunt, vetera odere, nova exoptant. Odio suarum rerum mutari omnia student. Turba atque seditionibus sine cura aluntur, quoniam egestas facile habetur sine damno. Sed urbana plebes, ea vero praeceps[6] erat de multis causis. Primum omnium, qui ubique probro atque petulantia maxume praestabant, item alii per dedecora patrimoniis amissis, postremo omnes, quos flagitium aut facinus domo expulerat, ii Romam sicut in sentinam confluxerant. (170; Schwierigkeitsstufe: mittel)

---

1 perditum ire: zugrunde richten
2 duobus senati decretis: trotz zweier Senatsbeschlüsse
3 novarum rerum studium: Wunsch nach neuen politischen Verhältnissen, Revolutionsstimmung
4 Subjekt dieses Satzes ist die *plebes* aus dem Vorsatz, nicht *Catilina* und auch nicht *id*.
5 Ergänze vor dem Komma *ii* zu *quibus*.
6 praeceps (hier): ganz vorne mit dabei, leicht geneigt

Dux atque imperator vitae mortalium ...

Über die Kraft des Geistes und die Schwäche des Körpers

Dux atque imperator vitae mortalium animus est. Qui ubi ad gloriam virtutis via grassatur, abunde pollens potensque et clarus est neque fortuna eget, quippe quae[1] probitatem, industriam aliasque artis bonas neque dare neque eripere quoiquam potest. Sin captus pravis cupidinibus ad inertiam et voluptates corporis pessum datus est[2] perniciosa lubidine paulisper usus,[3] ubi per socordiam vires, tempus, ingenium diffluxere, naturae infirmitas accusatur: suam quisque culpam auctores ad negotia transferunt. [...] Nam uti genus hominum conpositum ex corpore et anima est, ita res cunctae studiaque omnia nostra corporis alia, alia animi naturam sequuntur. Igitur praeclara facies, magnae divitiae, ad hoc vis corporis et alia omnia huiusce modi brevi dilabuntur. At ingeni egregia facinora sicuti anima inmortalia sunt. Postremo corporis et fortunae bonorum ut initium sic finis est omniaque orta occidunt et aucta senescunt: animus incorruptus aeternus rector humani generis agit atque habet cuncta neque ipse habetur. Quo[4] magis pravitas eorum admiranda est, qui dediti corporis gaudiis per luxum et ignaviam aetatem agunt. Ceterum ingenium, quo neque melius neque amplius aliud in natura mortalium est, incultu atque socordia torpescere sinunt, quom praesertim tam multae variaeque sint artes animi, quibus summa claritudo paratur. (189; Schwierigkeitsstufe: mittel)

---

1 quippe quae: lies *quae quippe*; *quippe:* ja
2 pessum dari: verkommen
3 Subjekt des Satzes und Bezugswort zu *captus, datus* und *usus* ist *animus*.
4 quo (hier mit Komparativ): umso

Bellum scripturus sum ...

Die historische Einleitung zum Bellum Iugurthinum

Bellum scripturus sum, quod populus Romanus cum Iugurtha rege Numidarum gessit, primum, quia magnum et atrox variaque victoria fuit, dein, quia tunc primum superbiae nobilitatis obviam itum est. Quae contentio divina et humana cuncta permiscuit eoque vecordiae processit, ut[1] studiis civilibus bellum atque vastitas Italiae finem faceret. Sed priusquam huiusce modi rei initium expedio, pauca supra repetam, quo[2] ad cognoscendum omnia illustria [...] magisque in aperto sint.

Bello Punico secundo, quo dux Carthaginiensium Hannibal post magnitudinem nominis Romani Italiae opes maxume adtriverat, Masinissa rex Numidarum in amicitiam receptus a P. Scipione, quoi postea «Africanus» cognomen ex virtute fuit, multa et praeclara rei militaris facinora fecerat. Ob quae victis Carthaginiensibus et capto Syphace, quoius in Africa magnum atque late imperium valuit, populus Romanus, quascumque urbis et agros manu ceperat, regi dono dedit. Igitur amicitia Masinissae bona atque honesta nobis permansit. Sed imperi vitaeque eius finis idem fuit. Dein Micipsa filius regnum solus obtinuit Mastanabale et Gulussa fratribus morbo absumptis. Is Adherbalem et Hiempsalem ex sese genuit Iugurthamque filium Mastanabalis fratris, quem Masinissa, quod ortus ex concubina erat, privatum[3] dereliquerat, eodem cultu, quo liberos suos,[4] domi habuit. (184; Schwierigkeitsstufe: mittel)

---
1 eo vecordiae procedere, ut: sich zu einem solchen Wahnsinn entwickeln, dass ...
2 quo = ut
3 privatus: enterbt, ohne Anspruch auf die Thronfolge
4 Hinter *suos* ergänze *habuit*!

Qui ubi primum adolevit ...

Die Entwicklung des jungen Iugurtha beobachtete sein Ziehvater Micipsa, König von Numidien, mit zunehmender Sorge. Warum, das erklärt Sallust im folgenden Text:

Qui[1] ubi primum adolevit pollens viribus, decora facie, sed multo maxume ingenio validus, non se luxui neque inertiae conrumpendum dedit[2], sed, uti mos gentis illius est, equitare, iaculari, cursu cum aequalibus certare et, quom omnis gloria anteiret, omnibus tamen carus esse. Ad hoc pleraque tempora in venando agere: leonem atque alias feras primus aut in primis ferire. Plurumum facere, minumum ipse de se loqui. Quibus rebus Micipsa tametsi initio laetus fuerat existumans virtutem Iugurthae regno suo gloriae fore, tamen, postquam hominem adulescentem exacta sua aetate[3] et parvis liberis[4] magis magisque crescere intellegit, vehementer eo negotio permotus multa cum animo suo volvebat. Terrebat eum natura mortalium avida imperi et praeceps ad explendam animi cupidinem, praeterea opportunitas suae liberorumque aetatis, quae etiam mediocris viros spe praedae transvorsos agit[5], ad hoc studia[6] Numidarum in Iugurtham adcensa, ex quibus, si talem virum dolis interfecisset, ne qua seditio aut bellum oriretur, anxius erat. His difficultatibus circumventus, ubi videt neque per vim neque insidiis opprimi posse hominem tam acceptum popularibus, quod erat Iugurtha manu promptus et adpetens gloriae militaris, statuit eum obiectare periculis et eo modo fortunam temptare. (182; Schwierigkeitsstufe: hoch)

---

1 qui: gemeint ist Iugurtha
2 Übersetze *dare* mit «überlassen» und beziehe *conrumpendum* auf *se*
3 aetas hier: Jugendalter
4 parvi liberi: Übersetze als «Kleinkindalter»
5 aliquem transvorsum agere: jemanden auf die schiefe Bahn bringen
6 studia (hier): Begeisterungsstürme

Micipsa paucos post annos ...

Das Vermächtnis des sterbenden Micipsa

Micipsa paucos post annos morbo atque aetate confectus, quom sibi finem vitae adesse intellegeret, coram amicis et cognatis itemque Adherbale et Hiempsale filiis dicitur huiusce modi verba cum Iugurtha habuisse:

«Parvom ego te, Iugurtha, amisso patre, sine spe, sine opibus in meum regnum accepi, existumans non minus me tibi quam liberis, si genuissem, ob beneficia carum fore. Neque ea res falsum me habuit[1]. Nam, ut alia magna et egregia tua omittam, novissume rediens Numantia me regnumque meum gloria honoravisti tuaque virtute nobis Romanos ex amicis amicissumos[2] fecisti. [...] Postremo, quod difficillumum inter mortalis est, gloria invidiam vicisti. Nunc, quoniam mihi natura finem vitae facit, per hanc dexteram, per regni fidem moneo obtestorque te, uti hos, qui tibi genere propinqui, beneficio meo fratres sunt, caros habeas neu malis[3] alienos adiungere[4] quam sanguine coniunctos retinere[5]. Non exercitus neque thesauri praesidia regni sunt, verum amici, quos neque armis cogere neque auro parare queas: officio et fide pariuntur. Quis autem amicior quam frater fratri? Aut quem alienum fidum invenies, si tuis hostis fueris? Equidem ego vobis regnum trado firmum, si boni eritis, sin mali, inbecillum. Nam concordia parvae res crescunt, discordia maxumae dilabuntur.» (188; Schwierigkeitsstufe: niedrig)

---

1 falsum habere: täuschen
2 amicissimi: übersetze «sehr gute Freunde»
3 malis: von malle, «lieber wollen». Beachte das komparativische *quam*!
4 adiungere (hier): auf seine Seite bringen
5 retinere (hier): bei sich behalten

Ceterum mos partium et factionum ...

Im sogenannten «iugurthinischen Parteienexkurs» stellt Sallust eine seiner bekanntesten und umstrittensten Thesen vor: Nach dem Sieg über Karthago, des letzten außenpolitischen Gegners und Feindbildes, zersplitterte die Republik an den Schwächen des Friedens: Parteiinteressen, Macht- und Habgier, moralische und körperliche Disziplinlosigkeit. Eine dritte Alternative zu seinem Fazit «Krieg oder Bürgerkrieg» sieht er nicht.

Ceterum mos partium et factionum[1] ac deinde omnium malarum artium paucis ante annis Romae ortus est otio atque abundantia earum rerum, quas primas mortales ducunt. Nam ante Carthaginem deletam[2] populus et senatus Romanus placide modesteque inter se rem publicam tractabant. Neque gloriae neque dominationis certamen inter civis erat. Metus hostilis in bonis artibus civitatem retinebat. Sed ubi illa formido mentibus decessit, scilicet ea, quae res secundae amant, lascivia atque superbia, incessere. Ita, quod in advorsis rebus optaverant, otium, postquam adepti sunt, asperius acerbiusque fuit. Namque coepere nobilitas dignitatem, populus libertatem in lubidinem vortere, sibi quisque ducere, trahere, rapere. Ita omnia in duas partis abstracta sunt, res publica, quae media fuerat, dilacerata. Ceterum nobilitas factione magis pollebat. Plebis vis soluta atque dispersa in multitudine minus poterat. Paucorum arbitrio belli domique[3] agitabatur. Penes eosdem aerarium, provinciae, magistratus, gloriae triumphique erant. Populus militia atque inopia urgebatur. Praedas bellicas imperatores cum paucis diripiebant. Interea parentes aut parvi liberi militum, uti quisque[4] potentiori confinis erat, sedibus pellebantur. Ita cum potentia avaritia sine modo modestiaque invadere, polluere et vastare omnia, nihil pensi neque sancti habere[5], quoad semet ipsa praecipitavit.

(183; Schwierigkeitsstufe: niedrig)

---

1 mos partium et factionum: die Praxis der Parteienbildungen und Abmachungen (Klüngeleien)
2 ante Carthaginem deletam: vor der Zerstörung Karthagos (146 v. Chr.)
3 belli domique: in Krieg und Frieden
4 uti quisque: je nachdem, wer gerade
5 nihil pensi neque sancti habere: nichts für wert oder heilig halten

Igitur de Catilinae coniuratione ...

Über Lucius Sergius Catilina

Igitur de Catilinae coniuratione quam verissume potero paucis absolvam[1]. Nam id facinus in primis ego memorabile existumo sceleris atque periculi novitate[2]. De quoius hominis moribus pauca prius explananda sunt, quam initium narrandi faciam. L. Catilina, nobili genere natus, fuit magna vi et animi et corporis, sed ingenio malo pravoque. Huic ab adulescentia bella intestina, caedes, rapinae, discordia civilis grata fuere ibique iuventutem suam exercuit. Corpus patiens[3] inediae, algoris, vigiliae, supra quam quoiquam credibile est. Animus audax, subdolus, varius, quoius rei lubet[4] simulator ac dissimulator, alieni adpetens, sui profusus[5], ardens in cupiditatibus. Satis eloquentiae, sapientiae parum. Vastus animus inmoderata, incredibilia, nimis alta semper cupiebat. Hunc post dominationem L. Sullae[6] lubido maxuma invaserat rei publicae capiundae neque, id quibus modis adsequeretur, dum[7] sibi regnum pararet, quicquam pensi habebat.[8] Agitabatur magis magisque in dies[9] animus ferox inopia rei familiaris et conscientia scelerum, quae utraque iis artibus auxerat, quas supra memoravi. Incitabant praeterea conrupti civitatis mores, quos pessuma ac divorsa inter se mala, luxuria atque avaritia, vexabant.

(163; Schwierigkeitsstufe: mittel)

---

1 paucis [ergänze: verbis] absolvere: mit wenigen Worten abhandeln
2 novitas (hier): neue Qualität
3 patiens (+ Genitiv): abgehärtet gegen
4 quoius rei lubet = cuius rei libet: «von welcher Sache es beliebt» = von allem und jedem
5 profusus (+ Genitiv): verschwenderisch mit
6 Lucius Cornelius Sulla hatte von 82–79 v. Chr. eine grausame Diktatur in Rom ausgeübt.
7 dum (hier): solang nur
8 quicquam pensi habere: für wichtig halten
9 in dies: mit den Tagen

Urbem Romam ...

In der sogenannten «Archäologie» beschreibt Sallust die Frühzeit des römischen Reiches und begründet seinen Aufstieg.

Urbem Romam [...] condidere atque habuere initio Troiani, qui Aenea duce profugi sedibus incertis vagabantur, et cum his Aborigines, genus hominum agreste, sine legibus, sine imperio, liberum atque solutum. Hi postquam in una moenia convenere, dispari genere, dissimili lingua, alius[1] alio more viventes[2], incredibile memoratu est, quam facile coaluerint: ita brevi multitudo divorsa atque vaga concordia civitas facta erat. Sed postquam res[3] eorum civibus, moribus, agris aucta satis prospera satisque pollens videbatur, sicuti pleraque mortalium habentur[4], invidia ex opulentia orta est. Igitur reges populique finitumi bello temptare, pauci ex amicis auxilio esse [...]. At Romani domi militiaeque intenti festinare, parare, alius[5] alium hortari, hostibus obviam ire, libertatem, patriam parentisque armis tegere. Post, ubi pericula virtute propulerant, sociis atque amicis auxilia portabant, magisque dandis quam accipiundis beneficiis amicitias parabant. Imperium legitumum [...] regium habebant. Delecti, quibus corpus annis infirmum, ingenium sapientia validum erat, rei publicae consultabant. Hi vel aetate vel curae similitudine patres appellabantur. Post, ubi regium imperium, quod initio conservandae libertatis atque augendae rei publicae fuerat,[6] in superbiam dominationemque se convortit, inmutato more annua imperia binosque imperatores sibi fecere. Eo modo minume posse putabant per licentiam insolescere[7] animum humanum. (186; Schwierigkeitsstufe: mittel)

---

1 alius (nicht *alio!*, hier): jeder
2 viventes: übersetze als Singular in Kongruenz zu *alius*
3 res (hier): Staat
4 haberi (hier): sich verhalten
5 alius (nicht *alium*, hier): jeder
6 conservandae libertatis atque augendae rei publicae fuerat: *esse* mit dem Genitiv des Gerundivums hat die Bedeutung «dienen zu» (ähnlich dem *Dativus finalis*).
7 insolescere: erschlaffen, faul werden

Sed ubi labore atque iustititia ...

Zwei Übel sind der Beginn menschlicher Verkommenheit: Ehrsucht (ambitio) und Gier (avaritia)

Sed ubi labore atque iustitia res publica crevit […], saevire fortuna ac miscere omnia coepit. Qui labores, pericula, dubias atque asperas res facile toleraverant, iis otium divitiaeque, optanda alias[1], oneri miseriaeque fuere. Igitur primo pecuniae, deinde imperi cupido crevit. Ea quasi materies omnium malorum fuere. Namque
5 avaritia fidem, probitatem ceterasque artis bonas subvortit. Pro his superbiam, crudelitatem, deos neglegere, omnia venalia habere edocuit. Ambitio multos mortalis falsos fieri subegit[2], aliud clausum in pectore, aliud in lingua promptum habere, amicitias inimicitiasque non ex re, sed ex commodo aestumare magisque voltum quam ingenium bonum habere. Haec primo paulatim crescere, interdum
10 vindicari[3]. Post, ubi contagio quasi pestilentia invasit, civitas inmutata, imperium ex iustissumo atque optumo crudele intolerandumque factum. Sed primo magis ambitio quam avaritia animos hominum exercebat[4], quod tamen vitium propius virtutem erat. Nam gloriam, honorem, imperium bonus et ignavos aeque sibi exoptant. Sed ille vera via nititur. Huic quia bonae artes desunt, dolis atque fallaciis
15 contendit. Avaritia pecuniae studium habet, quam nemo sapiens concupivit. Ea quasi venenis malis inbuta corpus animumque virilem effeminat. Semper infinita et insatiabilis est. Neque copia neque inopia minuitur. (180; Schwierigkeitsstufe: niedrig)

---

1 alias (hier Adverb): sonst
2 subigere, subigo, subegi, subactum: zwingen
3 vindicare: bestrafen
4 exercēre: unter Druck setzen

His rebus conparatis Catilina ...

Die Vorbereitung der Verschwörung

His rebus conparatis Catilina nihilo minus in proxumum annum consulatum petebat sperans, si designatus foret, facile se ex voluntate Antonio[1] usurum. Neque interea quietus erat, sed omnibus modis insidias parabat Ciceroni. Neque illi tamen ad cavendum dolus aut astutiae deerant. Namque a principio consulatus sui multa pollicendo per Fulviam[2] effecerat, ut Q. Curius, de quo paulo ante memoravi, consilia Catilinae sibi proderet. Ad hoc conlegam suom Antonium pactione[3] provinciae perpulerat, ne contra rem publicam sentiret. Circum se praesidia amicorum atque clientium occulte habebat. Postquam dies comitiorum venit et Catilinae neque petitio neque insidiae, quas consulibus in campo fecerat, prospere cessere, constituit bellum facere et extrema omnia experiri, quoniam, quae occulte temptaverat, aspera foedaque evenerant. Igitur C. Manlium[4] Faesulas[5] atque in eam partem Etruriae, Septimium quendam Camertem[6] in agrum Picenum, C. Iulium in Apuliam dimisit, praeterea alium alio[7], quem ubique opportunum sibi fore credebat. Interea Romae multa simul moliri: consulibus insidias tendere, parare incendia, opportuna loca armatis hominibus obsidere. Ipse cum telo esse, item alios iubere, hortari, uti semper intenti paratique essent. Dies noctisque festinare, vigilare, neque insomniis neque labore fatigari. (180; Schwierigkeitsstufe: niedrig)

---

1 Gaius Antonius war der Amtskollege Ciceros während seines Konsulats und schwankte in seiner politischen Gesinnung.
2 Fulvia, eine Römerin von adliger Abstammung, hatte eine Affäre mit einem der Mitverschwörer, Quintus Curius. Dieser hatte die Angewohnheit regelmäßig zu «plaudern». Als sich das Verhältnis der beiden verschlechterte, ließ Fulvia Cicero Informationen zukommen.
3 Die «pactio provinciae» bezeichnet einen Tauschhandel, den Cicero mit seinem Amtskollegen aushandelte: Als konsularische Provinzen waren Gallia Cisalpina und Macedonia vom Senat bestimmt worden. Durch das Los fiel Cicero Macedonia, die einträglichere von beiden, zu. Diese trat er an Antonius ab, um sich dessen politische Loyalität während der Catilina-Affäre zu sichern.
4 C. Manlium, Septimium quendam, C. Iulium: allesamt Mitverschwörer des Catilina
5 Faesulas: nach Faesulae
6 Camertem: nach Camerinum (Stadt in Etrurien)
7 alium alio: jeden anderswohin

Postremo, ubi multa agitanti ...

Sallust schildert den Vorabend der Verschwörung, den vereitelten Anschlag auf Cicero und die Folgen.

Postremo, ubi multa agitanti[1] nihil procedit, rursus intempesta nocte coniurationis principes convocat per M. Porcium Laecam[2]. Ibi [...] multa de ignavia eorum questus docet se Manlium[3] praemisisse ad eam multitudinem, quam ad capiunda arma paraverat, item [ad] alios in alia loca opportuna, qui initium belli facerent, seque
5 ad exercitum proficisci cupere, si prius Ciceronem oppressisset: eum suis consiliis multum officere. Igitur perterritis ac dubitantibus ceteris C. Cornelius eques Romanus operam suam pollicitus et cum eo L. Vargunteius senator constituere ea nocte paulo post cum armatis hominibus sicuti salutatum[4] introire ad Ciceronem ac de inproviso domi suae inparatum confodere. Curius, ubi intellegit, quantum
10 periculum consuli inpendeat, propere per Fulviam Ciceroni dolum, qui parabatur, enuntiat. Ita illi ianua prohibiti tantum facinus frustra susceperant.
Interea Manlius in Etruria plebem sollicitare egestate simul ac dolore iniuriae novarum rerum cupidam, quod Sullae dominatione agros bonaque omnia amiserat [...]. Ea cum Ciceroni nuntiarentur, ancipiti malo permotus, quod neque urbem
15 ab insidiis privato consilio longius tueri poterat neque, exercitus Manli quantus aut quo consilio foret, satis conpertum habebat[5], rem ad senatum refert iam antea volgi rumoribus exagitatam. (178; Schwierigkeitsstufe: hoch)

---

1 agitanti: ergänze *Catilinae*
2 Im Hause des Marcus Laeca fanden die Treffen der Verschwörer in Rom Stadt.
3 Gaius Manlius, ein ehemaliger Hauptmann Sullas, führte für Catilina ein Rebellenheer in Etrurien.
4 salutatum: Supin 1. Die römische Gesellschaftsstruktur beruhte auf dem unbedingten Treueverhältnis zwischen Patron und Klient, die sich gegenseitig gerichtlich und politisch unterstützten. Als Demonstration dieses Treueverhältnisses diente das allmorgentliche Ritual der «salutatio», einer Art Sprechstunde im Hause des Patrons, zu der sich die Klienten einfanden, wenn sie ein Anliegen oder eine Ladung hatten. Zu den Klienten Ciceros zählten zahlreiche römische Ritter.
5 conpertum habere: in Erfahrung gebracht haben

Mündliche Prüfungstexte – Cicero

Quare, cum lex sit civilis societatis ...

In seiner staatstheoretischen Schrift «De re publica» fordert Cicero gleiches Recht für alle Bürger:

Quare cum lex sit civilis societatis vinculum, ius autem legis aequale, quo iure societas civium teneri potest, cum par non sit condicio civium? Si enim pecunias aequari non placet, si ingenia omnium paria esse non possunt, iura certe paria debent esse eorum inter se, qui sunt cives in eadem re publica. Quid est enim civitas nisi iuris societas civium? (59; Schwierigkeitsstufe: niedrig)

Nolite, quaeso, iudices, ...

Cicero über sein Vorgehen bei der Anklage des Verres:

Nolite, quaeso, iudices, brevitate orationis meae potius quam rerum ipsarum magnitudine crimina ponderare. Mihi enim properandum necessario est, ut omnia vobis, quae mihi constituta sunt, possim exponere. Quam ob rem quaestura istius demonstrata primique magistratus et furto et scelere perspecto reliqua attendite. In quibus illud tempus Sullanarum[1] proscriptionum ac rapinarum praetermittam. Neque ego istum sibi ex communi calamitate defensionem ullam sinam sumere, suis eum certis propriisque criminibus accusabo. (68; Schwierigkeitsstufe: mittel)

---

1 Sullanus, Sullana, Sullanum (Adjektiv zum Namen Sulla): sullanisch, unter Sulla geschehen

Ergo, ut omittam tuos peculatus ...

Zum Auftakt des Verres-Prozesses konfrontiert Cicero auch den Anwalt der Gegenseite, Quintus Hortensius Hortalus, mit einer Reihe schwerer Vorwürfe:

Ergo, ut omittam tuos peculatus, ut ob ius dicendum pecunias acceptas, ut eius modi cetera, quae forsitan alii quoque etiam fecerint, illud, in quo te gravissime accusavi, quod ob iudicandam rem pecuniam accepisses, eadem ista ratione defendes, fecisse alios? Ut[1] ego adsentiar orationi, defensionem tamen non probabo. Potius enim te damnato ceteris angustior locus improbitatis defendendae relinquetur, quam te absoluto alii, quod audacissime fecerunt, recte fecisse existimentur. (67; Schwierigkeitsstufe: hoch)

Cicero Attico sal.

Ein (fast) ereignisloser Tag auf dem Land:

Cicero Attico sal.

Ego essem hic libenter atque id cottidie magis, ni esset ea causa, quam tibi superioribus litteris scripsi. Nihil hac solitudine iucundius, nisi paulum interpellasset Amyntae filius[2]. ὦ ἀπεραντολογίας ἀηδοῦς.[3] Cetera noli putare amabiliora fieri posse villa, litore, prospectu maris, tum his rebus omnibus. Sed neque haec digna longioribus litteris nec erat, quid scriberem, et somnus urgebat. (57; Schwierigkeitsstufe: mittel)

---

1 ut (+ Konjunktiv hier): wenn auch, wie sehr auch
2 König Amyntas III. war der Vater Philipps II. von Makedonien. Dieser wiederum war der Vater Alexanders des Großen. Als Sohn des Amyntas bezeichnet Cicero hier natürlich nicht den echten Philipp von Makedonien, sondern nur einen Römer gleichen Namens, nämlich L. Marcius Philippus, den ersten Mann von Caesars Nichte Atia, die später mit C. Octavius in zweiter Ehe C. Octavianus, den späteren Kaiser Augustus, zeugen sollte. Die Namensspielerei dient der indirekten Anspielung und Ironie auf einen unangenehmen Zeitgenossen.
3 ὦ ἀπεραντολογίας ἀηδοῦς: «oh diese langweilige Laberei!»

Quod ad me scribis de sorore tua ...

Ciceros Bruder Quintus Tullius Cicero war verheiratet mit Pomponia, der Tochter des Atticus. Dieser hatte ihm von den Klagen seiner Tochter über ihren Mann berichtet und Cicero gebeten, ein gutes Wort bei seinem Bruder einzulegen. Hier seine Antwort:

Quod ad me scribis de sorore tua, testis erit tibi ipsa, quantae mihi curae fuerit, ut Quinti fratris animus in eam esset is, qui esse deberet. Quem cum esse offensiorem arbitrarer, eas litteras ad eum misi, quibus et placarem ut fratrem et monerem ut minorem et obiurgarem ut errantem. Itaque ex iis, quae postea saepe ab eo ad me scripta sunt, confido ita esse omnia, ut et oporteat et velimus. (70; Schwierigkeitsstufe: hoch)

Tullius s. d. Terentiae suae

+++ Ankomme in Kürze +++ STOP

Tullius s. d. Terentiae suae.
In Tusculanum nos venturos putamus aut Nonis aut postridie. Ibi ut sint omnia parata! Plures enim fortasse nobiscum erunt et, ut arbitror, diutius ibi commorabimur. Labrum si in balineo non est, ut sit; item cetera, quae sunt ad victum et ad valetudinem necessaria. Vale. (49; Schwierigkeitsstufe: hoch)

Tullius Terentiae suae s. d.

Tullia ist krank!

Tullius Terentiae suae s. d.
Maximis meis doloribus excruciat me valetudo Tulliae nostrae, de qua nihil est, quod ad te plura scribam. Tibi enim aeque magnae curae esse certo scio. Quod me propius vultis accedere, video ita esse faciendum et iam ante fecissem, sed me multa impediverunt, quae ne nunc quidem expedita sunt. Sed a Pomponio exspecto litteras, quas ad me quam primum perferendas cures velim. Da operam, ut valeas. (66; Schwierigkeitsstufe: hoch)

Vitiorum peccatorumque nostrorum …

Hymnus auf die Philosophie:

Vitiorum peccatorumque nostrorum omnis a philosophia petenda correctio est. […] O vitae philosophia dux, o virtutis indagatrix expultrixque vitiorum! Quid non modo nos, sed omnino vita hominum sine te esse potuisset? Tu urbis peperisti, tu dissipatos homines in societatem vitae convocasti, tu eos inter se primo domiciliis, deinde coniugiis, tum litterarum et vocum communione iunxisti, tu inventrix legum, tu magistra morum et disciplinae fuisti. Ad te confugimus, a te opem petimus, tibi nos, ut antea magna ex parte, sic nunc penitus totosque tradimus. (82; Schwierigkeitsstufe: niedrig)

Dici non potest …

Über den Nutzen der Philosophie:

Dici non potest, quam sim hesterna disputatione tua delectatus vel potius adiutus. Etsi enim mihi sum conscius numquam me nimis vitae cupidum fuisse, tamen interdum obiciebatur animo metus quidam et dolor cogitanti fore aliquando finem huius lucis et amissionem omnium vitae commodorum. Hoc genere molestiae sic, mihi crede, sum liberatus, ut nihil minus curandum putem […]. Nam efficit hoc philosophia: medetur animis, inanes sollicitudines detrahit, cupiditatibus liberat, pellit timores. (68; Schwierigkeitsstufe: hoch)

Est enim amicitia ...

Was ist Freundschaft?

Est enim amicitia nihil aliud nisi omnium divinarum humanarumque rerum cum benivolentia et caritate consensio. Qua quidem haud scio, an excepta sapientia nihil melius homini sit a dis inmortalibus datum. Divitias alii praeponunt, bonam alii valitudinem, alii potentiam, alii honores, multi etiam voluptates. [...] Qui autem in virtute summum bonum ponunt, praeclare illi quidem [faciunt], et haec ipsa virtus amicitiam et gignit et continet, nec sine virtute amicitia esse ullo pacto potest. (71; Schwierigkeitsstufe: mittel)

Cum essem biennium versatus ...

Nach seinem «Jura-Studium» und «Referendariat» begab sich der junge Cicero auf eine Bildungsreise nach Athen, Syrien und Rhodos. Im folgenden Text erinnert er sich an seine alten Lehrer der Philosophie und Rhetorik, denen er dort begegnete.

Cum essem biennium versatus in causis et iam in foro celebratum meum nomen esset, Roma sum profectus. Cum venissem Athenas, sex mensis cum Antiocho veteris Academiae, nobilissimo et prudentissimo philosopho, fui studiumque philosophiae numquam intermissum a primaque adulescentia cultum et semper auctum hoc rursus summo auctore et doctore renovavi. Eodem tamen tempore Athenis apud Demetrium Syrum, veterem et non ignobilem dicendi magistrum, studiose exerceri solebam. Post a me Asia tota peragrata est cum summis quidem oratoribus, quibuscum exercebar ipsis libentibus. (80; Schwierigkeitsstufe: niedrig)

Non est vobis, Quirites, ...

Das Feindbild Marcus Antonius beschreibt Cicero in einer Rede vor dem Volk mit folgenden Worten:

Non est vobis, Quirites, cum eo hoste certamen, cum quo aliqua pacis condicio esse possit. Neque enim ille servitutem vestram, ut antea, sed iam iratus sanguinem concupiscit. Nullus ei ludus videtur esse iucundior quam cruor, quam caedes, quam ante oculos trucidatio civium. Non est vobis res, Quirites, cum scelerato homine ac nefario, sed cum immani taetraque belua, quae, quoniam in foveam incidit, obruatur. Si enim illinc emerserit, nullius supplicii crudelitas erit recusanda. (72; Schwierigkeitsstufe: mittel)

Sed tenetur, premitur, urgetur ...

In der Auseinandersetzung um die politische und militärische Nachfolge Caesars stehen sich die republikanischen Heere unter Marcus Iunius Brutus und die Legionen der Caesar-Anhänger unter Marcus Antonius feindlich gegenüber. Im folgenden Text wirbt Cicero beim Volk um Unterstützung für ein entschiedenes militärisches Vorgehen gegen Marcus Antonius.

Sed tenetur, premitur, urgetur nunc iis copiis, quas iam habemus, mox iis, quas paucis diebus novi consules comparabunt. Incumbite in causam, Quirites, ut facitis. Numquam maior consensus vester in ulla causa fuit, numquam tam vehementer cum senatu consociati fuistis. Nec mirum: agitur enim non, qua condicione victuri, sed, victurine[1] simus[2] an cum supplicio ignominiaque perituri. (55; Schwierigkeitsstufe: mittel)

---

1 -ne ... an = utrum ... an
2 jeweils sowohl auf das erste und zweite *victuri* als auch auf *perituri* zu beziehen!

Si tu apud Persas ...

Wieviel dem Statthalter Verres das römische Bürgerrecht wert war:

Si tu apud Persas aut in extrema India deprensus, Verres, ad supplicium ducerere[1], quid aliud clamitares nisi te civem esse Romanum? Et si tibi ignoto apud ignotos, apud barbaros, apud homines in extremis atque ultimis gentibus positos, nobile et inlustre apud omnis nomen civitatis tuae profuisset, ille, quisquis erat, quem tu in crucem rapiebas, qui tibi esset ignotus, cum civem se Romanum esse diceret, apud te praetorem si[2] non effugium, ne moram quidem mortis mentione atque usurpatione civitatis adsequi potuit? (80; Schwierigkeitsstufe: mittel)

Est igitur, inquit Africanus ...

Scipio Africanus legt seine Definition des Staates dar:

Est igitur, inquit Africanus, res publica res populi, populus autem non omnis hominum coetus quoquo modo congregatus, sed coetus multitudinis iuris consensu et utilitatis communione sociatus. Eius autem prima causa coeundi est non tam inbecillitas[3] quam naturalis quaedam hominum quasi congregatio[4] [...]. Omnis ergo populus, qui est talis coetus multitudinis, qualem exposui, omnis civitas, quae est constitutio populi, omnis res publica, quae, ut dixi, populi res est, consilio quodam regenda est, ut diuturna sit. (74; Schwierigkeitsstufe: niedrig)

---

1 ducerere = ducereris
2 si non (hier): wenn schon nicht
3 inbecillitas, inbecillitatis f: Schwäche
4 congregatio, congregationis f: Herdentrieb

O di immortales! ...

Aus der ersten Rede gegen Catilina:

O di immortales! Ubinam gentium sumus? Quam rem publicam habemus? In qua urbe vivimus? Hic, hic sunt in nostro numero, patres conscripti, in hoc orbis terrae sanctissimo gravissimoque consilio, qui de nostro omnium interitu, qui de huius urbis atque adeo de orbis terrarum exitio cogitent. Hos ego video consul et de re publica sententiam rogo[1], et, quos ferro trucidari oportebat, eos nondum voce vulnero! (65; Schwierigkeitsstufe: niedrig)

Itaque quartum quoddam genus ...

Cicero hat die Vor- und Nachteile dreier Verfassungsformen, der Monarchie, der Aristokratie und der Demokratie, erörtert. Er kommt zu folgender Schlussfolgerung:

Itaque quartum quoddam genus rei publicae maxime probandum esse sentio, quod est ex his, quae prima dixi, moderatum et permixtum tribus[2] [...]. Sic enim decerno, sic sentio, sic adfirmo, nullam omnium rerum publicarum aut constitutione aut discriptione aut disciplina conferendam esse cum ea, quam patres nostri nobis acceptam iam inde[3] a maioribus reliquerunt. (52; Schwierigkeitsstufe: niedrig)

---

1 sententiam rogare: nach der Meinung fragen
2 tribus: Ablativ Plural von *tres*
3 inde (hier): damals

Habetis consulem ...

Während der catilinarischen Verschwörung muss Cicero nicht nur um sein Leib und Leben fürchten, der ganze Staat ist in Gefahr und muss gerettet werden:

Habetis consulem ex plurimis periculis et insidiis atque ex media[1] morte non ad vitam suam sed ad salutem vestram reservatum. Omnes ordines ad conservandam rem publicam mente, voluntate, voce consentiunt. Obsessa facibus et telis impiae coniurationis vobis supplex manus tendit[2] patria communis, vobis se, vobis vitam omnium civium, vobis arcem et Capitolium, vobis aras Penatium, vobis illum ignem Vestae sempiternum, vobis omnium deorum templa atque delubra, vobis muros atque urbis tecta commendat. (72; Schwierigkeitsstufe: niedrig)

Siculi nunc populati atque vexati ...

Cicero berichtet von einem Versprechen gegenüber den Siziliern, wenn sie einmal seiner Hilfe bedürfen sollten. Er ahnte nicht wie bald er dieses im Verresprozess unter Beweis stellen musste:

Siculi nunc populati atque vexati cuncti ad me publice saepe venerunt, ut suarum fortunarum omnium causam defensionemque susciperem. Me saepe esse pollicitum, saepe ostendisse dicebant, si quod[3] tempus accidisset, quo tempore aliquid a me requirerent, commodis eorum me non defuturum. Venisse tempus aiebant, non iam ut commoda sua, sed ut vitam salutemque totius provinciae defenderem. (55; Schwierigkeitsstufe: hoch)

---

1 media (hier): mitten, unmittelbar
2 manūs tendere: die Hände ausstrecken
3 quod tempus ..., quo tempore = aliquod tempus ..., quo

Est autem maritimis urbibus ...

In «De re publica» behauptet Cicero, dass Seefahrervölker und an der Küste gelegene Städte dem Untergang geweiht seien. Dieses sind seine Gründe:

Est autem maritimis urbibus etiam quaedam corruptela ac demutatio morum. Admiscentur enim novis sermonibus ac disciplinis et inportantur non merces solum adventiciae, sed etiam mores, ut nihil possit in patriis institutis manere integrum. Iam, qui incolunt eas urbes, non haerent in suis sedibus, sed volucri semper spe et cogitatione rapiuntur a domo longius atque etiam, cum manent corpore, animo tamen exulant et vagantur. (63; Schwierigkeitsstufe: niedrig)

Carus fuit Africano superiori ...

In seiner Rede «Pro Archia Poeta» setzt sich Cicero für den Dichter Archias aus Heraclia ein. Diesem sollte das römische Bürgerrecht aberkannt werden. Im folgenden Text führt er den römischen Nationaldichter Ennius aus Rudiae an, der ebenso wie Archias ursprünglich nicht aus Rom stammte:

Carus fuit Africano superiori[1] noster Ennius. Itaque etiam in sepulcro Scipionum putatur is esse constitutus ex marmore. At eis laudibus certe non solum ipse, qui laudatur, sed etiam populi Romani nomen ornatur [...]. Ergo illum, qui haec fecerat, Rudinum hominem, maiores nostri in civitatem receperunt. Nos hunc Heracliensem multis civitatibus expetitum, in hac autem legibus constitutum de nostra civitate eiciamus? (59; Schwierigkeitsstufe: mittel)

Quam multos scriptores rerum suarum ...

An einem berühmten Beispiel verdeutlicht Cicero, wie wertvoll und wichtig Dichtung und Geschichtsschreibung für die Menschen sind:

Quam multos scriptores rerum suarum magnus ille Alexander secum habuisse dicitur! Atque is tamen, cum in Sigeo ad Achillis tumulum astitisset: «O fortunate,» inquit, «adulescens, qui tuae virtutis Homerum praeconem inveneris!» Et vere. Nam, nisi Ilias illa exstitisset, idem tumulus, qui corpus eius contexerat, nomen etiam obruisset. (47; Schwierigkeitsstufe: hoch)

---

[1] Publius Cornelius Scipio Africanus der Ältere (hier: superior) gilt als einer der größten römischen Feldherren. Er besiegte Hannibal endgültig in der Schlacht von Zama (202 vor Christus). Seine Taten lobte Ennius in seinen Gedichten.

Mündliche Prüfungstexte – Caesar

Caesar ad flumen Tamesim ...

Wie Caesar in Britannien die Temse überschreitet:

Caesar [...] ad flumen Tamesim in fines Cassivellauni exercitum duxit. Quod flumen uno omnino loco pedibus atque hoc aegre transiri potest. Eo cum venisset, animadvertit ad alteram fluminis ripam magnas esse copias hostium instructas. Ripa autem erat acutis sudibus praefixisque munita eiusdemque generis sub aqua defixae sudes flumine tegebantur. His rebus cognitis a perfugis captivisque Caesar praemisso equitatu confestim legiones subsequi iussit. Sed ea celeritate atque eo impetu milites ierunt, cum capite solo ex aqua extarent, ut hostes impetum legionum atque equitum sustinere non possent ripasque dimitterent ac se fugae mandarent. (90; Schwierigkeitsstufe: mittel)

Agri culturae non student ...

Warum die Germanen keine Landwirtschaft betreiben:

Agri culturae non student maiorque pars eorum victus in lacte, caseo, carne consistit. Neque quisquam agri modum certum aut fines habet proprios [...]. Eius rei multas adferunt causas: ne adsidua consuetudine capti studium belli gerendi agri cultura commutent; ne latos fines parare studeant potentioresque humiliores possessionibus expellant; ne accuratius ad frigora atque aestus vitandos aedificent; ne qua oriatur pecuniae cupiditas, qua ex re factiones dissensionesque nascuntur; ut animi aequitate plebem contineant, cum suas quisque opes cum potentissimis aequari videat. (79; Schwierigkeitsstufe: niedrig)

Ac fuit antea tempus …

Caesar vergleicht Gallier und Germanen:

Ac fuit antea tempus, cum Germanos Galli virtute superarent, ultro[1] bella inferrent, propter hominum multitudinem agrique inopiam trans Rhenum colonias mitterent. […] Nunc quoniam in eadem inopia egestate patientiaque Germani permanent, eodem victu et cultu corporis utuntur. Gallis autem provinciarum propinquitas et transmarinarum rerum[2] notitia multa ad copiam atque usum largitur. Paulatim adsuefacti superari multisque victi proeliis ne se quidem ipsi cum illis virtute comparant. (64; Schwierigkeitsstufe: mittel)

Depopulata Gallia …

«Critognatus, ein vornehmer Arverner, rät den in der Burgfeste Alesia von Caesar belagerten Galliern, trotz der Lebensmittelknappheit durchzuhalten bis zum Eintreffen des gallischen Entsatzheeres. Durch einen Vergleich zwischen den Cimbern, die 110 v. Chr. auf ihrem Weg nach Süden durch Gallien zogen, und den Römern, die sich jetzt in Gallien breitmachen, zeigt er den Eingeschlossenen, was bei diesem Kampf auf dem Spiel steht»[3]:

«Depopulata Gallia magnaque inlata calamitate Cimbri finibus quidem nostris aliquando excesserunt atque alias terras petierunt. Iura, leges, agros, libertatem nobis reliquerunt. Romani vero, quid petunt aliud aut quid volunt nisi invidia adducti, quos fama nobiles potentesque bello cognoverunt,[4] horum in agris civitatibusque considere atque his aeternam iniungere servitutem? Neque enim umquam alia condicione bella gesserunt. Quodsi ea, quae in longinquis nationibus geruntur, ignoratis, respicite finitimam Galliam, quae in provinciam redacta,[5] iure et legibus commutatis, securibus subiecta[6] perpetua premitur servitute.» (79; Schwierigkeitsstufe: mittel)

---

[1] ultro: von sich aus
[2] transmarinae res: Überseegüter
[3] zitiert nach: www.gottwein.de
[4] Der gesamte Relativsatz bezieht sich auf das Pronomen *horum*, das sich wiederum auf *agris* und *civitatibus* bezieht. Stelle entsprechend um!
[5] in provinciam redigere: in eine Provinz überführen, in einen Provinzstatus versetzen
[6] securibus subigere: «den Beilen unterwerfen», der römischen Amtsgewalt unterstellen

Postero die Vercingetorix ...

Der Fall Alesias, der letzten Festung des Widerstandes unter Vercingetorix, markierte das Ende der gallischen Unabhängigkeit. Der folgende Text schildet die ersten Reaktionen beider Seiten und die symbolische Unterwerfung der Gallier:

Postero die Vercingetorix concilio convocato id bellum se suscepisse non suarum necessitatum[1], sed communis libertatis causa demonstrat et, quoniam fortunae sit cedendum, ad utramque rem se illis[2] offerre, seu morte sua Romanis satisfacere seu vivum tradere velint. Mittuntur de his rebus ad Caesarem legati. Iubet arma tradi, principes produci. Ipse in munitione pro castris considit. Eo duces producuntur. Vercingetorix deditur, arma proiciuntur. (62; Schwierigkeitsstufe: mittel)

---
1   necessitas (hier): Interesse
2   illis: gemeint sind die versammelten gallischen Stammesvertreter, die die Friedensbedingungen aushandeln sollen

Mündliche Prüfungstexte – Sallust

Iam primum adulescens ...

> Auch in der Liebe kam Catilina nicht ohne Verbrechen aus. Der Weg zu Catilinas zweiter Ehe war sogar mit einer Leiche gepflastert – mit der Leiche seines Sohnes aus erster Ehe:

Iam primum adulescens Catilina multa nefanda stupra fecerat, cum virgine nobili, cum sacerdote Vestae, alia huiusce modi contra ius fasque. Postremo captus amore Aureliae Orestillae, quoius praeter formam nihil umquam bonus laudavit, quod ea nubere illi dubitabat timens privignum adulta aetate, pro certo creditur necato filio vacuam domum scelestis nuptiis fecisse. Quae quidem res mihi in primis videtur causa fuisse facinus maturandi. (62; Schwierigkeitsstufe: hoch)

Sed iuventutem ...

> Wie Catilina Jugendliche zu Verbrechern und Gewalttätern macht:

Sed iuventutem, quam, ut supra diximus, inlexerat, multis modis mala facinora edocebat. Ex illis testis signatoresque falsos commodare; fidem, fortunas, pericula vilia habere; post, ubi eorum famam atque pudorem adtriverat, maiora alia imperabat. Si causa peccandi in praesens minus[1] suppetebat, nihilo minus insontis sicuti sontis circumvenire, iugulare. Scilicet ne per otium torpescerent manus aut animus, gratuito potius malus atque crudelis erat. (61; Schwierigkeitsstufe: mittel)

---

1   minus (bei Sallust) = non

His amicis sociisque confisus ...

Die politische und soziale Situation am Vorabend der Verschwörung:

His amicis sociisque confisus Catilina, simul quod aes alienum[1] per omnis terras ingens erat et quod plerique Sullani milites[2] largius suo[3] usi rapinarum et victoriae veteris memores civile bellum exoptabant, opprimundae rei publicae consilium cepit. In Italia nullus exercitus; Cn. Pompeius in extremis terris bellum gerebat; ipsi consulatum petenti magna spes; senatus nihil sane intentus[4]; tutae tranquillaeque res omnes, sed ea prorsus opportuna Catilinae. (64; Schwierigkeitsstufe: hoch)

Ea tempestate plurumos quoiusque generis ...

Zur Zielgruppe von Catilinas umstürzlerischen Aktivitäten gehörte auch eine bestimmte Sorte Frauen:

Ea tempestate plurumos quoiusque generis homines adscivisse sibi dicitur[5], mulieres etiam aliquot, quae primo ingentis sumptus stupro corporis toleraverant[6]. Post, ubi aetas tantummodo quaestui neque luxuriae modum fecerat, aes alienum grande conflaverant[7]. Per eas se Catilina credebat posse servitia urbana sollicitare, urbem incendere, viros earum vel adiungere sibi vel interficere. (50; Schwierigkeitsstufe: mittel)

Sed multi mortales ...

Über den Zweck des menschlichen Daseins:

Sed multi mortales, dediti ventri atque somno, indocti incultique vitam sicuti peregrinantes transigere. Quibus profecto contra naturam corpus voluptati, anima oneri fuit. Eorum ego vitam mortemque iuxta aestumo, quoniam de utraque siletur. Verum enim vero is demum mihi vivere atque frui[8] anima videtur, qui aliquo negotio intentus praeclari facinoris aut artis bonae famam quaerit. (54; Schwierigkeitsstufe: hoch)

---

1 aes alienum n: Schuldenlast
2 Sullani milites: die sullanischen Soldaten, Sullaner. Kriegsveteranen des verstorbenen Diktators Sulla, die sich schwer in die römische Gesellschaft reintegrieren ließen – aus naheliegenden Gründen.
3 suum (hier): Vermögen (bestehend aus Kriegsbeute)
4 nihil sane intentus: auf überhaupt nichts gefasst
5 Subjekt ist Catilina.
6 sumptūs tolerare: seine Bedürfnisse bestreiten
7 aes alienum conflare: Schulden aufhäufen
8 frui (mit Ablativ): in den Genuss kommen von, Freude haben an

Ea cum Ciceroni nuntiarentur ...

Ciceros Reaktion auf die Verschwörung des Catilina:

Ea cum Ciceroni nuntiarentur, ancipiti malo permotus, quod neque urbem ab insidiis privato consilio longius tueri poterat neque, exercitus Manli quantus aut quo consilio foret, satis conpertum habebat[1], rem ad senatum refert iam antea volgi rumoribus exagitatam. Itaque, quod plerumque in atroci negotio solet, senatus decrevit, darent[2] operam consules, ne quid res publica detrimenti caperet. Ea potestas per senatum more Romano magistratui maxuma permittitur: exercitum parare, bellum gerere, coercere omnibus modis socios atque civis, domi militiaeque imperium atque iudicium summum habere. (81; Schwierigkeitsstufe: hoch)

Praeterea regis Bocchi proxumos ...

Wie Iugurtha den vormals römerfreundlichen König Bocchus von Mauretanien auf seine Seite zog:

Praeterea regis Bocchi proxumos magnis muneribus et maioribus promissis ad studium sui perducit[3], quis[4] adiutoribus regem adgressus inpellit, uti advorsus Romanos bellum incipiat. Id ea gratia[5] facilius proniusque fuit, quod Bocchus initio huiusce belli legatos Romam miserat foedus et amicitiam petitum,[6] quam rem opportunissumam incepto bello pauci inpediverant caeci avaritia, quis[7] omnia honesta atque inhonesta vendere mos erat. (58; Schwierigkeitsstufe: hoch)

---

1 compertum habere: in Erfahrung gebracht haben
2 übersetze: ut darent
3 ad studium sui perducere: auf seine Seite bringen
4 quis = quibus
5 ea gratia: dank diesem Umstand
6 Betrachte dieses Komma wie einen Punkt.
7 quis = quibus

Et iam antea Iugurthae filia ...

Warum man mit Frauen bei Numidern und Mauren keine Heiratspolitik machen konnte:

Et iam antea Iugurthae filia Boccho nupserat. Verum ea necessitudo apud Numidas Maurosque levis ducitur, quia singuli pro opibus quisque quam plurumas uxores, denas alii, alii pluris habent, sed reges eo amplius. Ita animus multitudine distrahitur: Nulla pro socia obtinet[1], pariter omnes viles sunt. (44; Schwierigkeitsstufe: hoch)

Superioribus annis taciti ...

Aus einer Rede gegen den Ausverkauf aller römischen Werte:

Superioribus annis taciti indignabamini aerarium expilari, reges et populos liberos paucis nobilibus vectigal pendere, penes eosdem et summam gloriam et maxumas divitias esse. Tamen haec talia facinora inpune suscepisse parum habuere[2], itaque postremo leges, maiestas vostra, divina et humana omnia hostibus tradita sunt. Neque eos, qui ea fecere, pudet aut paenitet, sed incedunt per[3] ora vostra. (56; Schwierigkeitsstufe: hoch)

Piso in citeriorem Hispaniam ...

Wie man den Catilinarier Gnaius Calpurnius Piso loswurde:

Piso in citeriorem Hispaniam quaestor pro praetore missus est adnitente Crasso, quod eum infestum inimicum Cn. Pompeio cognoverat. Neque tamen senatus provinciam invitus dederat, quippe foedum hominem a re publica procul esse volebat, simul quia boni[4] complures praesidium in eo putabant[5] et iam tum potentia Pompei formidulosa erat. Sed is Piso in provincia ab equitibus Hispanis, quos in exercitu ductabat, iter faciens occisus est. (64; Schwierigkeitsstufe: mittel)

---

1 obtinere pro: den Rang einnehmen als
2 parum habere: nicht genug davon haben (+ Infinitiv)
3 per (hier): vor
4 boni (hier): Optimaten
5 praesidium putare: einen Schutz sehen

Übersetzung und Kommentar: Altklausuren – Cicero

Includuntur in carcerem condemnati.

Includuntur in carcerem condemnati.
Sie werden in den Kerker eingeschlossen, nachdem sie verurteilt worden sind.

Das PPP *condemnati* kann hier auch substantiviert *(die Verurteilten)* oder wörtlich-undekliniert *(verurteilt)* übersetzt werden *(verurteilt wurden sie eingeschlossen …)*.

Supplicium constituitur in illos, sumitur de miseris parentibus nauarchorum: prohibentur adire ad filios, prohibentur liberis suis cibum vestitumque ferre.
Die Strafe wird gegen jene verhängt, ausgeführt wird sie in Bezug auf die armen Eltern (an den armen Eltern) der Nauarchen: Sie werden abgehalten zu ihren Söhnen hinzugehen, werden abgehalten ihren Kindern Nahrung und Kleidung zu bringen.

Die Wendung *supplicium constituere in* + Akkusativ, «Strafe verhängen gegen» muss unterschieden werden von *supplicium sumere de* + Ablativ, «Strafe ausführen an». Durch diese Unterscheidung will Cicero deutlich machen, dass auch die Eltern durch das Leid der Kinder mit bestraft werden. Achte auf die Kasus nach den Präpositionen! *In* mit Akkusativ bezeichnet eine Richtungsangabe (hier: *gegen jemanden*). *de* erscheint nur mit dem Ablativ. Das Adjektiv *miser, elend, arm*, wird schnell verwechselt mit Wortarten ähnlicher Stämme (z. B. dem Deponens *misereor, ich erbarme mich*) oder auch dem Perfektstamm *mis-* von *mittere, schicken*. Wenn dasselbe Verb im Original zweimal genannt wird *(prohibentur)*, finde ich es angebracht, auch im Deutschen zu wiederholen. Diese Stilfigur nennt sich Anapher (Wiederaufnahme). Die häufige Abfolge derselben Verbindung *-tur (includuntur, constituitur, sumitur, prohibentur, prohibentur)* bezeichnet man als Homoioteleuton (Gleichendung). Das Homoioteleuton soll hier das passive Ausgeliefertsein der Betroffenen unterstreichen. Das Präsens dient hier der Anschaulichkeit des Berichts. Häufiger Wechsel zwischen Erzähltempus der Vergangenheit (Perfekt) und der Gegenwart (Präsens) ist im Lateinischen üblicher als im Deutschen.

Patres hi, quos videtis, iacebant in limine matresque miserae pernoctabant ad ostium carceris, ab extremo conspectu liberorum exclusae.
Diese Väter, welche ihr seht, schliefen an der Türschwelle und die armen Mütter übernachteten am Tor des Kerkers, nachdem sie vom letzten Anblick ihrer Kinder ausgeschlossen worden waren.

Die erste Prüfung, die ich beim Vorfinden eines Partizips vornehme, ist die *esse*-Probe. Dabei schaue ich, ob eine Form von *esse* vorliegt oder nicht. Danach richte ich meine Übersetzung aus. Diese kann als Prädikativum auch wörtlich-undekliniert bleiben *(«vom letzten Anblick ihrer Kinder ausgeschlossen»)*.

Quae nihil aliud orabant, nisi ut filiorum suorum postremum spiritum ore excipere liceret.
Diese erbaten nichts anderes, außer dass es erlaubt war den letzten Atemzug ihrer Söhne aus dem Mund aufzufangen.

Die Form *quae* ist ein relativer Anschluss (Lehrbuch S. 108) und wird deshalb als Demonstrativpronomen übersetzt. *liceret* ist ein unpersönlicher Ausdruck, gefolgt von einem Infinitiv, dessen Übersetzung meist intuitiv glatt läuft. *ore* dürfte schwer zu finden sein, weil der Nominativ im Wörterbuch erst unter *os* eingetragen ist. *os, oris* mit langem o heißt *Mund*, *Gesicht*, *os, ossis* mit kurzem o *Knochen*. Deshalb merkt man sich am besten den alten Merkspruch: «*Os, oris, das Mündchen, os, ossis, frisst's Hündchen.*» Oder auch: «*os, oris, Mund, os, ossis, Gebein, müssen beide Neutra sein.*» Bei dem Ablativ handelt es sich um einen Separativus.

Aderat ianitor carceris, carnifex praetoris, mors terrorque sociorum civiumque Romanorum, lictor Sextius, cui ex omni gemitu doloreque certa merces comparabatur:
Da war der (da gab es den) Wächter des Kerkers, der Henker des Prätors, der Tod und Schrecken der Bundesgenossen und römischen Bürger, der Liktor Sextius, welchem aus jedem Schrei und Schmerz ein sicherer Lohn verschafft wurde:

Das Verb *adesse* führt den Liktor hier eher als Person ein, weniger betont es die Tatsache, dass er «anwesend war». *socius* wird in den klassischen Latinumstexten in nahezu allen Fällen mit der Bedeutung *Bundesgenosse* verwendet, eine politische Bezeichnung für die Verbündeten Roms. Vorsicht also mit Bedeutungen wie *Gefährte, Kamerad, Genosse* usw. Amtsbezeichnungen *(Prätor, Liktor)* bleiben unübersetzt.

«Ut adeas, tantum dabis; ut tibi cibum vestitumque intro ferre liceat, tantum.» Nemo recusabat.
«Damit du hingehst (hingehen darfst), wirst du so (und so) viel geben (bezahlen); damit dir erlaubt wird Nahrung und Kleidung hinein zu tragen, so (und so) viel.» Niemand lehnte ab.

Bei *ut* ist zunächst auf den Modus des Nebensatzes zu achten. Auch wenn dieser nicht unbedingt übersetzt werden muss, ist er doch ausschlaggebend für die Bedeutung. *adeas* ist Konjunktiv Präsens zu *adire*. *tantum* hat mehrere Bedeutungen. Die Grundbedeutung *so groß, so viel* genügt hier, kann aber in Klammern dem deutschen Sinn angepasst werden. Hinter dem zweiten *tantum* muss gedanklich erneut *dabis* ergänzt werden.

«Quid? Ut uno ictu securis adferam mortem filio tuo, quid dabis? Ne diu crucietur? Ne saepius feriatur? Ne cum sensu doloris aliquo spiritus auferatur?»
«Was? Damit ich mit einem Schlag des Beils deinem Sohn den Tod bringe, was wirst du geben? Damit er nicht lange gequält wird? Damit er nicht öfter getroffen wird (werden muss)? Damit nicht mit einem gewissen Gefühl des Schmerzes (sein) Lebenshauch genommen wird?»

securis kommt nicht von *securus, sorglos* sondern von *securis, Beil, Axt*. Es zählt zu den wenigen Substantiven der i-Deklination, das in diesem Text mit zwei Belegen bereits in einer für Cicero ungewöhnlichen Dichte vorkommt. *spiritus* kann hier in vielen Bedeutungen *(Geist, Seele, Leben)* passen. Mit *Lebenshauch* habe ich versucht den Worten des Sextius einen zynischen Unterton zu verleihen. Da es im Lateinischen keinen Artikel gibt, ist es durchaus zulässig im Deutschen sinngemäße Pronomen oder Artikel einzuflechten. So kann neben dem bestimmten *(der, die, das)* und unbestimmten *(ein, eine, ein)* Artikel auch ein Possessivpronomen *(mein, dein, sein, ihr;* in diesem Fall: *sein Leben)* stehen, wo im Lateinischen nur das Substantiv *(spiritus)* vorkommt. Den aufdringlichen Fragenkatalog des Liktors unterstreicht Cicero durch das Stilmittel der Anapher (Wiederaufnahme desselben Wortes zu Beginn jedes Abschnitts: *ne ... ne ... ne ...*). Ein letzter wichtiger Hinweis: *-ne* ist wirklich nur dann neutrale Fragepartikel, wenn sie an eine finite Wortform hinten angehängt ist. So isoliert wie hier ist *ne* immer Konjunktion. Nicht jede Frage im Lateinischen muss übrigens zwingend durch eine Fragepartikel *(-ne, nonne, num)* eingeleitet werden.

Etiam ob hanc causam pecunia lictori dabatur.
Sogar aus diesem Grund wurde dem Liktor Geld gegeben.

Non vitam liberorum, sed mortis celeritatem pretio redimere cogebantur parentes.
Nicht das Leben der Kinder, sondern die Schnelligkeit des Todes wurden die Eltern gezwungen für einen Preis zu erkaufen.

In der Stellung *non vitam liberorum, sed mortis celeritatem* steckt ein sogenannter Chiasmus (Kreuzstellung). Ein Chiasmus ist eine Stilfigur, bei der zwei zusammengehörige Strukturen in umgekehrter Reihenfolge geschrieben werden, wie in diesem Beispiel die Attribute *(liberum* und *mortis)* und ihre Bezugswörter *(vitam* und *celeritatem)*, so dass die gleichen Formen untereinander geschrieben und miteinander verbunden ein Kreuz ergeben:

vitam liberorum
╳
mortis celeritatem

Von *cogere, zwingen*, hängt hier wie im Deutschen ein einfacher Infinitiv mit *zu* ab.

Atque ipsi etiam adulescentes cum Sextio de plaga et de uno illo ictu loquebantur, idque postremum parentes suos liberi orabant, ut levandi cruciatus sui causa lictori pecunia daretur.
Und sogar die jungen Männer selbst sprachen mit Sextius über den Schlag und über jenen einen Hieb, und um dieses Letzte baten die Kinder ihre Eltern, dass um ihre Qual zu erleichtern dem Liktor Geld gegeben wurde.

Der Ausdruck *levandi cruciatus sui* gehört zu den schwierigsten Stellen des Textes. Es handelt sich um ein Gerundivum in Kongruenz mit *cruciatus* (Genitiv der u-Deklination) in Verbindung mit der Postposition *causa* und kann auch durch Substantivierung-Genitivierung übersetzt werden *(wegen der Erleichterung ihrer Qual)*. *orare* steht hier mit doppeltem Akkusativ in der Bedeutung: *jemanden um etwas bitten*.

Multi et graves dolores inventi parentibus, multi;
Viele und schlimme Schmerzen (wurden) für die Eltern gefunden, viele;

Das Stilmittel, das Cicero hier durch zweimalige Nennung des Wortes *multi, viele,* zur nachdenklichen Untermalung der Grausamkeit einsetzt, nennt sich lateinisch Geminatio (Verzweifachung) und griechisch Anadiplose (Verdopplung).

verum tamen mors sit extrema. Non erit! Estne aliquid ultra, quo crudelitates progredi possint? Reperietur!
aber doch sollte/dürfte der Tod das letzte sein. Wird er nicht sein! Gibt es irgendwas darüber hinaus, wohin die Grausamkeiten fortschreiten können? Es wird gefunden werden!

sit ist Konjunktiv im Hauptsatz und muss folglich übersetzt werden. Da es sich um einen Konjunktiv der 3. Person handelt ist an einen *Iussivus* oder einen *Potentialis* zu denken (Lehrbuch S. 219). *quo* ist hier nicht Relativpronomen im Ablativ Singular, sondern hat adverbiale Funktion in der Bedeutung *wohin*.

Nam illorum, cum erunt securi[1] percussi ac necati, corpora feris obicientur.
Denn die Körper von jenen, nachdem sie vom Beil getroffen und getötet worden sein werden, werden den wilden Tieren vorgeworfen werden.

Interessant ist an diesem Satz einerseits das weit gesperrte Genitivattribut *illorum* zu *corpora*, andererseits das Zeitverhältnis zwischen Nebensatz (Vorzeitigkeit im Futur 2) und Hauptsatz (Futur 1).

Hoc si luctuosum est parentibus, redimant pretio sepeliendi potestatem!
Wenn dieses für die Eltern schlimm ist, können sie für einen Preis die Möglichkeit eines Begräbnisses erkaufen!

Auch hier steht der Konjunktiv im Hauptsatz und man muss sich über die Übersetzung Gedanken machen. Eine 3. Person Plural spricht für den *Iussivus* oder *Potentialis*. *sepeliendi* lässt sich auch wörtlich mit *des Begrabens* übersetzen.

---

[1] Ablativ der i-Deklination

Ego minus saepe mitto ad vos litteras ...

Ego minus saepe mitto ad vos litteras quam possum propterea, quod omnia mihi tempora sunt misera.
Ich schicke weniger oft an euch Briefe als ich kann deswegen, weil mir alle Zeiten elendig sind.

minus hat kein Bezugswort, ein Indiz für ein Adverb, wie man auch an der Endung *-us* oder *-ius* sehen kann, die es mit dem Nominativ/Akkusativ Neutrum der Adjektive gemeinsam hat. Denke in der Umgebung von Komparativen an die Funktion von *quam, als*. Die Präposition *ad* übersetze ich hier etwas freier mit *an*. Es lohnt sich für den Kontext der Briefe auch Ciceros Familie kennenzulernen: Mit seiner Frau Terentia hatte Cicero zwei Kinder: den jungen Marcus Tullius Cicero und seine über alles geliebte Tochter Tullia, von der er immer nur als «Tulliola nostra» spricht. Eine weitere ihm nahe stehende Person ist sein Bruder Quintus Tullius Cicero. Eine enge Freundschaft verband ihn mit dem Verleger Titus Pomponius Atticus.

Tum vero, cum scribo ad vos aut vestras litteras lego, conficior lacrimis sic, ut ferre non possim.
Dann aber, wenn ich entweder an euch schreibe oder eure Briefe lese, werde ich von Tränen fertig gemacht so, dass ich es nicht ertragen kann.

Die Konjunktion *cum* kann entweder mit dem Konjunktiv oder mit dem Indikativ stehen. Deshalb überprüfe ich als Erstes den Modus des Prädikates, hier Indikativ. Dementsprechend übersetze ich. *conficere* heisst im wirklich wörtlichen Sinne *fertig machen*. Das entspricht ziemlich genau der emotionalen Verfassung Ciceros. Das Adverb *sic, so*, korreliert mit der Konjunktion *ut, dass*. *ferre* hat bei Cicero häufig die Bedeutung *ertragen*.

Ego vero te quam primum, mea vita, cupio videre et in tuo complexu emori, quoniam neque di, quos tu castissime coluisti, neque homines, quibus ego semper servivi, nobis gratiam rettulerunt.
Ich aber begehre dich möglichst bald zu sehen, mein Leben, und in deiner Umarmung zu sterben, da ja weder die Götter, die du sehr fromm verehrt hast, noch die Menschen, denen ich immer gedient habe, uns Dank abgestattet haben.

quam primum, möglichst bald solltest du dir als feststehendes Adverb einprägen. *mea vita* ist ein Vokativ, der sich an Ciceros Frau richtet. Beachte in der folgenden Aufzählung von Subjekten *(di, homines)* die Doppelkonjunktion *neque ... neque ..., weder... noch ....* *castissime* ist Adverb im Elativ/Superlativ. *servire, dienen,* wird leicht verwechselt mit *servare, bewahren*. *gratiam referre, Dank abstatten* ist ein feststehender idiomatischer Ausdruck. Das lateinische Perfekt gebe ich in diesem Zusammenhang mit dem deutschen Perfekt, nicht mit dem Präteritum wieder, weil die Aussagen auch für die Gegenwart noch Bedeutung haben.

O me perditum, o me adflictum! Quid nunc?
Oh, ich Verlorener, oh, ich Angeschlagener! Was nun?

Weil der Vokativ sich immer an eine 2. Person richtet, kann sich das Subjekt nicht selbst im Vokativ anreden (es sei denn, es verwendet wieder die 2. Person). Daher verwendet es, wie in diesem Beispiel, den Akkusativ der Anrede, der im Deutschen etwas pathetisch anmutet.

Rogem te, ut venias, mulierem aegram, et corpore et animo confectam? Non rogem? Sine te igitur sim?
Soll ich dich bitten, dass du kommst, kranke Frau, die (du) sowohl im Körper als auch im Geist fertig gemacht worden ist (bist)? Soll ich dich nicht fragen? Soll ich also ohne dich sein?

Eine genaue Analyse der Form *rogem* im ersten und zweiten Satz, sowie *sim* im dritten Satz ergibt, dass es sich jeweils um eine 1. Person Singular Konjunktiv Präsens Aktiv im Hauptsatz in Verbindung mit einem Fragezeichen handelt. Dabei denke ich zuerst an den Deliberativus, die überlegende Frage. Zum ersten Satz ist ferner anzumerken: Auf das direkte Objekt *te* bezieht sich das Attribut *mulierem aegram et confectam* und auf das PPP *confectam* seinerseits nochmals zwei adverbiale Ablative *(et corpore et animo)*.

Opinor, sic agam:
Ich meine, so könnte/sollte/werde ich handeln:

Die Form *agam* kann sowohl Konjunktiv Präsens als auch Futur 1 sein. Es bleibt der Interpretation des Lesers überlassen, ob er davon ausgeht, das Cicero eher die Möglichkeit seines Handelns erwägt *(Potentialis)*, oder seinen Wunsch ausdrückt *(Optativus)* oder nach seiner Überlegung nun zu einer Entscheidung (Futur 1) kommt. Falsch ist es in jedem Fall an dieser Stelle den bloßen Indikativ Präsens zu nehmen.

si est spes nostri reditus, eam confirmes et rem adiuves; sin, ut ego metuo, transactum est, quoquo modo potes, ad me venias.
wenn es eine Hoffnung unserer Rückkehr (auf unsere Rückkehr) gibt, sollst du diese bestätigen und die Sache unterstützen, wenn aber, wie ich befürchte, es aus und vorbei ist, sollst du, auf welche Art und Weise du auch immer kannst, zu mir kommen.

Der Genitiv *nostri reditus* ist zunächst schon als Form schwer zu erkennen. Bei *reditus* denkt mancher eher an ein PPP. Zwei Tatsachen sprechen jedoch dagegen: 1. von intransitiven Verben wie *redire, zurückkehren,* gibt es nur in Ausnahmefällen ein passives Partizip. 2. fehlt in diesem Kontext das Bezugswort. *reditus* ist vielmehr ein Substantiv der u-Deklination. Der Genitiv hat außerdem die Funktion eines *Genitivus obiectivus* (Lehrbuch S. 204), weil es nicht die Rückkehr ist, die hofft, sondern die Rückkehr das Objekt der Hoffnung ist. Es folgen drei Konjunktive im Hauptsatz *(confirmes, adiuves, venias)*, die einen Wunsch an die zweite Person ausdrücken *(Optativus)*. *ut* steht nun mit dem Indikativ und heißt *wie*. Stutzig reagieren viele auch auf die Form *quoquo modo*. Auch ein Blick ins Wörterbuch stiftet nur Verwirrung. *quoquo* ist Ablativ von *quisquis, wer auch immer*. *modo* ist kongruenter Ablativ von *modus* – eine Falle, in die besonders der tappt, der sich zu sehr auf das Adverb *modo, nur, bald,* fixiert hat. So kommt der komplizierte Ausdruck «auf welche Weise auch immer du kannst» zustande.

Sed quid Tulliola mea fiet?
Aber was wird (aus) meine(r) kleine(n) Tullia werden?

Obwohl *fieri* zunächst einmal nur *werden* heißt, ergänzen viele – dem Sinne entsprechend – an dieser Stelle intuitiv die deutsche Präposition *aus*. *Tulliola* ist ein Diminutivum, also eine Verniedlichung des Namens *Tullia*.

Etiam id vos videte;
Auch dieses seht!
Auch danach sollt ihr sehen!

In einer sehr wörtlichen Übersetzung geht der deutsche Imperativ verloren. *videte, seht ihr,* klingt dann wie eine Aussage. Deshalb habe ich in der zweiten Übersetzung die deutsche Übersetzung etwas dem Sinn nachempfunden.

mihi deest consilium. [...] Quid? Cicero meus quid aget?
Mir fehlt ein Plan. [...] Was? Mein Cicero, was wird er tun?

aget ist ein seltenes, aber eindeutiges Futur 1. Jede andere Übersetzung ist falsch. Mit Cicero ist hier Ciceros Sohn gemeint.

Iste vero sit in sinu semper et complexu meo.
Dieser aber soll immer an meiner Brust und in meiner Umarmung sein.

Wieder einmal ein Konjunktiv im Hauptsatz. Ob man diesen nun als Wunsch *(Optativus)* oder als Befehl *(Iussivus)* auffasst – an der Übersetzung mit *sollen* ändert sich nichts.

Non queo plura iam scribere;
Mehr kann ich nicht mehr schreiben;

plura ist substantiviertes Neutrum Plural von *plus, mehr*. Durch Hinzufügung von *Dinge* wird daraus *mehr Dinge*, durch Singularisierung bleibt es bei *mehr*. Wegen *iam, mehr,* lässt sich eine unmittelbare Doppelung von *mehr* in der deutschen Übersetzung («ich kann nicht mehr mehr schreiben») nur vermeiden, wenn man umstellt.

impedit maeror.
es hindert (mich mein) Kummer (daran).

Die Kürze des Lateinischen kann zuweilen dazu führen, dass eine deutsche Übersetzung nicht ohne Ergänzungen auskommt, um den Sinn herauszuarbeiten. Grundsätzlich gilt: Artikel (bestimmt und unbestimmt) können immer eingefügt werden. Possessivpronomen (*mein, sein, ihr* usw.) können anstelle von Artikeln ebenfalls Sinn machen.

Tu quid egeris, nescio, utrum aliquid teneas an, quod metuo, plane sis spoliata.
Was du gemacht hast, weiß ich nicht, ob du irgendetwas behältst oder, was ich fürchte, völlig beraubt worden bist.

Der Satz beginnt mit einem indirekten Fragesatz. Merkmale eines indirekten Fragesatzes sind ein einleitendes Prädikat des Fragens, Wissens oder Nichtwissens (hier: *nescio*), ein Fragewort oder -pronomen (hier: *quid*) und der Konjunktiv (hier: *egeris*). Er geht auch mit einem indirekten Fragesatz weiter, der sich ebenfalls auf *nescio* bezieht und für den ansonsten dieselben Kriterien gelten. (Lehrbuch S. 197 und S. 219)

Sustenta te, mea Terentia, ut potes honestissime.
Halte dich aufrecht, meine Terentia, so anständig wie du kannst.

ut potes honestissime ist eine phraseologische Konstruktion, die ähnlich dem Schema *quam* + Superlativ + *posse* gebildet und übersetzt wird (Lehrbuch S. 145).

Viximus, floruimus; non vitium nostrum sed virtus nostra nos adflixit […]. Mea Terentia, fidissima atque optima uxor, et mea carissima filiola et spes reliqua nostra, Cicero, valete.
Wir lebten, wir blühten; nicht unser Fehler sondern unsere Tugendhaftigkeit (Konsequenz) hat uns zugrunde gerichtet. […] Meine Terentia, teuerste und beste Ehefrau, und du, mein über alles geliebtes Töchterlein, und du, unsere verbliebene Hoffnung, Cicero, lebt wohl.

Wo immer Cicero in diesem Text in der 1. Person Plural schreibt, redet er eigentlich von sich selbst. Dieser sogenannte *Plurale modestiae* (Plural der Bescheidenheit) ist für die Darstellung der 1. Person in der Antike sehr typisch. Wer sich jedoch unsicher ist, belässt die Formen im Plural.

Mihi quidem Scipio ...

Mihi quidem Scipio, quamquam est subito ereptus, vivit tamen semperque vivet.
Für mich jedenfalls lebt Scipio, obgleich er plötzlich entrissen worden ist, und wird immer leben.

Jedes lateinische Dativpronomen kann im Deutschen mit *für* präpositionalisiert werden. Beachte das e-Futur in *vivet*.

Virtutem enim amavi illius viri, quae extincta non est.
Die Tugend nämlich liebte ich von jenem Mann, welche nicht ausgelöscht (worden) ist.

Manche PPPs können in Verbindung mit *esse* auch einen Zustand eher als ein Tempus ausdrücken (sogenanntes Zustandspassiv). In solchen Fällen ist es zulässig *worden* auch wegzulassen.

Nec mihi soli versatur ante oculos, qui illam semper in manibus habui, sed etiam posteris erit clara et insignis. [...]
Aber nicht mir allein schwebt sie (die Tugend) vor Augen, welcher ich jene immer in den Händen hatte, sondern auch der Nachwelt (singularisiert) wird sie klar und bedeutend sein. [...]

Subjekt des Satzes ist noch immer die feminine *virtus* aus dem Vorsatz, nicht etwa *Scipio*, wie man aus der Genus-Kongruenz mit *illam* und *clara* erschließen kann. Beachte den unregelmäßig deklinierten Dativ Singular des Pronominaladjektivs *solus, allein*. Der Relativsatz mit *qui* bezieht sich auf *mihi*, also auf Laelius als Sprecher. Wenn sich Relativpronomen auf erste und zweite Personen beziehen, muss man im Deutschen das Personalpronomen im Relativsatz erneut aufgreifen *(welcher ich, welcher du)*. Das substantivierte Adjektiv *posteri*, wörtlich: *die Späteren*, lässt sich gut in der Bedeutung *Nachwelt* singularisieren.

Equidem ex omnibus rebus, quas mihi aut fortuna aut natura tribuit, nihil habeo, quod cum amicitia Scipionis possim comparare.
Jedenfalls habe ich aus allen Dingen, welche mir entweder Schicksal oder Natur verliehen haben, nichts, welches ich mit der Freundschaft zu Scipio vergleichen kann.

Scipionis nach *amicitia* ist ein Genitivus obiectivus, der im Deutschen präpositionalisiert werden muss *(Freundschaft zu Scipio)*. Unschön, gar falsch ist dagegen: *die Freundschaft Scipios*, weil so der Eindruck entsteht als wäre Scipio der Inhaber der Freundschaft. Er ist jedoch das Objekt. Näheres zum Genitivus obiectivus im Lehrbuch auf S. 204. Der Konjunktiv im Relativsatz hat konsekutiven Nebensinn: *nichts, das von der Art wäre, dass ich es vergleichen kann*.

In hac mihi de re publica consensus, in hac rerum privatarum consilium, in eadem requies plena oblectationis fuit.
In dieser war mir (herrschte für mich/hatte ich) Einstimmigkeit in Bezug auf den Staat, in dieser Rat in privaten Angelegenheiten, in derselben Entspannung voll der Freude.

Das Prädikat *fuit* sollte frühzeitig an den Anfang des deutschen Satzes verlegt werden. Es steht in Verbindung mit dem Dativus possessivus, um ein Besitzverhältnis anzuzeigen. Stattdessen kann man *esse* hier auch ohne Prädikativum in dem Sinne *da sein, bestehen, herrschen* übersetzen und das Dativpronomen mit *für* präpositionalisieren. *rerum privatarum* ist wieder Genitivus obiectivus, weil sich der Rat auf die privaten Angelegenheiten bezieht, aber nicht ihr Eigentum ist oder von ihnen ausgeht (also nicht: Rat der privaten Angelegenheiten). *oblectationis* ist ein Genitivus partitivus, der regelmäßig nach Quantitätsangaben (hier *plena, voll*) steht.

Numquam illum ne minima quidem re offendi, quod quidem senserim, nihil audivi ex eo ipse, quod nollem.
Niemals habe ich jenen nicht einmal in der kleinsten Sache beleidigt, soweit ich (es) jedenfalls bemerkt habe, nichts hörte ich von diesem selbst, welches ich nicht wollte.

Beachte hier das zweiteilige Adverb *ne ... quidem*, nicht einmal .... Der Konjunktiv *nollem* erklärt sich wieder aus dem konsekutiven Nebensinn *(nichts, das von der Art war, dass ich es nicht wollte).*

Una domus erat, idem victus, isque communis, neque solum militia, sed etiam peregrinationes rusticationesque communes.
Gemeinsam war das Haus (es gab ein gemeinsames Haus), die Lebensart (war) dieselbe und diese (obendrein) gemeinsam und nicht nur Militärdienste, sondern auch Reisen und Landaufenthalte (waren) dieselben.

Auch hier kann man *erat* im nicht prädikativen Sinne von *da sein, geben* übersetzen. Alternativ kann man aber auch alle kongruenten Adjektive hier als Prädikativa auffassen, wie ich das im weiteren Verlauf der Übersetzung mache. Dazu muss man jedoch immer wieder *erat* oder *erant* gedanklich ergänzen.

Nam quid ego de studiis dicam cognoscendi semper aliquid atque discendi?
Denn was soll ich über die Interessen des immer irgendwas Erforschens und Lernens sagen?
Denn was soll ich über die Interessen immer irgendetwas zu erforschen und zu lernen sagen?

Konjunktiv im Hauptsatz mit Fragezeichen weist auf den Deliberativus hin. Die beiden Gerundia *cognoscendi* und *discendi* hängen attributiv von *studiis* ab. Beide teilen sich zudem noch ein direktes Objekt *(aliquid)*, was die wörtliche Übersetzung erschwert, weil sie so zäh und unverdaulich schmeckt wie ein schlecht abgehangenes Straußensteak (siehe ersten Übersetzungsvorschlag). Eine elegantere Übersetzungstechnik demonstriert mein zweiter Vorschlag, in dem ich die substantivierten und genitivierten Infinitive (*cognoscendi* und *discendi*) als echte Infinitive auflöse und mit *zu* präpositionalisiere. Das Objekt *aliquid* braucht nur einmal am Anfang zu stehen.

In quibus remoti ab oculis populi omne otiosum tempus contrivimus.
In diesen haben wir weit entfernt von den Augen des Volkes alle freie Zeit verbracht.

quibus ist relativer Anschluss zu *studiis* aus dem Vorsatz und muss daher demonstrativiert werden. Das PPP *remoti* lässt sich am besten prädikativ auffassen und wörtlich undekliniert übersetzen. So kann der Satz in seiner Stellung erhalten werden.

Quarum rerum recordatio et memoria si una cum illo occidisset, desiderium coniunctissimi atque amantissimi viri ferre nullo modo possem.
Wenn die Erinnerung und das Gedenken an diese Dinge zusammen mit jenem (Scipio) untergegangen wäre, könnte ich die Sehnsucht nach dem verbundensten und geliebtesten Mann auf keine Weise ertragen.

Bei diesem Satz handelt es sich um eine irreale Periode der Gegenwart, also einen *si*-Satz mit anschließendem Hauptsatz im Konjunktiv Imperfekt. Schwierigkeiten dürfte die weit nachhängende Konjunktion und der relative Anschluss eines Genitivattributes *(quarum rerum)* bieten. So müssen wir als erstes *si* aus der Mitte des Satzes ganz an den Anfang verlegen und anschließend zunächst die beiden Bezugsworte des Genitivattributes (*recordatio* und *memoria*) vorschalten, bevor wir schließlich das Relativpronomen *quarum* demonstrativieren. Erschwerend kommt hinzu, dass es sich bei diesem Genitiv erneut um einen Obiectivus handelt, weil die Erinnerung nicht «diesen Dingen» gehört, sondern umgekehrt «diese Dinge» Objekt der Erinnerung sind. Genitivus obiectivus ist auch *coniunctissimi atque amantissimi viri*, diesmal als Objekt der Sehnsucht *(desiderium)*. In beiden Fällen dürfen wir nicht wörtlich, sondern nur durch Präpositionalisierung übersetzen.

Sed nec illa extincta sunt alunturque potius et augentur cogitatione et memoria mea, et, si illis plane orbatus essem, magnum tamen adfert mihi aetas ipsa solacium.
Aber auch jene Dinge sind nicht ausgelöscht (worden) und werden eher genährt und vergrößert durch mein Gedenken und meine Erinnerung und, wenn ich jener Dinge gänzlich beraubt worden wäre, bringt mir dennoch mein Alter selbst großen Trost.

Das Verb *orbare, berauben*, steht regelmäßig mit dem Ablativus separativus *(illis)* zur Angabe der Sache, die geraubt wird. Im Deutschen verwenden wir hier den Genitiv *(einer Sache beraubt werden)*. *illis* ist dabei Neutrum Plural und muss substantiviert werden. *magnum* steht weit gesperrt zu *solacium* – ein sogenannter Hyperbaton.

Diutius enim iam in hoc desiderio esse non possum.
Länger nämlich kann ich in dieser Sehnsucht nicht mehr sein.

An diesem Satz ist nichts schwierig, solang man das Prädikat *possum* aus der lateinischen Letztstellung in die deutsche Zweitstellung verschiebt und evtl. das Adverb *iam, nun, schon, bald, mehr,* sinngemäß hinter *non, nicht,* verlegt.

Omnia autem brevia tolerabilia esse debent, etiamsi magna sunt.
Alle vorübergehenden Dinge aber müssen erträglich sein, auch wenn sie groß (schwer) sind.

Auch hier muss der Plural Neutrum *omnia* mit *Dinge* substantiviert oder singularisiert *(alles)* werden. Ein wichtiger Hinweis zum Wörterbucheintrag zu *debere*. Die bei Weitem häufigste und wichtigste Bedeutung *müssen* läuft sowohl im «Schlonz» als auch im «Ungescheidt» als auch im «Klowasser» unter «ferner», weil man erst 3 bis 6 Einträge lang über die weitaus seltenere Bedeutung *schulden* hinweglesen muss, bis man dann endlich die Bedeutung findet, die man sich unterstreichen kann: *müssen.* Zurück zum Text: Eine weitere Schwierigkeit könnte wegen der vielen Kongruenzen die Ermittlung der Prädikativa zu *esse* sein. Subjekt ist *omnia*, *brevia*, von *brevis, kurz, vorübergehend,* steht dazu noch attributiv *(alle vorübergehenden Dinge, alles Kurzlebige)*. Der Rest der kongruenten Formen *(tolerabilia, magna)* sind jeweils prädikativ (zu *esse*, bzw. zu *sunt*) und müssen daher auch wörtlich-undekliniert übersetzt werden. Im Nebensatz (Konjunktion: *etiamsi*) muss dazu im Deutschen noch einmal ein Subjektstellvertreter eingefügt werden in Form des Personalpronomens *sie* für das logische Subjekt *(alle Dinge)*, das im Lateinischen aus der PN-Kongruenz mit dem finiten Verb *sunt* (3. Plural) hervorgeht.

Herculis templum est apud Agrigentinos ...

Herculis templum est apud Agrigentinos non longe a foro, sane sanctum apud illos et religiosum.
Der Tempel des Herkules ist bei den Agrigentinern nicht weit vom Forum, sehr heilig bei jenen und religiös bedeutsam.

Völker- und Eigennamen sollte man entweder in ihrer deutschen Form (Agrigentiner) oder nur im Nominativ der jeweiligen lateinischen Form *(Agrigentini)* übersetzen. Plump wirkt es, wenn man den lateinischen Kasus mitübersetzt («bei den Agrigentinos»). *religiosus* bitte nicht als «*religiös*» übersetzen, genausowenig wie *religio* «die Religion» ist.

Ibi est ex aere simulacrum ipsius Herculis.
Dort ist aus Erz ein Standbild des Herkules selbst.

ex aere heißt nicht «aus Luft», auch wenn das von der Form her möglich ist. Die Nominative *aer, Luft* und *aes, Erz, Bronze,* sind natürlich leicht zu verwechseln. Denke bei *ipse, selbst,* immer daran, dass es im Deutschen nachgestellt wird, egal wo es im Lateinischen steht! Verwechsele es auch nicht mit *iste, dieser*!

Ad hoc templum, cum esset iste Agrigenti, duce Timarchide repente nocte intempesta servorum armatorum fit concursus atque impetus.
Bei diesem Tempel, als dieser in Agrigent war, entsteht unter Führung des Timarchides plötzlich in tiefster Nacht ein Auflauf und Ansturm von bewaffneten Sklaven.

cum-Sätze mit Präsens oder Imperfekt sind gleichzeitig *(während, als)*. Städtenamen bilden einen sogenannten Lokativ. Dieser folgt eigenen Regeln. Im Falle aller Städtenamen, deren Nominativ auf *-us* oder *-um* der o-Deklination (hier: *Agrigentum*) auslautet, endet der Lokativ auf *-i (Agrigenti)*. Der Wechsel zwischen Imperfekt im Nebensatz *(esset)* und Präsens im Hauptsatz *(fit)* entspricht nicht dem deutschen Erzählstil. Wir erwarten eher durchgehend Präteritum. Das Präsens als Erzähltempus nennt sich historisches oder dramatisches Präsens. Es ist zwar grundsätzlich zulässig, das historische Präsens mit dem deutschen Präteritum wiederzugeben, doch dieses Vorgehen muss für den Korrektor nachvollziehbar kenntlich gemacht werden und dann auch konsequent durchgehalten werden. Wer also auf «Nummer Sicher» gehen will, belässt das Präsens auch im Deutschen.

Clamor a vigilibus fanique custodibus tollitur.
Geschrei wird von den Nachtwächtern und Wachen des Tempels erhoben.

clamorem tollere, Geschrei erheben, ist ein feststehender idiomatischer Ausdruck.

Qui primo, cum obsistere ac defendere conarentur, male mulcati clavis ac fustibus repelluntur.
Diese werden zuerst, als sie versuchten Widerstand zu leisten und zu verteidigen, nachdem sie übel verprügelt worden sind mit Keulen und Stöcken, vertrieben.

Ein Relativpronomen am Anfang eines Satzes, auf das kein weiterer Hauptsatz folgt oder das sich auf kein Wort im folgenden Hauptsatz bezieht, nennt man relativen Anschluss. Ein relativer Anschluss muss als Demonstrativpronomen übersetzt werden. *cum* hinter *primo* ist hier nachhängende Konjunktion und gehört ganz an den Anfang des Nebensatzes. *mulcati* ist PPP ohne *esse* und sollte hier mit *nachdem* übersetzt werden.

Postea [...] demoliri signum ac vectibus labefactare conantur.
Später versuchen sie das Standbild zu demontieren und mit Brecheisen zu lockern.

Die Übersetzung dieses recht einfachen Satzes verlangt dennoch etwas Feingefühl beim Heraussuchen der richtigen Bedeutungen. Da Verres ein großer Kunstliebhaber ist, wäre es keineswegs in seinem Interesse das Standbild im zerstörerischen (und wörtlichen) Sinne zu «demolieren» oder «niederzureißen» *(demoliri)*. Auch würde er nicht versuchen es «zu Fall zu bringen» *(labefactare)*, weil es dabei ebenfalls beschädigt würde.

Interea ex clamore fama tota urbe percrebruit expugnari deos patrios, [...] ex cohorte praetoria manum fugitivorum instructam armatamque venisse.
Inzwischen verbreitete sich infolge des Geschreis das Gerücht in der ganzen Stadt, dass die väterlichen (traditionellen) Götter ausgeplündert würden, dass aus der prätorischen Kohorte eine Gruppe von Flüchtigen ausgerüstet und bewaffnet gekommen sei.

tota bezieht sich auf *urbe*, nicht auf *fama*. *percrebrescere, sich ausbreiten*, dient als Einleiter eines AcIs, der, da es sich um ein Gerücht handelt, durch die indirekte Rede im Deutschen wiedergegeben werden muss. *praetoria* ist auf *cohorte* bezogen. Da bei einer Schar von entlaufenen Sklaven wohl kaum von einer echten römischen Kohorte die Rede sein kann, meint Cicero die Bezeichnung *cohors praetoria* ironisch. *manus, Hand,* ist das einzige Substantiv der u-Deklination das feminines Geschlecht hat – daher die Kongruenz mit *instructam* und *armatam*. Beide PPPs habe ich wörtlich-undekliniert *(ausgerüstet* und *bewaffnet)* übersetzt, weil diese Technik sparsam und stellungserhaltend ist. Da das Wort *manus* auch zur Beschreibung einer «Hand voll Leute» gebraucht werden kann, bedeutet es auch *Schar* oder *Gruppe*.

Nemo Agrigenti neque aetate tam adfecta neque viribus tam infirmis fuit, qui non illa nocte eo nuntio excitatus surrexerit telumque [...] arripuerit.
Niemand in Agrigent war weder von so angeschlagenem Alter noch von so schwachen Kräften, der nicht in jener Nacht, nachdem er durch jene Meldung aufgeweckt worden war, sich erhoben hat und seinen Speer ergriffen hat.

aetate adfecta ist Ablativus qualitatis. Diese Form des Ablativs ist die einzige mit attributiver, nicht adverbialer Funktion (hier zu *nemo*). Ich bin der Ansicht, dass der Latinumsprüfling es sich nicht herausnehmen darf hier so frei zu werden, dass er mit einem adjektivischen Attribut (etwa *altersschwach*) operiert – mag das auch noch so gut passen. Denn es könnte der Eindruck entstehen, dass er rät und das Wesen des *Qualitatis* nicht begreift. Im Deutschen wird der *Qualitatis* durch ein Präpositionalattribut mit *von* + Dativ ausgedrückt. *viribus* kommt von *vis, Kraft,* nicht von *vir, Mann*. Siehe dazu Lehrbuch S. 253. Es kongruiert hier mit *infirmis* (von *infirmus, schwach*) und ist ebenfalls ein Qualitatis. *excitatus* ist PPP in prädikativer Funktion. Der Konjunktiv im Nebensatz erklärt sich aus dem konsekutiven Nebensinn, der noch durch *tam* unterstrichen wird. Es ist sehr frei, aber zulässig das Relativpronomen durch eine konsekutive Konjunktion *(dass, so dass)* zu ersetzen *(«dass er nicht sich erhoben hätte und den Speer ergriffen hätte»)*.

Itaque brevi tempore ad fanum ex urbe tota concurritur.
Daher wird in kurzer Zeit zum Heiligtum aus der ganzen Stadt zusammengelaufen.

concurritur ist ein sogenanntes unpersönliches Passiv. Ein unpersönliches Passiv ist eine Passivform in der 3. Person Singular, die auch von manchen intransitiven Verben gebildet werden kann, wenn man ein neutrales Subjekt «es» einsetzt. Das unpersönliche Passiv kann mit dem Subjekt »man« auch aktiviert werden (hier: «man läuft zusammen»).

Horam amplius iam in demoliendo signo permulti homines moliebantur; illud interea nulla lababat ex parte.
Mehr als eine Stunde schon mühten sich bei der Demontage des Standbildes sehr viele Menschen ab; jenes schwankte unterdessen aus keinem Teil («von keiner Seite»).

nulla ex parte klingt wörtlich übersetzt nicht sinngemäß, es sei denn man übersetzt *pars* mit *Seite*. Eine freiere Übersetzung mit «kein Stück» ist ebenfalls akzeptabel. *in demoliendo signo* ist Gerundivum, das ich substantiviert und genitiviert habe. Der durative (in der Vergangenheit andauernd) Aspekt des Imperfekts ist hier an der zeitlichen Erstreckung des Vorgangs schön zu erkennen (Lehrbuch S. 84).

Ac repente Agrigentini concurrunt; fit magna lapidatio; dant sese in fugam istius praeclari imperatoris nocturni milites.
Und plötzlich laufen die Agrigentiner zusammen, es entsteht ein großes Steinwerfen; auf die Flucht begeben sich die nächtlichen Soldaten dieses großartigen Feldherren.

Bei *fieri* muss man die Bedeutungen immer durch Ausprobieren einpassen. Hier würde auch gehen: «es kommt zu ...»; *se in fugam dare, sich auf die Flucht begeben,* solltest du in dein Repertoire an feststehenden Wendungen mit aufnehmen. *istius praeclari imperatoris* ist ein vorangestelltes Genitivattribut, bezieht sich also auf *nocturni milites.* Auch diese Wortwahl ist blanke Ironie und Übertreibung.

Duo tamen sigilla perparvula tollunt, ne omnino inanes ad istum praedonem religionum revertantur.
Zwei sehr kleine Figürchen nehmen sie dennoch mit, damit sie nicht gänzlich leer zu diesem Freibeuter der Heiligtümer zurückkehren.

Duo ist eine teilweise indeklinierbare Form für *zwei. sigilla perparvula* sind Diminutiva (Verniedlichungen). Im ironischen Kontext der gesamten Story stehen sie in Antithese (Gegensatz, Kontrast) zu der riesigen Statue des Herkules. *revertantur* ist 3. Plural Konjunktiv Präsens Semideponens vom deponenten Präsens *reverti, zurückkehren.*

Numquam tam male est Siculis, quin aliquid facete et commode dicant, velut in hac re aiebant in labores Herculis non minus hunc immanissimum verrem quam illum aprum Erymanthium referri oportere.
Niemals ist den Siziliern so schlecht, dass sie nicht irgendwas witzig und passend kommentieren, wie sie beispielsweise in dieser Angelegenheit sagten, dass es nötig sei, dass in die/zu den Arbeiten des Herkules nicht weniger dieser absolut ungeheuerliche Verres (Eber) wie jener erymanthische Eber aufgenommen/gezählt wird.

male esse, schlecht sein, steht hier natürlich in dem Sinne *schlecht gehen, übel ergehen. quin* (aus *quod non*) als verkapptes faktisches *quod* heißt hier *dass nicht. dicere* habe ich hier, intellektuell etwas anspruchsvoller, mit *kommentieren,* und nicht *mit sagen* übersetzt. *velut,* aus *vel ut,* heißt *beispielsweise.* Die folgende Konstruktion ist mehr oder weniger die einzige echte Schwierigkeit des ganzen Textes. Von *aiebant* hängt der unpersönliche Ausdruck *oportere,* von *oportet, es ist nötig,* ab, in dem Subjektsakkusativ *(es)* und Infinitiv zugleich stecken. Dieser leitet seinerseits einen AcI ein, der aus folgenden Gliedern besteht: Subjektsakkusative sind *hunc immanissimum verrem* und *illum aprum Erymanthium,* Infinitiv ist *referri* (Passiv!), hier in den Bedeutungen *gezählt werden zu, aufgenommen werden in* oder *aufgeführt werden unter.*

Nolite arbitrari, o mihi carissimi filii, ...

Nolite arbitrari, o mihi carissimi filii, me, cum a vobis discessero, nusquam aut nullum fore.
Ihr sollt nicht glauben, o mir liebste Söhne, dass ich, wenn ich von euch weggegangen sein werde, nirgends oder keiner (niemand) sein werde.

Der Imperativ des Verbs *nolle, nicht wollen,* in Verbindung mit dem Infinitiv (hier: *nolite arbitrari*) dient sowohl in der 2. Person Singular *(noli)* als auch Plural *(nolite)* zur Formulierung eines höflichen Verbotes, das mit *nicht sollen* übersetzt wird. Von *arbitrari* hängt mit etwa der gleichen Häufigkeit ein AcI ab wie eine russische Teilrepublik vom Kreml, und hier ist das *me... fore. fore* wiederum ist eine Kurzform für *futurum esse,* also einem PFA als Prädikativum mit *esse* zur Bildung der sogenannten Coniugatio periphrastica activa oder aktiven Umschreibungskonstruktion für das Futur 1. Als weiteres Prädikativum zu *futurum esse* dient *nullum,* als adverbiale Bestimmung das Adverb *nusquam.* Die Übersetzung von *nullum* als *keiner* befremdet ein wenig, und nach deutschem Sprachempfinden würde man eher *niemand* oder sogar *nichts* erwarten. Die Anrede im Vokativ «o mihi carissimi filii» sollte möglichst wörtlich gehalten werden. Die meisten übersetzen hier grammatisch sehr unreflektiert: *oh meine liebsten Söhne.* Das mag dem Sinn entsprechen, bei genauem Hinsehen entpuppt sich *mihi* jedoch als Dativ *(mir)* und ebenso unwahrscheinlich ist der Superlativ, wenn Kyros alle seine Söhne am Totenbett versammelt hat, wovon auszugehen ist. *cum* steht hier mit dem Indikativ Futur 2 *discessero* und muss mit *als, wenn,* wiedergegeben werden.

Nec enim, dum eram vobiscum, animum meum videbatis, sed eum esse in hoc corpore ex iis rebus, quas gerebam, intellegebatis.
Denn auch nicht, während ich mit euch war, saht ihr meine Seele, aber erkanntet, dass dieser in diesem Körper war aus diesen Dingen (Taten), welche ich vollbrachte.

dum steht hier mit dem Indikativ *(eram)* in der Bedeutung *während.* Bei *vobiscum* handelt es sich um eine Postposition von *cum* nach *vobis.* Von *intellegebatis* ist ein AcI *(eum esse)* abhängig. *esse* verlangt immer ein Prädikativum zur Angabe dessen, was das Subjekt ist. Dieses prädikative Attribut kann durch jede Form von Attribut repräsentiert sein, nicht nur durch Nomen oder Pronomen (Prädikatsnomen), so hier das Präpositionalattribut *in hoc corpore. gerere* in Verbindung mit *res* (hier: *rebus*) hat regelmäßig die Bedeutung *Dinge tun, Taten vollbringen.*

Eum igitur esse creditote, etiamsi eum non videbitis.
Ihr sollt also glauben, dass er existiert, auch wenn ihr ihn nicht sehen werdet.

creditote vom Stamm *cred-, glauben,* ist ein sogenannter Imperativ Futur. Er setzt sich zusammen aus der Imperativendung der 3. Person Präsens *-to-* als Suffix und der Imperativendung der 2. Person Plural aus dem Präsens *-te.* Übersetzt wird er genau so wie der Imperativ Präsens wörtlich *(glaubt)* oder mit *sollen* (*ihr sollt glauben*). *credere,* ein Verb des Glaubens und Meinens, leitet einen AcI ein: *eum esse.* Nach *esse* erwarten wir für gewöhnlich ein Prädikatsattribut (Prädikatsnomen). Wenn dieses nicht vorhanden ist, hat *esse* regelmäßig die Bedeutung: *existieren, da sein, geben,* so auch hier. *etiamsi* oder *etiam si* erfordert lediglich die Kenntnis der beiden Vokabeln *etiam, auch,* und *si, wenn,* um es korrekt zu übersetzen. Beachte bei *videbitis* den Indikativ Futur 1.

Nec vero honores praeclarorum virorum post mortem permanerent, si nihil animi eorum efficerent, quo diutius memoriam eorum teneremus.

Aber die Ehren hochberühmter Männer bestünden nicht nach dem Tode fort, wenn die Seelen von diesen nichts bewirkten, dass wir umso länger das Gedenken an diese behielten.

Das Wichtigste an der Übersetzung dieses Satzes ist die Erkennung und souveräne Umsetzung der irrealen Periode. Eine irreale Periode ist ein Satz, der durch einen konjunktionalen Bedingungssatz mit *si, wenn,* und einen Folgerungssatz («dann») gekennzeichnet ist, die beide im Konjunktiv Imperfekt (Irrealis der Gegenwart) oder Plusquamperfekt (Irrealis der Vergangenheit) stehen. Ferner ist eine sichere Beherrschung des deutschen Konjunktivs 2 unabdingbare Voraussetzung, der im Lehrbuch ab S. 51 behandelt wird. Wichtig: der Irrealis muss immer wörtlich übersetzt werden. Die deutsche Umschreibung mit *würde* sollte nie im wenn-Satz verwendet werden. *quo* + Komparativ in der Bedeutung *damit umso, dass umso* kannst du dir ruhig notieren. So selten kommt diese Wendung nicht vor. *diutius* ist Komparativ des Adverbs nach der Deklination des Komparativs Akkusativ Singular Neutrum des Adjektivs («vergleichbar neutraler Bratenius»). *eorum* als Genitivattribut zu *memoriam* hat die Funktion eines Genitivus obiectivus, weil die durch das Pronomen vertretenen Männer nicht Besitz, sondern Objekt der Erinnerung sind. Deshalb tritt im Deutschen ein präpositionaler Ausdruck mit *an* an die Stelle des Genitivs.

Mihi quidem numquam persuaderi potuit animos, dum in corporibus essent mortalibus, vivere, sed, cum excessissent ex iis, mori.

Mir jedenfalls konnte (es) niemals weisgemacht werden, dass die Seelen, solang sie in sterblichen Körpern waren, lebten, aber, nachdem sie aus diesen herausgetreten waren, starben.

Die Übersetzung der ersten Infinitivkonstruktion ist nicht schwer, wenn man die Diathese von *persuaderi* beachtet hat: Passiv! *potuit* bildet hier einen unpersönlichen Ausdruck. Ein unpersönlicher Ausdruck ist ein Prädikat mit einem Subjekt im Neutrum Singular *(es)*. *persuaderi potuit* heißt also wörtlich: *Es konnte weisgemacht werden*. Ein Verb wie *persuadere* kündigt meist im Folgenden einen AcI an, hier bestehend aus dem Subjektsakkusativ *animos* und den Infinitiven *vivere* und dem deponenten *mori*. Beachte bei allen AcIs stets das Zeitverhältnis: Wenn das übergeordnete Prädikat (hier: *potuit*) bereits in einem Vergangenheitstempus steht, so treten alle gleichzeitigen Infinitive (also die Infinitive Präsens *vivere* und *mori*) ins Präteritum (siehe dazu die Tabelle im Lehrbuch S. 264). Diese Konstruktion wird nur noch durch zwei *cum*-Sätze unterbrochen. Das erste *cum* steht mit Imperfekt *(essent)* und wird mit *als* und Präteritum übersetzt, das zweite steht mit Plusquamperfekt *(excessissent)* und wird mit *nachdem* + Plusquamperfekt übersetzt.

Atque etiam, cum hominis corpus morte dissolvitur, perspicuum est, quo quaeque ceterarum rerum discedat.

Und auch, wenn der Körper des Menschen durch den Tod aufgelöst wird, ist (es) klar, wohin und welche der übrigen Dinge fortgeht.

Ein indikativisches *cum* muss mit *wenn* oder *als* übersetzt werden, je nach Tempus des Indikativs (wie hier beim Präsens *dissolvitur: wenn*). *hominis* ist ein vorangestelltes Genitivattribut zu *corpus*. Diese im Deutschen unerwartete Position eines Genitivs ist im Lateinischen häufig und typisch. *morte* mit dem Stamm *mort-* findet sich im Wörterbuch nur unter dem Nominativ *mors, Tod*. Die Wendung *perspicuum est* (Nominativ Neutrum Singular: *es ist klar*), kann sowohl einen AcI als auch, wie hier, einen indirekten Fragesatz (*quo* hier: *wohin*) im Gefolge haben. Indirekte Fragesätze sind grundsätzlich durch den Konjunktiv *(discedat)* markiert. Dabei ist *quo* aufgrund seines breiten Bedeutungsspektrums *(wodurch, wohin, damit umso)* häufig Ursache folgenschwerer Verwechslungen. Auch *quaeque* kann wegen der Form *quisque, jeder,* auf den ersten Blick zu einer Verwechslung führen. Im Nominativ Singular zum Maskulinum *quis, wer,* erscheint jedoch auch im Femininum die Form *quis* und damit auch in zusammengesetzten Formen wie *quisque, jeder. quaeque* ist also schlicht nur die Verbindung aus *quae, welche,* und dem Konjunktionssuffix *-que, und. ceterarum rerum* ist ein Genitivus partitivus, also ein Genitiv, der die Herkunft aus einer Teilmenge angibt.

Abeunt enim illuc omnia, unde orta sunt.
Denn zurück geht alles dorthin, von wo es hergekommen ist.

Die Form *omnia* ist eines der häufigsten substantivierten Neutra im Plural. Ein solches substantiviertes Neutrum im Plural ist ein Adjektiv, das über kein kongruentes Bezugssubstantiv verfügt und folglich selbst zum Substantiv werden muss. Dazu stehen die Substantivierung mit *Dinge* oder die Singularisierung zur Verfügung. In diesem Satz habe ich zur Abwechslung mal die Singularisierung gewählt. Achte bei ihr darauf, dass auch die Prädikate in den Singular treten. *orta sunt* von *oriri, entstehen, herkommen,* ist ein prädikatives PP-Dep in Verbindung mit einer finiten Form von *esse* zur Bildung eines Perfekts Deponent. Im Deutschen wird es wie ein Perfekt (oder Präteritum) Aktiv übersetzt.

Animus autem solus nec, cum adest, nec, cum discessit, apparet.
Die Seele allein aber erscheint weder, wenn sie anwesend ist, noch, wenn sie weggegangen ist.

Untergliedert wird dieser Satz durch die Doppelkonjunktionen *nec ... nec, ... weder ... noch ...,* jeweils in Verbindung mit indikativischem *cum, als, wenn.* Das zu *animus* KNG-kongruente Pronominaladjektiv *solus, allein,* erfüllt hier wie so oft die Funktion eines Prädikativums, also eines Attributes, das nicht eine dauerhafte Eigenschaft, sondern einen mit der Prädikatshandlung zusammenfallenden Zustand beschreibt. Prädikativa werden entweder wörtlich-undekliniert (*die Seele allein,* nicht wörtlich-dekliniert: *die einzige Seele*) oder mit der Präposition *als* (*die Seele als einzige,* Präpositionentest Lehrbuch S. 118) übersetzt. Denke daran das Hauptsatzprädikat *apparet* rechtzeitig in die Zweitstellung zu befördern.

Iam vero videtis nihil esse morti tam simile quam somnum.
Bald aber seht ihr, dass nichts dem Tode so ähnlich ist wie der Schlaf.

Bei der ersten Strukturanalyse des Satzes sollten dir die Korrespondenten *tam ... quam ..., so ... wie ...,* nicht entgehen. Bei einem Verb der sinnlichen Wahrnehmung wie hier *videtis* zählt es zudem als schwerer Kunstfehler nicht an den AcI gedacht zu haben. Er besteht hier aus dem Subjekts-akkusativ *nihil,* dem Infinitiv *esse* und *simile* als Prädikativum (Prädikatsnomen) zu *esse,* außerdem einem weiteren Subjektsakkusativ *somnum, Schlaf,* hinter dem die gesamte AcI-Konstruktion gedanklich noch einmal wiederholt wird. Die Kongruenzen sind hier vielleicht nicht auf den ersten Blick klar: *nihil, nichts,* ist eine Art «Pronominalsubstantiv» und als solches nimmt es auch eine Sonderrolle bei der Deklination ein (Lehrbuch S. 111). Da es neutrales Geschlecht hat, greift die 1=4-Regel, also dass Nominativ und Akkusativ identisch sind. *simile, ähnlich,* gehört zur häufig vertretenen Gruppe der zweiendigen Adjektive mit den Nominativen *-is, -is, -e* der 3. Deklination. Da es in Kongruenz zu einem Neutrum steht, richtet es sich ebenfalls nach der 1=4-Regel, so dass der Nominativ *simile* zugleich auch dem Akkusativ entspricht. *morti* ist ein indirektes Dativobjekt zum Substantiv *mors, Tod.*

Atque dormientium animi maxime declarant divinitatem suam.
Und die Seelen der Schlafenden verdeutlichen ganz besonders ihre Göttlichkeit.

Bei der Analyse der Form *dormientium* sollte dir zunächst das Suffix *-nt-* aufgefallen sein. Dabei handelt es sich um das charakteristische Kennungssuffix des PPA, das weiter nach der 3. Deklination flektiert. Die Endung *-ium* steht für den Genitiv. Der stehengebliebene Stamm *dormi-* gehört zur lang-i-Konjugation und bedeutet *schlafen.* Zu diesem partizipialen Genitivattribut findet sich im gesamten Satz kein kongruentes Bezugssubstantiv. In einem solchen Fall bleibt nur noch die wörtliche Substantivierung des Verbaladjektivs selbst, indem man einen Artikel davor setzt (Artikulierung), das Wort groß schreibt und in den Genitiv setzt: «der Schlafenden». *animi* hingegen ist Subjekt im Nominativ Plural der o-Deklination. Alle Formen vom Stamm des Possessivpronomens *su-* können, je nach übergeordnetem Subjekt, *sein* oder *ihr* bedeuten. *Die Seelen* stehen im Plural, so dass *suam* nur noch die Bedeutung *ihre* annehmen kann.

Multa futura enim, cum remissi et liberi sunt, prospiciunt.
Viele sein werdende Dinge (gem.: zukünftige Dinge) nämlich sehen sie voraus, wenn sie gelöst und frei sind.

Das Subjekt dieses Satzes wird nicht eindeutig genannt. Es geht als Plural aus dem Plural der Prädikate *sunt* und *prospiciunt* hervor und als Maskulinum aus den Prädikativa *remissi* und *liberi* des Nebensatzes. Dass es sich bei *remissi* und *liberi* um Prädikativa handeln muss liegt an der Wortart: *remissi* ist ein PPP, das in Verbindung mit *esse* in der Regel immer als Prädikativum zur Bildung eines Perfekts Passiv beiträgt *(sie sind losgelöst worden)* oder in diesem Zusammenhang auch eines sogenannten Zustandspassivs ohne *worden (sie sind losgelöst)*. Da dieses wiederum durch *et* mit der Form *liberi* verknüpft ist, muss *liberi* die gleiche Funktion erfüllen. *liberi* ist nun seinerseits irritierend, weil man dabei immer an das substantivierte Adjektiv *liberi, Kinder,* denkt. Tatsächlich ist *liberi* hier nur eine Form des Adjektivs *liber, frei*. Inhaltlich sind all diese Formen auf die *animi, Seelen,* aus dem Vorsatz bezogen. *futura* schließlich ist das PFA von *esse* und steht hier in KNG-Kongruenz zu *multa*. *futura* nimmt ohne eine Form von *esse* stets die Stelle eines Attributes in der Bedeutung *zukünftig* ein (Lehrbuch S. 170). Nachdem beide Formen als Subjekt ausscheiden, lässt die Endung *-a* nur noch ein Neutrum Plural zu. Da es sich bei beiden Formen um (Verbal-)Adjektive handelt, fehlt der substantivische Bezug und wir müssen zumindest eines von beiden (vorzugsweise *futura*) mit *Dinge* oder durch Singularisierung substantivieren *(viele zukünftige Dinge, vieles Zukünftige)*. Für das so entstandene Substantiv bleibt nur die Funktion eines Akkusativobjekts zu *prospiciunt*.

Ex quo intellegitur, quales futuri sint, cum se plane a corporis vinculis relaxaverint.
Aus diesem wird (es) erkannt, wie sie sein werden, wenn sie sich gänzlich von den Fesseln des Körpers gelöst haben werden (oder: nachdem sie sich gänzlich von den Fesseln des Körpers gelöst haben).

Das ablativische Relativpronomen *quo* ist ein relativer Anschluss. Bei einem relativen Anschluss steht ein Relativpronomen, das sich inhaltlich oder grammatisch noch auf den vorherigen Satz bezieht, am Anfang des Folgesatzes. Bei der Übersetzung wird es einfach durch ein deutsches Demonstrativpronomen (hier: *diesem*) ersetzt (Lehrbuch S. 108). In der Form *intellegitur* ist ein neutrales Subjekt *(es)* impliziert. So entsteht ein unpersönlicher Ausdruck. Da es sich im weitesten Sinne um ein Verb des Wissens handelt, folgt ein indirekter Fragesatz *(quales, von welcher Art, wie)*, der grundsätzlich durch den Konjunktiv gekennzeichnet ist (hier: *sint*). Das PFA *futuri* dient als Prädikativum mit *esse* der Umschreibung des Futur 1 *(Coniugatio periphrastica activa)*. Das Genitivattribut *corporis* wird von dem präpositionalen Ausdruck *a vinculis* in die Klammer genommen. *relaxaverint* kann der Form nach sowohl Indikativ Futur 2 als auch Konjunktiv Perfekt sein. In gewisser Weise entscheidet das über die Übersetzung von *cum (wenn* oder *nachdem)*. Da sich beide, Futur 2 und Konjunktiv Perfekt, im Nebensatz jedoch funktional ähneln, macht die Übersetzung mit dem einen oder anderen kaum einen Unterschied.

Quare, si haec ita sunt, sic me colitote ut deum.
Daher, wenn diese Dinge so sind, sollt ihr mich so verehren wie einen Gott.

Das Demonstrativpronomen *haec* in der Bedeutung *diese Dinge* ist eines der häufigsten substantivierten Neutra Plural. *colitote* ist wieder 2. Plural Imperativ Futur mit der Endung der 3. Imperativ Präsens *-to* als Suffix. Zugrundeliegender Stamm ist *col-, pflegen, kultivieren, verehren*. Objekte dazu sind *me* und *deum*.

Sin autem una est interiturus animus cum corpore, vos tamen deos verentes, qui hanc omnem pulchritudinem mundi tuentur et regunt, memoriam mei pie inviolateque servabitis.

Wenn aber die Seele zusammen untergehen wird mit dem Körper, werdet ihr dennoch die Götter verehrend (während/indem ihr die Götter verehrt), welche diese ganze Schönheit der Welt bewahren und lenken, die Erinnerung an mich liebevoll und unbeschadet bewahren.

una hat hier weniger etwas mit dem Pronominaladjektiv *unus, einer,* zu tun, sondern begibt sich als Adverb in der Bedeutung *zusammen* häufig in die Nachbarschaft der Präposition *cum. interiturus* ist PFA von *interire, untergehen,* und bildet mit *esse* eine Umschreibungskonstruktion des Futur 1, die sich auch *Coniugatio periphrastica activa* nennt, im Deutschen aber einfach als Futur 1 übersetzt wird (Lehrbuch S. 171). *verentes,* von dem Deponens *vereri, fürchten, verehren,* ist ein kongruentes PPA zu *vos,* während *deos* Objekt des Verbaladjektivs ist und durch das Relativattribut *(qui)* näher beschrieben wird. Zur Erinnerung: Ein Relativattribut ist ein Relativsatz, der die Eigenschaften eines Bezugssubstantivs beschreibt. Das Possessivpronomen im Genitiv *mei* kann als Attribut zu *memoria, Erinnerung,* das Objekt der Erinnerung angeben *(Genitivus obiectivus).* Das erklärt die präpositionale *(an mich),* anstelle der wörtlichen *(meiner, von mir)* Übersetzung. *pie* und *inviolate* sind Adverbien von Adjektiven der a-/o-Deklination (*pius* und *inviolatus*), die alle regelmäßig mit der Endung -e gebildet werden («Ahnungslose Omas essen»).

Hunc ego non diligam ...

Hunc ego non diligam, non admirer, non omni ratione defendendum putem?
Diesen soll ich nicht lieben, nicht bewundern, nicht glauben, dass er auf jede Weise zu verteidigen ist?

Die asyndetisch und parallel gelisteten Formen *diligam, admirer* und *putem* haben alle eines gemeinsam: Sie sind Konjunktive im Hauptsatz. Ein Konjunktiv im Hauptsatz muss in jedem Fall übersetzt werden. Hier haben wir es mit einem Konjunktiv Präsens der 1. Präsens in einem direkten Fragesatz. Diese Merkmale deuten in erster Linie auf einen Deliberativus hin, also eine überlegende Frage *(soll ich?)*. Von *putem* ist wie immer ein AcI abhängig. Der Infinitiv *esse* fällt beim Gerundivum (hier: *defendendum*) häufig aus (Ellipse). Als Subjektsakkusativ dient entweder noch das Pronomen *hunc* oder ein logisch aus der Form *defendendum* zu ergänzendes Personalpronomen *(er)*. Die Übersetzung des Gerundivums als Prädikativum erfolgt entweder wörtlich *(dass er zu verteidigen ist)* oder mit *werden müssen (dass er verteidigt werden muss)*.

Atque sic a summis hominibus eruditissimisque accepimus: ceterarum rerum studia ex doctrina et praeceptis et arte constare, poetam natura ipsa valere et mentis viribus excitari et quasi divino quodam spiritu inflari.
Und so haben wir es von den höchsten Menschen und gebildetsten erfahren: dass die Wissenschaften der übrigen Dinge (Fächer) in Lehre und Anleitungen und Übung bestehen, der Dichter (aber) durch Natur (sein Naturtalent) selbst fähig sei und durch die Kräfte seines Geistes motiviert und gewissermaßen durch einen gewissen göttlichen Hauch inspiriert werde.

accepimus, wir haben erfahren, initialisiert nach dem Doppelpunkt einen zweiteiligen AcI: Der erste Teil hat den Subjektsakkusativ *studia* und den Infinitiv *constare*, der zweite Teil den Subjektsakkusativ *poetam* und die drei polysyndetisch durch *et* verbundenen Infinitive *valere, excitari* und *inflari*, die jeweils durch adverbiale Bestimmungen im Ablativ *(natura ipsa, viribus, divino quodam spiritu)* näher beschrieben werden. Da es sich um eine fremde Meinung handelt, kommt der Konjunktiv der indirekten Rede im Deutschen zur Anwendung. *ceterarum rerum* ist vorangestelltes Genitivattribut zu *studia*. Die Wendung *constare ex, bestehen aus,* solltest du dir einprägen! Nicht einfach ist es hier die treffenden Bedeutungen für Substantive wie *res, studium, ars* und *natura* herauszusuchen, weil sie je nach Zusammenhang sogar Gegensätzliches bedeuten können. *praeceptum* ist zwar ursprünglich ein PPP, hier aber zum Substantiv in der Bedeutung *Vorgeschriebenes, Vorschrift, Anleitung* oder sogar *Theorie* erstarrt. Den Nominativ zu dem vorangestellten Genitivattribut vom Stamm *ment-* findest du unter *mens, Geist*. Pass besonders gut auf bei den Substantiven *vir, Mann,* und *vis, Kraft, Gewalt,* und mach dir nochmal klar, von welchem der beiden die Form *viribus* nur kommen kann!

Quare iure noster ille Ennius sanctos appellat poetas, quod quasi deorum aliquo dono atque munere commendati nobis esse videantur.
Deshalb nennt mit Recht jener unser Ennius die Dichter heilig, weil es scheint, dass sie gewissermaßen wie durch irgendein Geschenk der Götter uns anvertraut worden sind.

Das Pronomen *ille* verleiht als pronominales Attribut seinen Bezugswörtern zuweilen eine feierliche Bedeutung (in dem Sinne: *unser berühmter Ennius*). *appellare*, *nennen*, steht regelmäßig mit doppeltem Akkusativ, einem direkten Objekt und einem Prädikativum, das angibt, wie oder als was das Objekt bezeichnet wird. Übersetzt wird dabei entweder wörtlich-undekliniert *(heilig)* oder je nach Verb, das mit doppeltem Kasus steht mit einer der Präpositionen *als/für/zu* (*bezeichnen als, halten für, machen zu*; siehe Präpositionentest Lehrbuch S. 118); in diesem Fall werden die Dichter «*als heilige*» bezeichnet. Bei unklarem Bezug von *quod* lohnt es sich immer einmal den möglichen Bedeutungsraster abzuspulen: *(dass, weil, welcher/e/es)*. Hier wirst du schnell merken, dass nur kausales *quod* in Frage kommt. *quasi* kann sowohl Konjunktion *(wie, als wenn)* als auch Adverb *(gewissermaßen, sozusagen, «quasi»)* sein. Da der Nebensatz bereits über eine einleitende Konjunktion verfügt *(quod)*, bietet sich die zweite Variante an. Dominiert wird der *quod*-Satz durch einen NcI, der durch *videantur* signalisiert wird: Der Nominativ muss aus der Logik des Satzgedankens und aus der Form *commendati* ergänzt werden. Von den Dichtern *(poetas)* war die Rede, die Dichter sind auch Subjektsnominativ zum PPP *commendati*. *commendati* selbst wird bereits als Prädikativum mit dem Infintiv *esse* für die Bildung eines Perfekts Passiv in Anspruch genommen. Wichtig ist die korrekte und sichere Beherrschung der Technik der NcI-Übersetzung. Wenn du hier Unsicherheiten aufweist – unbedingt nachschleifen (Lehrbuch S. 229). 1. Schritt: NcI-Einleiter zu einem unpersönlichen Ausdruck mit *es* als Subjekt umformen *(videantur: es scheint)*, 2. Schritt: *dass*-Satz einschalten *(dass)*, 3. Schritt: Subjektsnominativ einsetzen (aus dem Kontext und aus *commendati* ergänzt: *sie*), 4. Schritt: Infinitiv (und Prädikativum) zum Prädikat finalisieren *(commendati esse: anvertraut worden sind)*. *dono* ist Ablativ von *donum, Geschenk*, und nicht etwa 1. Singular Präsens Aktiv von *donare, schenken*. Auch *munere* von *munus, Aufgabe, Leistung, Geschenk*, ist vielleicht bei geringer Vokabelkenntnis nicht unmittelbar zu finden. Es gehört zu einer Gruppe von Neutra der 3. Deklination, deren Nominativ auf -*us* auslautet und die folglich leicht zu verwechseln sind mit der o-Deklination. Dazu zählen auch: *corpus, Körper, tempus, Zeit, opus, Werk, scelus, Verbrechen, ius, Recht*, um nur einige der häufigsten zu nennen.

Sit igitur, iudices, sanctum apud vos, humanissimos homines, hoc poetae nomen, quod nulla umquam barbaria violavit.
Es sollte also, Richter, dieser Name des Dichters heilig bei euch sein, höchst gebildeten Menschen, welchen keine barbarische Rohheit jemals befleckte.

Die Übersetzung dieses, an sich nicht sonderlich schweren Satzes scheitert in der Regel an der katastrophalen Disziplinlosigkeit bei der Formenanalyse. Zunächst gibt es Leute, die *sit* nicht als Konjunktiv Präsens von *esse* erkennen und dann die absurdesten Bedeutungen aus dem Wörterbuch herauspressen wie *sitis, Durst*. Als Konjunktiv im Hauptsatz muss *sit* übersetzt werden. Für die 3. Singular Konjunktiv Präsens stehen der Optativ (Wunschmodus) und der Potentialis (Möglichkeitsmodus) zur Auswahl. Wenn einem das zu kompliziert ist, kann man den Konjunktiv im Hauptsatz auch durch Ausprobieren mit *sollte, könnte, dürfte wohl*, emitteln (in einigen mündlichen Prüfungen wird nach der genauen Bezeichnung allerdings gefragt! Näheres dazu Lehrbuch S. 218). Subjekt des Satzes ist *nomen, Name*. Da es sich bei *sit* um eine Form von *esse* handelt, bleibt die Suche nach einem passenden Prädikativum (Prädikatsnomen). Kongruent zum Nominativ Neutrum von *nomen* und prädikatsnah bei *sit* ist das Adjektiv *sanctum, heilig*. *iudices*, (ihr) Richter, ist Vokativ der Anrede und nicht etwa 2. Singular Konjunktiv Präsens Aktiv von *iudicare, beurteilen* – ein Fehler, der von Anfängerblut nur so trieft! Das Adjektiv *humanus* heißt nicht im heutigen Sinne *menschlich*, wie man erwartet, sondern bezeichnet Eigenschaften, die den Menschen vom Tier unterscheiden: Bildung und Kultur. *humanissimos homines* ist ein Eigenschafts- bzw. Wesensattribut zu *vos*. Der eigentliche Knackpunkt des Satzes ist der Kasus des Relativpronomens *quod*. Dass es sich um ein relatives und nicht kausales oder faktisches *quod* handelt, findet man heraus, indem man jeweils die deutschen Bedeutungen einsetzt: *dass, weil, welch* – wobei der Stamm *welch* Platzhalter für alle deklinierten Formen des deutschen Relativpronomens ist, also nicht nur für *welches*, sondern auch für *welche* und *welcher*, wenn das Bezugswort von *quod* im Deutschen ein anderes Geschlecht hat als das lateinische Neutrum. *quod* kann sogar Akkusativ sein, da auch für das Neutrum der Relativpronomen die Regel 1=4 gilt. Folglich kann *quod* auch für den Akkusativ aller drei Geschlechter stehen. Das ist hier der Fall: *nomen*, lateinisch Neutrum, hat im Deutschen männliches Geschlecht *(der Name)*. *quod* kann also Nominativ *(welcher)* oder Akkusativ *(welchen)* sein. Als Subjekt des Nebensatzes kommt allerdings auch *barbaria* in Frage, als Objekt hingegen nur *quod*. So genau muss man nach diesem Ausschlussprinzip vorgehen. Der Grundgedanke des *quod*-Satzes ist also: «Keine barbarische Rohheit hat je den Namen des Dichters befleckt.»

Saxa atque solitudines voci respondent, bestiae saepe immanes cantu flectuntur atque consistunt: Nos instituti rebus optimis non poetarum voce moveamur?
Steine und Wüsten reagieren auf seine Stimme, wilde Tiere werden durch seinen Gesang oftmals umgestimmt und bleiben stehen: wollen wir, die wir gebildet in den besten Künsten sind, nicht durch die Stimme der Dichter bewegt werden?

voci gehört zu einer Gruppe monosyllabischer (einsilbiger) Substantive der 3. Deklination, deren Nominativ so starke Veränderungen gegenüber dem Stamm aufweist, dass er ohne selbst bekannt zu sein kaum im Wörterbuch zu finden ist. Der Stamm von *voci* endet auf c *(voc-)*. Häufig findet sich der Nominativ, indem man ein s an den Stamm fügt. Treffen jedoch k-Laute auf s, entsteht ein x. Der Nominativ zu dem Dativ *voci* ist also *vox*. Ähnlich verhält es sich mit: *lex, Gesetz, merx, Ware, nox, Nacht, pax, Friede, rex, König. bestiae* sind wirklich nur *wilde Tiere* und nicht etwa *Monster, Bestien, Ungeheuer*, die dem modernen Wortfeld *Bestie* entsprechen. Die Vorstellung, dass Tiere und unbelebte Gegenstände auf die Stimme eines Dichters oder Sängers reagieren, ist ein sogenannter *locus classicus,* griechisch *tópos,* also ein typologischer und rhetorischer Bild- oder Textbaustein, der immer wieder zitiert oder in leicht veränderter Form verwendet wird um bestimmte Assoziationen hervorzurufen. Man würde heute von einem Klischee sprechen. Im zweiten Satz treffen wir auf eine 1. Plural Konjunktiv im Hauptsatz *(moveamur)*, abgeschlossen durch ein Fragezeichen – Indiz für einen *Deliberativus*, eine überlegende Frage einer 1. Person: *soll, will ich? sollen, wollen wir?* Zum Subjekt *nos, wir,* steht das PPP *instituti* als Attribut. Ich muss nicht erwähnen, dass die *esse*-Probe bei jedem Attribut zur Standardprozedur gehören muss, also die Untersuchung, ob ein PPP in Verbindung mit einer Form von *esse* erscheint, mit dem es als Prädikativum zum Perfekt Passiv wird. *instituti* lässt sich hier sowohl als dauerhafte Eigenschaft auffassen und relativ übersetzen *(wir, die wir gebildet worden sind)* als auch als Prädikativum wörtlich-undekliniert oder konjunktional *(wir gebildet; wir, nachdem wir gebildet worden sind)*. *poetarum* ist ein vorgezogenes Genitivattribut zu *voce*. Im Deutschen gehören Genitivattribute grundsätzlich hinter ihr Bezugswort!

Homerum Colophonii civem esse dicunt suum, Chii suum vindicant, Salaminii repetunt, Smyrnaei vero suum esse confirmant.
Die Kolophonier sagen, dass Homer ihr Bürger sei, die Chier beanspruchen (ihn) als ihren, die Salaminier fordern (ihn) für sich, die Smyrnaer aber versichern, er sei ihrer.

Die Grundverstrebung dieses Satzes besteht aus parallelistischen Parataxen (also mehreren Hauptsätzen gleicher Bauart) mit mehreren AcIs, die in Form eines Asyndetons (also einer konjunktionslosen Aufzählung durch Kommata) hintereinander gestapelt sind. Parallelistisch sind vor allem die Namen der Städtebewohner *(Colophonii, Chii, Salaminii, Smyrnaei)*, die als Subjekte jeweils die erste Stelle in jedem Satz einnehmen, außerdem die Prädikate (und AcI-Signalprädikate) an letzter Stelle *(dicunt, vindicant, repetunt, confirmant)*, die außerdem alle die gleiche Personalendung auf *-nt* aufweisen (Homoioteleuton). Alle AcIs teilen sich gemeinsam einen einzigen Subjektsakkusativ: *Homerum*. Im ersten AcI der Reihe erscheint nach dem Infinitiv *esse* als obligatorisches Prädikativum *civem* und zwei Wörter später *suum*. Der zweite Satz ist im eigentlichen Sinne kein AcI (obwohl sich eine Ellipse vermuten lässt). *vindicare* steht hier schlicht mit doppeltem Akkusativ *(Homerum* und *suum)* in der Bedeutung *beanspruchen als* (Präpositionentest!). Beachte, dass Homer als Objekt zu *vindicant* hier nicht noch einmal aufgeführt ist. In der Übersetzung genügt es auch nur ein Pronomen *(ihn)* als Stellvertreter einzusetzen. Als falsche Übersetzung liest man hingegen oft: «die Chier beanspruchen ihres / ihren / das Ihrige». So bitte nicht! Denke bei allen Formen des Possessivpronomens *su-* daran, dass sie sich sowohl auf männliche wie auf weibliche (oder neutrale) Besitzer beziehen können und im Deutschen, anders als im Lateinischen, dann unterschieden werden müssen in *sein* und *ihr*. Ähnlich wie im ersten AcI verhält es sich auch im letzten: Subjektsakkusativ ist wieder *Homerum*, Infinitiv ist *esse*, der *suum* als Prädikativum verlangt. Auch hier genügt es für *Homerum* im Deutschen ein Pronomen *er* einzusetzen

Itaque etiam delubrum eius in oppido dedicaverunt.
Daher haben sie sogar ein Heiligtum von diesem in ihrer Stadt geweiht.

Das pronominale Genitivattribut *eius* bezieht sich auf *delubrum*, nicht auf *oppido*. Genitivattribute, die sich auf Präpositionalausdrücke beziehen, stehen in der Regel zwischen Präposition und Bezugswort (Genitiv in Klammerstellung). Die Präposition *in* gibt uns natürlich wieder einmal Gelegenheit für eine kleine Fingerübung: Worin besteht im Lateinischen der grammatische Unterschied, zwischen den folgenden beiden Sätzen: *1. Ich gehe in die Stadt. 2. Ich gehe in der Stadt.* Die Unfähigkeit vieler Prüflinge, mir diese Frage zu beantworten, ist für mich ein Grund, sie mit sofortiger Wirkung durchfallen zu lassen. Nachzulesen ist das ganze im Lehrbuch auf S. 134.

Permulti alii praeterea pugnant inter se atque contendunt.
Sehr viele andere darüberhinaus wetteifern unter sich und konkurrieren.

Schwierig sind hier nur die Vokabeln. *pugnare* und *contendere*, beide sonst eher in der Bedeutung *kämpfen* verwendet, meinen hier keinen bewaffneten Kampf, sondern einen Konkurrenzkampf. *inter* + Akkusativ, sonst *zwischen*, bedeutet oft auch *unter* (in dem Sinne: *untereinander, unter sich, unter Menschen*).

Ergo illi alienum, quia poeta fuit, post mortem etiam expetunt.
Also fordern jene einen Fremden, weil er Dichter war, sogar nach seinem Tod für sich.

poeta, Dichter, von dem hier schon die ganze Zeit die Rede ist, ist ein Substantiv der a-Deklination mit männlichem Geschlecht. Es durchbricht zusammen mit *nauta, Seemann, pirata, Pirat, agricola, Bauer, incola, Bewohner* und *collega, Amtskollege,* die Regel, dass alle Substantive der a-Deklination weiblich sein müssen. Die Einfügung eines deutschen Artikels vor lateinischen Substantiven ist eine Frage des Sprachgefühls. Orientiere dich an Beispielen wie hier, wo ich vor *Dichter* den Artikel *ein* und vor *Tod* das Possessivpronomen *seinem* einfüge, und versuche zu imitieren. Mit der Zeit kommt die Übung.

Nos hunc vivum, qui et voluntate et legibus noster est, repudiamus, praesertim cum omne olim studium atque omne ingenium contulerit Archias ad populi Romani gloriam laudemque celebrandam?
Lehnen wir diesen lebend (zu Lebzeiten) ab, welcher sowohl in Gesinnung und Gesetzen unser ist, insbesondere weil einst all sein Interesse und seine Begabung Archias verwandt hat auf die Verbreitung des Ruhmes und der Ehre des römischen Volkes?

Im Kontext der Rede handelt es sich bei diesem Satz natürlich nur um eine Scheinfrage oder rhetorische Frage, in der ein stiller Vorwurf an die Audienz mitschwingt in dem Sinne: *Wollen wir das allen Ernstes? Niemand kann das wollen!* *vivum* ist Prädikativum zum Objekt *hunc*. Dass Archias die dauerhafte Eigenschaft hat, lebendig zu sein, ist sicher richtig. Ich habe grammatisch auch nichts dagegen, wenn du *vivum* als Attribut wörtlich-dekliniert oder gar substantiviert übersetzt hast *(diesen lebenden, diesen Lebendigen)*. Betont werden soll aber Ciceros Forderung, dass Archias nicht «im lebenden Zustand» aus der Bürgerschaft abgewiesen werden soll, wenn er ihr nach dem Tod noch nützen und Ruhm bringen kann. Deshalb übersetze ich wörtlich-undekliniert *(lebend)*. Besonders deutlich wird der Sinn sogar, wenn man das lateinische Adjektiv *vivum* durch einen deutschen Präpositionalausdruck *(zu Lebzeiten)* ersetzt. Im Relativsatz verbindet ein doppelgliedriges *et ... et ...,* sowohl ... als auch ..., die beiden modalen oder instrumentalen Ablative *voluntate* und *legibus*. Die Abfolge der Satzteile des *cum*-Satzes (Objekt, Prädikat, Subjekt) läuft dem Deutschen zuwider, kann aber immer noch nachempfunden werden. Die Form *omne* gehört zu den zweiendigen Adjektiven der 3. Deklination auf *-is, -is, -e* (hier: *omnis, omnis, omne*). Da im Neutrum die Regel 1 = 4 greift, kann *omne* auch Akkusativ sein und kongruiert mit *studium* und *ingenium*. Die Stammformen von *ferre fer-, tul-, lat-* und analog auch alle Composita wie *conferre* dürfen dir nicht unbekannt bleiben. Wer sie nicht bis zur Prüfung sicher beherrscht, kann nichts. Auch eine Phrase wie *conferre ad, einsetzen für, verwenden auf,* gehört in deine Karteikartensammlung und irgendwann auch mal in dein Gehirn. *populi Romani* ist ein Genitiv in Klammerstellung zwischen der Präposition *ad* und ihrem Bezugswort *gloriam*. Zu *gloriam* findet sich ein kongruentes Notwendigkeitspartizip, besser bekannt unter der Bezeichnung Gerundivum *(celebrandam)*. Sofern das Gerundivum nicht prädikativ mit *esse* erscheint *(Coniugatio periphrastica passiva)*, was es hier nicht tut, kann man es in der Regel bedenkenlos substantivieren und das Bezugswort genitivieren. Wörtlich müsste es heißen: *auf den zu verbreitenden Ruhm und die (zu verbreitende) Ehre des römischen Volkes!*

Neque enim quisquam est tam aversus a Musis, qui non mandari versibus aeternum suorum laborum praeconium facile patiatur.

Denn es ist nicht irgendjemand so abgewandt von den Musen, welcher nicht leicht (bereitwillig, ohne weiteres) zulässt, dass ein ewiger Lobpreis seiner Taten den Versen anvertraut wird.

Das mit dem Suffix -*quam, irgend-,* zusammengesetzte Fragepronomen *quisquam, irgendwer,* sollte dir ebenso geläufig sein wie das mit dem Suffix -*dam* zusammengesetzte (Lehrbuch S. 256). *aversus* ist PPP von *avertere, abwenden,* und lässt im Verbund mit *est* an ein Perfekt Passiv denken *(ist abgewandt worden).* Das ist grammatisch nicht ganz falsch. Nicht selten liegt beim PPP in Verbindung mit *esse* jedoch auch ein sogenanntes Zustandspassiv vor. Ein Zustandspassiv ist ein Perfektpartizip, das weniger eine vergangene Handlung, als einen fortdauernden Zustand oder das Resultat eines passiven Vorgangs ausdrückt. Übersetzt wird es, indem man *worden* weglässt *(ist abgewandt).* Die Musen sind bekanntlich die Göttinnen der schönen Künste. Wer sie nicht kennt, ist nicht gebildet. Ich schmeiße sie andauernd durcheinander, bin also auch nicht sonderlich gebildet. (Hier nochmal die Liste zum Auswendiglernen: Klio [Geschichtsschreibung], Melpomene [Tragödie], Terpsichore [Tanz], Thalia [Komödie], Euterpe [Musik], Erato [Liebesdichtung], Urania [Sternkunde], Polyhymnia [Gesang], Kalliope [epische Dichtung, Rhetorik, Prosa].) Der *qui*-Satz enthält einen ungewöhnlichen AcI-Einleiter: das Deponens *pati, zulassen.* Der AcI besteht aus dem Subjektsakkusativ *praeconium* und dem Infinitiv Passiv *mandari.* Das Genitiv *suorum laborum* ist zwischen dem Attribut *aeternum* und seinem Bezugswort *praeconium* eingeklammert. Dass dieses im Konjunktiv *(patiatur)* erscheint, hat einen typischen Grund: es handelt sich um einen Relativsatz mit konjunktivischem Nebensinn. Ein konjunktivischer Nebensinn in einem Relativsatz macht durch den Konjunktiv das Relativpronomen zum Synonym einer Konjunktion wie *dass, damit, weil.* Je nach Art des einsetzbaren Konjunktionalsatzes spricht man meist von einem finalen *(dass, damit),* kausalen *(weil)* oder konsekutiven Nebensinn *(so dass).* Ein solcher Nebensinn kann, muss aber nicht unbedingt bei der Übersetzung berücksichtigt werden. Manche Prüfer halten es für unvorstellbar wichtig, dass man einen konjunktivischen Nebensinn erkennen und benennen kann. Deshalb habe ich ihn im Lehrbuch auf S. 110 behandelt.

Quis ergo iste optimus quisque ...

Quis ergo iste optimus quisque?
Wer also sind gerade diese Besten (diese Optimaten)?

Wie es der Teufel will, hat dieser Satz gleich eine doppelte Schwierigkeit: 1. die ungewöhnliche Kombination aus Superlativ + *quisque*, 2. die Ellipse einer Form von *esse* im Singular *(est)*, die entsprechend der Regel zu Superlativ + *quisque* im Deutschen auch noch pluralisiert werden muss *(sind)*. Die Phrase *optimus quisque* ist eine für Cicero typische Wendung nach dem Schema: Superlativ + Pronomen *quisque, jeder*. Der Versuch einer wörtlichen Übersetzung macht wenig Sinn: «jeder Beste» klingt merkwürdig. Eingebürgert hat sich eine deutsche Umschreibung mit *gerade die* + Superlativ im Plural, hier also: *gerade die Besten*. Das Verwirrende an dieser Übersetzung ist der Unterschied zwischen lateinischem Singular und deutschem Plural. Denke also bei der Übersetzung dieser Phrase daran, jeden lateinischen Singular (auch das Verb) zu pluralisieren. Die spezifische Form *optimus quisque* dient Cicero, dem das Verdienst zukommt, viele griechische Wörter überhaupt erst für das Lateinische durch Übersetzungen und Wortneuschöpfungen erschlossen zu haben, als Umschreibung für das griechische Wort *Aristokraten (Bestherrscher)*. Daneben verwendet Cicero auch die wörtliche lateinische Übersetzung *optimates (optimus, der Beste)*, die im Deutschen unübersetzt bleiben darf. Dabei ist der Begriff *Optimat* nicht synonym mit *Senator*, weil es sich bei diesem lediglich um ein politisches Amt handelt, während die Optimaten eine idealtypische Herrscherkaste darstellen, die lediglich die politischen Aufgaben des Senates erfüllen sollen.

Ut tollatur error, brevi circumscribi et definiri potest.
Damit das Missverständnis beseitigt wird, kann er (der Optimat) kurz beschrieben und bestimmt werden.

Im Hauptsatz fehlt uns hier ein Subjekt. Sinngemäß ist etwas wie «der Begriff Optimat» zu ergänzen.

Omnes optimates sunt, qui neque nocentes sunt nec natura improbi nec furiosi nec malis domesticis impediti.
Optimaten sind alle, die weder kriminell sind, noch von Natur aus schlecht, noch wahnsinnig (geistig krank), noch gehindert durch schlechte häusliche Verhältnisse.

Bei einer Form von *esse* sollte man sich immer als Erstes Subjekt und Prädikativum (Prädikatsnomen) heraussuchen. Solang mehrere Formen im Nominativ zur Verfügung stehen, kann man durch Ausprobieren meistens mindestens eine zum Prädikativum machen. In diesem Fall macht die Form *omnes* am meisten Sinn. Die folgende Aufzählung macht vor allem beim Heraussuchen der richtigen Bedeutungen Probleme. Das PPP *constituti* kann hier mit *esse* zusammen genommen werden («die gestellt worden sind»), es kann aber auch wörtlich-undekliniert bleiben, wie in meiner Musterübersetzung. *malis domesticis* übersetze ich als substantiviertes Neutrum Plural im Ablativ (von *mala domestica*). Statt *Dinge* füge ich *Verhältnisse* hinzu.

Esto igitur, ut ii sint, quam tu «nationem» appellasti, qui et integri sunt et sani et bene de rebus domesticis constituti.
Es soll also sein, dass es diese sind, welche du «Sippschaft» nanntest, welche sowohl anständig sind, als auch geistig gesund, als auch gut in Bezug auf häusliche Verhältnisse gestellt.

esto ist einer der seltenen Imperative der 3. Person mit einem neutralen Subjekt *(es)*. Ein Subjekt fehlt auch im nun folgenden *ut*-Satz. Hier kann man entweder mit etwas Sprachgefühl ein deutsches *es* ergänzen oder man greift gedanklich das Subjekt des Vorsatzes (Optimaten) wieder auf. Auch hier findet sich am Ende wieder ein PPP, das sich am besten wörtlich-undekliniert übersetzen lässt.

Horum qui voluntati, commodis, opinionibus in gubernanda re publica serviunt, defensores optimatium ipsique optimates gravissimi et clarissimi cives numerantur et principes civitatis.
Welche von diesen dem Interesse, den Vorteilen, den Erwartungen bei der Leitung des Staates (in dem zu leitenden Staat) dienen, werden als Verteidiger der Optimaten und die Optimaten selbst als bedeutendste und berühmteste Bürger und als erste Männer des Staates gezählt.

Das Verb *nominare* hat mit doppeltem Akkusativ die Bedeutung *halten für*. Ins Passiv gekehrt wird aus dem doppelten Akkusativ ein doppelter Nominativ. Der Doppelkasus besteht jeweils aus Objekt bzw. Subjekt und einem dazu kongruenten Prädikativum, das im Deutschen durch einen präpositionalen Ausdruck übersetzt wird (*für etwas halten* bzw. *gehalten werden*). Die Schwierigkeit steckt also zunächst in den unterschiedlichen Mitteln beider Sprachen um dasselbe auszudrücken. In dem vorliegenden Satz tritt noch hinzu, dass das erste Subjekt in dem Relativsatz steckt. Es handelt sich um einen Subjektsatz. Das zweite Subjekt ist *ipsi*. Alle anderen Nominative sind Prädikativa, die dasjenige bezeichnen, für was die Subjekte gehalten werden.

Quid est igitur propositum his rei publicae gubernatoribus, quod intueri et quo cursum suum derigere debeant?
Was ist also das Ziel für diese Lenker des Staates, welches sie beachten müssen und wohin sie ihren Kurs lenken müssen?

propositum kann neben der substantivischen Bedeutung *Ziel* auch als echtes PPP in Verbindung mit *esse* aufgefasst werden. Eine Übersetzung könnte dann lauten: «was ist also zum Ziel gesetzt worden diesen Lenkern des Staates ...». *rei publicae* ist Genitiv in Klammerstellung. Mitnehmen solltest du aus diesem Satz auch, dass *quo* nicht selten die Bedeutung *wohin* hat.

Id, quod est praestantissimum maximeque optabile omnibus sanis et bonis et beatis: cum dignitate otium.
Dieses, welches das Vorzüglichste und am meisten Wünschenswerte für alle Vernünftigen und Guten und Glücklichen ist: politischer Friede mit Standeswürde.

Die Adjektive *sanus, bonus* und *beatus* erscheinen hier als substantivierte Adjektive im Maskulinum. Das erkennt man daran, dass sie als Adjektive kein kongruentes Bezugswort haben, also nicht als Attribute, sondern als eigenständige Satzteile dienen. In solch einem Fall muss jedes Adjektiv substantiviert werden. Auf die Sonderbedeutungen *politischer Friede* für *otium* und *Standeswürde* für *dignitas* kann man nur mit dem entsprechenden Hintergrundwissen über das Wahlprogramm Ciceros kommen. Da sie in Cicero- und auch Sallusttexten häufig in dieser Bedeutung vorkommen, empfehle ich diese Sonderbedeutung zu vermerken.

Hoc qui volunt, omnes optimates, qui efficiunt, summi viri et conservatores civitatis putantur;
Welche dieses wünschen, werden alle für Optimaten gehalten, welche dieses ermöglichen, werden für die höchsten Männer und Bewahrer des Staates gehalten.

Auch an diesem Satz stößt man auf die Schwierigkeit, die das Verb *putare* mit einem Doppelkasus mit sich bringt. Mit doppeltem Nominativ heißt *putari* (Passiv) ebenfalls *gehalten werden für*. Und auch in diesem Satz steckt das Subjekt selbst in den Relativsätzen (Subjektsätzen), während die Nominative im Hauptsatz Prädikativa sind.

neque enim rerum gerendarum dignitate homines ecferri ita convenit, ut otio non prospiciant, neque ullum amplexari otium, quod abhorreat a dignitate.
Denn es kommt nicht durch die Standeswürde der Vollbringung von Taten (wörtlich: der zu erbringenden Leistungen, gem.: der Taten) soweit, dass die Menschen so überheblich werden, dass sie auf den Frieden nicht schauen, und dass sie nicht irgendeinen Frieden in Betracht ziehen, welcher von der Standeswürde zurückweicht.

Dieser Satz kann ohne die Hilfe in der Fußnote für einen Anfänger nur schwer gelöst werden und es ist keine Schande, wenn du hier die Übersetzung konsultierst. Die vielen Sonderbedeutungen wie *in Betracht ziehen* für *amplexari* oder *abweichen* für *abhorrere* machen die Sache nicht einfacher. *rerum gerendarum* ist Genitivus obiectivus, denn die Taten sind das Objekt oder der Grund der Standeswürde, so dass man auch mit «Ansehen/Status wegen der Vollbringung von Taten» übersetzen kann. Inhaltlich ist etwa folgendes gemeint: Auch Menschen, die durch besondere Leistungen ihre Standeswürde erwerben, tun dies nicht um den Preis des Friedens und geben sich auch nicht mit einem Frieden ab, der ihnen ihre Standeswürde raubt (z.B. in einem künstlichen Frieden unter einem Tyrannen).

Huius autem otiosae dignitatis haec fundamenta sunt, haec membra, quae tuenda principibus et vel capitis periculo defendenda sunt: religiones, auspicia, potestates magistratuum, senatus auctoritas, leges, mos maiorum, iudicia, iuris dictio, fides, provinciae, socii, imperii laus, res militaris, aerarium.
Von dieser friedlichen Standeswürde aber sind diese (folgenden Dinge) die Grundlagen, diese die Glieder, welche von den Ersten zu bewahren und sogar unter Lebensgefahr (in Gefahr des Lebens) zu verteidigen sind: Moralvorstellungen, Rituale, die Amtsgewalt (singularisiert) der Beamten, das Ansehen des Senats, die Gesetze, die Sitten der Vorfahren (Tradition), die Gerichtsbarkeit (singularisiert), die Rechtsprechung, die Zuverlässigkeit (Bündnistreue), die Provinzen, die Bundesgenossen, das Ansehen der Herrschaft, das Militärwesen, die Staatsfinanzen (pluralisiert).

Immer wieder Kopfzerbrechen bereitet das scheinbare Fehlen eines Prädikativums bei *esse*. Denn wer hier *haec* als Attribut auf *fundamenta* bezieht («diese Grundlagen»), verschießt sein Pulver vorzeitig. Bei *esse* sollte grundsätzlich mindestens einer der zur Verfügung stehenden Nominative zum Prädikatsattribut gemacht werden. *sunt* bezieht sich auf beide Gerundiva. Zudem findet sich ein *Dativus auctoris (principibus)*. Die Begriffe des Wertekataloges sind zentral für die Staats- und Gesellschaftsidentität der römischen Republik. Es kann sich daher lohnen sowohl Wortlaut als auch inhaltliche Besetzung zu lernen oder wenigstens im Wörterbuch zu markieren.

Qui rei publicae praefuturi sunt ...

Qui rei publicae praefuturi sunt, duo Platonis praecepta teneant: unum, ut utilitatem civium sic tueantur, ut, quaecumque agunt, ad eam referant obliti commodorum suorum, alterum, ut totum corpus rei publicae curent, ne, dum partem aliquam tuentur, reliquas deserant.
Welche dem Staat vorstehen werden, sollen zwei Vorgaben des Platon einhalten: die eine, dass sie die Interessenvertretung der Bürger so wahrnehmen, dass sie, was auch immer sie tun, für diese (Interessenvertretung) einsetzen, nachdem sie ihre eigenen Vorteile vergessen haben (ohne an ihre eigenen Vorteile zu denken), die andere, dass sie mit Leib und Seele für den Staat sorgen, damit sie nicht, während sie irgendeinen Teil schützen, die übrigen im Stich lassen.

Der Relativsatz, mit dem unser Text beginnt, ist ein sogenannter Subjektsatz. Ein Subjektsatz ist ein Relativsatz oder indirekter pronominaler Fragesatz, der als Platzhalter für das Subjekt des Hauptsatzes eintritt, sich also nicht mehr auf ein im Hauptsatz genanntes Subjekt bezieht. Damit die Übersetzung solcher Subjektssätze auf Anhieb gelingt, empfehle ich die Übersetzung von Relativpronomen mit *welcher, welche, welches,* oder mit *der, die, das. praefuturi* ist PFA von *praeesse, vorstehen,* ein Verb das regelmäßig mit dem Dativ (*wem vorstehen,* hier: *rei publicae*) steht. Das PFA erscheint in der Regel nur als Prädikativum in Verbindung mit *esse* zur Bildung der Umschreibungskonstruktion für das Futur 1 Aktiv *(Coniugatio periphrastica activa).* Bei Cicero und Sallust bildet das PFA von esse *(futurus)* die einzige Ausnahme, weil es als Attribut ohne eine zusätzliche finite Form von *esse* die Bedeutung *zukünftig* hat. *praefuturi sunt* hingegen wird hier auch als Futur 1 Aktiv übersetzt: *sie werden vorstehen. teneant* ist 3. Plural Konjunktiv Präsens und befindet sich im Hauptsatz. Folge: Es muss übersetzt werden. Für die 3. Plural Konjunktiv Präsens ohne weitere Signalwörter stehen *Optativus, Potentialis, Iussivus* zur Auswahl. Allein der Einleitungstext gibt uns einen Hinweis, dass es sich bei diesem staatstheoretischen Text um verbindliche Empfehlungen, bzw. Gebote handelt. Ein Fall für den *Iussivus,* der einen Befehl mit *sollen* ausdrückt. Das PPP *praeceptum* gehört zwar als Wortart noch zu den Verbaladjektiven, ist jedoch in vielen Zusammenhängen zum neutralen Substantiv in der Bedeutung «Vorgeschriebenes», «Vorschrift», «Vorgabe», erstarrt. Es folgt eine Aufzählung von zwei mit *praeceptum* kongruenten Akkusativobjekten: *unum ... alterum ...,* zu denen also gedanklich jeweils *praeceptum* zu ergänzen ist. An diese schließen sich mehrere konjunktivische *ut*-Sätze an, die den Inhalt der Vorschriften enthalten. Das Suffix *-cumque, ... auch immer,* nach Relativ- und Fragepronomen muss ebenso wie die Suffixe *-dam, -quam, -que* gelernt werden (Lehrbuch S. 256). *quaecumque agunt* ist ein Objektsatz. Ein Objektsatz vertritt ein Objekt des Hauptsatzes (hier das Akkusativobjekt zu *referant,* das auf die Frage antwortet: *Wen oder was setzen sie ein?*) in Form eines Relativ- oder auch indirekten pronominalen Fragesatzes. *oblitus* ist das PPDep des Deponens *oblivisci, vergessen, nicht denken an.* Wie viele Deponentien und auch manche andere Verben steht es nicht mit demselben Kasus wie im Deutschen. Während wir, wenn wir etwas vergessen, ein Akkusativobjekt vergessen, vergisst der Römer eine Art «Genitivobjekt» (hier: *commodorum suorum*). Wenn es dir hilft, kannst du diesen Genitiv im weitesten Sinne als Genitivus obiectivus zählen. Das erleichtert die auch dort übliche Übersetzung durch einen präpositionalen Ausdruck. Zur eigentlichen Übersetzung des PPDep *oblitus:* Das PPDep kann, wie auch das PPP, als Prädikativum mit *esse* stehen und dann das Perfekt Deponent bilden, das im Deutschen als Perfekt (oder Präteritum) Aktiv übersetzt wird. Daneben kann es, wie hier, als Prädikativum ohne *esse* erscheinen und dann im Deutschen durch einen Konjunktionalsatz oder phraseologischen präpositionalen Ausdruck übersetzt werden (Lehrbuch S. 177). Bei *oblitus* (bzw. hier: *obliti*) kann man besonders elegant mit *ohne zu* + Infinitiv operieren. *curare* mit Dativ (hier: *rei publicae*) hat regelmäßig die Bedeutung: *sorgen für. dum* mit Indikativ *(tuentur)* heißt *während.* Zur Erinnerung: mit Konjunktiv heißt *dum solange* oder *bis.*

Ut enim tutela, sic procuratio rei publicae ad eorum utilitatem, qui commissi sunt, non ad eorum, quibus commissa est, gerenda est.
Wie nämlich die Vormundschaft (Obhut eines Kindes), so ist die Verwaltung des Staates zum Nutzen von diesen, die anvertraut worden sind, und nicht von diesen, denen er (gem.: der Staat) anvertraut worden ist, auszuführen.

Erscheint *ut* mit Indikativ oder wie hier sogar ganz ohne Prädikat, hat es die Bedeutung: *wie.* Ein weiterer Hinweis ist das Adverb *sic, so,* das auf *ut, wie,* logisch folgt. Subjekt des Satzes ist *procuratio, Verwaltung,* und steht kongruent mit einem Gerundivum, das in Verbindung mit *est* zum Prädikativum wird. Die Übersetzung erfolgt entweder wörtlich: «die Verwaltung ... ist auszuführen» oder mit *werden müssen:* «die Verwaltung ... muss ausgeführt werden». *eorum* ist ein Genitivattribut in Klammerstellung zwischen *ad* und *utilitatem.* Beachte die Kasus der Relativsätze: *qui* ist Nominativ. Das PPP *commissi* und die präsentische *esse*-Form *sunt* treten zum Perfekt Passiv zusammen. *quibus* hingegen ist Dativobjekt zu *committere, anvertrauen.* Das PPP *commissa* wiederum und die *esse*-Form *est* beziehen sich als Perfekt Passiv auf das feminine Hauptsatzsubjekt *procuratio.*

Qui autem parti civium consulunt, partem neglegunt, rem perniciosissimam in civitatem inducunt, seditionem atque discordiam.
Welche aber für einen Teil der Bürger sorgen, einen (andern) Teil vernachlässigen, führen eine sehr verderbliche Sache in den Staat ein, Aufruhr und Zwietracht.

Auch dieser anfängliche Relativsatz (von *qui* bis *neglegunt*) vertritt das eigentliche Subjekt des Hauptsatzes (das mit Prädikat *inducunt* auf die Frage antwortet: *Wer führt ein?*). *consulere* mit dem Dativ heißt *sorgen für etwas/jemanden*, während es mit dem Akkusativ heißt: *jemanden um Rat fragen*. *perniciosissimam* steht in grammatischer Kongruenz sowohl zu *rem* als auch zu *civitatem*. Logisch bezieht es sich nur auf *rem*. Der Elativ steht statistisch weitaus häufiger als der Superlativ. In manchen Zusammenhängen, vielleicht auch hier, kann auch beides passen. Inhaltlich würde man nach *rem*, nur eine statt zwei substantivische Ergänzungen (*seditionem* und *discordiam*) erwarten.

Ex quo evenit, ut alii populares, alii studiosi optimi cuiusque videantur, pauci universorum.
Aus diesem folgt (es), dass die einen als Volksgänger, die anderen als Parteigänger der Optimaten scheinen, wenige (als Parteigänger) von allen gemeinsam.

evenit ex, es folgt aus, ist ein unpersönlicher Ausdruck, also eine Verbform in der 3. Singular mit einem Subjekt im Neutrum (*es*), das zuweilen auch im Deutschen nicht unbedingt genannt werden muss. *quo* ist ein relativer Anschluss. Bei einem relativen Anschluss übersetzt man das Relativpronomen als Demonstrativpronomen. Analog zu der Wendung *alius ... alius ... der eine ... der andere ...* steht hier der Plural beider Formen. Solche Korrelativpronomen darf man nicht nachschlagen, man muss sie lernen! Wenn ich auch hier als Hilfe für einen Singular (*optimus quisque*) einen Plural (*Optimaten*) angebe, solltest du wenigstens verstehen, warum das so ist: Die Phrase *optimus quisque* ist eine für Cicero typische Wendung nach dem Schema: Superlativ + *quisque* (Lehrbuch S. 145). Der Versuch einer wörtlichen Übersetzung macht wenig Sinn: «*jeder Beste*» klingt merkwürdig. Eingebürgert hat sich eine deutsche Umschreibung mit *gerade die* + Superlativ im Plural, hier also: *gerade die Besten*. Das Verwirrende an dieser Übersetzung ist der Unterschied zwischen lateinischem Singular und deutschem Plural. Denke also bei der Übersetzung dieser Phrase daran, jeden lateinischen Singular (auch das Verb) zu pluralisieren. Die spezifische Form *optimus quisque* dient Cicero, dem der Verdienst zukommt, viele griechische Wörter überhaupt erst für das Lateinische durch Übersetzungen und Wortneuschöpfungen erschlossen zu haben, als Umschreibung für das griechische Wort *Aristokraten (Bestherrscher)*. Daneben verwendet Cicero auch die wörtliche lateinische Übersetzung *optimates (optimus, der Beste)*, die im Deutschen unübersetzt bleiben darf *(Optimaten)*. Nach *videri*, *scheinen*, steht hier wider Erwarten kein NcI sondern ein doppelter Nominativ in der Bedeutung *erscheinen als*. Dabei sind die beiden Nominative *alii* Subjekte. *studiosi, Parteigänger,* ist das Prädikativum (Prädikatsnomen), als das «die anderen» erscheinen. Auch zum Subjekt *pauci* ist gedanklich nochmals das Prädikatsattribut *studiosi* und das Prädikat *videantur* zu ergänzen.

Hinc apud Athenienses magnae discordiae, in nostra re publica non solum seditiones, sed etiam pestifera bella civilia.
Daher (waren, herrschten) bei den Athenern große Uneinigkeiten, in unserem Staat nicht nur Aufstände sondern auch pestbringende Bürgerkriege.

Schon beim ersten Lesen sollte dir die Doppelkonjunktion *non solum ... sed etiam ...* aufgefallen sein! Wenn nicht, solltest du diese augenblicklich auf eine Karteikarte bannen und überhaupt: Hast du heute schon deine täglichen 15 Pflichtminuten Vokabeln gelernt? Das Prädikat dieses Satzes ist elliptisch. Ellipse tritt vornehmlich bei Formen von *esse* auf, mit Blick auf die pluralischen Subjekte *discordiae, seditiones* und *bella* wäre das hier zum Beispiel eine Form wie *erant*. In der deutschen Übersetzung muss hier also sinngemäß *waren* oder ein passenderes Synonym wie *herrschten*, *gab es*, *entstanden* ergänzt werden. Die Furcht und Ächtung des Bürgerkrieges gehört ebenso wie die Bezeichnung *rex, König, Tyrann,* zu den *Topoi*, zu den typischen «Totschlagargumenten» jedes römischen Politikers, Republikaner oder nicht Republikaner, um entweder Angst und Panik zu schüren oder den politischen Gegner zu diffamieren. Dazu eigneten sich auch Beispiele aus der griechischen Geschichte, beispielsweise über den Untergang der attischen Demokratie. Solche Motive hatten ähnliche Durchschlagskraft wie heute ein Hitlervergleich, waren aber im Gegensatz zu diesem nicht tabuisiert, sondern tauchen in der römischen Literatur in zunehmendem Maße spätestens seit den Reformen der Gracchen immer wieder auf, bis Gaius Octavianus Augustus sich mit dem Blut der Dissidenten ins Stammbuch schreibt, er habe die Zeit der Bürgerkriege endgültig beendet.

Quae gravis et fortis civis et [...] dignus principatu fugiet atque oderit tradetque se totum rei publicae neque opes aut potentiam consectabitur totamque eam sic tuebitur, ut omnibus consulat.
Diese (die Bürgerkriege) wird ein ernsthafter (charakterstarker) und mutiger und der Regierung würdiger Bürger meiden und hassen und wird sich ganz dem Staat widmen und nicht Vermögen (singularisiert) oder Macht anstreben und diesen ganz so schützen, dass er für alle sorgt.

quae ist relativer Satzanschluss und bezieht sich inhaltlich am ehesten auf *bella civilia*, mit dem es in KNG-Kongruenz steht. Daneben ist auch die Substantivierung mit *Dinge (diese Dinge)* denkbar, die dann alle im Vorsatz genannten Substantive zu einem neutralen Überbegriff zusammenfassen würde. Zu dem Subjekt *civis* finden sich drei Eigenschaftsattributive, die über ein Polysyndeton mit *et* verbunden sind: *gravis*, *fortis* und *dignus*. Das Adjektiv *dignus*, *würdig*, steht im Deutschen mit Genitiv *(würdig wessen)*, im Lateinischen mit dem Ablativ (hier: *principatu*). Beachte bei den drei Prädikaten *fugiet*, *oderit*, *tradet*, *consectabitur* und *tuebitur* die futurischen Formen. *oderit* ist Futur 2, weil es von präsentischen Perfektformen keinen Präsensstamm gibt, so dass sich alle Tempora um eine Zeitstufe nach hinten verschieben: Perfekt steht (meistens) für das Präsens (in einigen Fällen lässt der deutsche Sinn auch Perfekt zu), Plusquamperfekt für Perfekt, Präsens und Plusquamperfekt, Futur 2 steht für Futur 1 und Futur 2. Lerne außerdem die Wendung *se tradere* mit dem Dativ (hier: *rei publicae*), sich widmen. *opes*, wörtlich: *Mittel, Hilfsmittel, Machtmittel*, ist eigentlich Plural, erscheint aber in der Bedeutung Vermögen im deutschen Singular, was man in einer Klammer deutlich machen sollte. Der Nominativ *ops* divergiert im Wörterbuch stark vom Genitiv *opis*, ähnlich wie *genus*, Art, *iter*, Weg, *latus*, Seite, *lex*, Gesetz, *lux*, Licht, *merx*, Ware, *mos*, Sitte, *nox*, Nacht, *pax*, Frieden, *rex*, König, *opus*, Arbeit, *os*, Mund, *vis*, Gewalt. Es lohnt sich, diese Vokabeln zu lernen oder zu vermerken, indem man die Stämme an der erwarteten Stelle mit Bleistift einträgt und auf den unregelmäßigen Nominativ verweist. Das Pronominaladjektiv *totus* (hier: *totam*, bezogen auf *rem publicam*) steht fast immer als Prädikativum und wird deshalb nicht wörtlich dekliniert *(diesen ganzen)*, sondern wörtlich-undekliniert übersetzt *(diesen ganz)*. Das Adverb *sic* nimmt hier wieder Beziehung zu einem konjunktivischen *ut*. *consulere* mit Dativ hatte ich bereits oben kommentiert.

Nec vero criminibus falsis in odium aut invidiam quemquam vocabit omninoque ita iustitiae honestatique adhaerescet, ut, dum ea conservet, quamvis graviter offendat mortemque oppetat potius quam deserat illa.
Nicht aber wird er irgendjemanden durch falsche Beschuldigungen in Verruf oder Hass «rufen» (bringen), und im Ganzen so der Gerechtigkeit und Aufrichtigkeit anhaften (an Gerechtigkeit und Aufrichtigkeit festhalten), dass er, solange er diese Dinge bewahrt, wie schwer auch immer Schaden nimmt («Anstoß erregt»; *offendere* kann beides heißen) und den Tod eher auf sich nimmt als jene Dinge vernachlässigt.

Subjekt des Satzes ist der *gravis et fortis civis* aus dem Vorsatz. Der Stamm *crimin-* weist Veränderungen gegenüber dem Nominativ auf und ist deshalb nur unter der Buchstabenabfolge *crimen*, Verbrechen, Vorwurf, Beschuldigung, zu finden. Der undisziplinierte und unpräzise Umgang mit der Präposition *in* äußert sich besonders bei *in* mit Akkusativ, wo sich die Mehrzahl der Schüler regelmäßig so indolent verhält, als existierte der Akkusativ nach *in* überhaupt nicht. Wenn *in*, wie hier, mit Akkusativ steht (*odium* und *invidiam*), antwortet es im Deutschen auf die Frage: *In wen oder was (rein)?* Hier also: *in den Hass und in die Feindschaft*. Man kann dann diese Richtungsangabe je nach Kontext etwas modifizieren, hier z.B. *Hass auf, gegen* oder *in Bezug auf*. Wenn *in* hingegen mit Ablativ steht, dann antwortet es auf die Frage: *In wem oder was (drin)?* Wenn dir diese Unterscheidung Schwierigkeiten bereitet, mach es dir an einem primitiven Beispiel klar (z.B. *in die Fresse* und *in der Fresse*). Nachzulesen ist das Thema im Lehrbuch (S. 134) und anzuwenden in der Übung (S. 138). *quemquam* ist ein mit dem Suffix *-quam*, *irgend*, zusammengesetztes Fragepronomen *(irgendwer)*. *adhaerescere*, *anhaften*, steht, ähnlich dem Deutschen, mit dem Dativ (*wem anhaften*, im Lateinischen hier: *iustitiae* und *honestati*). Das nun folgende einsame *ut* steht hier nicht etwa auf verlorenem Posten, sondern bereitet einen konjunktivischen Nebensatz vor, der durch einen konjunktivischen *dum*-Satz unterbrochen wird. *dum* mit dem Konjunktiv heißt entweder *bis* oder *solang*. *quamvis*, sonst als Konjunktion mit der Bedeutung *obwohl* bekannt, erfüllt hier die Funktion eines adverbialen Zusatzes zu dem Adverb *graviter*: *wie schwer auch immer*. Zur Erinnerung: mit der Endung *-(i)ter* werden die Adverbien der 3. Deklination gebildet *(«3 Liter»)*. *offendat* gibt Anlass zum Nachdenken. Das Verb *offendere* kann in diesem Zusammenhang zwei ganz gegensätzliche Bedeutungen haben: 1. *Schaden nehmen* 2. *Anstoß erregen*. Beides würde passen. Ein konsequenter Staatsmann kann ebensogut Opfer von gegnerischen Angriffen sein wie er beim Gegner oder auch beim Volk Anstoß erregen kann. Ich möchte meinen, dass in einer Reihe mit Inkaufnahme des Todes *(mortem oppetere, den Tod auf sich nehmen)* eher die erste Variante *(Schaden erleiden)* gemeint ist, halte aber auch die zweite Möglichkeit nicht für grundlegend falsch. Das komparative Adverb *potius*, *eher*, nimmt Beziehung zur Vergleichskonjunktion *quam*, *als*, auf. *illa*, *jenes*, *jene Dinge*, schließlich ist substantiviertes Pronomen im Neutrum Plural und bezieht sich inhaltlich mehr oder weniger auf alle Forderungen, die Cicero im Lauf des Textes an den idealen Politiker gestellt hat.

Miserrima omnino est ambitio honorumque contentio, de qua praeclare [...] est [apud] Platonem facere eos, «qui inter se contenderent, uter potius rem publicam administraret, ut si nautae certarent, quis eorum potissimum gubernaret».

Am schlimmsten insgesamt ist der Ehrgeiz und der Streit um Anerkennungen, in Bezug auf welchen treffend bei demselben Platon steht, «dass diese (so) handelten, welche unter sich konkurrierten, welcher von beiden eher den Staat verwalten sollte, wie wenn Seeleute stritten, welcher von beiden am ehesten steuern sollte».

miserrima ist Superlativ auf *-errim-* von *miser, elend, schlimm.* Dabei ist die erste Silbe des «Suffixes» *-errim- (er)* eigentlich noch Bestandteil des Stammes. *honorum* ist Genitivus obiectivus zu *contentio*, denn die Ehren sind Objekt des Streites. Deshalb übersetze ich nicht wörtlich *(der Anerkennungen)*, was auch möglich wäre, sondern durch einen präpositionalen Ausdruck *(um Anerkennungen)*. *praeclare* ist Adverb der a-/o-Deklination auf -e. Zum AcI *facere eos* ergänze ich in Klammern eine Sinnhilfe *(so)*. Unter den 815 grundverschiedenen Bedeutungen von *contendere*, *(anspannen, eilen, arbeiten, wetteifern, behaupten,* um nur einige zu nennen) wird an dieser Stelle gelegentlich eine falsche rausgesucht. Hier muss es heißen *kämpfen, streiten.* Objekt des Streites ist eine indirekte Frage *(uter, welcher von beiden* + Konjunktiv *administraret*), gefolgt von einem irrealen Vergleich mit *ut si, wie wenn.* Der Konjunktiv Imperfekt *(certarent)* muss in *si-*Sätzen wörtlich übersetzt werden *(stritten* oder *streiten würden).* Erneut ist von einem Verb des Streitens eine indirekte Frage *(quis* + Konjunktiv *gubernaret*) abhängig. *potissimum, am ehesten,* ist Superlativ in einem adverbialen Akkusativ Neutrum. Vergleiche dazu den Akkusativ Neutrum Singular *potius* als Adverb des Komparativs.

Scipio: Etiam sapientiorem Socratem ...

Scipio: [...] Etiam sapientiorem Socratem soleo iudicare, qui omnem eius modi curam deposuerit eaque, quae de natura quaererentur, aut maiora, quam hominum ratio consequi posset, aut nihil omnino ad vitam hominum adtinere dixerit.

Scipio (sagte): Als noch weiser pflege ich Sokrates zu beurteilen, welcher jede Sorge dieser Art abgelegt hat, und gesagt hat, dass diese Dinge, welche in Bezug auf die Natur erforscht würden, entweder größer (seien), als dass (sie) der Verstand der Menschen erreichen könne, oder überhaupt nichts zum Leben der Menschen beitrügen.

Das Fehlen eines Einleiterprädikates bei der Einleitung einer direkten Rede (etwa: *inquam* oder *dixi, ich sagte*, oder *inquit* oder *dixit, er sagte*) ist die zweithäufigste Form der Ellipse nach der Ellipse von *esse*. Im Deutschen ergänzt man ein solches Verb des Sagens einfach in Klammern. von *solere, pflegen*, hängt meist ein einfacher Infinitiv (hier: *iudicare*) ab. *iudicare* wiederum steht hier mit doppeltem Akkusativ, einem direkten Objekt *(Socratem)* und einem Prädikativum *(sapientiorem)*. Der phraseologisch häufige Genitiv *eius modi, von dieser Art*, ist zwischen den kongruenten Formen *omnem* und *curam* positioniert. Die häufigsten Perfektstämme müssen gelernt werden, zu denen auch *deposu-* von *deponere, ablegen*, gehört. Mit *ea* als Subjektsakkusativ setzt ein AcI ein, der von *dixerit* abhängt. Die Verbindung der beiden substantivierten Pronomen im Neutrum Plural *ea, quae, die Dinge, welche*, ist eine idiomatisch häufige Kongruenz. *quaerere* hat hier nicht, wie sonst, die Bedeutung *fragen* oder *suchen*, sondern *untersuchen, erforschen*. Der AcI spaltet sich im restlichen Verlauf durch die Doppelkonjunktion *aut ... aut ...* auf. Der Infinitiv *esse* bedingt das zu *ea* kongruente Prädikativum (Prädikatsnomen) *maiora*. Auch im zweiten Abschnitt ist *ea* noch immer Subjektsakkusativ. *nihil* ist ein gewöhnliches direktes Akkusativobjekt zu *adtinere*.

Dein Tubero: Nescio, Africane, cur ita memoriae proditum sit, Socratem omnem istam disputationem reiecisse et tantum de vita et de moribus solitum esse quaerere.

Dann (sagte) Tubero: Ich weiß nicht, Africanus, warum es so der Nachwelt überliefert (worden) ist, dass Sokrates die ganze Diskussion (über Naturphilosophie) verworfen habe und nur über das Leben und über die Sitten gewohnt gewesen sei zu fragen.

Zuweilen wird eine direkte Rede durch kleine Signaladverbien eingeleitet wie *tum, at* oder *dein*. Von Verben des Nichtwissens (hier: *nescio*) ist am häufigsten ein indirekter Fragesatz (hier eingeleitet durch *cur, warum*) abhängig. Die Kenntnis der einleitenden Fragepronomen und Frageadverbien ist Pflicht! Ferner ist der indirekte Fragesatz stets durch den Konjunktiv markiert (hier: *sit*). *proditum* ist PPP von *prodere, weitergeben, überliefern*, und bildet hier in Verbindung mit *sit* ein Perfekt Passiv oder Zustandspassiv (Perfekt Passiv ohne *worden*). Das nicht näher genannte Subjekt ist an der Endung *-tum* und am Prädikat *sit* eindeutig als 3. Neutrum Singular zu erkennen und muss im Deutschen als «es» ergänzt werden. Ein solches neutrales Subjekt in der 3. Singular kennzeichnet meistens einen sogenannten unpersönlichen Ausdruck: «es ist überliefert worden». Logischerweise folgt ein AcI aus den Grundelementen: *Socratem ... reiecisse ... solitum esse*. Die spezifische Form *tantum* erscheint außer als Form des Quantitätspronomens *tantus, so groß, so viel*, auch als Adverb in der Bedeutung *nur*. Das solltest du dir merken! *solitum esse* ist eine Art Zustandspassiv (also hier nicht: *gewohnt worden sein*, sondern einfach *gewohnt sein*), allerdings von einem semideponenten Verb: *solere, pflegen, gewohnt sein*. Die Form ist regelmäßig gefolgt von einem Infinitiv (hier: *quaerere*), der im Deutschen mit *zu* + Infinitiv übersetzt wird.

Quem enim auctorem de illo locupletiorem Platone laudare possumus?

Denn welchen Autor über jenen können wir im Vergleich zu Platon als glaubwürdiger loben?

locupletiorem steht von seinem kongruenten Bezugswort *auctorem* gesperrt und in einer gewissen Prädikatsnähe: ein Hinweis auf seine Funktion als Prädikativum. Nun findet sich kein Verb, das diese Hypothese stützen würde. *laudare* steht nicht typischerweise mit doppeltem Kasus. Bleibt noch der Präpositionentest: «Welchen Autor können wir als/für/zu glaubwürdiger loben.» Dabei bleibt *als* hängen. Undenkbar ist die Interpretation als wörtlich-dekliniertes Attribut zu *auctorem (welchen glaubwürdigeren Autor)* natürlich nicht. *locupletiorem* ist ein Komparativ. Komparative treten häufig mit der Vergleichskonjunktion *quam, als*, auf. Sie treten ebenso häufig mit dem *Ablativus comparationis* auf und wir dürfen niemals vergessen, auch den Comparationis in unsere Suche miteinzubeziehen. Dieser findet sich hier in Form des Ablativs *Platone*. Als Standardübersetzung eines *Ablativus comparationis* bietet sich im Deutschen der Präpositionalausdruck «im Vergleich zu» an, der zuweilen besser passt als ein synonymes *als*.

Cuius in libris multis locis ita loquitur Socrates, ut etiam, cum de moribus, de virtutibus, denique de re publica disputet, numeros tamen et geometriam et harmoniam studeat Pythagorae more coniungere.

In den Büchern von diesem spricht Sokrates an vielen Stellen so, dass er sogar, während er über die Sitten, über die Tugenden, schließlich über den Staat diskutiert, dennoch versucht die Zahlen und die Geometrie und die Harmonielehre nach Art des Pythagoras einzubinden.

cuius ist ein relativer Satzanschluss. Inhaltlich bezieht er sich auf Platon aus dem Vorsatz, grammatisch ist er Genitivattribut zu *libris*. Nicht vergessen, die Genitive der Pronomen immer mit *von* + Dativ zu übersetzen. *multis* bezieht sich nicht auf *libris*, sondern auf *locis,* mit dem es einen Ablativus loci bildet. *ita* bildet eine Brücke zum konjunktivischen *ut*-Satz *(so ... dass)*, der erst bei *numeros* fortgesetzt und durch einen temporalen *cum*-Satz *(wenn, während)* unterbrochen wird. In diesem findet sich ein dreigliedriges Asyndeton (unverbundene Aufzählung) mit einer leichten Steigerung (Klimax) von *mores* als Sitten oder Charaktereigenschaften des einzelnen, über *virtutes*, Tugenden im Allgemeinen, bis hin zur *res publica* als dem Staatsganzen, unterstrichen durch *denique*. Angespielt wird hier auf Platons wichtigste Schrift, die *politéia*, lateinisch: *res publica*, deutsch: *der Staat*, deren Grundthesen nicht nur im Graecum, sondern auch im Latinum und überhaupt im Leben eines politisch denkenden Menschen bis heute eine wichtige Rolle spielen. Prädikat des *ut*-Satzes ist *studeat* (*studere* hier in der Bedeutung *versuchen*), gefolgt von einem einfachen Infinitiv *coniungere*: *er versucht zu verbinden*. *more* weist einen monosyllabischen Nix-Nominativ der 3. Deklination auf: *mos, Sitte, Charakter, Art. Pythagoras* ist ein Substantiv der a-Deklination mit maskulinem Geschlecht und abweichender Nominativendung: *Pythagoras, Pythagorae*. Die Regel, dass alle Substantive der a-Deklination feminin sind, gilt nicht ohne einige Ausnahmen. Dazu gehören noch: *nauta, Seemann, pirata, Pirat, agricola, Bauer, incola, Bewohner* und *collega, Amtskollege*. Das doppelte *et* verbindet nicht zwei nachgestellte Glieder *(sowohl ... als auch ...)*, sondern drei Glieder, von denen das erste *(numeros)* vorgestellt ist. So entsteht ein Polysyndeton mit *... und ... und ...*.

Tum Scipio: Sunt ista, ut dicis, sed audisse te credo, Tubero, Platonem Socrate mortuo primum in Aegyptum discendi causa, post in Italiam et in Siciliam contendisse, ut Pythagorae inventa perdisceret, eumque et cum Archyta Tarentino et cum Timaeo Locro multum fuisse et Philolei commentarios esse nanctum, cumque eo tempore in iis locis Pythagorae nomen vigeret, illum se et hominibus Pythagoreis et studiis illis dedisse.

Da (sagte) Scipio: Diese Dinge sind, wie du sagst, aber ich glaube, dass du gehört hast, Tubero, dass Platon nach dem Tode des Sokrates zuerst nach Ägypten um zu studieren, später nach Italien und nach Sizilien gereist sei, damit er die Entdeckungen des Pythagoras genau kennen lernte, und dass er sowohl mit Archytas dem Tarentiner als auch mit Timaeus dem Lokrer viel (zusammen) gewesen sei, und die Aufzeichnungen des Philoleus erworben habe. Und da zu dieser Zeit in diesen Orten (singularisiert: in dieser Gegend) der Name des Pythagoras Bedeutung hatte, dass jener sich sowohl den pythagoreischen Menschen als auch jenen Lehren gewidmet habe.

ut steht hier mit dem Indikativ (indikativisches *ut*) in der Bedeutung *wie*. Des weiteren eignet sich dieser Satz hervorragend um die indirekte Rede und die Struktur voneinander abhängiger AcIs einzuüben. Der erste davon *(audisse te)* beginnt mit einem Verb des Glaubens und Meinens *(credo)*, dass der Sprecher *(Scipio)* in eigener Sache ausspricht. Der Infinitiv *audisse* wiederum, ein Verb des Hörens und typisches AcI-Signal, bringt einen weiteren AcI mit: *Platonem ... contendisse*. *contendere* hat hier die Bedeutung *reisen*. *Socrate mortuo* ist ein AmP aus *Socrate* und dem PPDep *mortuo* von *mori, sterben*. Als Übersetzung habe ich die Präpositionalisierung (Übersetzung durch einen präpositionalen Ausdruck) mit *nach* gewählt. Dabei wird das Partizip substantiviert, das Bezugswort genitiviert. Bei der alternativen Konjunktionalisierung (Übersetzung durch einen Konjunktionalsatz) muss man die Diathese des PPDeps (im Deutschen: Aktiv) beachten. Nun folgen zwei adverbiale Bestimmungen der Richtung, die durch die Adverbien *primum ... zuerst, post ... danach ...* gegliedert sind. Beachte dass *in* + Akkusativ eine Richtungsangabe ist und vor Ländernamen (hier: *Aegyptum, Italiam* und *Siciliam*) auch die Bedeutung *nach* annehmen kann! Die Absicht von Platons Reise drückt sich im nun folgenden *ut*-Satz aus. *inventa*, als PPP von *invenire, finden, erfinden, entdecken*, steht hier als Objekt Akkusativ Neutrum Plural. Da sich zu dem Neutrum Plural *inventa* kein weiteres kongruentes Bezugswort findet, wird es mit *Dinge* substantiviert («*gefundene Dinge*») oder, noch freier, mit «*Entdeckungen*». Die Deklination von *Pythagoras* hatte ich im vorherigen Satz erläutert. Der Subjektsakkusativ *(Platonem)*, wird nun zur Erinnerung des Lesers in Form des Personalpronomens *eum* nochmals aufgenommen, um weitere Infinitive *(fuisse, esse)* anzugliedern: *fuisse* erscheint hier nicht im eigentlichen Sinne mit einem Prädikatsnomen oder nominalen Prädikativum, sondern mit zwei präpositionalen Ausdrücken *(cum Archyta Tarentino, cum Timaeo Locro)* als adverbialen Bestimmungen, die durch vorangestelltes doppelgliedriges *et ... et ...* aufgezählt werden. Ohne echtes Prädikativum hat *esse* die Bedeutung *existieren, leben*. Der nächste Infinitiv *esse* verbindet sich mit dem PPDep *nanctum* (von dem Deponens *nancisci, nanciscor, nanctus sum, erreichen, erlangen, erwerben*) zum Perfekt (im Deutschen auch Präteritum) Deponent (im Deutschen Aktiv). Mit *cumque* und seinem Imperfektprädikat *vigeret* folgt ein gleichzeitiger Temporalsatz *(als)*. Schließlich flammt der AcI ein letztes Mal auf in Form des Subjektsakkusativs *illum* (immer noch auf *Platonem* bezogen) und dem Infinitiv *dedisse* in Form der Wendung *se dare* + Dativ, *sich wem widmen*, hier mit den Dativen *hominibus Pythagoreis* und *studiis illis*.

Itaque, cum Socratem unice dilexisset eique omnia tribuere voluisset, leporem Socraticum subtilitatemque sermonis cum obscuritate Pythagorae et cum illa plurimarum artium gravitate contexuit.

Daher, nachdem er Sokrates einzigartig geliebt hatte und diesem alles hatte widmen wollen, verwob er den sokratischen Humor und die Feinheit des Gesprächs mit der Mystik des Pythagoras und mit jener Tiefsinnigkeit der meisten Wissenschaften.

Die beiden Prädikate *dilexisset* (von *diligere, lieben*) und *voluisset* (von *velle, wollen*) versetzen den *cum*-Satz in die Vorzeitigkeit mit *nachdem*. *unice* ist Adverb der a-/o-Deklination von *unicus* mit der Endung *-e*. *tribuere, widmen,* steht natürlich mit dem Dativ *(ei)*. *leporem* von *lepus, Anmut, Humor,* ist ein seltenes Substantiv aus der Rhetoriktheorie. Bei *sermo, Gespräch,* geht es um den sokratischen Dialog. Die *obscuritas*, wörtlich: *Dunkelheit, Rätselhaftigkeit,* freier: *Mystik,* des Pythagoras gab Anlass zu zahlreichen Legenden und Anekdoten. In einem ähnlichen Kontext ist auch *gravitas* als *tiefe Bedeutungsschwere* zu verstehen. Das seltene Verb *contexere, verweben,* bildet den Perfektstamm *contexu-*.

Multa enim et in deos et in homines ...

Multa enim et in deos et in homines impie nefarieque commisit.
Vieles (singularisiert) nämlich sowohl gegen Götter als auch gegen Menschen hat er gottlos und gesetzlos begangen.

Eine Reihe typischer Adjektive und Pronomen ohne Bezugswort erscheinen regelmäßig in substantivierter Form im Neutrum Plural. Dazu zählen *omnia, magna, plura, haec, illa, quae* und eben auch *multa*. Die Translation erfolgt in Form einer Substitution des geeigneten Substantivs von möglichst schwammiger Konsistenz, meistens *Dinge* (oder *Angelegenheiten, Umstände, Zeiten, Fälle*) oder einer Singularisierung in das Neutrum Singular. So wird aus *multa* entweder *viele Dinge (viele Verbrechen)* oder *vieles*. Bei der Präposition *in* prüfe ich als Erstes, mit welchem Kasus sie steht. Steht sie, wie hier, mit dem Akkusativ (*deos* und *homines*) gibt sie immer eine Bewegungsrichtung an: *in die Götter und in die Menschen, nach den Göttern und nach den Menschen, gegen die Götter und gegen die Menschen*. *impie* und *nefarie* sind Adverbien der *a-/o*-Deklination mit der Endung *-e*. Wer nicht weiß, wie er ein Adverb übersetzen soll, kann immer auch mit «*auf ... Weise*» umschreiben. Das Verb *committere* ist semantisch überbesetzt: auf ein lateinisches Wort kommen 850 deutsche Bedeutungen. Wenn du als Anfänger hier *begehen* rausgesucht hast, knackst du diese Woche noch den Jackpot im «Mirage».

Agunt eum praecipitem poenae civium Romanorum, quos partim securi percussit, partim in vinculis necavit, partim implorantis iura libertatis et civitatis in crucem sustulit.
Es stürzen ihn ins Verderben die Bestrafungen römischer Bürger, welche er teils mit dem Beil totschlug, teils in Ketten (singularisiert: im Gefängnis) tötete, teils, während sie die Rechte der Freiheit und der Bürgerschaft erflehen, ans Kreuz brachte.

Wenn das Prädikat eines lateinischen Satzes gleich zu Beginn fällt (hier: *agunt*), kann man sich im Deutschen eines trickreichen Handgriffes bedienen, um das Prädikat in Zweitstellung zu bringen ohne die Stellung der anderen Satzteile zu tangieren: Man setzt einen Subjektstellvertreter ein in Form des deutschen Pronomens *es*, ungeachtet des Numerus. Dieser Substituent erlaubt es dem tatsächlichen Subjekt (hier: *poenae*) die Stellung beizubehalten. Dieser technische Handgriff funktioniert allerdings einwandfrei nur bei dritten Personen. Die weitere Gliederung des folgenden Relativsatzes (*quos*) übernimmt die dreigliedrige Konjunktion *partim ... partim ... partim ...* Der Ablativus instrumentalis *securi* kommt nicht von *securus, sorglos*, sondern von *securis, Beil, Axt*. Es zählt zu den wenigen Substantiven der *i*-Deklination. *implorantis*, ein PPA von *implorare, anflehen, erflehen*, im Akkusativ Plural mit *i*-Stammauslaut, bezieht sich kongruent auf *quos* und gibt den Zustand an, in dem sich die römischen Bürger befinden, während sie von Verres ans Kreuz genagelt werden (Prädikativum). PPAs als Prädikativa löse ich durch einen Konjunktionalsatz mit *während* auf.

Religiones vero caerimoniaeque omnium sacrorum fanorumque violatae, simulacraque deorum, quae non modo ex suis templis ablata sunt, sed etiam iacent in tenebris ab isto retrusa atque abdita, consistere eius animum sine furore atque amentia non sinunt.
Die verletzten religiösen Gefühle aber und kultischen Bräuche aller Heiligtümer und Tempel und die Kultbilder der Götter, welche nicht nur aus ihren Tempeln verschleppt worden sind, sondern auch in Finsternis liegen von diesem abgezogen und eingelagert, lassen die Seele von diesem nicht ruhen ohne Raserei und Wahnsinn.

Der Satz weist mehrere Subjekte auf (*religiones, caerimoniae, simulacra*), die sich alle gemeinsam das Prädikat *sinunt* teilen. Dabei bezieht sich das PPP *violatae* als Attribut auf *religiones* und *caerimoniae*. Ich positioniere es in der Stellung vor sein Bezugswort und übersetze es dann wörtlich-dekliniert. Für lateinische partizipiale Attribute bietet sich im Deutschen auch die Auflösung als Relativattribut (= Relativsatz) an: «*... die verletzt worden sind*». Der folgende *quae*-Satz bezieht sich nur auf das letzte Subjekt in der Reihe (*simulacra*), er ist weiter untergliedert durch die Doppelkonjunktion *non modo ... sed etiam ....* *ablata* ist das PPP von *abferre, wegtragen*, hier als Perfekt Passiv mit *sunt*. Die Stammformen von *ferre (fer-, tul-, lat-)* und allen seinen Komposita müssen zu deinen Subroutinen gehören. Denke beim Possessivpronomen immer daran, dass im Lateinischen nicht zwischen *sein* und *ihr* unterschieden wird. *suus* steht für alle drei Geschlechter im Singular wie im Plural. Die beiden PPPs *retrusa* und *abdita* stehen als Prädikativa ohne *esse*. Man kann sie wörtlich-undekliniert (*abgezogen und eingelagert*) oder durch *nachdem*-Sätze (*nachdem sie abgezogen und eingelagert worden sind*) übersetzen. Von *sinere, lassen*, ist ein gewöhnlicher Infinitiv (*consistere*) abhängig.

Neque iste mihi videtur se ad damnationem solum offerre, neque hoc avaritiae supplicio communi, qui se tot sceleribus obstrinxerit, contentus esse: singularem quandam poenam istius immanis atque importuna natura desiderat.

Weder scheint es mir, dass dieser sich nur zur Verurteilung anbietet, noch (dass er), welcher sich in soviele Verbrechen verwickelt hat, mit dieser allgemeinen Strafe seiner Gier (für seine Gier) ausgelastet ist: eine einzigartige gewisse Strafe verlangt die unmenschliche und rücksichtslose Natur von diesem.

Die Doppelkonjunktion *neque ... neque ...* verleiht diesem Satz Struktur. Die Hauptrolle spielt der durch *videtur* katalysierte NcI aus dem Subjektsnominativ *iste* und den Infinitiven *offerre* und *esse*, wobei *esse* mit dem kongruenten Prädikativum *contentus, zufrieden,* steht. Das Reflexivpronomen *se*, inhaltlich bezogen auf *iste*, fungiert als Akkusativobjekt zu *offerre*, in dem Sinne: *sich anbieten*. *contentus, zufrieden,* steht mit dem Ablativus instrumentalis *(hoc supplicio)*. *supplicium* ist in seinem Bedeutungsspektrum sehr breit gefächert. Von der Grundbedeutung «Kniefall» ausgehend kann es jede Situation bezeichnen, in der man auf die Knie fällt: *Gebet, flehende Bitte, Qual, Opfer, Dankfest* und hier eben *Strafe*. Das davon abhängige Genitivattribut *avaritiae* bezeichnet das Objekt der Strafe *(Genitivus obiectivus)* und sollte im Deutschen durch ein passendes Präpositionalattribut *(für seine Strafe)* eingetauscht werden. Die Abfolge der Kongruenzen bei *singularem quandam poenam* ist in dieser Stellung nur unter Verzerrung der deutschen Sprache nachzubilden. *quandam* (aus dem Relativpronomen *quam* und dem Suffix *-dam*) meint hier so viel wie «eine ganz bestimmte Art» der Strafe. Die Form *immanis* kann zwar sowohl Nominativ als auch Genitiv sein, kongruiert logisch jedoch nicht mit dem vorangestellten Genitivattribut *istius*, sondern zusammen mit *importuna* nur mit dem Nominativ *natura*, was man schon an der Konjunktion *atque* erkennt.

Non id solum quaeritur, ut isto damnato bona restituantur iis, quibus erepta sunt, sed etiam religiones deorum immortalium expiandae et civium Romanorum cruciatus multorumque innocentium sanguis istius supplicio luendus est.

Nicht dies allein wird angestrebt, dass nach Verurteilung von diesem die Güter diesen erstattet werden, welchen sie geraubt worden sind, sondern auch die Heiligtümer der unsterblichen Götter müssen gesühnt werden und die Qual römischer Bürger und das Blut vieler Unschuldiger durch die Strafe von diesem ausgewaschen werden (Zeugma).

Die Doppelkonjunktion *non solum ... sed etiam ...* gehört zu den häufigsten Gliederungsstrukturen der lateinischen Sprache überhaupt. Du musst sie auf den ersten Blick erkennen und übersetzen können. *isto damnato* ist eine Verbindung aus einem Pronomen und einem kongruenten Partizip im Ablativ, ein sogenannter AmP (Ablativ mit Partizip). Ein AmP kann, wie hier, durch Präpositionalisierung in Verbindung mit Substantivierung des Partizips und Genitivierung des Bezugswortes oder durch Konjunktionalisierung übersetzt werden. In beiden Fällen entscheidet das Zeitverhältnis über die Wahl der Einleitungspräposition bzw. -konjunktion. PPP: *nach, nachdem*, PPA: *während*. Bei der Konjunktionalisierung müssen wir zudem noch die Diathese des Partizips beachten. *bona, gute Dinge, Gutes, Güter,* gehört neben den Adjektiven *omnia, magna, plura, haec, illa, quae* und *multa* zu den substantivierten Pluralneutra. Im Deutschen wird die Substantivierung mit *Dinge* oder ähnlichen Formen oder durch Singularisierung ausgedrückt. *restituere, zurückerstatten,* und *eripere, rauben,* stehen beide mit einem Dativobjekt (*iis* und *quibus*), Letzteres in Form eines Perfekts Passiv. Das Gerundivum *expiandae* (Prädikativum zum Subjekt *religiones*) steht nur scheinbar ohne *esse*. Es wird vom singularischen *est* am Ende des Satzes mit versorgt, PN-logisch würde man *sunt* erwarten. Das zweite Notwendigkeitspartizip *luendus* bezieht sich vermutlich sowohl auf *cruciatus* als auch auf *sanguis*, da es mit beiden in KNG-Kongruenz steht (es sei denn, *cruciatus* wäre Plural, was bei einem Substantiv der u-Deklination nicht ganz ausgeschlossen ist). Beide Verbaladjektive *expiandae* und *luendus* müssen wegen ihrem Prädikat (*sunt* bzw. *est*) wörtlich-dekliniert (*sind zu sühnen, ist auszuwaschen*) oder mit *werden müssen* (*müssen gesühnt werden, muss ausgewaschen werden*) translatiert werden. Bei dieser Übersetzung entsteht ein Zeugma (griechisch: *Verbindung, Verkupplung*). Ein Zeugma ist eine rhetorische Figur, bei der sich das Prädikat grammatisch auf zwei Satzteile (hier die Subjekte *cruciatus, Qual,* und *sanguis, Blut*) bezieht, sinnlogisch aber nur auf eines. Denn buchstäblich ausgewaschen werden kann nur das Blut, nicht aber die Qual der römischen Bürger. *civium Romanorum* und *multorum innocentium* sind präpositionierte Genitivattribute. Im Deutschen müssen wir sie hinter ihre Bezugswörter stellen.

Non enim furem, sed ereptorem, non adulterum, sed expugnatorem pudicitiae, non sacrilegum, sed hostem sacrorum religionumque, non sicarium, sed crudelissimum carnificem civium sociorumque in vestrum iudicium adduximus, ut ego hunc unum eius modi reum post hominum memoriam fuisse arbitrer, cui damnari expediret.

Denn nicht einen (Eier-)Dieb, sondern einen Raubmörder, nicht einen Ehebrecher, sondern einen Vergewaltiger der Unschuld, nicht einen Gotteslästerer, sondern einen Feind der Heiligtümer und religiösen Gefühle, nicht einen Mörder, sondern den grausamsten Abschlächter von Bürgern und Bundesgenossen haben wir in euer Gericht geführt, so dass ich glaube, dass dieser der einzige Angeklagte von dieser Art seit Menschengedenken gewesen ist, welchem es nützte verurteilt zu werden.

Ein klassischer, ciceronischer Parallelismus mit abwechselnder Anapher von *non* und *sed* und paralleler Anordnung von Akkusativobjekten *(furem, ereptorem, adulterum, expugnatorem, sacrilegum, hostem, sicarium, carnificem)* eröffnet diesen Satz in einer sich steigernden Spirale des Bösen. *in vestrum iudicium* heißt: *in euer Gericht* und nicht: *in eurem Gericht* und du darfst genau einmal raten, warum. Vom deponenten Verb *arbitrari, glauben, meinen* (hier in der Form: *arbitrer*), hängt mit einer 99,763-fachen Wahrscheinlichkeit ein AcI ab – also mit einer relativ hohen Wahrscheinlichkeit. So auch hier in Form des Subjektsakkusativs *hunc* und des Infinitivs *fuisse*, der als Perfekt von *esse* wiederum ein Prädikativum verlangt, für das *unum* und *reum* in Frage kommen. *unus, einer,* steht häufig auch noch für die Form *einzig*. Verwechsele *reus, Angeklagter,* nicht mit *res, Sache,* oder *rex, König. eius modi, von dieser Art,* ist ein Genitivattribut (Genitivus qualitatis), das sich besonders häufig zwischen kongruenten Bezugswörtern oder Präposition und Bezugswort wiederfindet (Genitiv in Klammerstellung). Der Infinitiv Passiv *damnari,* der sich an *expediret* anschließt, muss im Deutschen mit *zu* + Infinitiv übersetzt werden

Nam quis hoc non intellegit istum absolutum dis hominibusque invitis tamen ex manibus populi Romani eripi nullo modo posse?

Denn wer erkennt dies nicht, dass dieser, nachdem er ohne den Willen von Göttern und Menschen freigesprochen worden ist, dennoch aus den Händen des römischen Volkes auf keine Weise entrissen werden kann?

Der ganze Satz ist eine rhetorische Frage, weil Cicero die Antwort (in dem Sinne: «jeder erkennt das!») bereits kennt. *intellegit,* ein Verb der geistigen Wahrnehmung *(des Erkennens),* löst … eine AcI-Konstruktion mit dem Subjektsakkusativ *istum* und dem Infinitiv *posse* aus: «*dass dieser kann*». Das PPP *absolutum* ist Prädikativum zu *istum*. Deutlicher als in wörtlich-undeklinierter Form *(freigesprochen)* wird der Sinn durch konjunktionale Auflösung mit *nachdem (nachdem er freigesprochen worden ist)*. Dieses partizipiale Attribut wird seinerseits adverbial näher bestimmt durch einen nominalen Ablativus absolutus aus zwei Bezugsnomen (*dis* und *hominibus*) und dem für nominale Absoluti typischen Adjektiv *invitus, unwillig*. Da es sich um ein negiertes Adjektiv handelt, wähle ich für die Präpositionalisierung des negativen Präfix *in-* die Präposition *ohne*. Anschließend substantiviere ich den Restteil des Wortes *(«vitus»,* sinngemäß *willig,* hier also *mit Wille, ohne den Willen*) und genitiviere (bzw. umschreibe mit *von*) beide Bezugswörter (*der Götter* und *der Menschen, von Göttern und Menschen*). Von *posse* ist ein weiterer, einfacher Infinitiv Passiv abhängig: *eripi, entrissen werden. nullo modo, auf keine Weise,* solltest du als adverbialen Baustein auswendig lernen. Schreib dir die Wendung noch auf eine Karteikarte, bevor du für heute den Griffel weglegst.

Credo ego vos, iudices ...

Credo ego vos, iudices, mirari, quid sit, quod, cum tot summi oratores hominesque nobilissimi sedeant, ego potissimum surrexerim, [...] qui neque aetate neque ingenio neque auctoritate sim cum his, qui sedeant, comparandus.

Ich glaube, dass ihr, Richter, euch wundert, was der Grund ist, dass, während soviele hochstehende Redner und berühmte Menschen sitzen, ich am ehesten aufgestanden bin, welcher (ich) weder durch Alter noch durch Begabung noch durch Ansehen mit diesen, die sitzen, zu vergleichen bin.

Credo, ich glaube, löst AcI-Alarm aus. Subjektsakkusativ ist *vos*, Infinitiv ist *mirari. iudices* ist vokativische Anrede und nicht 2. Singular Konjunktiv Präsens von *iudicare*. Ich würde die Gelegenheit nutzen und die idiomatische Wendung *quid est, quod, was ist der Grund, dass,* in meine Lernphraseologie aufnehmen. Sie ist hier Bestandteil einer indirekten Frage, die von *mirari* abhängt. Die indirekte Frage ist stets durch den Konjunktiv *(sit)* markiert. Der faktische *quod*-Satz wird allerdings sofort durch einen konjunktivischen *cum*-Satz der Gleichzeitigkeit *(während)* unterbrochen und erst ab *ego* fortgesetzt. *potissimum, am ehesten,* ist Superlativ in Form eines adverbial gebrauchten Akkusativs Neutrum (Lernwortschatz!), vergleiche dazu den Komparativ *potius, eher. ego* wird näher beschrieben durch ein Relativsatzattribut. Wenn sich ein Relativpronomen (hier: *qui*) auf erste und zweite Personen bezieht, muss hinter dem deutschen Relativpronomen zusätzlich auch noch das Personalpronomen wiederholt werden *(welcher ich, welcher du, welche wir, welche ihr)*. Drei Ablativi modi *(aetate, auctoritate, ingenio)* sind durch ein dreigliedriges Polysyndeton von vorangestelltem *neque* verbunden – solche Strukturen müssen dir bereits beim ersten Lesen ins Auge fallen. Abgeschlossen wird der Relativsatz durch ein zum Nominativ *qui* kongruentes prädikatives Gerundivum mit einer Form von *esse (sim comparandus).* Eine weitgehend wörtliche Übersetzung steht oben. Wegen der Negation wird bei der Umschreibung weniger mit *werden müssen* als vielmehr mit *werden dürfen* oder *werden können* operiert, in dem Sinne: «... ich, der ich (nicht) verglichen werden kann/darf.» Der Konjunktiv kommt übrigens wegen eines kausalen Nebensinnes zustande. Statt *qui* relativ mit *welcher ich* zu übersetzen, kann man auch konjunktional *weil ich* einsetzen.

Omnes hi, quos videtis adesse in hac causa, iniuriam novo scelere conflatam putant oportere defendi.

Alle diese, von welchen ihr seht, dass sie anwesend sind in diesem Prozess, glauben, dass es nötig ist, dass ein Unrecht, das durch ein neuartiges (skandalöses) Verbrechen geplant worden ist, verteidigt wird.

Das Relativpronomen *quos* bildet gemeinsam mit dem Infinitiv *adesse* einen AcI, der von einem Verb der sinnlichen Wahrnehmung *(videtis)* initiiert wird. Solche Relativpronomen konvertiert man zunächst in einen präpositionalen Ausdruck mit *von (von welchen)*, lässt das AcI-Signal folgen *(ihr seht)*, ordnet einen *dass*-Satz unter *(dass)*, macht es als Subjektsakkusativ (Variante a) zum Subjekt des *dass*-Satzes in Form eines Personalpronomens *(sie)* und schließt mit dem Infinitiv als Prädikat ab *(anwesend sind)*. Auf das Prädikat des Hauptsatzes *(putant)* folgt natürlich erneut ein AcI. Dieser besteht jedoch optisch nur aus dem Infinitiv *oportere*. Das liegt daran, dass *oportere* in finiter Form nur als unpersönlicher Ausdruck vorkommt *(oportet, es ist nötig)*. Dieser enthält sein Subjekt (ein Neutrum Singular: *es*) in der Endung des finiten Verbs. Dementsprechend ergänzen wir auch beim Infinitiv ein deutsches *es* als Subjektsakkusativ, bzw. Subjekt des *dass*-Satzes: *dass es nötig ist.* Nun hängt von allen Formen des Stammes *oporte-* (also sowohl von der finiten Form *oportet* als auch vom Infinitiv *oportere*) regelmäßig ein AcI ab, hier *iniuriam defendi.* In diesem Satz hängt also von *putant* der AcI-Infinitiv *oportere* ab und von *oportere* der AcI *iniuriam defendi.* Die Übersetzung ist einfacher als es scheint: Man hängt einfach einen zweiten *dass*-Satz dran. Vergessen darf man dabei nur nicht das Partizip *conflatam*, das gemeinsam mit seiner adverbialen Bestimmung *novo scelere* Attribut zu *iniuriam* ist und vorzugsweise in Form eines Relativattributes (als Attribut) an dieses angeschlossen werden muss.

Defendere ipsi propter iniquitatem temporum non audent.
Zu verteidigen wagen sie selbst wegen der Unausgeglichenheit der Zeiten (Instabilität der politischen Zustände) nicht.

Wenn du das Semideponens *audere, wagen,* mit *audire, hören,* verwechselt hast, wiederhole die Konjugationen. Von *audere* hängt meist ein einfacher Infinitiv ab, hier *defendere,* der im Deutschen noch durch die Präposition *zu* ergänzt wird *(zu verteidigen wagen).* Das Substantiv *tempus,* das dem Genitiv *temporum* zugrundeliegt, hat die Grundbedeutung: *Zeit.* Im weiteren Sinne kann Zeit auch für *einen Umstand, eine Lage, eine Situation,* im positiven wie negativen Sinne stehen. Mein Vorschlag «*Instabilität der politischen Zustände»* ist in den Kontext eingepasst und zeigt, wie wichtig historisches Hintergrundwissen im Latinum ist. Du solltest mit den Schlüsselbegriffen aus dem Einleitungstext *(Diktatur, Sulla, Proskriptionen)* und in diesem Zusammenhang vor allem den Jahren 82–79 vor Christus was anfangen können!

Ita fit, ut adsint propterea, quod officium sequuntur, taceant autem idcirco, quia periculum vitant.
So kommt es, dass sie anwesend sind deswegen, weil sie ihrer Pflicht folgen, schweigen aber darum, weil sie die Gefahr meiden.

Die phraseologische Wendung *fit, ut, es kommt, dass,* muss gelernt werden. Je mehr solcher Bausteine du am Ende auswendig abrufbar hast, desto schneller und sicherer bist du mit dem Prüfungstext durch und desto mehr Zeit bleibt dir, dich intensiver schwierigen Stellen zu widmen. Das Deponens *sequi, folgen,* steht nicht, wie im Deutschen, mit dem Dativobjekt *(wem folgen),* sondern mit einem direkten Objekt (in dem Sinne: *wen verfolgen),* hier mit dem Akkusativ *officium.* Im Übrigen lässt sich der Satz linear runterübersetzen wie ein gut geöltes Kettengetriebe.

Quid ergo? Audacissimus ego ex omnibus? Minime. An tanto officiosior quam ceteri?
Was also? (Bin) ich der Mutigste von allen? Keineswegs. Oder soviel pflichtbewusster als die Übrigen?

In dieser kurzen, eher kolloquialen (umgangssprachlichen) Satzsequenz fehlt vor allem eines: das Verb *esse.* Eine Ellipse liegt vor. Diese kann zuweilen auch im Deutschen stehenbleiben *(Was also?* für: *Was ist also?).* Die Präposition *ex* kann zuweilen als Ersatz für den Genitivus partitivus zur Angabe von Teilmengen dienen. Sie hat dann die Bedeutung *von.* Der Superlativ *minime* weist die Adverbendung *-e* auf, weil er wie auch der Positiv nur nach der a-/o-Deklination flektiert. Dass man nach einem Komparativ (hier: *officiosior)* mit der Vergleichskonjunktion *quam, als,* rechnen muss, muss klar sein.

Ne istius quidem laudis ita sum cupidus, ut aliis eam praereptam velim.
Nicht einmal nach diesem Lob bin ich so begierig, dass ich will, dass dieses anderen vorenthalten worden ist.

Zu den typischsten und ärgerlichsten Anfängerfehlern gehört das Übersehen des zweiteiligen Adverbs *ne ... quidem, nicht einmal ....* Aufgrund der Aufspaltung und der unterschiedlichen Bedeutungen der autonomen Formen *ne* und *quidem,* lese ich regelmäßig Quatsch wie: *damit nicht jedenfalls.* So bitte nicht! Nach bestimmten Adjektiven wie *cupidus, begierig nach, peritus, erfahren in, memor, im Gedanken an,* steht zur Bezeichnung des Objektes der Begierde, Erfahrung oder Erinnerung regelmäßig der Genitivus obiectivus (hier: *istius laudis),* den wir im Deutschen nicht als Genitiv sondern als Präpositionalausdruck übersetzen (nach diesem Lob). Von Formen des Stammwechselverbs *velle, wollen,* hängt bei Cicero auffällig oft ein AcI ab *(wollen, dass),* hier in einer besonders schwierigen Variante. Subjektsakkusativ ist *eam.* Um zu wissen, worauf sich dieses Pronomen bezieht, muss man das Genus des Substantivs *laus, Lob,* kennen: Femininum. Als weitere Schwierigkeit kommt eine Ellipse von *esse* hinter dem mit *eam* kongruierenden PPP *praereptam* hinzu, so dass man es als Prädikativum zu dem elliptischen Infinitiv *esse* als Perfekt Passiv übersetzen muss. *praeripere, vorenthalten,* steht mit dem indirekten Objekt *aliis.*

Quae res me igitur praeter ceteros impulit, ut causam Sex. Rosci susciperem?
Welche Tatsache (welcher Umstand) hat mich also anders als die übrigen angetrieben, dass ich den Fall des Sextus Roscius übernahm?

Der Perfektstamm *impul-* von *impellere, antreiben,* muss nicht gelernt werden, solange er im Wörterbuch eingetragen ist. Das ist beim Pons und auch beim Stowasser der Fall.

Beachte, dass es sich bei *quae* um ein Fragepronomen, nicht um einen relativen Anschluss handelt. *quae* kongruiert nämlich mit einem Bezugswort aus diesem Satz: *res*.

Quia, si qui istorum dixisset, quos videtis adesse, in quibus summa auctoritas est atque amplitudo, si verbum de re publica fecisset (id [est], quod in hac causa fieri necesse est), multo plura dixisse, quam dixisset, putaretur.
Weil, wenn wer von diesen gesprochen hätte, von welchen ihr seht, dass sie anwesend sind, in welchen höchstes Ansehen ist und Bekanntheit, wenn er ein (kritisches) Wort über die Republik (oder Politik) gemacht hätte (das ist es, von welchem in diesem Fall nötig ist, dass es geschieht), geglaubt würde, dass er viel mehr gesagt hätte, als er gesagt hätte.

Die Antwort auf Ciceros im Vorsatz gestellte Frage schließt sich direkt in Form eines Kausalsatzes *(quia)* an. Einen Hauptsatz gibt es nicht. Die Klammerbemerkung genießt einen gewissen Autonomiestatus in diesem Satz. Sie besteht aus einem unabhängigen Satz, der nur inhaltlich, nicht aber grammatisch mit seinem Umgebungssatz in Verbindung steht. Damit du den Überblick behältst und dir nicht zu viele Schwierigkeiten auf einmal auflädst, solltest du solche Satzkapseln zunächst aus ihrem umgebenden Gewebe herauspräparieren und erst zum Schluss analysieren und übersetzen. Zurück zu unserem *quia*-Satz: er enthält gleichzeitig den Folgesatz auf zwei Konditionalsätze *(si)*, die ihrerseits durch zwei Relativsätze *(quos, in quibus)* voneinander getrennt sind. Beim Blick auf die Prädikate der beiden *si*-Sätze *(dixisset, fecisset)* und des Hauptsatzes *(putaretur)* entpuppen sich beide Bedingungssätze und der Folgesatz als sogenannte irreale Periode, die im Deutschen wörtlich durch den Konjunktiv 2 (Konjunktiv Plusquamperfekt und Präteritum) wiedergegeben werden muss. Bevor ich gleich dieses Satzskelett zu Demonstrationszwecken heraussezieren, weise ich noch darauf hin, dass die passive Form *putaretur* einen NcI einleitet und deshalb durch einen unpersönlichen Ausdruck eingedeutscht werden muss: «Weil, wenn er ... gesprochen hätte, ... wenn er ... gemacht hätte, geglaubt werden würde, dass ...» Gehen wir nun in die Details des Satzes: Nach *si* entfällt immer wieder *ali-*, so dass die Form *qui* für *aliqui, irgendeiner, irgendwer,* steht. Das folgende Genitivattribut *istorum, von diesen,* ist partitiv, also eine Angabe des Anteils des «irgendeinen» an einem Ganzen, dem anwesenden Juristenkollegium. *quos* ist wieder relativ verschränkter Subjektsakkusativ eines AcI. Die Übersetzung habe ich oben bereits kommentiert (Weiteres im Lehrbuch S. 225). *(ali-)qui istorum* bleibt Subjekt auch des zweiten *si*-Satzes, bei dessen Übersetzung ich bewusst nicht freier geworden bin, auch wenn man die Wendung *verbum facere, ein Wort machen,* auch mit *eine Rede halten* übersetzen kann. Es geht zunächst weiter mit dem Infinitiv *dixisse* und dem neutralen, substantivierten Akkusativobjekt *plura, mehr, mehr Dinge*. Sie beide sind Bestandteil des von *putaretur* abhängigen NcIs. Der Nominativ muss aus dem Kontext der *si*-Sätze und der Endung *-tur* als ein «er» übernommen werden. Noch immer ist ein fiktiver Sprecher gemeint aus der Gruppe von Ciceros Kollegen. Der NcI wird im Deutschen zunächst depersonalisiert: das eigentliche Subjekt *(er)* wird durch ein neutrales *(es)* ersetzt und erst im *dass*-Satz wiederaufgenommen: «... *es würde geglaubt werden, dass er viel mehr gesagt hätte ...*». An den Komparativ *plura* schließt sich nun noch ein Sätzchen mit der Vergleichskonjunktion *quam* an. Nun nehmen wir uns abschließend die Klammerbemerkung vor. Vor allem der *quod*-Satz hat es in sich: Das Relativpronomen ist gleichzeitig Subjektsakkusativ eines AcI (relative Verschränkung). Eingeleitet wird er durch den unpersönlichen Ausdruck *necesse est, es ist nötig (dass)*. Der zugehörige Infinitiv ist *fieri, werden, geschehen*. Ein relativ verschränktes Relativpronomen wird zunächst mit *von* präpositionalisiert *(von welchem)* und erst im *dass*-Satz zum Subjekt gemacht, anschließend wird der AcI eingeleitet *(es nötig ist)*, mit *dass* konjunktionalisiert *(dass es)* und dann der Infinitiv finit gemacht *(geschieht)*. Zum Inhalt: Cicero benutzt die ganze Prozessrede als Plattform um – natürlich nur andeutungsweise – die eingeschränkte Redefreiheit, die Rechtsbeugungen und die antirepublikanische Politik unter Sulla zu kritisieren. Der Sinn: «*Wenn einer der hier anwesenden prominenten Politiker eine kritische Bemerkung über die Politik auch nur angedeutet hätte – und darum geht es in diesem Fall eigentlich – so würde das für ihn unabsehbare Folgen haben.*»

Ceterorum neque dictum obscurum potest esse propter nobilitatem et amplitudinem neque temere dicto concedi propter aetatem et prudentiam. [...]
Von den Übrigen kann weder das Gesagte geheim bleiben wegen ihrer Bekanntheit und hohen Position noch (kann es) einem gedankenlos Gesagten verziehen werden wegen ihres Alters und ihrer Weisheit.

Leitkonstruktion dieses Satzes ist das Prädikat *potest*, an das sich zwei Infinitive hängen (*esse* in der Sonderbedeutung *bleiben* und das passive *concedi*). Das PPP *dictum* bleibt ohne kongruentes Bezugssubstantiv und wird selbst zum Substantiv durch Artikulierung und Großschreibung (*das Gesagte*). *obscurum* erfüllt die Funktion eines Prädikativums (des Zustandes, in dem das Gesagte bleibt: *dunkel, verborgen*). Im zweiten Abschnitt wird das substantivierte *dicto* zum indirekten Objekt des Infinitivs *concedi* (*wem verzeihen*). Als Subjekt schwingt nun gedanklich wieder ein unpersönliches Neutrum *(es)* mit, das sich aber immer noch des Prädikates *potest* bedient. Beides habe ich in Klammern ergänzt. Das possessive Genitivattribut *ceterorum* hängt locker an *dictum* und *dicto* zugleich. In einer freieren Übersetzung würde der Bezug deutlicher: «*Eine Äußerung meiner übrigen, bekannteren und politisch involvierten Kollegen hier kann nicht geheim bleiben, und wenn sie sich verplappern, kann man es ihnen auch nicht nachsehen, weil Profis mit ihrer Erfahrung und in ihrem Alter solche Fehler nicht mehr passieren dürfen.*»

Ego si quid liberius dixero, vel occultum esse propterea, quod nondum ad rem publicam accessi, vel ignosci adulescentiae meae poterit.
Wenn ich was freier ausgesprochen haben werde, wird es entweder geheim bleiben können, weil ich noch nicht in die Politik gegangen bin, oder meinem (gem. jugendlichen) Alter verziehen werden (können).

Auch hier verschwindet das ali-Suffix nach *si*. Dieses Phänomen kann man auch im Deutschen nachempfinden, wenngleich das Ergebnis etwas proletenhaft rüberkommt. Selbstbewusst redet Cicero jetzt nicht mehr im Konjunktiv, sondern kündigt im Futur *(dixero, poterit)* seine Absicht und Entschlossenheit an. *liberius* ist komparatives Adverb auf *-ius* (Lehrbuch S. 149). Auch in diesem Satz hängen zwei Infinitive von einer Form von *posse (poterit)* ab: *esse*, wieder in der Bedeutung *bleiben*, und *ignosci*, wieder ein Passiv mit dem Dativobjekt *(adulescentiae meae)*. Sie sind noch durch *vel ... vel ... entweder ... oder ...* verkuppelt. *occultum* ist wieder Prädikativum zu *quid* in Verbindung mit *esse*. In der schönen Wendung *ad rem publicam accedere, in die Politik eintreten, in die Politik gehen*, wechselt *ad* leicht die Bedeutung.

Non vereor, ne quis audeat ...

Non vereor, ne quis audeat dicere ullius in Sicilia quaesturam aut clariorem aut gratiorem fuisse.
Ich befürchte nicht, dass wer wagt zu behaupten, dass die Quästur von irgendeinem in Sizilien entweder berühmter oder beliebter gewesen ist.

Nach Verben des Fürchtens hat die Konjunktion *ne* die Bedeutung *dass*. Daran muss man reflexartig denken. Nach der Konjunktion *ne* entfällt bei *aliquis, irgendwer,* die Vorsilbe *ali-*. Im gehobenen Deutschen gilt das eigentlich nicht. *quis* nach *ne* sollte also gewöhnlich auch als *irgendwer* übersetzt werden. In meinem Übersetzungsvorschlag schreibe ich trotzdem *wer* um zu demonstrieren, dass dieses elliptische Phänomen auch im Deutschen vorkommt, wenngleich auch nur in der Umgangssprache. Im Folgenden sei gewarnt: Das Semideponens *audere, wagen,* lässt sich leicht verwechseln mit *audire, hören!* Häufig erscheint hingegen hinter einer finiten Form von *audere, wagen,* der Infinitiv *dicere, sagen,* der dann immer mit *zu* übersetzt werden muss. *dicere* wiederum leitet mit statistisch signifikanter Inzidenz eine gewisse typische Konstruktion ein, die man als AcI bezeichnet: Diese besteht hier aus dem Akkusativ *quaesturam*, dem Infinitiv *fuisse* und den beiden Prädikativa im Komparativ *clariorem* und *gratiorem*, die durch die Doppelkonjunktion *aut ... aut ... entweder ... oder ...* verknüpft werden. Nein, *quaesturam* ist kein PFA, auch wenn ein PFA von *quaerere, suchen,* potentiell diese Form annehmen könnte. Das Genitivattribut *ullius* (vom Pronominaladjektiv *ullus, irgendein*) lungert etwas heimatlos herum. Es bezieht sich auf *quaesturam*, nicht auf *Sicilia*.

Vere mehercule hoc dicam: sic tum existimabam nihil homines aliud Romae nisi de quaestura mea loqui.
Wirklich werde/will ich beim Herkules dies (Folgendes) sagen: so dachte ich damals, dass die Menschen in Rom über nichts anderes als über meine Quästur sprachen.

Bei *vere* kommt es immer wieder vor, dass der Prüfling nicht an das Adverb *vere* denkt, sondern das Wörterbuch aufschlägt und das Substantiv *ver, Frühling,* heraussucht und so die Handlung – grammatisch richtig, inhaltlich falsch – in den Frühling verlegt. Umgekehrt tun sich die Studenten mit dem Heraussuchen der Form *mehercule* schwer, die doch nichts anderes ist als ein Ausruf: *beim Herkules*. Der Monotheist, sei er nun jüdischen, christlichen oder muslimischen Glaubens, darf in drei Teufels Namen auch *bei Gott* sagen. *dicam* kann beides sein: a-Futur 1 (ich werde sagen) oder Konjunktiv Präsens *(ich will sagen)*. Doch trotz doppelter Auswahl schreiben sie alle das falsche hin: *sage ich*. Was soll man dazu noch sagen? *existimabam* signalisiert einen AcI mit *homines* als Subjektakkusativ und dem Deponens *loqui* als Prädikatsinfinitiv. Objekt zu *loqui* wiederum ist der Akkusativ Neutrum Singular *nihil aliud*, das mit *nisi* die feststehende Bedeutung *nichts anderes außer* hat. Den Lokativ *Romae, in Rom,* setze ich als bekannt voraus – ein Genitiv (etwa in dem Sinne: «die Menschen von Rom») ist es nicht!

Frumenti in summa caritate maximum numerum miseram.
An Getreide hatte ich bei höchster Teuerung eine sehr große Menge geschickt.

Es gibt ein Adjektiv *miser, elend*. Davon gibt es die Form *miseram, die Elende*. Und doch sehe ich nicht, wie diese Form in diesem Satz irgendeinen sinnvollen syntaktischen Bezug, geschweige denn eine Kongruenz hat. Daneben gibt es ein Deponens *misereor, ich erbarme mich,* und sogar eine aktive Nebenform *misereo*. Doch wie kann dieses Verb der e-Konjugation (Präsensstamm: *misere-*; Perfektstamm: *miseru-*) in irgendeiner Form auf *miseram* enden? Schließlich gibt es ein Verb *mittere, schicken,* mit dem Perfektstamm *mis-*. Hängt man an diesen Perfektstamm ein Plusquamperfektsuffix *-era-* und eine Personalendung *-m*, entsteht die Form *miseram, ich hatte geschickt*. Wenn auch du diesen Fehler gemacht hast, war es dir vielleicht eine Lehre, diese drei Beispiele einmal durchexerziert zu haben: Ganz ohne Stammformenlernen geht es nicht! Und *mitt-, mis-, miss, schicken,* gehört heute auf den Menüplan, außerdem die Wiederholung der Suffixe! Der Genitiv *frumenti* führt ein Außenseiterdasein, weil er von seinem eigentlichen Bezugswort durch den präpositionalen Ausdruck *in summa caritate* versperrt ist. Es handelt sich um einen *Genitivus partitivus* zur Angabe der Gesamtmenge, von der Cicero einen Teil geschickt haben will *(maximum numerum, eine sehr große Menge von was?)*. Dass sich *frumenti* eher auf *caritate* bezieht, ist unwahrscheinlich, weil der lateinische Stil in solchen Fällen dazu neigt, das Attribut zwischen Präposition und Bezugswort einzuklammern oder nachzustellen.

Negotiatoribus comis, mercatoribus iustus, mancipibus liberalis, sociis abstinens, omnibus eram visus in omni officio diligentissimus.
Ich war den Großhändlern freundlich erschienen, den Kaufmännern fair, den Steuerpächtern entgegenkommend, den Bundesgenossen uneigennützig, allen in jeder Amtspflicht äußerst gewissenhaft.

Die parallelistische, asyndetische Aufzählung besteht aus einem Homoioptoton von Dativen auf -ibus und Nominativen. Die Stellung der Wörter verleitet viele Studenten, die die Deklinationen nicht beherrschen, dazu die Formen für kongruent zu halten. Ein Blick ins Wörterbuch zeigt aber dass z. B. *negotiatoribus* und *comis* nie und nimmer kongruieren können. Dass es sich um Dative handelt, erkennt man daran, dass es Personen-, bzw. Berufsbezeichnungen sind, die im Ablativ nicht ohne Präposition stehen dürfen. Das Prädikat ist das Plusquamperfekt eines deponenten Verbs *(eram visus)*. Zwar leitet *videri, scheinen,* in den meisten Fällen einen NcI ein, aber gelegentlich kann es auch mit doppeltem Nominativ *(erscheinen als)* stehen. Es wird dann auch ganz normal in der gegebenen Form übersetzt. Subjekt ist hier «ich», das aus *eram* hervorgeht, Prädikatsattribut ist *diligentissimus*. Das erklärt auch die Funktion des Dativobjektes *(wem erscheinen)*.

Excogitati quidam erant a Siculis honores in me inauditi.
Gewisse ungewöhnliche Ehrungen waren von den Sizilern in Bezug auf mich ausgedacht worden.

Dieser Satz ist nur aufgrund seiner stilistisch etwas manierierten Stellung schwierig. Als Prädikat kommt zunächst nur *erant* in Frage. Der einzige substantivische Nominativ ist *honores* und bietet sich folglich als Subjekt an. Bei Formen von *esse* darfst du jedoch ein potentielles Prädikativum (Prädikatsnomen) nicht vergessen. Dafür stehen weitere nominativkongruente Formen zur Verfügung: *excogitati, quidam* und *inauditi. excogitati* entpuppt sich beim Blick ins Wörterbuch schnell als PPP von *excogitare*, wörtlich: *ausdenken*. In Kombination mit *esse* ergibt das ein Plusquamperfekt Passiv: *sie waren ausgedacht worden*. Das negierte PPP *inauditi, ungehört, nie da gewesen, ungewöhnlich* und das Pronominaladjektiv *quidam, gewisse,* tritt als Attribut zu *honores*: *gewisse ungewöhnliche Ehrungen*. Schließlich noch eine Bemerkung zu *in me*: *me* kann der Form nach sowohl Akkusativ als auch Ablativ sein. *in* mit Akkusativ heißt *in ... (hinein), gegen, in Beziehung auf, in* mit Ablativ heißt *in ... drin, auf ... drauf*. Auch wenn hier theoretisch beides geht, lässt der Sinn nur *in* mit Akkusativ zu. Trotzdem solltest du beide Formen anwenden können. Leider ist das nicht immer der Fall!

Itaque hac spe decedebam, ut mihi populum Romanum ultro omnia delaturum putarem.
Daher reiste ich in dieser Hoffnung ab, dass ich glaubte, dass mir das römische Volk von sich aus alles anbieten würde.

Der *ut*-Satz muss besprochen werden: *putarem* ist ein Verb des Meinens und leitet einen AcI ein. Subjektsakkusativ ist *populum Romanum*, der Infinitiv ist elliptisch. Gerade nach PFAs macht sich *esse* gern aus dem Staub. Ergänze also zur Verdeutlichung *esse* hinter *delaturum*. *delaturum* selbst ist PFA von *deferre, bringen, anbieten*. Da das übergeordnete Prädikat im Imperfekt steht, sollte der futurische Ausdruck entsprechend adaptiert werden *(anbieten würde* statt *anbieten wird)*. Das Objekt *omnia* ist substantivierter Neutrum Plural *(alles, alle Dinge)*.

At ego, cum casu diebus iis itineris faciendi causa decedens e provincia Puteolos forte venissem, cum plurimi et lautissimi in iis locis solent esse, concidi paene, iudices, cum ex me quidam quaesisset, quo die Roma exissem et num quidnam esset novi.

Aber ich bin, nachdem ich zufällig in diesen Tagen wegen des Machens einer Reise (um eine Reise zu machen) aus der Provinz abreisend (während ich aus der Provinz abreiste) gerade nach Puetoli gekommen war zu einer Zeit, zu der sehr viele und äußerst Vornehme in dieser Gegend zu sein pflegen, fast zusammengebrochen, ihr Richter, nachdem von mir irgendeiner hatte wissen wollen, an welchem Tag ich von Rom weggegangen sei und ob es denn was an Neuem gebe.

Zunächst verschaffe ich mir einen Überblick über Haupt- und Nebensätze: *At* als weiterführende Konjunktion und *ego* als Subjekt ist der Ansatzpunkt des Hauptsatzes, der erst bei *concidi paene* fortgesetzt wird. *cum* leitet einen vorzeitigen Temporalsatz (*nachdem*) ein. Das folgende *cum* steht mit Indikativ (*solent*) und die angegebene Hilfe dient lediglich als Sinnstütze. Richtig wäre es auch, wenn du dieses indikativische *cum* wie gewohnt mit *als* oder *wenn* übersetzt. *iudices*, *ihr Richter*, ist Vokativ (und nicht etwa Objekt zu *concidi*) – Cicero schweift mit diesem Schwank aus dem Rahmen einer Gerichtsrede aus. Schließlich folgt ein weiteres konjunktivisches und vorzeitiges *cum* (*nachdem* wegen *quaesisset*). Von *quaesisset* (ein Frageverb) sind zwei klassische indirekte Fragen abhängig: *quo die*, *an welchem Tag*, und *num*, *ob*. Nun ins Detail: *itineris faciendi* ist Gerundivum im Genitiv vor der Postposition *causa*, *wegen*. Wenn ich bei der Übersetzung substantiviere und genitiviere, steht sowohl die substantivierte nd-Form im Genitiv als auch das von dieser abhängige genitivierte Bezugswort: *des Machens einer Reise wegen*. Stattdessen kann man den präpositionalen Ausdruck auch mit *um zu* + Infinitiv umschreiben: *um eine Reise zu machen*. Als Nächstes steht ein PPA im Nominativ an. Es kongruiert mit dem Subjekt des Nebensatzes, das als 1. Person aus dem Prädikat *venissem* hervorgeht. Als ersten Arbeitsentwurf übersetze ich wörtlich-undekliniert (*abreisend*), daneben ist ein Konjunktionalsatz mit *während* möglich. Als weiterer Satzteil bezieht sich die adverbiale Bestimmung *e provincia* auf dieses PPA. Der Rest der adverbialen Bestimmungen (*casu, diebus iis, Puteolos, forte*) nimmt Bezug auf das Prädikat. Subjekte des folgenden indikativischen *cum*-Satzes sind substantivierte Elative (*plurimi, lautissimi*), die ich bei der deutschen Substantivierung einfach groß schreibe (*Vornehme*). Die Übersetzung von *in iis locis* bleibt nicht dem Zufall überlassen. *in* kann entweder mit dem Akkusativ oder mit dem Ablativ stehen. Mit dem Akkusativ heißt es *in ... hinein, gegen, in Beziehung auf,* mit dem Ablativ heißt es *in ... drin, auf ... drauf ...* oder auch freier *an*, wie in diesem Beispiel. *locis* kommt von *loca*, wörtlich: *Stellen, Orte*. Mehrere Stellen oder Orte ergeben eine *Gegend*. Daher ist es zulässig den Plural *loca* singularisch zu übersetzen. Zwischen *locus, Ort,* im Singular und *loca, Orte,* im Plural findet zudem ein unregelmäßiger Genuswechsel vom Maskulinum zum Neutrum statt. *solere, gewöhnlich tun, pflegen,* steht nur mit dem Infinitiv *esse*. *concidi* kann der Form nach zwei Bedeutungen haben. *concidere* (mit kurzem i) heißt *niederstürzen, zusammenbrechen, concidere* (mit langem i) heißt *zusammenschlagen*. *quaerere, fragen,* steht regelmäßig mit der Präposition *ex* + Ablativ anstatt eines vom Deutschen her erwarteten Akkusativs. Man kann den präpositionalen Ausdruck (hier: *ex me*) jedoch wie einen Akkusativ behandeln (*mich*). Alternativ kann man *quaerere* mit *wissen wollen* übersetzen, wie ich es getan habe. *Roma* ist Ablativus separativus mit einem Verb der Trennung (*exire*). Nach *num* fällt *ali-* aus. *quidnam* setzt sich also ursprünglich zusammen aus: *aliquid nam, irgendwas denn*. Solche unbestimmten Mengenangaben stehen meist mit dem Genitivus partitivus (hier: *novi*). Diesen kann man durch einen präpositionalen Ausdruck (*irgendwas an Neuem*) oder dekliniert (*irgendwas Neues*) übersetzen. Da sich die letzten beiden Fragen auf der Ebene einer indirekten Rede bewegen, sollte ich ungeachtet der lateinischen Tempora die Regeln des deutschen Konjunktivs der indirekten Rede anwenden.

Cui cum respondissem me e provincia decedere: «Etiam, mehercule», inquit, «ut opinor, ex Africa.»

Nachdem ich diesem geantwortet hatte, dass ich aus der Provinz abreiste, sagte er: «Auch, beim Herkules, wie ich vermute, aus Afrika.»

cui ist relativer Anschluss. Die Kombination mit der nachhängenden Konjunktion (*cum*) ist beim relativen Anschluss häufig. *cum* ist wegen des Plusquamperfekts *respondissem* vorzeitig. Von *respondissem*, einem so genannten *Verbum dicendi (Verb des Sprechens)*, hängt ein AcI ab: *me decedere*. Der eigentliche Hauptsatz besteht nur aus einem Wort: *inquit, er sagte,* bzw. *sagte er. inquit* ist die typische Einleitung der direkten Rede. Typischerweise steht sie jedoch nicht dort, wo wir sie erwarten, nämlich vor dem Doppelpunkt und damit vor der indirekten Rede. Sie steht regelmäßig etwas derangiert mitten in der direkten Rede, so dass sich der Satzanfang der direkten Rede und das Prädikat des Vorsatzes *inquit* überschneiden.

Ego L. Catilinam caedem senatus, interitum urbis non obscure, sed palam molientem egredi ex urbe iussi, ut, a quo legibus non poteramus, moenibus tuti esse possemus.

Ich habe befohlen, dass Lucius Catilina, der die Ermordung des Senates, den Untergang der Stadt nicht heimlich, sondern offen plante, aus der Stadt ging, damit wir (vor diesem), vor welchem wir durch Gesetze nicht (sicher sein) konnten, durch Mauern sicher sein konnten.

Beachte hier und in den folgenden Sätzen die Anapher von *ego*. Solche stilistischen Auffälligkeiten sagen viel über Ciceros egomanischen und narzisstischen Charakter aus. *iubere, befehlen* (hier in der Form *iussi*), zieht einen AcI nach sich: *L. Catilinam egredi*. Als Attribut zu *Catilinam* fasse ich das kongruente *molientem* auf. Es ist erweitert durch zahlreiche Objekte *(caedem, interitum)* und adverbiale Bestimmungen *(non obscure, sed palam)*. *senatus* (u-Deklination) und *urbis* sind beides Genitivattribute. Die relative Auflösung *(der plante)* hat vor der wörtlich-undeklinierten Übersetzung *(planend)* den Vorzug, dass ich die Objekte und adverbialen Bestimmungen im Nebensatz verstauen kann. *ut* leitet einen dass-Satz ein, der mit *tuti* fortgesetzt wird. Der Relativsatz mit *a quo* ist kein Attribut-, sondern ein Adverbialsatz, also ein Nebensatz, der eine adverbiale Bestimmung des Hauptsatzes stellt, nämlich einen präpositionalen Ausdruck zu *tuti esse*, etwa in dem Sinne: *ab eo*, vor diesem (sicher sein). Diesen präpositionalen Ausdruck kann man sich im Deutschen als Gedächtnisstütze ruhig in Klammern dazu schreiben, ebenso wie man sich *tuti esse* analog zu *possemus* auch zu *poteramus* hinzudenken muss.

Ego tela extremo mense consulatus mei intenta iugulis civitatis de coniuratorum nefariis manibus extorsi.

Ich habe die Speere im letzten Monat meines Konsulates, nachdem sie gerichtet worden waren auf die Kehlen des Staates, aus den verbrecherischen Händen der Verschwörer herausgewunden.

intentus ist PPP von *intendere, richten auf*, und steht mit dem Dativ (hier: *iugulis*). Es bezieht sich kongruent auf *tela, Speere*. Der Hyperbaton von *extremo mense consulatus mei* spricht dafür, dass *intenta* sein Bezugswort als Prädikativum beschreibt. Neben der konjunktionalen Auflösung mit *nachdem* ist auch eine wörtlich-undeklinierte Wiedergabe möglich. Dies erfordert jedoch, dass man *intenta* direkt hinter *tela* vorzieht: «Ich habe die Speere, gerichtet auf die Kehlen ... entwunden.» Das Genitivattribut *coniuratorum* wird – typisch Cicero – von Präposition *de* und Bezugswort *nefariis manibus* eingerahmt.

Ego faces iam accensas ad huius urbis incendium comprehendi, protuli, exstinxi.

Ich habe die Brandsätze, die schon angezündet worden waren zum Niederbrennen dieser Stadt, ergriffen, vorgezeigt, ausgelöscht.

fax, facis, Fackel, Brandsatz, ist wieder eines dieser Wörter, das auf die Liste unauffindbarer Wörter gehört. Wenn im Text nicht gerade der Nominativ auf *-x (fax)* steht, wird man unter dem Genitivstammauslaut *(fac-)* vergeblich suchen. Aus Verzweiflung oder Disziplinlosigkeit wird dann für *faces, Brandsätze,* das völlig unbescholtene *facies, Gesicht,* herbeigequält und der Sinn geht unter wie eine griechische Passagierfähre. *accensas* ist natürlich wieder ein Attribut (die Fackeln waren schon die ganze Zeit entzündet und wurden nicht erst im Zustand des Entzündetwerdens von Cicero ergriffen). Auch dieses PPP ist durch eine adverbiale Bestimmung *(ad incendium)* erweitert, in die noch das Genitivattribut *huius urbis* eingeschraubt ist. *comprehendi, protuli, exstinxi* ist eine asyndetische Klimax mit Homoioteleuton, zu deutsch: eine konjunktionslose (unverbundene), Steigerung *(Ergreifen, Vorzeigen, Auslöschen)* mit der gleichen Endung *-i* für die 1. Singular Indikativ Perfekt Aktiv.

Me Q. Catulus, princeps huius ordinis et auctor publici consili, frequentissimo senatu parentem patriae nominavit.
Mich hat Quintus Catulus, der Vorsitzende dieses Standes und Berater der staatlichen Planung, in einer vollzähligen Senatssitzung Vater des Vaterlandes genannt.

Gewöhne dir an, römische Namensabkürzungen im Deutschen auszuschreiben. *Q.* steht für *Quintus* und die anderen Kürzel stehen im Lehrbuch auf S. 66. Das zeugt von Sachverstand und klingt nicht so oberflächlich. Das Prädikat des Satzes *nominavit* steht regelmäßig mit doppeltem Akkusativ, dem Objekt *me* und dem Prädikatsattribut *parentem. princeps* und *auctor* sind beides Appositionen (substantivische Attribute) zu *Catulus*. Wenn du nicht genau meine Bedeutungen hast: auf *princeps, auctor, publicus* und *consilium* passt in diesem Zusammenhang fast alles. *ordo* allerdings hat bei Cicero fast ausschließlich die Bedeutung *Stand* und nicht etwa *Ordnung, Rang* usw. Das PPA-ähnliche Adjektiv *frequens, gut besucht, zahlreich,* kommt fast nur in Verbindung mit Versammlungen, Reden, Senatssitzungen vor. Im Elativ/Superlativ ist natürlich nicht nur *zahlreich*, sondern *sehr zahlreich* oder *vollzählig* gemeint. Denke daran, dass *senatus*, ähnlich wie *magistratus* (Amt, Beamter, Amtsgebäude), nicht nur *Senat* sondern auch *Amt des Senators, Senatsgebäude* oder, wie hier, *Senatssitzung* heißen kann. Verwechsele es aber nicht mit *senator*. Das PPA *parens* kommt ursprünglich von *parere* (kurz-i-Konjugation), *zeugen*. In substantivierter Form artikuliere ich es und schreibe es groß: *der Zeugende. Der Zeugende* oder, wie man heute sagt, *Erzeuger*, ist natürlich niemand Geringeres als der *Vater. parens patriae* ist also der *Vater des Vaterlandes.*

Mihi hic vir clarissimus, qui propter te sedet, L. Gellius, his audientibus civicam coronam deberi a re publica dixit.
Dieser hochberühmte Mann, welcher neben dir sitzt, Lucius Gellius, hat, während diese zuhörten, gesagt, dass mir der bürgerliche Ehrenkranz geschuldet werde vom Staate.

Um diesen Satz abzufertigen, muss man erkannt haben, dass die Leitkonstruktion ein AcI ist, der von *dixit* signalisiert wird: *civicam coronam deberi. debere*, sonst *müssen*, hat hier die seltenere Bedeutung *schulden*. In Verbindung mit dem passiven Infinitiv tritt ein präpositionaler Ausdruck zur Angabe des Agens *(a re publica)* und ein Dativobjekt auf, das aufgrund seiner exponierten Stellung am Satzanfang erst einmal in den AcI integriert werden muss, um nicht falsch bezogen zu werden. *his audientibus* ist der Form nach eindeutig ein AmP mit PPA, der konjunktionalisiert übersetzt am besten klingt. Die *civica corona* war ein Kranz aus Eichenlaub und gewissermaßen der Orden «Pour le Mérite» von Rom.

Mihi togato senatus non, ut multis, bene gesta, sed, ut nemini, conservata re publica singulari genere supplicationis deorum immortalium templa patefecit. [...]
Mir in der Toga hat der Senat nicht, wie vielen, nach guter Führung (des Staates), sondern, wie niemandem, nach Rettung des Staates durch eine einzigartige Form des Dankfestes die Tempel der unsterblichen Götter geöffnet. [...]

Da *togato* kongruent und eng verbunden mit *mihi* steht, scheint es ein Attribut zu diesem Dativobjekt zu sein. Dennoch lässt es sich auch als Prädikativum lesen, wenn man davon ausgeht, das sich Cicero in der Toga befand, in dieser vorübergehend gekleidet war. Für die Wahrung der deutschen Zweitstellung muss ich von dem zweiteiligen Prädikat *patefecit, hat eröffnet,* zumindest den konjugierten Teil *(hat)* vorziehen, das Partizip *eröffnet* kann warten. Es folgt das Subjekt *senatus*. Beachte die Gliederung von *non, ut ... sed, ut ... ut ...* ohne Konjunktiv heißt hier *wie*. Analog zu *mihi* sind auch das substantivierte Adjektiv *multis, vielen,* und das Pronominaladjektiv *nemini, niemandem* (von *nemo*!), Dative. *bene gesta* und *conservata re publica* sind Ablativi absoluti, die sich wunderbar präpositionalisieren lassen. Beachte dabei die Präposition *nach. rem publicam gerere* heißt *den Staat führen*. Der Ablativ *singulari* bezieht sich nicht mehr auf *re publica* sondern auf *genere. genere* wiederum findet man unter *genus, Art, Form*. Auch das Genitivattribut *deorum immortalium* ist nicht Attribut des Attributes *supplicationis*, sondern ist seinem Bezugswort *templa* vorgestellt.

Atque ita est a me consulatus peractus, ut nihil sine consilio senatus, nihil non approbante populo Romano egerim, ut semper in rostris curiam, in senatu populum defenderim, ut multitudinem cum principibus, equestrem ordinem cum senatu coniunxerim.

Und so ist von mir der Konsulat durchgeführt worden, dass ich nichts ohne Rat des Senates, nichts, ohne dass das römische Volk zustimmte, getan habe, dass ich immer auf den Rostren (auf der Rednertribüne) die Kurie, im Senat das Volk verteidigt habe, dass ich die Menge mit den Anführern, den Ritterstand mit dem Senat verbunden habe.

ita nimmt Kontakt zu einer dreifachen Anapher eines konjunktivischen *ut (ut nihil ... ut semper ... ut multitudinem)* auf *(so ..., dass ..., dass ..., dass).* Solche Strukturen solltest du möglichst noch vor der Übersetzung erkennen und markieren. Das PPP *peractus* (von *peragere*) steht in enger Verbindung mit *esse* und dient als Prädikativum zur Tempusbildung des Perfekts Passiv. Subjekt dazu ist *consulatus*. Agens ist das Präpositionaladverb *a me*. Das Akkusativobjekt zum Prädikat *egerim nihil* steht in doppelter Anapher. Zur Deklination von *nihil* siehe Lehrbuch S. 111. *non approbante populo Romano* ist verneinter AmP. Bei verneinten AmPs wendet man immer die Übersetzungstechnik mit «ohne dass» an (Lehrbuch S. 212). Es folgen weitere parallele Abfolgen von Akkusativobjekten *(curiam, populum, multitudinem, equestrem ordinem)* und adverbialen präpositionalen Ausdrücken *(in rostris, in senatu, cum principibus, cum senatu)* und ein dreifaches Homoioteleuton der Prädikatsendungen im Konjunktiv Perfekt auf *-erim.*

Exposui breviter consulatum meum.

Ich habe kurz meinen Konsulat dargestellt.

exposui kommt von *exponere, darstellen, darlegen.* Allen Composita (mit Präfixen zusammengesetzte Formen) von *ponere (componere, exponere, deponere)* ist auch dieser Perfektstamm auf *posu-* gemeinsam. *breviter* ist Adverb der 3. Deklination («3 Liter»).

Aude nunc, o furia, de tuo dicere!

Wage jetzt (noch), du Irrer, über deinen (Konsulat) zu sprechen!

Verwechsele das Semideponens *aude, wage* (e-Konjugation), nicht mit *audi, höre* (i-Konjugation). Formen von *audere* erscheinen auffallend oft in Begleitung des Infinitivs *dicere. furia* musste ich hier mit *Irrer* übersetzen, weil die Beleidigung *Furie* so ältlich und liebenswert wie eine Biedermeierkommode klingt. Hinter *tuo* muss sinngemäß *consulatu* ergänzt werden.

Antequam de incommodis Siciliae dico ...

Antequam de incommodis Siciliae dico, pauca mihi videntur esse de provinciae dignitate, vetustate, utilitate dicenda.
Bevor ich über die Unannehmlichkeiten Siziliens spreche, scheint es mir, dass wenige Dinge über Ansehen, Alter, Nutzen der Provinz zu sagen sind.

Das Adjektiv *incommodus, unbequem, unannehmlich,* liegt hier in substantivierter Form im Neutrum Plural vor. Im Hauptsatz liegt ein NcI-Einleiter vor *(videntur)* mit dem substantivierten Neutrum Plural *pauca, Weniges, wenige Dinge,* als Subjektsakkusativ, *esse* als Infinitiv und *dicenda* als Prädikativum zur Bildung eines prädikativen Gerundivums *(Coniugatio periphrastica passiva).* Ich übersetze wörtlich *(zu sagen),* außerdem ist die Umschreibung mit *werden müssen* möglich *(gesagt werden müssen).* An dem präpositionalen Ausdruck imponiert ein Asyndeton (Kommata statt Konjunktionen) und ein Homoioptoton (Gleichkasus) des Ablativs Singular der 3. Deklination auf *-tate.*

Nam cum omnium sociorum provinciarumque rationem diligenter habere debetis, tum praecipue Siciliae, iudices, plurimis iustissimisque de causis, primum, quod omnium nationum exterarum princeps Sicilia se ad amicitiam fidemque populi Romani adplicavit.
Denn einerseits müsst ihr sorgfältig Rücksicht nehmen auf alle Bundesgenossen und Provinzen, andererseits vor allem auf Sizilien, ihr Richter, aus sehr vielen und sehr gerechtfertigten Gründen, zuerst, weil von allen ausländischen Nationen erstrangig Sizilien sich an die Freundschaft und Zuverlässigkeit des römischen Volkes angeschlossen hat.

Die Doppelkonjunktion *cum ... tum ..., sowohl ... als auch besonders ..., einerseits ... andererseits vor allem ...* kommt häufig vor. Trotzdem denkt man bei *cum* und *tum* oft erst an die Einzelbedeutungen. Daher halte ich es für fair, auf die Sonderbedeutung als Doppelkonjunktion hinzuweisen. Die idiomatische Wendung *rationem habere, Rücksicht nehmen auf,* steht mit dem Genitivus obiectivus als Angabe des Objekts der Rücksicht (hier: *omnium sociorum provinciarumque* und *Siciliae*). Grammatisch hängt dieses Genitivattribut von *rationem* ab. Die Präposition *de* wird von ihren Bezugswörtern *(plurimis iustissimis* und *causis)* in die Zange genommen. *omnium nationum exterarum* ist ein vorangestelltes partitives Genitivattribut zu *princeps.* Dieses Adjektiv hat hier nicht substantivische Bedeutung (etwa: *Fürst, Vorsitzender*) und auch nicht die Funktion eines Attributes (in dem unklaren Sinne von: «das erstrangige Sizilien»), sondern dient als Prädikativum entweder mit der Präposition *als (als erste)* oder wörtlich-undekliniert *(erstrangig).* Phrasen wie *se ad amicitiam fidemque populi Romani adplicare,* frei übersetzt: *sich in das Freundschafts- und Treueverhältnis mit dem römischen Volk begeben,* gehören zum typischen Repertoire römischer Außenpolitik, deren Erfolg ihr in gewisser Weise recht gibt.

Prima omnium provincia est appellata, prima docuit maiores nostros, quam praeclarum esset exteris gentibus imperare.
Als Erste von allen wurde sie (die Provinz Sizilien) Provinz genannt, als Erste lehrte sie unsere Vorfahren, wie ruhmreich es war über auländische Völker zu herrschen.

Subjekt des Satzes ist *Sicilia* aus dem Vorsatz. Da *Sicilia* im Lateinischen feminin, *Sizilien* im Deutschen jedoch eher neutral empfunden wird, lässt sich die KNG-Kongruenz des Subjekts *provincia* mit den Attributen *prima, provincia* und *appellata* im Deutschen nur schlecht nachbilden. Ich habe mich dafür entschieden gedanklich «die Provinz Sizilien» (möglich auch «die Insel Sizilien») zu ergänzen um dieses Problem zu lösen. Da in diesem Satz *Sicilia* selbst als grammatisches Subjekt nicht mehr zur Verfügung steht, habe ich ein entsprechendes Personalpronomen als Subjekt *(sie)* eingesetzt. Alle drei kongruenten Nomen *(prima, provincia, appellata)* dieses Satzes sind dazu Attribute. *prima* ist nicht Attribut, sondern Prädikativum zu *provincia.* Das kann man mit Hilfe des Präpositionentests herausfinden. Grammatisch ist die Übersetzung als Attribut zwar nicht falsch *(die erste Provinz),* sinnvoll erscheint sie jedoch nur mit der Präposition *als (als erste Provinz). provincia* selbst wiederum ist ebenfalls Prädikativum, weil *appellari* mit doppeltem Nominativ, *genannt werden,* ein Prädikativum verlangt. Das PPP *appellata* wiederum bildet als Prädikativum mit *est* ein Perfekt Passiv. Von *docere, lehren,* ist hier eine indirekte Frage abhängig, die mit *quam, wie,* eingeleitet und durch den Konjunktiv *(esset)* indiziert wird. Die Wendung *praeclarum est* ist ein unpersönlicher Ausdruck mit neutralem Subjekt *(es ist berühmt, es ist großartig).* Sie zieht einen einfachen Infinitiv nach sich *(imperare). imperare* wiederum steht regelmäßig mit einem Dativobjekt (hier: *exteris gentibus*) in der Bedeutung *jemandem befehlen* oder *über jemanden* herrschen.

Sola fuit ea fide benevolentiaque erga Romanum, ut civitates eius insulae, quae semel in amicitiam nostram venissent, numquam postea deficerent, pleraeque autem et maxime inlustres in amicitia perpetuo manerent.

Als Einzige war sie (die Provinz Sizilien) von dieser Zuverlässigkeit und Freundlichkeit in Beziehung auf den Römer, dass die Gemeinden dieser Insel, welche einmal in unsere Freundschaft gekommen waren, niemals später abfielen, die meisten aber und besonders berühmten in der Freundschaft durchgängig blieben.

Auch das Pronominaladjektiv *sola* erfüllt hier die Funktion eines Prädikativums mit Präposition *(als)* in der Bedeutung *als einzige* oder wörtlich-undekliniert in der Bedeutung *einzig, allein*. Die folgenden beiden Ablative (*fide* und *benevolentia*) sind Ablativi qualitatis. Im Deutschen werden sie übersetzt wie ein präpositionales Attribut mit *von* (in dem Sinne: «*Sizilien war von Treue und Freundlichkeit gekennzeichnet*»). Zur Erinnerung: Mit dem Ablativus *qualitatis* verwandt ist auch der Genitivus qualitatis (Lehrbuch S. 204). Die seltenere Präposition *erga* entspricht der Funktion von *in* mit Akkusativ in der Bedeutung *gegen, in Beziehung auf*. Der Singular *Romanum* meint natürlich nicht einen Römer als einzelnen, sondern «den Römer» als Kollektiv. Daher auch die Bezeichnung kollektiver Singular. *in amicitiam* (Akkusativ!) heißt: *in die Freundschaft*, nicht: *in der Freundschaft*! Umgekehrt heißt *in amicitia* (Ablativ!) nicht: *in die Freundschaft*, sondern: *in der Freundschaft*. Bei dieser Unterscheidung lassen es viele an der nötigen Genauigkeit fehlen.

Itaque maioribus nostris in Africam ex hac provincia gradus imperi factus est.

Daher ist für unsere Vorfahren nach Afrika von dieser Provinz aus der Weg der Herrschaft (zu unserer Herrschaft) geschaffen worden.

Auch bei diesem scheinbar leichten Satz steckt der Teufel im Detail. Die natürliche Abfolge der Präpositionalausdrücke muss nicht umgestellt werden, auch wenn man im Deutschen gern das Objekt *gradus imperi* an erster, *in Africam* an zweiter und *ex hac provincia* an dritter Stelle sähe («der Weg unserer Herrschaft nach Africa von dieser Provinz aus»). Auch gilt es jeden einzelnen Kasus genau zu beachten: *maioribus nostris* kann kein Ablativ sein, weil die *maiores*, die Vorfahren, auch wenn sie schon im Hades sind, immer noch Personen sind und «Ablativ der Person ...» Meine Lieblingspräposition *in* steht wieder einmal mit dem Akkusativ *(Africam)* und gibt eine Richtung an. Eine Bescheinigung für Sprachgefühl gibt es also für «nach Afrika» und einen Termin beim Augenarzt für «in Afrika». *imperi* (Verschleifung der Endung von *imperii*) ist Genitivus obiectivus zu *gradus, Schritt, Weg*, und bezeichnet das Zielobjekt dieses Weges oder auch die Richtung des Schrittes. Prädikatives PPP und *esse* (hier in der Form: *factus est*) bilden natürlich ein Perfekt Passiv.

Neque enim tam facile opes Carthaginis tantae concidissent, nisi illud et rei frumentariae subsidium et receptaculum classibus nostris pateret.

Denn nicht wären so leicht die so großen Machtmittel Karthagos zusammengebrochen, wenn nicht jenes sowohl als Versorgungsbasis des Getreidevorrates (für Getreidevorrat) als auch als Stützpunkt für unsere Flotten offenstünde.

Das Erste, was dir an diesem Satz auffallen muss, ist die irreale Periode. Eine irreale Periode besteht aus einem irrealen Konditionalsatz (also einem Bedingungssatz mit *si* + Konjunktiv Imperfekt oder Plusquamperfekt) und einem irrealen Folgesatz (ebenfalls mit Konjunktiv Imperfekt oder Plusquamperfekt). Als Übersetzung kommt nur die wörtliche Wiedergabe durch die entsprechenden deutschen Konjunktive aus der Gruppe des Konjunktivs 2 (Konjunktiv Präteritum und Plusquamperfekt). *concidere* kann zwei geradezu gegenteilige Bedeutungen haben: *zusammenschlagen* und *zusammenfallen, untergehen*. In diesem Fall kann nur der Kontext bzw. ein gewisses Hintergrundwissen entscheiden. Es sollte dir bekannt sein, dass die Karthager im Ersten Punischen Krieg (264–241 v.Chr.) aus Sizilien als zentralem Stützpunkt ihrer Kriegsflotte verdrängt wurden. Beachte im Folgenden die Doppelkonjunktion *et ... et ...* und die damit verbundene Sperrung der beiden zu *illud* KNG-kongruenten Wörter *subsidium* und *receptaculum*. Sie kann ein Hinweis auf Prädikativa sein und erklärt die Präposition *als* (also nicht: jene Versorgungsbasis und (jener) Flottenstützpunkt, sondern: jene als Versorgungsbasis und als Flottenstützpunkt). Der Begriff *res frumentaria, Getreideversorgung, Getreidevorrat*, gehört zu den wichtigsten Wirtschaftsfaktoren der Antike überhaupt. Und deshalb gehört er auch zum Lernwortschatz Substantive (Lehrbuch S. 106). Als objektiver Genitiv bezieht er sich hier auf *subsidium*. Aufgrund der außergewöhnlich hohen Fruchtbarkeit nannte der alte Cato Sizilien «*cella penaria rei publicae*» und «*nutrix plebis*» «*Kornkammer der Republik*» und «*Ernährerin des Volkes*». Bis heute wird auf Sizilien der für die Spaghettiproduktion so unerlässliche Hartweizen *(grano duro)* angebaut. Aufpassen mit *patere, offen stehen*: Der Stamm kann zu Verwechslungen mit *pati, leiden, dulden, zulassen*, führen. Es steht mit einem Dativobjekt *(classibus nostris)*.

Quare P. Africanus Carthagine deleta Siculorum urbes signis monumentisque pulcherrimis exornavit, ut, quos victoria populi Romani maxime laetari arbitrabatur, apud eos monumenta victoriae plurima collocaret.

Daher hat Publius Africanus nach der Zerstörung Karthagos die Städte der Sikuler mit den schönsten Standbildern und Denkmälern ausgeschmückt, damit er, von welchen er glaubte, dass sie durch den Sieg der Römer ganz besonders erfreut wurden, bei diesen die meisten Denkmäler des Sieges aufstellte.

Die Satzstruktur besteht aus einem Hauptsatz, der von *quare* bis *exornavit* geht und einem ut-Satz, der durch einen Relativsatz *(quos ... arbitrabatur)*, unterbrochen wird. Das Auffällige an diesem Relativsatz ist die Tatsache, dass sein Bezugswort *eos* im übergeordneten Satz erst nach dem Relativsatz folgt und nicht, wie man erwartet, davor. Dies hat zwar keine Konsequenz für die Übersetzung, aber man muss seinen Blickwinkel ausweiten, bevor man das Bezugswort findet. Wer möchte, kann den präpositionalen Ausdruck *apud eos* auch zu *ut* vorziehen *(... damit er bei diesen, von welchen ...)*. *Carthagine deleta* gehört sicher zu den am häufigsten belegten Formen des AmP, schon allein wegen der historischen Bedeutung dieses Ereignisses. Bei der Übersetzung ins Deutsche lässt er sich problemlos präpositionalisieren, substantivieren und genitivieren. Der hier erwähnte *Publius Scipio Africanus* sollte dir als Hauptfigur des Dritten Punischen Krieges (149–146 v.Chr.) ebenfalls ein Begriff sein. Das Genitivattribut *Siculorum* ist seinem Bezugswort vorangestellt. Dieses im Lateinischen typische Stellungsverhältnis lässt sich im Deutschen nicht wiedergeben, weil Genitivattribute hier nur hinter ihrem Bezugswort stehen können. Eine letzte Anmerkung zu dem Relativsatz: es handelt sich um einen relativ verschränkten AcI, weil das Relativpronomen *quos* gleichzeitig Subjektsakkusativ eines AcI ist (Variante a) an der Seite des Infinitivs Passiv *laetari* und des deponenten Standardeinleiters *arbitrabatur* (weiteres zur Übersetzung: siehe Lehrbuch S. 225).

Denique ille ipse M. Marcellus, cuius in Sicilia virtutem hostes, misericordiam victi, fidem ceteri Siculi perspexerunt, non solum sociis in eo bello consuluit, verum etiam superatis hostibus temperavit.

Schließlich hat jener Marcus Marcellus selbst, dessen Tapferkeit in Sizilien Feinde, Barmherzigkeit Besiegte, Zuverlässigkeit die übrigen Sizilier gesehen haben, nicht nur für die Bundesgenossen in diesem Krieg gesorgt, sondern auch die besiegten Feinde geschont.

Das Relativpronomen *cuius* bezieht sich inhaltlich auf Marcus Marcellus, grammatisch ist es Attribut zu *virtutem*. Dazwischen drängt sich ein weiteres präpositionales Attribut *(in Sicilia)*, so dass über die Tapferkeit einerseits attributiv ausgesagt wird, dass sie Eigenschaft des Marcus Marcellus war, andererseits sich auf sein Betragen in Sizilien bezieht. Der weitere asyndetische (konjunktionslose) Aufbau des Relativsatzes verwirrt auf den ersten Blick: er besteht aus einer Abfolge von direkten Objekten gepaart mit Subjekten *(virtutem hostes, misericordiam victi, fidem ceteri Siculi)*. Anschließend wird der Hauptsatz durch die Doppelkonjunktion *non solum ..., verum etiam ...* zu Ende gebracht. Dabei ist zu beachten, dass beide Prädikate *(consuluit, temperavit)* mit Dativobjekten stehen *(sociis, hostibus)*, was man zumindest bei *temperare, schonen,* aus dem Deutschen mit Akkusativobjekt gewohnt ist. Das PPP *superatis* ist nicht erweitert und kann ruhig wörtlich-dekliniert in seiner Stellung belassen werden, ohne dass man den Überblick verliert.

Hic quidem tyrannus ipse iudicavit ...

Hic quidem tyrannus ipse iudicavit, quam esset beatus.
Dieser Tyrann allerdings urteilte selbst, wie glücklich er war.

Das Wort *quam* kann gleich vier Bedeutungen haben: 1. als Relativpronomen: *welche* 2. als Komparationspräposition: *als* 3. als Adverb vor Superlativ: *möglichst* 4. als Frage- und Ausrufadverb: *wie*. Im Kontext der Stelle passt eigentlich nur diese letzte Variante. *quam, wie,* bewegt sich als indirekte Frage um *iudicavit*. Denke daran, dass du jede indirekte Frage auch am Konjunktiv (hier *esset*) erkennen kannst. *beatus* ist nicht etwa substantiviertes Adjektiv *(der Glückliche)*, sondern Prädikativum nach *esse*. Als Subjekt dient natürlich noch *hic tyrannus* aus dem Hauptsatz.

Nam cum quidam ex eius adsentatoribus, Damocles, commemoraret in sermone copias eius, opes, maiestatem dominatus, rerum abundantiam, magnificentiam aedium regiarum negaretque umquam beatiorem quemquam fuisse: «Visne igitur», inquit, «o Damocle, quoniam te haec vita delectat, ipse eam degustare et fortunam experiri meam?»
Denn als ein gewisser von den Schmeichlern von diesem, Damocles, im Gespräch den Reichtum (singularisiert) von diesem erwähnte, die Macht (singularisiert), die Herrlichkeit seiner Herrschaft, den Überfluss an Dingen, die Pracht der königlichen Gemächer (des königlichen Palastes) und bestritt, dass jemals irgendwer glücklicher gewesen sei im Vergleich zum König, (da) sprach Dionysius: «Willst du also, Damocles, weil dich ja dieses Leben erfreut, selbst dieses kosten und mein Glück nachvollziehen?»

Gleich zu Beginn sollte man sich klar machen, dass der eigentliche Hauptsatz nur aus einem einzigen Wort besteht: *inquit*. Dieser direkte-Rede-Einleiter überlappt sich obendrein typischerweise mit dem nachfolgenden Satz der direkten Rede. Ein häufig gemachter Fehler besteht nun darin, dass der Übersetzer vergisst *inquit* rechtzeitig vorzuziehen, so dass plötzlich mitten in der direkten Rede ein deplatziertes *«er sagte»* aufkreuzt. *cum* leitet hier einen gleichzeitigen Konjunktionalsatz *(als)* ein, erkennbar am Imperfekt des Nebensatzprädikates *(commemoraret)*. Die Präposition *ex* ersetzt nicht selten den Genitivus partitivus zur Angabe eines Anteils *«aus»* oder *«von»* einem Ganzen. Dabei gerät der Genitiv *eius* in Klammerstellung zwischen Präposition und Bezugswort. *copiae* und *opes*, sind hier nicht *Hilfsmittel* oder *Truppen*, sondern Synonyme für *Reichtum* und *Macht* (beides im Deutschen singularisiert, im Lateinischen Plural im Sinne von *«Machtmittel»*). Auch das Substantiv *aedes, Gemach,* hat im Plural den Sinn *Palast*, weil mehrere Gemächer einen Palast konstituieren. *negaret* signalisiert einen AcI mit dem Subjektsakkusativ *quemquam*, dem Infinitiv *fuisse* und dem Prädikativum und Komparativ *beatiorem*. Diesem folgt erwartungsgemäß die Komparationskonjunktion *quam, als*. Ist dies wie hier nicht der Fall, muss man als Zweites immer auch an den Comparationis denken, den man hier allerdings ebenfalls vermisst. Die Bemerkung sollte nur zur Erinnerung dienen. Spätestens jetzt ziehe ich *inquit* hinter den *cum*-Satz. Beachte dabei die Stellung des Subjektes *er* (nicht *er sprach*, sondern *sprach er!*). Die direkte Rede besteht aus einer direkten, neutralen Frage, die in Form des angehängten Partikels *-ne* signalisiert wird. *vis* ist hier die zweite Person Singular Indikativ Präsens von *velle, wollen*. Nicht verwechseln mit *vis, Gewalt,* und *vir, Mann*. Das Subjekt des *quoniam*-Satzes *haec vita* ist gleichzeitig inhaltlich mit dem Objekt des Hauptsatzes *eam* gemeint.

Cum se ille cupere dixisset, conlocari iussit hominem in aureo lecto strato pulcherrimo textili stragulo magnificis operibus picto abacosque compluris ornavit argento auroque caelato.
Nachdem jener gesagt hatte, dass er wolle (dies wünsche), befahl er, dass der Mensch gebettet werden sollte auf einem goldenen Speisesofa bedeckt mit einer wunderschönen gewebten Decke, die mit großartigen Werken bemalt worden war, und mehrere Prunktische schmückte er mit Silber und ziseliertem Gold.

Der *cum*-Satz ist vorzeitig wegen des Prädikats im Plusquamperfekt *dixisset*. Verben des Sagens bedingen AcIs, hier den reflexiven Subjektsakkusativ *se* und den Infinitiv *cupere*. *se* bezieht sich auf das Subjekt des Nebensatzes *ille*. Im Hauptsatz findet ein Subjektswechsel von Damocles (*ille* aus dem Nebensatz) zu Dionysius (in *iussit*) statt. Auch Verben des Befehlens (hier *iussit*) regieren AcIs *(hominem collocari)*. Achte bei diesen immer auf die Formulierung mit *sollen* und natürlich grundsätzlich auf das Zeitverhältnis: «*dass der Mensch gebettet werden sollte*». Die zahlreichen Attribute und erweiterten Partizipien zu dem nun folgenden Substantiv im Ablativ *lecto, Bett,* lassen reichlich Spielraum für verschiedene Übersetzungsvarianten. Das Partizip PPP lässt sich nicht nur wörtlich-undekliniert *(bedeckt)*, sondern auch relativisch *(das bedeckt worden war)* schön übersetzen. Es ist seinerseits erweitert mit einem Ablativus Instrumentalis *(pulcherrimo textili stragulo)*. Dabei ist es auch denkbar, *stragulo* als Adjektiv *(von stragulus, zum Bedecken dienend, ausbreitbar)* und *textili* als Substantiv (von *textile, Decke*) aufzufassen – wirkt aber etwas redundant. Auch die Decke *(stragulo)* ist wiederum durch ein PPP (*picto* von *pingere*, bemalen) näher bestimmt. Und schließlich ist auch dieses Partizip nochmals erweitert durch den instrumentalen Ablativ *magnificis operibus*. Ein Ende hat diese lange Konstruktion erst mit *abacos*, das durch *-que* und ein neues Prädikat *(ornavit)* eindeutig Teil eines zweiten Hauptsatzes ist. *compluris* als Akkusativ Plural der 3. Deklination mit i-Stamm kongruiert mit *abacos*. Auch hier steht das Verb mit instrumentalen Ablativen in Verbindung *(argento auroque caelato)*, von denen das PPP *caelato* (von *caelare, ziselieren, verzieren*) ein einfaches Attribut ist und wörtlich-dekliniert übersetzt werden sollte. Obwohl ich es in meiner Übersetzung in der Stellung belassen habe, lässt es sich auch auf *argento* beziehen. Die Übersetzung würde dann lauten: «*mit ziseliertem Silber und (ziseliertem) Gold.*» Die in ihrer Großartigkeit fast schon aufdringliche Schilderung setzt Cicero aus stilistischen Gründen ein, um die Prunkentfaltung am Hofe des Dionysius in übertriebener oder karikaturistischer Weise zu illustrieren. Man kann den Stil als Redundanz *(Überfluss)* und Hyperbel *(Übertreibung)* bezeichnen.

Tum ad mensam eximia forma pueros delectos iussit consistere eosque nutum illius intuentis diligenter ministrare.
Dann befahl er, dass zu einem Tisch von außergewöhnlicher Schönheit auserwählte Lustknaben sich aufstellen und das Kopfnicken von jenem beachtend (während sie ... beachteten) aufmerksam bedienen sollten.

Erneut dominiert in diesem Satz ein Verb des Befehlens *(iussit)* und diesmal hängen gleich zwei AcIs daran, wieder zu übersetzen mit *sollen: pueros delectos consistere* und *eos ministrare. eximia forma* ist ein Ablativus qualitatis und bezieht sich auf *mensa*. Der *Qualitatis* beschreibt Eigenschaften und materielle Beschaffenheiten und kann als Ableitung des *Separativus (von woher, von welcher Art?)* angesehen werden und wird wie dieser mit *von* übersetzt. Der zweite Subjektsakkusativ *eos* (bezogen noch auf die *pueros*) hat ein PPA im Akkusativ Plural der 3. Deklination auf *-is (intuentis)* bei sich. Diesen habe ich zur Abwechslung mal wörtlich-undekliniert übersetzt *(beachtend)*, obwohl das heute eigentlich nicht mehr zum guten deutschen Stil gehört. Als Alternative steht immer der Konjunktionalsatz mit *während* zur Verfügung.

Aderant unguenta, coronae, incendebantur odores, mensae conquisitissimis epulis exstruebantur, fortunatus sibi Damocles videbatur.
Da waren (da gab es) Salben (Salbplättchen), Kränze (Efeukränze), entzündet wurden Duftharze (Weihrauch), Tische mit den erlesensten Speisen angerichtet, als gesegnet erschien sich Damokles.

Die Konstruktion mit *videbatur* ist kein elliptischer NcI, obwohl man wegen des PPPs *fortunatus (gesegnet)* meinen könnte, dass ein Perfekt Passiv gebildet werden soll (in dem Sinne: *Es schien, dass Damocles gesegnet worden war)*. Tatsächlich steht *videri* hier mit doppeltem Nominativ in der Bedeutung *erscheinen als*, wobei das PPP die Funktion des Prädikativums übernimmt. Das Reflexivpronomen *sibi* bezieht sich auf das Subjekt *Damocles (wem erschien er?)*. Es muss also als Dativ Singular Maskulinum reflexiv übersetzt werden *(sich)*. Die Imperfekte *(aderant, incendebantur, exstruebantur, videbatur)* in diesem Satz sind kein Zufall. Zur Erinnerung: Das Imperfekt dient dazu, andauernde (durative), wiederkehrende (iterative) oder versuchsweise (konative) Aspekte der Vergangenheit zu markieren. Vor allem in seiner durativen Funktion dient es, wie hier, auch dazu, eine Erzählung in der Vergangenheit zu umrahmen oder mit einem szenischen Teppich auszukleiden, bevor ein plötzliches, einzelnes, nicht andauerndes Ereignis auftritt – dieses folgt im nächsten Satz.

In hoc medio apparatu fulgentem gladium e lacunari saeta equina aptum demitti iussit, ut impenderet illius beati cervicibus.

Inmitten dieses Gepränges befahl der König, dass ein glänzendes Schwert, von der Kassettendecke an einem Rosshaar aufgehängt, herabgelassen wurde, so dass es über dem Hals (singularisiert) von jenem «Glücklichen» hing.

in hoc medio apparato heißt nicht «in diesem mittleren Apparat», vielmehr hat *in medio* + KNG-kongruentes Bezugswort (hier: *apparatu*) die präpositionale Bedeutung *inmitten*. Ähnliche Wendungen wie *in summo, ganz oben auf, in intimo, im Innersten von,* jeweils mit KNG-kongruentem Bezugswort, lohnen sich alle zu lernen! Erneut ergeht ein Befehl des Tyrannen *(iussit)* und von diesem hängen diesmal drei Dinge ab: 1. ein AcI mit *sollen*, 2. ein Schwert, 3. das Leben des Damocles. Der AcI besteht aus dem Subjektsakkusativ *gladium* (die Archäologen dürfen hier gern Kurzschwert oder auch unübersetzt *Gladius* schreiben) mit zwei partizipialen Attributen, dem PPA *fulgentem* und dem PPP *aptum*, sowie dem Infinitiv Passiv *demitti, herabgelassen werden*. *aptum* ist durch zwei adverbiale Bestimmungen erweitert: den Präpositionalausdruck *e lacunari* und den Ablativus Instrumentalis *saeta equina*. Ich habe beide Partizipien wörtlich-dekliniert *(fulgentem, gleißendes)*, bzw. wörtlich-undekliniert *(aptum, aufgehängt)* und stellungskonservativ übersetzt. Wenn man mit Relativsätzen operiert, müssen beide sauber angeordnet werden *(ein Schwert, das glänzte und das von der Kassettendecke mit einem Roßhaar aufgehängt worden war)*. Das Verb *impendere, drohen, hängen über,* steht hier mit einem Dativ *(cervicibus). cervix, Hals,* erscheint hier und auch sonst gelegentlich in einem poetischen Plural. In der Übersetzung sollte man singularisieren. Das Genitivattribut dazu *(illius beati)* ist ironisch gemeint. Deshalb habe ich es in Anführungsstriche gesetzt.

Itaque nec pulchros illos ministratores aspiciebat nec plenum artis argentum nec manum porrigebat in mensam. Iam ipsae defluebant coronae.

Daher wollte er weder jene schönen Diener anschauen, noch das Silber voll von Kunstfertigkeit noch die Hand ausstrecken zum Tisch. Schon begannen die Kränze selbst herabzugleiten.

plenus, voll, steht regelmäßig mit dem Genitivus partitivus, der angibt, von was etwas voll ist. *plenum* kongruiert mit *argentum*. Der Genitiv *artis, von Kunstfertigkeit,* ist zwischen beiden Bezugswörtern eingeklammert. Die Übersetzung (am besten wörtlich-undekliniert) erfordert etwas Geschick. Die Präposition *in* + Akkusativ gibt eine Richtung an, hier im weiteren Sinne von *zu*. Die Imperfekte dienen dazu, den Willen (bzw. Unwillen) des Damocles und den Beginn des drohenden Herabgleitens deutlich zu machen (konativ). Es ist aber nicht falsch, wenn man hier stumpf mit deutschem Präteritum arbeitet.

Denique exoravit tyrannum, ut abire liceret, quod tam beatus nollet esse.

Schließlich flehte er den Tyrannen an, dass es erlaubt sein sollte wegzugehen, weil er nicht so «glücklich» sein wollte.

liceret ist ein unpersönlicher Ausdruck mit einem neutralen Subjekt *es*. Davon können AcIs oder, wie hier, Infinitive abhängen. *quod*-Sätze können relativ *(welch)*, faktisch *(dass)* oder, wie hier, kausal *(weil)* eingeleitet werden. Man sollte immer alle drei Möglichkeiten prüfen.

Satisne videtur declarasse Dionysius nihil esse ei beatum, cui semper aliqui terror impendeat?

Scheint es, dass Dionysius ausreichend deutlich gemacht hat, dass nichts glücklich ist für diesen, welchem immer irgendeine Gefahr droht?

Die angehängte Partikel *-ne* leitet eine direkte, neutrale Frage ein. Regiert wird der Satz vom Prädikat *videtur*, das einen NcI nach sich zieht *(Dionysius declarasse)*. Der Infinitiv *declarasse* ist eine verschliffene Form für *declaravisse*. NcIs müssen in der deutschen Übersetzung immer unpersönlich mit *es* eingeleitet werden *(es scheint)*, der Nominativ und der Infinitiv treten erst im *dass*-Satz in Aktion *(dass Dionysius deutlich gemacht hat)*. *declarare* ist ein Verb der Meinungsäußerung und katalysiert einen AcI. Subjektsakkusativ ist hier *nihil*, Infinitiv *esse* und das nach *esse* obligate prädikative Attribut ist *beatum*. Das Personalpronomen *ei* ist ein indirektes Objekt, von dem auch der folgende Relativsatz abhängt. Insgesamt hängt also ein AcI von einem NcI und dieser wiederum von *videtur* ab.

Rex ille ...

Rex ille [...] optimi regis caede maculatus integra mente non erat.
Jener König, nachdem er mit dem Blut eines sehr guten Königs befleckt worden war, war nicht von reinem Gewissen.

Das PPP *maculatus* steht als Attribut zu *rex* ohne eine Form von *esse*. Es kann also als Attribut wörtlich-dekliniert *(der befleckte König)* oder relativiert *(der König, der befleckt worden war)*, als Prädikativum wörtlich-undekliniert *(der König befleckt)* oder konjunktionalisiert *(der König, nachdem er befleckt worden war)* übersetzt werden. In vielen Kontexten lässt der Sinn alle oder zumindest mehrere Übersetzungen zu. Die wörtlich-deklinierte und wörtlich-undeklinierte Übersetzung ist in der Regel nur bei kurzen Partizipialkonstruktionen zu empfehlen, also bei Partizipien, die möglichst nicht durch adverbiale Bestimmungen, Objekte oder Attribute erweitert sind. In diesem Fall habe ich mich für die Übersetzung als Prädikativum entschieden, weil das Beflecktsein nur einen vorübergehenden Zustand, keine dauerhafte Eigenschaft des Königs beschreibt. Außerdem habe ich konjunktionalisiert, weil das Partizip durch einen Ablativ *(caede)* und dieser Ablativ wiederum durch ein Genitivattribut *(optimi regis)* erweitert ist. Bei einer wörtlich-deklinierten Übersetzung zum Beispiel verliert der Ungeübte schnell den Überblick («jener mit dem Blut eines sehr guten Königs befleckte König»). *integra mente* ist ein Ablativus qualitatis, der wie ein Attribut fungiert. Übersetzt wird er wie auch der Genitivus qualitatis mit *von*. Man erkennt ihn in der Regel an Adjektiven und Substantiven, die körperliche oder geistige Eigenschaften beschreiben.

Cum metueret ipse poenam sceleris sui summam, metui se volebat.
Da er selbst die höchste Strafe seines Verbrechens (für sein Verbrechen) fürchtete, wollte er, dass er gefürchtet wurde.

Als Grundbedeutung von *cum* lernt man *da*. Diese kausale Konjunktion passt jedoch nur selten. Man verwendet sie gern als Arbeitshypothese, weil *da* auch eine temporale Färbung hat. Später ersetzt man *da* durch *als, nachdem, wenn, weil, während*. In diesem Beispiel jedoch, kann es auch stehen bleiben. Das Objekt *poenam* umklammert das Genitivattribut *sceleris sui* mit dem adjektivischen Attribut *summam*. Der Hauptsatz *(metui se volebat)* ist kurz, aber ungewohnt schwer. *metui* wird leider immer wieder falsch bestimmt, weil man als erstes an den Dativ Singular von *metus* (u-Deklination) denkt. Wer sich darauf versteift, kommt nicht weiter. Tatsächlich ist *metui* ein Infinitiv Präsens Passiv von *metuere, fürchten*. Das reflexive Personalpronomen *se* bezieht sich auf das Subjekt des Satzes *(immer noch der König Tarquinius)*. Es kann eigentlich nur Akkusativ sein, weil es als Ablativ entweder mit Präposition oder im Absolutus stehen würde – beides ist hier nicht der Fall. Nun muss man noch wissen, dass *velle* nicht selten AcIs signalisiert und der Fall ist klar: *volebat, er wollte,* leitet einen *dass*-Satz ein mit *se, er*, als Subjektsakkusativ und *metui*, «gefürchtet wurde» als Prädikatsinfinitiv.

Deinde victoriis divitiisque subnixus exultabat insolentia.
Dann prahlte er gestützt auf Siege und Reichtümer (nachdem er sich auf Siege und Reichtümer gestützt hatte) mit seiner Verschwendung.

Subjekt dieses Satzes ist weiterhin ein aus dem Prädikat zu ergänzendes Subjekt *(er)* und nicht etwa *insolentia*, das Ablativus modi zum Prädikat *exsultabat* ist. Das kann man an der buchstäblichen Form allein nicht unbedingt erkennen. Sollte die Klausur allerdings in der Prüfung vorgelesen werden, wäre es eine fahrlässige Irreführung des Veranstalters, wenn *insolentia* nicht deutlich mit langem ā gelesen würde. Ein weiterer grammatischer Hinweis ist das PPDep *subnixus* mit seiner Endung auf *-us*, die nie und nimmer mit *insolentia* kongruiert. Das PPDep *subnixus* von *niti, sich stützen auf,* steht regelmäßig mit dem Ablativ (hier: *victoriis* und *divitiis*). Bei der Übersetzung von PPDeps sollte ein ungeübter Übersetzer immer auf den Konjunktionalsatz zurückgreifen, weil eine wörtliche Übersetzung im Deutschen sehr affektiert klingt («sich gestützt habend»). In diesem Fall ist allerdings eine wörtlich-deklinierte und nachgestellte Übersetzung von *subnixus, gestützt,* elegant. Da PPDeps in der Regel keine dauerhaften Eigenschaften, sondern nur vorübergehende zeitliche Zustände beschreiben (mit Ausnahme von *mortuus, tot*), ist auch die Relativierung keine sonderlich gute Wahl.

Neque suos mores regere poterat neque suorum libidines.
Weder seine (Charakter-)Eigenschaften konnte er lenken noch die Leidenschaften der Seinen (seiner Verwandten).

Beachte die Doppelkonjunktion *neque ... neque ...*. Das Prädikat *poterat* wird von einem einfachen Infinitiv *(regere)* begleitet. Der Plural *mores*, wörtlich: *Sitten*, hat bei Personenbeschreibungen häufig die Bedeutung *Charakter, Charaktereigenschaften*. Der Genitiv *suorum* ist ein substantiviertes Possessivpronomen, das man auch im Deutschen durch Artikulierung und Großschreibung nachbilden kann: Ob man dabei *die Seinen* oder *die Ihren* übersetzt, hängt vom Geschlecht und Numerus des Bezugswortes ab.

Itaque, cum maior eius filius Lucretiae, Tricipitini filiae, Conlatini uxori, vim attulisset mulierque pudens et nobilis ob illam iniuriam sese ipsa morte multavisset, tum vir ingenio et virtute praestans, L. Brutus, depulit a civibus suis iniustum illud durae servitutis iugum.
Daher, nachdem der ältere Sohn von diesem Lucretia, der Tochter des Tricipitinus, der Frau des Conlatinus, Gewalt angetan hatte (Sinn: sie vergewaltigt hatte) und die Frau anständig und edel (die anständige und edle Frau) wegen jenes Unrechts sich selbst mit dem Tode bestraft hatte, da schlug ein an Intellekt hervorstehender Mann, Lucius Brutus, von seinen Bürgern jenes ungerechte Joch harter Knechtschaft ab.

Bei Sätzen dieser Länge sollte man sich unbedingt einen Überblick über Haupt- und Nebensätze verschaffen: *itaque* leitet den Hauptsatz ein, wird aber sofort durch einen vorzeitigen *cum*-Satz (Beachte den Konjunktiv! Übersetze mit *nachdem*!) unterbrochen. Dieser wird durch *-que (mulierque)* in zwei Teile geschnitten und verfügt sowohl über zwei Subjekte *(maior eius filius* und *mulier pudens et nobilis)* als auch zwei Prädikate *(attulisset* und *multavisset)*. *tum* nimmt den oben begonnenen Hauptsatz wieder auf und korrespondiert gleichzeitig mit *cum* aus dem Nebensatz *(daher, nachdem ..., da ...)*. Der Komparativ von *magnus, maior,* dient auch als Altersangabe *(größer* im Sinne von *älter)*. Daher auch der Begriff *maiores* für *Vorfahren*. *Lucretiae* ist kein Genitivattribut zu *filius* und kongruiert sinnlogisch auch nicht mit *eius*, sondern ist ein Dativobjekt zu *vim attulisset* (von *vim afferre* mit Dativ, *jemandem Gewalt antun*) zusammen mit den substantivischen Attributen *filiae* und *uxori*. *sese* ist eine Verstärkung von *se*, die wir im Deutschen nur mit *selbst* nachbilden können, doch *selbst* liegt im Text in Form des Nominativs *ipsa* ebenfalls schon vor. Dieses Reflexivpronomen ist das Akkusativobjekt zu *multavisset*, *morte* ist ein Ablativus modi. Das Subjekt des Hauptsatzes *(vir)* ist durch ein PPA *(praestans)* als Attribut näher beschrieben. Dieses PPA wird wiederum adverbial näher bestimmt durch die modalen Ablative *ingenio* und *virtute*, so dass sich die wörtlich-deklinierte oder relativierte Übersetzung anbietet. Die zahlreichen Attribute *(iniustum illud durae servitutis)* des Akkusativobjektes *iugum* muss man im Deutschen schließlich noch in eine übersetzbare Reihenfolge bringen, vor allem das zwischen *illud* und *iugum* eingeklammerte Genitivattribut *durae servitutis*, das im Deutschen ans Ende gehört.

Qui cum privatus esset, totam rem publicam sustinuit primusque in hac civitate docuit in conservanda civium libertate esse privatum neminem.
Obwohl dieser ein Privatmann war, übernahm er den ganzen Staat und als Erster in diesem Staat zeigte er, dass bei der Bewahrung der Freiheit der Bürger niemand ein Privatmann sei.

cum hat in seltenen Fällen auch die Bedeutung *obwohl*, wenn im Hauptsatz ein Gegensatz zum Nebensatz formuliert wird. Hier wird *privatus, der Privatmann,* indirekt dem Staatsbürger gegenübergestellt. Subjekt des ganzen Satzes bleibt *Brutus* aus dem Vorsatz. Es wird als Personalpronomen *(er)* weitergeführt. Zu diesem Subjekt ist *privatus* Prädikativum zu *esset*. Auch *primus* ist Prädikativum (Präpositionentest: *als Erster, zuerst)* und nicht selbst substantiviertes Adjektiv in der vermeintlichen Funktion eines Subjekts (falsch: «*der Erste*»). Nach *docuit* folgt ein AcI: *esse privatum neminem*. in *conservanda civium libertate* gibt uns Gelegenheit das Gerundivum im präpositionalen Ausdruck zu wiederholen. Die Präposition *in* + Ablativ trägt beim Gerundivum die Bedeutung *bei*, anschließend substantiviere ich die nd-Form *conservanda (Bewahren* oder *Bewahrung)* und genitiviere schließlich das kongruente Bezugswort *libertate (der Freiheit)*. Zusätzlich steht hier noch ein Genitivattribut in Klammerstellung *(civium)*. Dieses setzt man unverändert ganz ans Ende *(der Bürger)*.

Quo auctore et principe concitata civitas et hac recenti querella Lucretiae patris ac propinquorum et recordatione superbiae Tarquinii multarumque iniuriarum et ipsius et filiorum exulem et regem ipsum et liberos eius et gentem Tarquiniorum esse iussit.

Unter Leitung und Führung von diesem aufgebracht befahl die Bürgerschaft sowohl wegen dieser jüngsten Tragödie des Vaters und der Angehörigen der Lucretia als auch wegen der Erinnerung an die Überheblichkeit des Tarquinius und an viele Ungerechtigkeiten sowohl von ihm selbst als auch von seinen Söhnen, dass sowohl der König selbst als auch die Kinder von diesem und die Familie der Tarquinier verbannt sein sollten.

Dies ist der erste Satz in diesem Text, dessen Sinn für einen normalbegabten Prüfling kaum zu lösen ist. Vor allem die vielen *et* und Genitivattribute lassen für das ungeübte Auge keinerlei Struktur oder Konzept erkennen. Beginnend mit einem relativen Anschluss besteht der ganze Satz eigentlich nur aus einem langen Hauptsatz. Subjekt ist der einzige in Frage kommende Nominativ *civitas*, Prädikat ist *iussit*, an das sich wiederum ein AcI mit Anhang *(exulem et regem ipsum et liberos eius et gentem Tarquiniorum esse)* anschließt. Der Rest besteht im Wesentlichen aus adverbialen Bestimmungen. Der relative Anschluss *quo* ist Bestandteil eines nominalen Ablativus absolutus, den man immer an Amts-, Berufs- oder Funktionsbezeichnungen (hier: *auctore* und *principe*) und einem dazu kongruenten Ablativ der Person erkennt – in diesem Fall allerdings immer ohne Präposition. Der nominale Absolutus wird durch einen präpositionalen Ausdruck mit *bei, während, unter,* übersetzt. Dabei wird die Amts-, Berufs- oder Funktionsbezeichnung zu einem substantivierten Infinitiv umgebildet (*auctor, Leiter,* wird zu *Leitung* und *auctor, Führer,* wird zu *Führung*) und das Bezugsnomen oder -pronomen (hier: *quo*) genitiviert oder wird mit *von* umschrieben *(von diesem)*. Dieser ganze Ablativ bezieht sich als adverbiale Bestimmung auf das PPP *concitata*. *concitata* ist kongruentes Prädikativum zu *civitas*. Obwohl man erweiterte Partizipien im Zweifelsfall nicht wörtlich-undekliniert übersetzen sollte, habe ich es in diesem Fall getan, um der Stellung dieses ohnehin komplexen Satzes nicht zusätzlich Gewalt anzutun. So kann ich nach *concitata civitas* das Prädikat vorziehen *(concitata civitas ... iussit, aufgebracht befahl die Bürgerschaft)* und dann in Ruhe mit den folgenden adverbialen Bestimmungen im Ablativ weiterarbeiten. Diese sind zunächst durch doppeltes, vorangestelltes *et ... et ...* gegliedert: *et hac recenti querella ... et recordatione ... patris ac propinquorum* sind Genitivattribute zu *querella*. Das Genitivattribut *Lucretiae* wiederum gehört nicht zu *querella*, wie man wegen der Nachstellung im Deutschen meinen könnte, sondern zu *patris* und *propinquorum* (vorangestelltes Genitivattribut). Für die Übersetzung ordnet man: «*querella patris ac propinquorum Lucretiae*, wegen der Tragödie des Vaters und der Angehörigen der Lucretia». *superbiae* und *multarum iniuriarum* sind Genitivi obiectivi nach *recordatione* und stellen die Objekte der Erinnerung dar – daher auch die Übersetzung mit Präposition *(an den Hochmut und an viele Ungerechtigkeiten)*. *Tarquinii* ist Genitivattribut ausschließlich zu *superbiae* (Überheblichkeit des Tarquinius), während die wieder durch doppeltes *et* gegliederten Genitive *et ipsius et filiorum* sich nur auf *multarum iniuriarum* (Ungerechtigkeiten sowohl von ihm selbst als auch von seinen Söhnen) beziehen. Zuletzt kommt der AcI dran. Dieser besteht gleich aus drei Subjektsakkusativen, die durch dreigliedriges *et* verbunden und teils noch mit Genitiv- und Pronominalattributen versehen sind: *et regem ipsum et liberos eius et gentem Tarquiniorum*. Der Infinitiv ist *esse* und *esse* verlangt immer nach einem Prädikativum. Dies steht gleich ganz zu Beginn in Form von *exulem, verbannt,* und bezieht sich grammatisch nur auf *regem*, sinnlogisch aber auf alle drei Akkusative. Die Struktur hat also den Sinn: «*Das Subjekt (civitas, Bürgerschaft) befahl (iussit), dass die Subjektsakkusative (regem, der König, liberos, die Kinder, gentem, die Familie) ein Prädikativum (exulem, verbannt) waren, bzw. sein sollten (nach Verben des Befehlens)*.»

Videtisne igitur, ut de rege dominus extiterit uniusque vitio genus rei publicae ex bono in deterrumum conversum sit?

Seht ihr also, wie aus dem König ein Gewaltherrscher entstanden ist und durch den Fehler von einem die Art der Staatsform vom Guten (von einer guten) zum Schlimmsten (zu einer ganz schlimmen) gewandelt wurde?

Angehängtes *-ne* leitet eine neutrale direkte Frage ein. Zufällig ist nun von *videtis* auch noch eine indirekte Frage abhängig in Form eines normalerweise indikativischen *ut* als Frageadverb *wie*. Da aber die indirekte Frage immer mit dem Konjunktiv als Fragemodus erscheint, steht das sonst indikativische *ut* hier mit dem Konjunktiv Perfekt *(extiterit, conversum sit)* und schießt auch die letzte Festung unverrückbarer Regeln über den Haufen. Die Präposition *de* hat hier den seltenen buchstäblichen Sinn: *von, aus*. *-que* schließt einen neuen Hauptsatz an mit *genus* als Subjekt, *sit* als Prädikat und dem PPP *conversum* als Prädikativum. *unius* (von *unus, einer, einzig*) ist vorangestelltes Genitivattribut zu *vitio*. Es hat die typische Genitivform der Pronominaladjektive auf *-ius*. Im Deutschen wird es mit *von* umschrieben und nachgestellt *(durch den Fehler von einem)*. *deterrumo* ist eine etwas ältliche Form für *deterrimo*, von *deter, deterior, deterrimus, schlecht, schlechter, schlechtest*. Wie Sallust liebt auch der frühe Cicero diesen Stil, der auch Archaismus genannt wird. Ob *bono* und *deterrumo* sich inhaltlich auf *genus* beziehen (in dem Sinne: «die Art des Staates ist von einer guten zu einer ganz schlechten gewandelt geworden») oder eigenständige substantivierte Adjektive sein sollen (in dem Sinne: «die Art des Staates ist vom Guten ins sehr Schlechte gewandelt worden»), lässt sich nicht eindeutig sagen.

Hic est enim dominus populi, quem Graeci tyrannum vocant.

Dieser ist nämlich Gewaltherrscher eines Volkes, welchen die Griechen Tyrann nennen.

Deutscher und einfacher kann ein lateinischer Satz kaum sein. Die Begriffe *rex, König, dominus, Gewaltherrscher,* und *tyrannus, Tyrann,* sind vor allem aufgrund dieser Tarquinius- und Lucretia-Episode in der römischen Staatsideologie (und politischen Propaganda) negativ besetzt. Grundsätzlich waren aber Monarchien die verbreitetste und nicht unbedingt unbeliebteste Staatsform der Antike. Selbst die griechischen Tyrannen genossen oft eine hohe Gunst beim Volke. Texte wie dieser, in denen Cicero die Gefahren der Monarchie erörtert, haben zeitgenössische Bezüge, etwa auf Männer wie Caesar, Catilina oder Marcus Antonius, die nach einer Entmachtung des Senates strebten.

Nam regem illum volunt esse, qui consulit ut parens populo conservatque eos, quibus est praepositus, quam optima in condicione vivendi […].

Denn sie wollen, dass König jener ist, welcher wie ein Vater für das Volk sorgt und diese beschützt, welchen er vorangestellt ist, unter der möglichst besten Bedingung des Lebens.

Auch hier hängt von *volunt* wieder ein AcI ab mit dem Subjektsakkusativ *regem*, dem Infinitiv *esse* und dem Prädikativum *illum*. Lerne, dass *consulere, sorgen für,* mit dem Dativ (hier: *populo*) steht! Beachte das indikativische *ut, wie*. *parens* ist ursprünglich PPA von *parere, zeugen,* heißt also soviel wie *der Zeugende* oder *Erzeuger*. In diesem Sinne ist es schließlich zum Substantiv *Vater, Elternteil,* erstarrt. Auch *praeponere, voranstellen,* hier in Form des Perfekts Passiv *(est praepositus)* steht regelmäßig mit Dativobjekt *(quibus)*. Das Wort *quam* kann gleich vier Bedeutungen haben: 1. als Relativpronomen: *welche* 2. als Komparationspräposition: *als* 3. als Adverb vor Superlativ: *möglichst* 4. als Frage- und Ausrufadverb: *wie*. Du darfst also viermal raten, was *quam* in diesem Zusammenhang heißt. Die Präposition *in* befindet sich in Klammerstellung zwischen den beiden kongruenten Ablativen *optima* und *condicione*, aus der sie für die deutsche Übersetzung befreit werden muss. *vivendi* schließlich ist ein ganz normaler substantivierter Infinitiv (Gerundium genannt).

Simul atque enim se inflexit hic rex in dominatum iniustiorem, fit continuo tyrannus.
Denn sobald sich dieser König zur ungerechteren Gewaltherrschaft geneigt hat, wird er sofort ein Tyrann.

simul atque oder *simulatque* oder *simul ac* oder *simulac* sind verschiedene Varianten ein und derselben Bedeutung: der Nebensatzkonjunktion *sobald*. Das Reflexivpronomen *se* hat hier die seltenere Bedeutung *sich*, bei der es die eigene Person als Objekt repräsentiert. Es antwortet auf die Frage: «*Wen neigt der König?*» mit der Antwort *se, sich*. Die Richtung des sich Hinneigens wird durch die Präposition *in* mit dem Akkusativ(!) hergestellt: *in dominatum, in Richtung auf die Gewaltherrschaft* oder *zu der Gewaltherrschaft hin* und nicht: *in der Gewaltherrschaft drin*! *continuo* ist leider nicht 1. Singular Indikativ Präsens Aktiv von *continuare, fortsetzen*, sondern schlicht und einfach ein Adverb mit der Bedeutung *sofort*. *fieri, werden, entstehen*, verlangt wie *esse* ein Prädikativum. Sinngemäß falsch wäre es hier also *tyrannus* zum Subjekt zu machen (in dem Sinne: «*... entsteht sofort ein Tyrann*»). Sinngemäß richtig ist es vielmehr, wenn man das Subjekt des Nebensatzes *(hic rex)* als Personalpronomen *(er)* übernimmt und *tyrannus* wie in meinem Vorschlag übersetzt. Übrigens kann hier auch der Präpositionentest mit *zu* helfen – man kann nämlich auch übersetzen: «*... wird er sofort zum Tyrann*».

Dicendum est enim ...

Dicendum est enim de Cn. Pompei singulari eximiaque virtute.
Zu sprechen ist nämlich über die hervorragende und ausgezeichnete Tapferkeit des Gnaius Pompeius.

Bei der sogenannten unpersönlichen Konstruktion des prädikativen Gerundivums *(Coniugatio periphrastica passiva)* geht das neutrale Subjekt im Deutschen *(es)* aus dem Prädikat *est* und der Endung *-um* hervor. So kommt bei *dicendum est* eine Wendung zustande wie: «*Es muss gesprochen werden.*» Das Genitivattribut *Cn. Pompei* ist in einen präpositionalen Ausdruck eingeklammert. Bei der Form *Pompei* ist das ursprüngliche Doppel-i der Endung *(Pompeii)* zu einem *i* verschmolzen. Dieses Phänomen tritt bei Substantiven der o-Deklination auf *-ius* oder *-ium* (*imperium, consilium, Antonius*) häufig auf.

Huius autem orationis difficilius est exitum quam principium invenire.
Von dieser Rede aber ist es schwieriger ein Ende als einen Anfang zu finden.

Das Genitivattribut *huius orationis* ist weit von seinem Bezugswort *(exitum)* gesperrt. *difficilius* ist Komparativ Neutrum («*vergleichbar neutraler Bratenius*»). So liegt als Subjekt ein «*es*» vor. Der Komparativ korrespondiert mit *quam*, als: Es ist schwieriger ... als.

Ita mihi non tam copia quam modus in dicendo quaerendus est.
So ist mir nicht so sehr Masse wie Maß beim Reden zu suchen.

Bei der ersten Gliederung sollte dir *non tam ... quam ..., nicht so sehr ... als vielmehr ...,* aufgefallen sein! Solche Gliederungsadverbien darf man nicht übersehen. Wer sie noch nachschlagen muss, hat seine Hausaufgaben nicht gemacht! Leitkonstruktion dieses Satzes ist die *Coniugatio periphrastica passiva* (Gerundivum als Prädikativum mit *esse*): *quaerendus est*. Zugehörige Subjekte sind *copia* und *modus*, obwohl *quaerendus* nur mit dem ihm zunächst stehenden Bezugswort kongruiert. *in dicendo* hingegen ist wieder ein klassischer substantivierter Infinitiv (Gerundium). Für die Präposition *in* + Ablativ bei nd-Formen passt am besten die Bedeutung: *bei*.

Atque ut inde oratio mea proficiscatur, unde haec omnis causa ducitur: bellum grave et periculosum vestris vectigalibus atque sociis a duobus potentissimis adfertur regibus, Mithridate et Tigrane, quorum alter relictus, alter lacessitus occasionem sibi ad occupandam Asiam oblatam esse arbitratur.
Und damit von dort meine Rede losgeht, von wo diese ganze Angelegenheit anfängt: ein schwerer und gefährlicher Krieg für eure Bundesgenossen und Steuerpachtgebiete wird von zwei äußerst mächtigen Königen, Mithridates und Tigranes, vorgetragen, von welchen der eine zurückgelassen (nachdem er im Amt gelassen worden ist), der andere herausgefordert (nachdem er provoziert worden ist), glaubt, dass die Gelegenheit ihm zur Einnahme Asiens angeboten worden ist.

Die Doppeladverbien *inde ... unde ..., von dort ... von wo ...,* nehmen in zwei parallelistischen Nebensätzen Beziehung zueinander auf. Mit *bellum grave* setzt abrupt der Hauptsatz ein, der sich bis *Tigrane* erstreckt, gefolgt von einem Relativsatz *(quorum)*. *vestris vectigalibus* und *sociis* sind Dativobjekte. *socii* (in diesem Zusammenhang immer *Bundesgenossen*) ist eine Personengruppe und ein Ablativ der Person steht nie ohne Präposition. Auf den Kasus von *vestris vectigalibus* kann man schließen, weil *atque* unter anderem gleiche Satzteile verbindet. *duobus* ist ein etwas ungewöhnlich deklinierter Ablativ Plural des Zahlwortes *duo*. *regibus* steht in Hyperbaton von *adfertur* von seinen beiden Bezugsablativen *Mithridate* und *Tigrane* gesperrt. Diese dienen als Appositionen (substantivische Attribute) zu *regibus*. Im Relativsatz korrespondieren *alter ... alter ..., der eine ... der andere ....* Auch solche doppelten Pronominaladjektive solltest du kennen. *relictus* und *lacessitus* sind prädikative PPPs ohne *esse*. Ich habe beide Übersetzungsvarianten, die wörtlich-undeklinierte und die konjunktionalisierte, angeboten. Prädikat des Relativsatzes ist das Deponens *arbitratur*, das natürlich einen AcI einleitet *(occasionem oblatam esse)*. *oblatam* ist PPP von *obferre, anbieten*. Das Reflexivpronomen *sibi* kann sowohl Singular als auch Plural, sowohl feminin als auch maskulin sein. Es bezieht sich auf das übergeordnete Subjekt, also auf die beiden Nominative *alter,* und lautet folglich *ihm*. *occupandam* ist Gerundivum als Eigenschaftsattribut. In Verbindung mit der Präposition *ad* kann es entweder mit *zu/zum/zur* + Substantivierung-Genitivierung oder mit *um zu* + Infinitiv übersetzt werden.

Equitibus Romanis, honestissimis viris, adferuntur ex Asia cotidie litterae, quorum magnae res aguntur in vestris vectigalibus exercendis occupatae.
Den römischen Rittern, äußerst ehrenvollen Männern, werden täglich Briefe aus Asien übermittelt, deren große Vermögensanlagen auf dem Spiel stehen, die bei der Eintreibung eurer Steuern investiert worden sind.

equitibus kommt von *eques, equitis m, Reiter, Ritter*. Es wird leicht verwechselt mit *equus, Pferd*, oder wegen des abweichenden Nominativstammes gar nicht erst gefunden. Als Personenbezeichnung kommt für die vorliegende Form nur der Dativ in Frage wegen der Grundregel: Ablativ der Person – nie ohne Präposition (Ausnahme: *Ablativus comparationis* und *absolutus*). Dazu ist *honestissimis viris* ein substantivisches Attribut (Apposition). Subjekt des Satzes ist *litterae*, wörtlich: *Buchstaben*. Dieses Substantiv erscheint nur im Plural, kann jedoch auch deutsche Singularbedeutung haben. Denn mehrere «Buchstaben» konstituieren auch alle weiteren Bedeutungen des Wortes im Singular: *Text, Buch, Literatur* oder, wie hier, *Brief.* Trotzdem dürften es in diesem Zusammenhang auch mehrere Briefe sein. Das Bezugswort von *quorum* ist nicht auf den ersten Blick eindeutig. NG-kongruent (Plural, Maskulinum) ist es aber nur mit *equitibus*, nicht etwa mit *litterae*. Kongruent sind ferner *res* und *occupatae*, auch wenn sie ein umfangreiches präpositionales Gerundivum einklammern. Das PPP hat hier die Funktion eines Attributes, daher übersetze ich es als Relativsatz. Die Präposition *in* bei nd-Formen wird mit *bei* übersetzt.

Qui ad me pro necessitudine, quae mihi est cum illo ordine, causam rei publicae periculaque rerum suarum detulerunt, Bithyniae, quae nunc vestra provincia est, vicos exustos esse complures, regnum Ariobarzanis, quod finitimum est vestris vectigalibus, totum esse in hostium potestate;
Diese berichten an mich in Anbetracht der engen Verbindung, welche ich mit jenem Stand habe, die Notlage des Staates und die Gefahren ihrer (für ihre) Anlagen, dass in Bithynien, welches nun eure Provinz ist, mehrere Dörfer niedergebrannt worden seien, das Königreich von Ariobarzanes, welches euren Steuerpachtgebieten angrenzend ist, sei ganz in der Gewalt der Feinde;

Das Subjekt *qui* ist relativer Satzanschluss und muss als Demonstrativpronomen übersetzt werden. Die Präposition *pro* hat drei Grundbedeutungen: *für, anstatt* und *in Anbetracht*. Die passende Bedeutung findet man durch Ausprobieren. Der Relativsatz beinhaltet einen *Dativus possessivus*. Dieser ist gekennzeichnet durch einen Dativ der Person *(mihi)* mit *esse*. Da eine wörtliche Übersetzung in die deutsche Umgangssprache abgleitet (*«welche mir mit jenem Stand ist»*), umschreibt man in der Regel, indem man das Dativobjekt *(mihi, mir)* zum Subjekt macht *(ich)*, das Subjekt *(quae, welche*, im Nominativ) zum direkten Akkusativobjekt *(welche* im Akkusativ) und das Prädikat *(est, ist)* mit *haben* übersetzt *(habe)*. *causam* ist Akkusativobjekt. Ein peinlicher Fehler ist die Verwechslung deklinierter Formen von *causa* mit der undeklinierten, nachgestellten Präposition *causa, wegen*. *rerum* greift die *res, Anlagen, Investitionen*, aus dem Vorsatz wieder auf. Das Possessivpronomen *suarum* kann Bezugswörter in beiden Genera und beiden Numeri haben. Nur der Kontext entscheidet hier, dass die Ritter gemeint sind. Die folgende Hilfe muss genau beachtet werden: Wenn angegeben wird, dass von *detulerunt* eine indirekte Rede abhängig ist, dann beginnt diese indirekte Rede auch unmittelbar danach. Wenn zudem angegeben ist, dass sich diese indirekte Rede bis ans Ende des Satzes erstreckt, dann ist sie erst zu Ende, wenn irgendwo ein Punkt steht. Dieser Fall tritt erst wieder hinter *neminem* ein. Die restlichen Satzzeichen sind Semikola. Nun kannst du grundsätzlich auch alle AcIs in der indirekten Rede mit *dass* einleiten. Auf die Dauer wirkt das allerdings redundant. Wenn du die indirekte Rede im Deutschen beherrschst, genügt es völlig nur die Prädikate in den Konjunktiv zu setzen und den Rest in der Stellung zu belassen. Als Beispiel schau dir meinen Übersetzungsvorschlag an! Der erste AcI besteht aus dem Subjektsakkusativ *vicos complures* und dem Infinitiv Perfekt Passiv *exustos esse*. Der zweite aus dem Subjektsakkusativ *regnum totum* und dem Infinitiv *esse*. Die Funktion des Prädikativums zu *esse* erfüllt der präpositionale Ausdruck *in hostium potestate*. *vestris vectigalibus* ist Dativobjekt zu *finitimum* und gibt Antwort auf die Frage: *Wem benachbart?* *totum* habe ich aufgrund der weiten Sperrung ebenfalls als Prädikativum wörtlich-undekliniert (*ganz* statt *das Ganze*) übersetzt.

L. Lucullum magnis rebus gestis ab eo bello discedere;
Lucius Lucullus ziehe nach dem Vollbringen großer Taten von diesem Krieg ab;

Dieser Satzabschnitt bildet bereits den nächsten AcI *(L. Lucullum ... discedere)*. *magnis rebus gestis* ist Ablativ mit Partizip und bildet einen sehr typischen Absolutus. Da das PPP *gestis* vorzeitig ist, präpositionalisiere ich mit *nach*, substantiviere das PPP *(Leisten, Vollbringen)* und genitiviere das Bezugswort *(großer Taten)*.

[M. Acilium Glabrionem,] qui huic successerit, non satis esse paratum ad tantum bellum administrandum;
Marcus Acilius Glabrio, welcher diesem gefolgt sei, sei nicht genug vorbereitet zur Leitung eines so großen Krieges (um einen so großen Krieg zu leiten);

M. Acilium Glabrionem ist schon der nächste Subjektsakkusativ, Infinitiv und Prädikativum ist *esse paratum*. Einen *dass*-Satz kann ich auch hier getrost weglassen. Der Konjunktiv Perfekt steht, weil der Nebensatz der indirekten Rede untergeordnet ist, für deren Inhalt der Sprecher keine Verantwortung übernimmt. Wenn ein solcher Einschub hingegen eine bekannte Tatsache oder einen Kommentar des Sprechers enthält, der nicht subjektiver Inhalt der referierten Rede ist, steht der Indikativ. *esse paratum* darf der Form nach zwar als Perfekt Passiv übersetzt werden *(sei vorbereitet worden)*, eleganter ist aber das sogenannte Zustandspassiv ohne *worden*. Das Gerundivum mit *ad* kann entweder mit *zum/zur* + Substantivierung-Genitivierung oder mit *um zu* + Infinitiv übersetzt werden.

unum ab omnibus sociis et civibus ad id bellum imperatorem deposci atque expeti;
ein einziger werde von allen Bundesgenossen und Bürgern zu diesem Krieg als Feldherr gefordert und verlangt;

Dieser AcI beginnt wieder mit seinem Subjektsakkusativ *(unum)*. Da der kongruente Akkusativ *imperatorem* gesperrt und prädikatsnah steht, bot sich mir eine Funktionsprüfung als Prädikativum an, z.B. in Form des Präpositionentests mit *als/für/zu*. Die beiden Infinitive (*deposci* und *expeti*) sind passiv und stehen mit dem präpositionalen Ausdruck ab *omnibus sociis et civibus* als Agens (aktiv handelnde Person bei Passivverben) in Verbindung. Verwechsele *deposci* und *expeti* nicht mit Formen des 1. Indikativ Perfekt (nur wegen des *-i*).

eundem hunc unum ab hostibus metui, praeterea neminem.
dieser selbe werde einzig/als einziger von den Feinden gefürchtet, sonst niemand.

Auch der letzte AcI beginnt mit dem Subjektsakkusativ *(eundem hunc unum, dieser selbe einzige)*, wobei gerade die Form *unum* trotz ihrer Nähe zum Bezugswort hier immer auch als Prädikativum in Frage kommt und im Deutschen dann entweder wörtlich-undekliniert *(einzig)* oder mit Präposition *als* erscheinen kann. Die Form *metui* ist der noch fehlende Infinitiv (auch hier wieder passiv) und nicht etwa 1. Person Singular Indikativ Perfekt Aktiv von *metuere, fürchten*. Grammatisch wäre das zwar möglich, Sinn macht es aber nicht *(«diesen selben einzigen von den Feinden fürchtete ich»???)*. *neminem* nimmt nun die Stelle des vorherigen Subjektsakkusativs ein. Gedanklich folgt dann dieselbe Konstruktion nochmal (Sinn: *«sonst werde niemand von den Feinden gefürchtet»*)

Causa quae sit, videtis.
Welche die Lage ist (welche Notlage herrscht), seht ihr.

Der Sinn von *causa* mit seinem breiten Bedeutungsspektrum ist hier am ehesten mit *Situation, Krise, Notlage*, eventuell noch *Angelegenheit* getroffen. *Grund, Ursache, Prozess* sind dagegen völlig fehl am Platz. Dass das Relativpronomen als Relativsatzeinleiter in seiner Stellung etwas nachhängt, hat stilistische Gründe und muss in der deutschen Übersetzung entsprechend berücksichtigt werden. Der Konjunktiv *sit* steht wegen der von *videtis* abhängigen indirekten Frage.

Nunc, quid agendum sit, ipsi considerate.
Nun überlegt selbst, was zu tun ist.

considerate ist Imperativ der 2. Person Plural *(-te)* von *considerare* und nicht etwa Adverb der a-/o-Deklination *(-e)* vom PPP *consideratus*. Subjekt dazu ist *ipsi*, hier nicht *sie selbst*, sondern *ihr selbst*. Davon hängt eine zweite indirekte Frage ab: *quid agendum sit*, die auch den Konjunktiv *sit* erklärt. Aus dem Neutrum *quid* geht das neutrale Bezugswort des prädikativen Gerundivums *agendum* hervor. Ob man dieses wörtlich übersetzt *(was zu tun ist)* oder umschreibt *(was getan werden muss)*, bleibt jedem selbst überlassen.

Primum mihi videtur

Primum mihi videtur de genere belli, deinde de magnitudine, tum de imperatore deligendo esse dicendum.
Es scheint mir, dass zuerst über die Art des Krieges, dann über die (seine) Größe, dann über die Auswahl des Feldherren gesprochen werden muss.

videtur ist ein Verb der sinnlichen Wahrnehmung im Passiv und leitet somit einen NcI ein. Der NcI selber besteht aus einem nicht näher spezifizierten Subjekt im Neutrum Singular, das aus dem Infinitiv *esse* und dem Prädikativum *dicendum* im Neutrum Singular hervorgeht. Bei dieser sogenannten unpersönlichen Konstruktion des Gerundivums muss im Deutschen «es» ergänzt werden. Es folgt eine dreigliedrige asyndetische Aufzählung von präpositionalen Ausdrücken, die durch die zeitlichen Adverbien *primum, deinde, tum* untergliedert wird. Der letzte präpositionale Ausdruck beinhaltet ein attributives Notwendigkeitspartizip (Gerundivum): *de imperatore deligendo*. Übersetzt wird es durch Substantivierung der nd-Form und Genitivierung des Bezugswortes.

Genus est eius belli, quod maxime vestros animos excitare atque inflammare ad persequendi studium debeat.
Die Form von diesem Krieg ist (diejenige), welche am meisten eure Gemüter alarmieren und erregen muss zum Streben nach Rache.

Subjekt des Hauptsatzes ist *genus* und nach *est* erwartet man zusätzlich ein Prädikativum (Prädikatsnomen). *eius belli* ist Genitivattribut zu *genus*, erfüllt also hier nicht die Funktion eines Prädikativums nach *esse*. Vielmehr wird dies durch den Relativsatz repräsentiert (*quod* ist mit *genus* NG-kongruent). Um das deutlicher zu machen, habe ich in Klammern ein Stellvertreterpronomen *(diejenige)* ergänzt, das dann durch den Relativsatz näher beschrieben wird. *persequendi* ist ein Genitivattribut in Form eines Gerundiums, das zwischen *ad* und *studium* eingeklammert ist. Ob man diesen Genitiv wörtlich übersetzt *(des Rächens)* oder als Objektivus *(nach Rache)*, in jedem Fall muss er nachgestellt werden.

In quo agitur populi Romani gloria, quae vobis a maioribus cum magna in omnibus rebus tum summa in re militari tradita est.
In diesem geht es um den Ruhm des römischen Volkes, welcher euch von den Vorfahren sowohl groß in allen Dingen, als auch besonders herausragend in der militärischen Sache (im Militärwesen) überliefert worden ist.

agitur tritt hier und in den folgenden Satzabschnitten als Anapher auf. *agitur* + Subjekt oder auch *aguntur* + Subjekt (also Formen von *agi* in der 3. Person) haben sehr häufig die Bedeutung «es geht um», «auf dem Spiel steht/stehen». Diese freiere Übersetzung trifft den Sinn am besten. Subjekt des ersten Satzes ist *gloria*, *populi Romani* ist dazu vorangestelltes Genitivattribut. Bezogen auf *gloria* ist nun der Relativsatz mit *quae* als Subjekt und das Perfekt Passiv *tradita est* als Prädikat und Prädikativum. Schwierig ist trotz der Hilfe mit *cum ... tum ...* die Zuordnung von *magna* und *summa*. Beide sind Prädikativa zu *gloria*. Sie lassen sich am besten wörtlich-undekliniert übersetzen.

Agitur salus sociorum atque amicorum, pro qua multa maiores vestri magna et gravia bella gesserunt.
Es geht um das Wohl der Bundesgenossen und Freunde, für welches eure Vorfahren viele große und schwere Kriege führten.

Die Struktur dieses Satzes gleicht der des Vorsatzes, nicht zuletzt wegen der Anapher von *agitur*. Denke daran, dass *salus, salutis,* 3. Deklination und feminin ist und mit dem Relativpronomen *qua* kongruiert. *multa* kongruiert mit *magna et gravia bella* und steht in Hyperbaton (Sperrung) vom Subjekt *maiores vestri*. *maiores*, wörtlich: *die Größeren*, als substantiviertes Adjektiv im Komparativ hat regelmäßig die Bedeutung von «Größeren im Lebensalter», also «*die Ahnen, die Älteren, die Vorfahren*».

Aguntur certissima populi Romani vectigalia et maxima, quibus amissis et pacis ornamenta et subsidia belli requiretis.
Es geht um die sichersten und größten (wichtigsten) Steuern des römischen Volkes, nach deren Verlust ihr sowohl die Annehmlichkeiten des Friedens als auch die Hilfsmittel/Finanzierungen des Krieges zurückwünschen werdet.

Der relativ verschränkte AmP *quibus amissis* dürfte uns etwas länger beschäftigen. Dass es sich um einen Ablativus absolutus handelt, erkennt man an den zwei kongruenten Bezugswörtern im Ablativ, darunter ein PPP *(amissis)*. Es gibt zwei Möglichkeiten, diesen AmP übersetzungstechnisch zu lösen: 1. durch Konjunktionalisierung und Beginn eines neuen Satzes. 2. durch Präpositionalisierung und Erhaltung des Relativsatzes. Im ersten Fall verfahren wir folgendermaßen. Wir setzen anstelle des Kommas einen Punkt, behandeln das Relativpronomen *quibus* wie einen relativen Anschluss, konvertieren es zum Demonstrativpronomen und übersetzen dann konjunktional mit *nachdem* (wegen dem PPP): «... *Nachdem diese (die Steuern) verloren worden sind, ...*». Der zweite Fall ist ohne Zweifel technisch perfekter, aber auch schwieriger in der Umsetzung. Das Komma bleibt also bestehen. Als Nächstes präpositionalisieren wir wie gehabt mit *nach*. Nun haben wir die Möglichkeit entweder das Relativpronomen wörtlich und buchstäblich zu genitivieren (also einen echten Genitiv des Relativpronomens zu bilden): «*deren*». Dieser Genitiv kann so auch vor der Substantivierung des PPPs stehenbleiben. Oder wir umschreiben den Genitiv durch *von* + Dativ: «*von welchen*». In diesem Fall müssen wir ihn der substantivierten Form des PPP jedoch nachstellen. Die Substantivierung des PPP funktioniert wie gehabt: *amissis* wird zu *Verlieren* oder *Verlust*. Es entsteht also entweder: «... *nach deren Verlust ...*» oder «... *nach dem Verlieren von welchen ...*». Diese präpositionale Auflösung führt direkt in die Übersetzung des weiteren Satzes. Hier findet sich *et ... et ...* als Doppelkonjunktion mit zwei Objekten, nämlich *ornamenta* und *subsidia*, zu denen zwei Genitivattribute (*pacis* und *belli*) chiastisch (also in Kreuzstellung) stehen, die auch gegensätzliche Bedeutungen haben. Beim Prädikat schließlich gibt es zu beachten, dass es ein e-Futursuffix am Stamm hat *(requir-e-tis)*.

Aguntur bona multorum civium, quibus est a vobis et ipsorum causa et rei publicae consulendum.
Es geht um die Güter vieler Bürger, für welche von euch sowohl wegen ihnen selbst als auch wegen des Staates zu sorgen ist.

bona ist substantiviertes Neutrum Plural. Es bleibt der Phantasie des Übersetzers überlassen, ob er nur «*gute Dinge*» oder «*Gutes*» oder vielleicht auch mal «*Güter*» oder gar «*Besitztümer*», «*Vermögen*» schreibt. Nun folgt mit dem neutralen Gerundivum *consulendum* in Verbindung mit *est* eine umständliche Konstruktion. Das zugrundeliegende Verb *consulere*, *sich kümmern um*, *sorgen für*, steht regelmäßig mit einem Dativobjekt, dessen Funktion hier das Relativpronomen *quibus* übernimmt. Gleichzeitig steht die Coniugatio periphrastica passiva (also das passive Notwendigkeitspartizip als Prädikativum mit *esse*) mit einem *Dativus auctoris* zur Angabe des *Agens* (der handelnden Person), so dass sich zwei Dative missverständlich kreuzen würden. In solchen Fällen tritt als Ersatz für den Dativus auctoris die Präposition *a* + Ablativ der Person ein. Das ist hier in Form von *a vobis* der Fall. Auch hier gilt: Als Alternative zur vorgeschlagenen wörtlichen Übersetzung des Gerundivums (mit *zu* + Infinitiv) und des Agens mit *von* + Dativ, kann man das Agens auch zum Subjekt des deutschen Satzes machen und das Gerundivum mit *müssen* übersetzen, wie im vorliegenden Beispiel: «... *für welche ihr ... sorgen müsst.*» In Form des Ablativs und den Genitiven *ipsorum* und *rei publicae* nachgestellt, ist *causa* hier nicht Substantiv, sondern Postposition *(wegen)*.

Et quoniam semper adpetentes gloriae [...] atque avidi laudis fuistis, delenda vobis est illa macula Mithridatico bello superiore concepta.
Und da ihr ja immer strebend nach Ruhm und begierig auf Anerkennung wart, müsst ihr jenen Schandfleck, der im vorherigen mithridatischen Krieg empfangen worden ist, beseitigen.

Das Subjekt *ihr* des Hauptsatzes geht lediglich aus dem Prädikat *fuistis* hervor. Das dazu kongruente PPA *adpetentes*, *strebend*, dient zu dieser Form von *esse* als Prädikativum (Prädikatsnomen). Als solches wird es wörtlich-undekliniert übersetzt. Adjektive und Verbaladjektive, die eine Begierde (im weitesten Sinne also auch Streben, Wünschen, Suchen) ausdrücken, stehen regelmäßig mit dem Genitivus obiectivus als Objekt der Begierde. Das gilt in diesem Fall sowohl für *adpetentes* mit dem Genitivus obiectivus *gloriae* als auch für *avidi* mit dem Genitivus obiectivus *laudis*. *delenda* ist prädikatives Gerundivum mit *esse* zu *illa macula*. *vobis* ist Dativus auctoris, den ich in meinem Übersetzungsvorschlag zum Subjekt konvertiert habe. Das PPP *concepta* ist Attribut zu *macula*. Als Übersetzung wähle ich daher den Relativsatz. Die adverbiale Bestimmung *Mithridatico bello superiore* bezieht sich natürlich auch auf *concepta* und gehört ebenfalls in den Relativsatz hinein. Möglich ist daneben die wörtlich-deklinierte Übersetzung («*der im früheren mithridatischen Krieg empfangene Schandfleck*»).

Quae penitus iam insedit ac nimis inveteravit in populi Romani nomine, quod is, qui uno die tota in Asia tot in civitatibus uno nuntio atque una significatione cives Romanos necandos trucidandosque curavit, non modo adhuc poenam nullam suo dignam scelere suscepit, sed ab illo tempore annum iam tertium et vicesimum [...] ita regnat, ut se non Ponti neque Cappadociae latebris occultare velit, sed emergere ex patrio regno atque in vestris vectigalibus [...] versari.

Dieser hat sich schon tief festgesetzt und zu sehr eingeprägt im Namen des römischen Volkes, weil dieser, welcher an einem Tag in ganz Asien in so vielen Bürgerschaften durch einen Befehl und ein Zeichen die Ermordung und Abschlachtung römischer Bürger veranlasste, nicht nur bisher keine seinem Verbrechen angemessene (seines Verbrechens würdige) Strafe erhalten hat, sondern von jener Zeit an (seit jener Zeit) schon das dreiundzwanzigste Jahr so regiert, dass er sich nicht in Pontus und nicht in Kappadokien in Schlupfwinkeln verbergen will, sondern auftauchen (will) aus seinem väterlichen Königreich und sich in euren Steuerprovinzen breitmachen (will).

Bevor man vor einem solchen Satzendgegner die Flinte ins Korn wirft, sollte man sich grundsätzlich immer erst eine Synopse (Überblick) über die Syntax (Satzordnung) verschaffen: *quae* ist relativer Anschluss, bezieht sich kongruent nur auf *macula* aus dem Vorsatz und muss demonstrativisch umgewandelt werden: *dieser (Schandfleck)*. Die sofortige Abrufbarkeit von Adverbien wie *iam, penitus, nimis,* setze ich grundsätzlich voraus. Wer hier seine Hausaufgaben nicht gemacht hat, wird immer Ärger haben und sich die Finger am Wörterbuch wund blättern. Das Subjekt *quae, dieser,* hat gleich zwei Prädikate bei sich (*insedit* und *inveteravit*). *populi Romani* ist zwischen Präposition und Bezugswort eingeklammert und muss nachgestellt werden. Beachte bei der Präposition *in* den Kasus, mit dem sie steht. Es folgt ein kausaler *quod*-Satz *(weil),* der von einem Relativsatz *(qui)* unterbrochen wird, später aber mit *non modo ..., sed ...* fortgesetzt wird. Innerhalb des *qui*-Satzes trenne sorgfältig zwischen den einzelnen adverbialen Bestimmungen *uno die, an einem Tag, tota in Asia* (eingeklammerte Präposition), *in ganz Asien, tot in civitatibus* (eingeklammerte Präposition), *in so vielen Bürgerschaften,* und *uno nuntio atque una significatione, durch einen Befehl und ein Zeichen.* Zum Objekt *cives Romanos* nehmen zwei prädikative Gerundiva Beziehung auf *(necandos, trucidandos).* Sie stehen allerdings nicht mit *esse,* sondern mit *curavit, er besorgte, er veranlasste.* An der Übersetzungstechnik des Gerundivums als Prädikativum ohne *esse* ändert sich nichts. Ich substantiviere die *nd*-Formen *necandos* und *trucidandos* im Akkusativ: «*Ermordung und Abschlachtung*». Anschließend genitiviere ich das kongruente Bezugswort *cives Romanos*: «*römischer Bürger*» oder «*von römischen Bürgern*». Als Bedeutung von *curare,* wörtlich: *sorgen, besorgen,* passt in diesem Zusammenhang am besten *veranlassen*. Nun geht der *quod*-Satz weiter. Vor allem das Attribut *dignam* zum Objekt *poenam nullam* verdient einen Kommentar. *dignus, würdig, angemessen,* steht regelmäßig mit dem Ablativ zur Angabe, wem jemand oder etwas angemessen ist. Das sind hier die durch *dignam* gesperrten, aber kongruenten Ablative *suo* und *scelere* (von *scelus, Verbrechen*). Im Deutschen setzen wir für diesen Ablativ einfach den Dativ: «*keine seinem Verbrechen angemessene Strafe*». Manche irritiert der Akkusativ *annum tertium et vicesimum*. Es handelt sich in der Tat um einen ungewöhnlichen sogenannten Akkusativ der zeitlichen Erstreckung. Warum einige hier Probleme haben, ist für mich allerdings nicht nachvollziehbar, weil sich der Sinn intuitiv ergibt, selbst wenn man diesen Akkusativ gefühllos und stupide wörtlich runterleiert: «*schon das dritte und zwanzigste Jahr*». Hier muss man nur 20 + 3 addieren können und das Ergebnis lautet: «*schon 23 Jahre (lang)*». Abgerundet wird unser Satz schließlich durch einen *ut*-Satz mit dem Prädikat *velit*. Solltest du es vergessen haben: Die Form stammt von *velle, wollen* (3. Singular Konjunktiv Präsens), und nicht etwa von *velare, verhüllen,* oder gar *vellere, rupfen*. Abhängig von *velle* sind drei Infinitive, die den Inhalt des Willens angeben: *occultare, emergere, versari. emergere ex patrio regno* steht chiastisch zu *in vestris vectigalibus versari*. Die drei v-Anlaute bilden eine Allitteration.

Si qui deus mihi largiatur ...

Si qui deus mihi largiatur, ut ex hac aetate repuerascam et in cunis vagiam, valde recusem nec vero velim quasi decurso spatio ad carceres a calce revocari.
Wenn irgendein Gott mir gewährt, dass ich aus diesem (Greisen-)Alter wieder jung werde und in der Wiege schreie, möchte ich heftig ablehnen und wirklich nicht wünschen gewissermaßen nach Ablaufen der Rennstrecke zur Startlinie von der Ziellinie zurückgepfiffen zu werden.

Nach *si, nisi, ne* und *num* – fällt der kleine *ali-* um! Dieser Spruch ist so abgegriffen wie er nützlich ist! *qui* also für *aliqui, irgendwelcher, irgendein*. Der Konjunktiv kann auch im *si*-Satz ignoriert werden, wenn es sich um einen Konjunktiv Präsens oder Perfekt handelt. Die Grundbedeutung von *aetas, Alter*, fächert sich in verschiedene Aspekte des Alters auf, sei es nun die Unterscheidung zwischen *Jugendalter, Greisenalter* oder *Lebensalter*, sei es *Zeitalter, Generation* oder *Leben* allgemein. Im Kontext dieses Textes liegt das *Greisenalter* nahe. *cunae* ein sogenanntes Plurale tantum, ein Nur-Plural-Wort. Pluralia tantum haben häufig singularische Bedeutung, so auch hier: *Wiege*. Weitere solcher Pluralia tantum sind: *insidiae, Hinterhalt, indutiae, Waffenstillstand, divitiae, Reichtum, castra, Feldlager, rostra, Rednertribüne*. Nicht übersehen werden darf der Konjunktiv im nun folgenden Hauptsatz. Der Konjunktiv im Hauptsatz muss übersetzt werden! An dieser Stelle passt am ehesten der Optativus (Wunschmodus), der neben dem Potentialis (Möglichkeitsmodus) am häufigsten vorkommt. Wenn du dir die Bezeichnungen und Funktionen der unterschiedlichen Konjunktive (Lehrbuch S. 219) nicht merken willst, wende einfach folgendes Übersetzungsraster an: Setze bausteinartig «*sollte, könnte, dürfte, möchte wohl*» ein und probiere aus, welches von diesen vieren am besten passt. Die Übersetzung mit *würde* bleibt einzig und allein dem Irrealis (also den Konjunktiven Imperfekt und Plusquamperfekt) vorbehalten! *quasi* hat hier adverbialen *(gewissermaßen, sozusagen)*, nicht konjunktionalen *(wie wenn, als wenn)* Charakter. *decurso spatio* ist kein sonderlich schwerer AmP. Das PPP *decurso* (von *decurrere, ablaufen*) substantiviere ich durch Artikulierung und Großschreibung des entsprechenden Infinitivs *(das Ablaufen)* und binde es in einen präpositionalen Ausdruck (Präpositionalisierung) mit *nach* (vorzeitig) ein: *nach dem Ablaufen*. Zum Abschluss genitiviere ich das kongruente Bezugswort *spatio*: *der Rennstrecke*. Kurze Anmerkung noch zum Stil: Ein Bild aus der Pferdewagenrennszene überträgt Cicero auf das Leben an sich. Diese poetische Technik gehört im weitesten Sinne in den Bereich der Metapher *(Übertragung)*. Ein Bild aus mehreren, gereihten Metaphern aus demselben Bereich (hier aus der Szene der Wagenrennen: Rennstrecke, Startlinie, Ziellinie) nennt man auch Allegorie.

Quid habet enim vita commodi? Quid non potius laboris?
Was hat nämlich das Leben an Annehmlichkeit? Was nicht eher an Mühe?

Nach quantitativen Ausdrücken, zu denen auch Pronomen wie *quid, was*, im Sinne von *wieviel*, gehören, steht häufig der Genitivus partitivus (hier: *quid commodi, quid laboris*), der den Anteil des Bezugswortes *an* oder *von* etwas angibt (Lehrbuch S. 205). In einer wörtlichen Übersetzung verblasst der Sinn: «*was der Annehmlichkeit, was der Mühe*». Möglich ist aber auch eine deklinierte Form: «*welche Annehmlichkeit, welche Mühe*».

Sed habeat sane, habet certe tamen aut satietatem aut modum.
Aber soll es ruhig haben, es hat jedenfalls doch entweder Sättigung oder Maß.

Beim Konjunktiv im Hauptsatz müssen wir alarmiert sein: *habeat* muss übersetzt werden. Die 3. Singular in Verbindung mit *sane* spricht für eine Unterart des Wunschmodus Optativus, den sogenannten Concessivus, also einen Konjunktiv mit zugestehendem Sinn. *sane* kann in unterschiedlichen Zusammenhängen und in Verbindung mit unterschiedlichen Konjunktiven unterschiedliche Bedeutungen haben *(einfach, schlichtweg, meinetwegen)*. *ruhig* passt aber in nahezu allen Fällen. *aut ... aut ... entweder ... oder ...* sind wichtige Gliederungskonjunktionen.

Non libet enim mihi deplorare vitam, quod multi et docti saepe fecerunt, neque me vixisse paenitet, quoniam ita vixi, ut non frustra me natum existumem, et ex vita ita discedo tamquam ex hospitio, non tamquam domo.

Denn es gefällt mir nicht das Leben zu beklagen, welches viele und Gelehrte oft getan haben, und es ist nicht zu bereuen, dass ich gelebt habe, weil ich ja so gelebt habe, dass ich glaube, dass ich nicht vergeblich geboren worden bin, und so gehe ich aus dem Leben so wie aus einem Gasthaus, nicht so wie aus meinem Heim.

libet ist ein sogenannter unpersönlicher Ausdruck. Ein unpersönlicher Ausdruck hat ein neutrales Subjekt «es», das im Lateinischen aus der Endung hervorgeht, im Deutschen aber ergänzt werden muss. Sehr häufig ist von unpersönlichen Ausdrücken ein Infinitiv oder AcI abhängig, hier der Infinitiv *deplorare*. *vitam* ist dazu ein normales Akkusativobjekt, kein Subjektsakkusativ. Das relative *quod* bezieht sich auf den Infinitiv und sein Objekt zusammen. Denn auf die Frage: *Wen oder was haben viele und Gelehrte oft getan?* antwortet der Hauptsatz: *das Leben beklagen*. *multi* und *docti* sind substantivierte Adjektive. *multi, viele,* schreibt man im Deutschen aus Gewohnheit nicht groß. Wenn ich dagegen *docti* substantiviere, mache ich aus *gelehrte Gelehrte*. Wer möchte, kann auch in Klammern *Menschen, Leute, Männer* ergänzen. Auch *paenitet* zählt zu den unpersönlichen Ausdrücken. In der etwas ältlichen Formulierung «es reut mich etwas getan zu haben», ist sogar im Deutschen ein AcI *(mich getan zu haben)* erhalten. Etwas journalistischer angehaucht übersetze ich *paenitet* mit: *es ist zu bereuen*. Anschließend schalte ich einen ganz normalen *dass*-Satz wie bei jedem AcI und mache dann den Akkusativ *(me)* zum Subjekt und den Infinitiv *(vixisse)* zum Prädikat: «*dass ich gelebt habe*» – so muss ich für *paenitet* keine Ausnahmen lernen. In den *ut*-Satz ist ein weiterer elliptischer AcI integriert. Eingeleitet wird er durch den Konjunktiv Präsens Aktiv *existumem*, in der noch der altlateinische Stamm *existum-* erhalten ist statt des ciceronischen *existim-* von *existimare, meinen, glauben*. Auch Cicero bedient sich hier eines Stilmittels, das sonst nur Sallust für sich reklamiert: des Archaismus. Beim Archaismus werden altrömische Schriftsteller, hier Cato Maior, imitiert, um eine gewisse nostalgische Reminiszenz zu erzeugen. Der eigentliche AcI besteht aus dem Subjektsakkusativ *me*, und einem elliptischen Infinitiv *esse*, zu dem nur das PPP *natum* als Prädikativum erhalten ist. *natum* kommt von einem Verb, von dem es nur Passivformen gibt, das aber kein Deponens ist: *nasci, geboren werden*. Der Ablativus separativus *domo* steht ohne Präposition im Gegensatz zum vorherigen präpositionalen Ausdruck *ex hospitio*. Auch in diesem poetischen Ausdruck steckt übrigens eine Metapher. Der Begriff *Haus* oder *Gasthaus* wird auf das Leben übertragen.

Commorandi enim natura deversorium nobis, non habitandi dedit.

Denn die Natur gab uns einen Aufenthaltsort des Verweilens, nicht des Bewohnens.

Wichtig ist in diesem Satz die richtigen Bezugswörter der beiden gerundialen Genitivattribute *commorandi* und *habitandi* zu finden. Zur Verfügung stehen das Subjekt *natura* und das Objekt *deversorium*. Durch Ausprobieren findet man die Lösung: *deversorium*. Übersetzen kann man wörtlich: «*Aufenthaltsort des Verweilens, nicht des Bewohnens.*» Oder mit *um zu* + Infinitiv: «*Aufenthaltsort um zu verweilen, nicht um (ihn) zu bewohnen.*» Der Perfektstamm *ded* von *dare, geben*, muss gelernt sein. Denke daran, dass man *dare* im Wörterbuch nur unter der etwas fremdartigen 1. Person *do* findet. Darauf kommt man wegen des monosyllabischen Charakters von *dare* besonders schwer im Gegensatz zu anderen Verben der a-Konjugation (etwa *laudo*). Mit *dare* steht regelmäßig ein Dativobjekt (hier: *nobis*).

O praeclarum diem, cum in illud divinum animorum concilium coetumque proficiscar cumque ex hac turba et conluvione discedam!

Oh ruhmreicher Tag, wenn ich in jene göttliche Zusammenkunft und Versammlung der Seelen reisen werde und wenn ich aus diesem Trubel und Chaos gehen werde!

o praeclarum diem: Dramatische und pathetische An- oder Ausrufe (sogenannte «zentrale Bitte»), auf die man keine Antwort erwartet, stehen nicht im Vokativ, sondern im Akkusativ. Wir behandeln sie schon intuitiv wie Nominative: *o großartiger Tag!* Beachte im nun folgenden Satz als Erstes die Präposition *in*! *in* kann mit dem Akkusativ oder mit dem Ablativ stehen. Hier steht *in* gleich mit mehreren Akkusativen *(in illud divinum … concilium coetumque)*. *in* mit Akkusativ ist eine Richtungsangabe im Sinne von: *in etwas hinein*. *in illud divinum concilium coetumque* heißt also: *in jene göttliche Versammlung* und nicht: *in jener göttlichen Versammlung*! *proficiscar* und *discedam* lassen zwei Übersetzungen zu: als a-Futur 1 oder als Konjunktiv Präsens. Auch *cum* kann sowohl mit Indikativ Futur als auch mit Konjunktiv Präsens stehen. Dennoch sprechen zwei logische Gründe dafür, dass eigentlich nur das Futur 1 gemeint sein kann: 1. Noch lebt der alte Cato und seine Vorstellung vom Tod ist auf die Zukunft projiziert. 2. *cum* mit Indikativ in der Bedeutung *wenn* trifft genau den eventualen Charakter einer solchen Zukunftsprognose. Die Wahrscheinlichkeit des Todes rechtfertigt keinen Konjunktiv.

Proficiscar enim non [modo] ad eos viros, de quibus ante dixi, verum etiam ad Catonem meum, quo nemo vir melior natus est, nemo pietate praestantior.
Reisen werde ich nämlich nicht nur zu diesen Männern, von welchen ich vorher sprach, sondern auch zu meinem Cato, im Vergleich zu welchem niemand als besserer Mann (kein besserer Mann) geboren worden ist, niemand durch Anstand hervorragender.

Nach erster Abtastung des Satzes findet sich eine Doppelkonjunktion *non modo … verum etiam …* mit zwei parallelen präpositionalen Ausdrücken: *ad eos viros … ad Catonem …*. Ergänzend tritt zu *viros* ein Relativsatzattribut *(de quibus …)*. Durch einen ungewöhnlichen Relativsatz ist *Catonem* näher attribuiert. *quo* ist nämlich ein Ablativus comparationis zum Komparativ *melior, besser*. Wer aber den Comparationis undifferenziert mit *quam, als,* gleichsetzt und beide immer und überall synonym mit *als* übersetzt, kommt bei diesem Satz nicht weiter als ein Mechaniker, der mit dem Brecheisen eine Uhr zu reparieren versucht. Ich empfehle beim Comparationis mit dem präpositionalen Ausdruck «*im Vergleich zu*» zu arbeiten. Für *quo* lässt sich dann wunderbar der Baustein «*im Vergleich zu welchem*» stellungsexakt und punktgenau einsetzen. Das Pronominaladjektiv *nemo, niemand, kein,* hat eigentlich mehr substantivischen Charakter, so dass man hier zwei Substantive im Nominativ kollidieren lassen kann: *vir,* Mann, und *nemo,* niemand. Eine Lösung besteht darin, *nemo* zu *kein* zu adjektivieren oder eines der beiden Substantive prädikativ mit *als* zu übersetzen.

Cuius a me corpus est crematum, […] animus vero non me deserens, sed respectans in ea profecto loca discessit, quo mihi ipsi cernebat esse veniendum.
Der Körper von diesem ist von mir verbrannt worden, seine Seele aber ging nicht mich verlassend, sondern zurückblickend tatsächlich in jene Gegend fort, von welcher er sah, dass ich selbst dorthin kommen muss.

cuius ist ein relativer Anschluss und muss demonstrativisch übersetzt werden. *corpus, corporis, Körper,* zählt zu den Neutra der 3. Deklination auf *-us.* Verwechsele sie nicht mit den Maskulina der o-Deklination auf *-us.* Weitere Substantive dieser Gruppe sind: *scelus,* Verbrechen, *tempus,* Zeit, *opus,* Arbeit, *genus,* Art. Das erklärt die Kongruenz mit dem neutralen prädikativen PPP *crematum,* das hier in Verbindung mit *esse* ein Perfekt Passiv bildet. *von*-Agens ist *a me.* Die PPAs *deserens* und *respectans* kongruieren mit *animus* eher prädikativ. Aus diesem Grund habe ich mich für die wörtlich-undeklinierte Übersetzung entschieden *(verlassend, zurückblickend).* Wegen der Negation *non* passt für *non me deserens* auch die Auflösung mit *ohne zu* + Infinitiv *(ohne mich zu verlassen).* Als unschön würde ich die wörtlich-deklinierte Interpretation als Attribute bezeichnen *(«die mich nicht verlassende, sondern zurückblickende Seele»).* Der Bezug der adverbialen Bestimmung *in ea loca* und das dazwischen eingesickerte *profecto* wird nur aus der richtigen Übersetzung der Form und dann der Logik des Sinnes klar. *ea loca* ist Akkusativ. *loca,* wörtlich: *Stellen, Orte,* ist eine neutrale Pluralvariante zum Maskulinum *locus, Ort.* Die singulare Übersetzung geht aus der Überlegung hervor, dass mehrere «*Stellen*» eine «*Gegend*» konstituieren. Wäre es Ablativ, müsste es *in eis locis* heißen. Exerziere diesen Unterschied durch, bis du ihn verstanden hast: *in ea loca* heißt *in diese Gegenden* und *in eis locis* heißt *in diesen Gegenden.* Nun zur Sinnlogik: Ich beziehe es auf *discessit,* weil die Seele des Sohnes nicht «*in diese Gegenden*» (gemeint ist ja die Totenwelt) «*zurück*» blicken kann, wenn sie eigentlich dorthin unterwegs ist. Wohl aber kann sie in diese Richtung abreisen *(discessit).* Auch im letzten Nebensatz wird dir nichts geschenkt: *quo* hat hier die Funktion als Frageadverb der Richtung: *wohin.* Als solches ist es Bestandteil eines AcIs *(esse veniendum),* der von einem Verb der sinnlichen Wahrnehmung *cernebat, er sah,* katalysiert wird. Weil solche Frageadverbien sich ähnlich wie Relativpronomen verhalten, haben wir es mit einer verschränkten indirekten Frage zu tun. Dabei verhalten wir uns genau so wie bei der relativen Verschränkung: Wir leiten mit *von* + Dativ eines auf *loca, Gegend,* bezogenen Relativpronomens *(welcher)* ein, platzieren den Einleiter *(er sah)* und setzen statt eines Frageadverbs *(wohin)* das demonstrative Äquivalent in den *dass*-Satz ein *(dass dorthin).* Alternativ kann man die Verschränkung auch sofort mit *wohin* einleiten und das demonstrative Adverb aus dem *dass*-Satz komplett weglassen: «*wohin er sah, dass ich selbst kommen muss*». Zu *esse veniendum*: eine typische Coniugatio periphrastica passiva (Gerundivum als Prädikativum mit *esse*) mit neutralem Subjekt (wörtlich: «*es muss gekommen werden*») und Dativus auctoris *(mihi ipsi).* Wenn ich diesen aber auch noch als deutsches *von*-Agens übersetze, kommt aus zwanghafter Wörtlichkeit ein missgestaltetes Konstrukt zur Welt, das keines weiteren Kommentars bedarf: «*es muss von mir gekommen werden*». Stattdessen konvertiere ich lieber den Auctoris zum Subjekt *(ich)* und das Gerundivum zum aktiven Prädikat *(muss kommen).*

Quem ego meum casum fortiter ferre visus sum, non quo aequo animo ferrem, sed me ipse consolabar existumans non longinquum inter nos digressum et discessum fore.
Es schien, dass ich dieses mein Unglück tapfer ertrug, nicht dass ich (es) mit gleichgültigem Herzen ertrug, aber mich selbst tröstete ich glaubend (indem ich glaubte, in dem Glauben), dass nicht lang zwischen uns Abschied und Trennung sein werden.

Wenn ein Verb der Wahrnehmung wie *videre, sehen,* eine passive Form hat, hat es in den seltensten Fällen die passive Bedeutung «*gesehen werden*», weitaus häufiger die deponente Bedeutung «*scheinen*». Der Regel zufolge können Deponentien keine NcIs einleiten. *videri, scheinen,* bildet jedoch eine Ausnahme – und obendrein noch eine sehr häufige! Langer Rede kurzer Sinn: Das Perfekt Deponent *visus sum* ist ein solches NcI-einleitendes Deponens und wir müssen mit «*es schien*» anfangen. Dann folgt im *dass*-Satz als Subjekt der Nominativ, auf den das Prädikat personalisiert war (hier die 1. Person: *ego ... sum*) und der Infinitiv als finites Verb: «*es schien, dass ich ertrug*». Als Objekt kommen drei kongruente Akkusative in Frage *(quem meum casum)*, von denen das erste *(quem)* ein relativer Anschluss ist und demonstrativiert werden muss *(dieses mein Unglück)*. *fortiter* ist Adverb der 3. Deklination *(«3 Liter»)*. Von dem PPA *existumans* (wieder vorklassisch für *existimans*), einem Verb des Meinens und Glaubens, ist natürlich wieder ein AcI abhängig. Subjektsakkusative sind die u-deklinierten Substantive *digressum* und *discessum* (also keine PPPs!). Infinitiv ist *fore*. Auch bei *fore* kommt es immer wieder vor, dass Verwechslungsspezialisten die Handlung «*auf dem Forum*» *(foro)* oder «*draußen vor der Tür*» *(foris)* stattfinden lassen, weil sie noch nie von der Kurzform *fore* für *futurum esse* gehört haben. *futurum esse* ist Coniugatio periphrastica activa (Umschreibung des Futur 1 Aktiv) von *esse, sein,* und verlangt deshalb ein Prädikativum (Prädikatsnomen). Diese Funktion erfüllt hier *longinquum*.

Nihil agis, nihil moliris ...

Nihil agis, nihil moliris, nihil cogitas, quod non ego non modo audiam sed etiam videam planeque sentiam.
Nichts tust du, nichts unternimmst du, nichts denkst du, welches nicht ich nicht nur höre, sondern auch sehe und deutlich merke.

Der Hauptsatz besteht aus drei asyndetischen Parataxen (nebeneinandergeordneten Hauptsätzen) mit Anapher des Akkusativobjektes *nihil* und drei parallelen Prädikaten, die zugleich das Subjekt (2. Person) enthalten. Das *quod* leitet einen Relativsatz ein und bezieht sich dabei auf *nihil*. Bemerkenswert ist die doppelte Verneinung *non modo non* – der Fachbegriff aus der Stilistik ist *Litotes*. Das zweite *non* verneint jedoch nicht das erste *non*, sondern gehört zur Doppelkonjunktion *non modo ... sed etiam ...* Sonst wäre der Sinn: *Du tust nichts, was ich höre*. Gemeint ist aber: *Du tust nichts, was ich nicht sowohl höre als auch sehe*.

Recognosce mecum tandem noctem illam superiorem; iam intelleges multo me vigilare acrius ad salutem quam te ad perniciem rei publicae.
Erinnere mit mir schließlich jene vergangene Nacht wieder; bald wirst du merken, dass ich viel schärfer wache zur Rettung als du zum Untergang des Staates.

Recognoscere, wörtlich: *wiedererkennen*, hat hier den Sinn von *rekapitulieren, erneut durchgehen, wiedererinnern*. Der Komparativ *superior* drückt verschiedene Verhältnisse zeitlicher und räumlicher Maße aus. So kann er *höher, besser*, aber auch *früher* bedeuten. Beachte bei *intelleges* das e-Futur. Von *intelleges* abhängig ist ein AcI *(me vigilare)*. Das Adverb *multo, viel*, modifiziert hier den adverbialen Komparativ *acrius* (von *acer, acris, acre, heftig, scharf*), mit dem das Komparativadverb *quam* Beziehung aufnimmt. *te*, analog zu *me*, ist ebenfalls Subjektsakkusativ und kommt auch im Deutschen ohne erneute Wiederaufnahme des Infinitivs *vigilare* aus.

Dico te priore nocte venisse inter falcarios – non agam obscure – in M. Laecae domum; convenisse eodem compluris eiusdem amentiae scelerisque socios.
Ich sage, dass du in der früheren Nacht in die Sichelmachergasse gekommen bist – ich werde/will nicht heimlich tun – ins Haus des Marcus Laeca; dass eben dorthin mehrere Komplizen von demselben Wahnsinn und Verbrechen zusammenkamen.

dico ist und bleibt AcI-Einleiter *par excellence*. Subjektsakkusativ ist *te*, Infinitiv ist *venisse*. *agam* kann der Form nach entweder a-/e-Futur oder Konjunktiv Präsens Aktiv sein, beides passt. *obscure* ist Adverb der a-/o-Deklination. *M. Laecae* ist Genitiv in Klammerstellung zwischen *in* und *domum*. Immer noch abhängig von *dico* schließt sich auch nach dem Semikolon ein weiterer AcI an *(convenisse compluris socios)*. Beachte die i-stämmige Nebenform *compluris* im Akkusativ Plural 3. Deklination. *eodem* ist hier Adverb in der Bedeutung *eben, dorthin*. *eiusdem amentiae scelerisque* ist eingeklammertes Genitivattribut zu *compluris socios*. *eiusdem amentiae* hat sogar die Funktion eines Genitivus qualitatis, weil man statt «Komplizen von demselben Wahnsinn» auch «ebenso wahnsinnige Komplizen» sagen könnte.

Num negare audes? Quid taces? Convincam, si negas.
Wagst du etwa zu bestreiten? Was schweigst du? Ich werde (es) beweisen, wenn du (es) bestreitest.

num leitet eine Suggestivfrage ein, indem es die erwartete Antwort durch die Art der Frage schon unterstellt. Bei *etwa* ist die erwartete Antwort *nein*. Das Fragepronomen *quid, was*, hat hier weniger die Funktion eines Objektes zu *tacere, verschweigen* («was verschweigst du?»), als vielmehr eines kausalen Frageadverbs wie *warum*. *convincam* ist der Form nach entweder a-/e-Futur oder Konjunktiv Präsens. In diesen Kontext scheint mir jedoch das realere, unmittelbarere und überzeugtere Futur besser zu passen.

Video enim esse hic in senatu quosdam, qui tecum una fuerunt.
Ich sehe nämlich, dass hier im Senat gewisse (Leute) sind, welche mit dir zusammen waren.

Auch Verben der sinnlichen Wahrnehmung (hier: *video*) signalisieren mir einen AcI *(esse quosdam)*. Als Prädikativum zu *quosdam* und *esse* dient hier nicht etwa eine Nominalform (ein Prädikatsnomen), sondern das Adverb *hic* (mit langem i), *hier*, und der präpositionale Ausdruck *in senatu*. Hinter *quosdam, gewisse* (von *quidam*), kann man noch ein erklärendes, maskulines Subjekt *(Leute, Männer)* in Klammern ergänzen. Die Präposition *cum, mit*, in Verbindung mit dem Adverb *una, zusammen*, lautet logischerweise *zusammen mit*.

Fuisti igitur apud Laecam illa nocte, Catilina, distribuisti partis Italiae, statuisti, quo quemque proficisci placeret, delegisti, quos Romae relinqueres, quos tecum educeres, discripsisti urbis partis ad incendia, confirmasti te ipsum iam esse exiturum, dixisti paulum tibi esse etiam nunc morae, quod ego viverem.
Du warst also bei Laeca in jener Nacht, Catilina, du hast die Teile von Italien aufgeteilt, du hast festgelegt, (von) wohin und von wem es (dir) gefiel, dass er (dorthin) abmarschierte (abmarschieren sollte), du hast ausgewählt, welche du in Rom zurückließest (zurücklassen wolltest), welche du mit dir hinausführtest (hinausführen wolltest), du hast die Teile der Stadt zu Brandstiftungen zugeteilt, du hast sichergestellt, dass du selbst bald weggehen wirst, du sagtest, dass dir auch jetzt (noch) ein wenig lästig sei, dass ich lebte.

Bei dieser parallelistischen, asyndetischen Parataxe imponiert das Homoioteleuton der Prädikatsendungen auf *-isti*. Als Nächstes beachte die Nebenform *partis* mit eingemischtem i-Rest im Akkusativ Plural 3. Deklination. Von *statuisti* sind zwei in einen AcI verschränkte, indirekte Fragen abhängig: Die erste wird eingeleitet durch das Frageadverb *quo, wohin*, die zweite durch das Fragepronomen *quem*, das durch *-que* angehängt wird. *-que* hat hier nicht die Funktion des Suffixes zur Bildung des Pronominaladjektivs *quisque, jeder,* sondern lediglich konjunktionale Funktion. Während nun *quo* lediglich eine adverbiale Bestimmung des Infinitivs *proficisci* ist, fungiert *quem* als Subjektsakkusativ des AcIs. Prädikatsinfinitiv ist *proficisci*. Abhängig ist die Konstruktion von dem unpersönlichen Ausdruck *(placeret, es gefiel, man beschloss)*. Ich leite mit *von + wohin* oder einfach mit *wohin*, sowie mit *von + Dativ* des Fragepronomens *(wem)* ein. Anschließend transplantiere ich das Einleiterprädikat *(placeret, es gefiel)* und montiere den *dass*-Satz daran fest. Nachdem ich nun zunächst mit *von + Fragewort (von wohin, von wem)* eingeleitet habe, greife ich im *dass*-Satz nun die Richtungsangabe und den Subjektsakkusativ in demonstrativer Form wieder auf *(dorthin, er)*. Da ein Beschluss sehr verbindlichen, befehlenden Charakter hat, muss der Infinitiv statt wörtlich im Präteritum (Gleichzeitig zum Hauptsatzprädikat *statuisti*) mit *sollen* aufgelöst werden. Die folgenden beiden Relativsätze *(quos)* haben finalen Nebensinn (in dem Sinne: «*du hast Leute ausgewählt um sie in Rom zu lassen*») – daher der Konjunktiv und die Variante mit *wollen*. In jedem Fall dienen sie als Objektsätze zu *delegisti*. *Romae, in Rom,* ist Lokativ und Lernvokabel. Ich weise auf die i-stämmige Nebenform *partis* im Akkusativ Plural 3. Deklination hin. *confirma-sti* ist Umgangslatein für *confirmav-isti* und leitet einen AcI mit Infinitiv Futur *(te ipsum esse exiturum)* ein. Auch *dixisti* leitet einen AcI ein, dieser ist allerdings etwas komplizierter: Subjektsakkusativ (also grammatisches Objekt von *dicere*) ist der Objektsatz mit faktischem *quod (quod ego viverem)*. Infinitiv ist *esse* und folglich fungiert der Dativ *morae* als prädikativer Dativus finalis (nicht als Prädikatsnomen). Nochmal: Der Objektsatz gibt die Tatsache an, die «ist» (nämlich die Tatsache «*dass ich lebe*»), der doppelte Dativ gibt an, was diese Tatsache ist (nämlich «*dir lästig*»).

Reperti sunt duo equites Romani, qui te ista cura liberarent et se illa ipsa nocte paulo ante lucem me in meo lecto interfecturos esse pollicerentur.
Gefunden wurden zwei römische Ritter, welche dich von dieser Sorge befreien sollten und versprachen, dass sie in jener Nacht selbst kurz vor Tagesanbruch mich in meinem Bett umbringen würden.

Das Zahlwort *duo, zwei,* weist im Nominativ Singular eine einzige unregelmäßige Endung auf. Der *qui*-Satz hat einen finalen Nebensinn, weil man das Relativpronomen *qui* durch *ut* ersetzen könnte (*«damit sie dich von dieser Sorge befreiten»*). Um diesen konjunktivischen Nebensinn auszudrücken, bedient man sich der Umschreibung mit *sollen,* der Indikativ wäre an dieser Stelle übrigens grenzwertig, weil er die Ermordung Ciceros als reale Tatsache darstellen würde – Cicero lebt aber noch, als er diese Worte spricht. Anders ist das schon wieder bei *pollicerentur,* das ebenfalls finalen Nebensinn hat, im Indikativ aber auch mit Ciceros Leben vereinbar ist. *liberare, befreien von,* steht regelmäßig mit dem Ablativus separativus (hier *ista cura*). Von dem Deponens *polliceri, versprechen,* ist ein AcI abhängig *(se interfecturos esse). se,* reflexiv bezogen auf die zwei Ritter und nicht *me,* reflexiv bezogen auf Cicero, ist hier Subjektsakkusativ. *me* ist vielmehr einfaches Objekt zum Infinitiv *interfecturos esse.* Von der Form *lucem* (3. Deklination) ist schwer auf den Wörterbucheintrag im Nominativ Singular *lux* zu schließen, weil dort Stamm und Endung zu einem ganz anderen Buchstaben verschmelzen (aus *luc-s* wird *lux*). *lux* meint hier weniger im wörtlichen Sinne *«Licht»,* als vielmehr *Tageslicht, Tagesanbruch.* Weitere meist monosyllabische Formen, deren Eintrag man ohne Vokabelkenntnis nicht durch zügiges Scannen der Anfangsbuchstaben im Wörterbuch findet, sind: *genus,* Art, *iter,* Weg, *latus,* Seite, *lex,* Gesetz, *merx,* Ware, *mos,* Sitte, *nox,* Nacht, *rex,* König, *ops,* Hilfe, *opus,* Arbeit, *os,* Mund, *vis,* Gewalt, *vox,* Stimme. Die Mühe, sie zu lernen, lohnt sich.

Haec ego omnia vixdum etiam coetu vestro dimisso comperi.
Dies alles erfuhr ich kaum nach Auflösung eurer Senatssitzung.

haec und *omnia* sind trotz Sperrung durch *ego* kongruent. In Ermangelung eines Bezugssubstantivs müssen sie beide als Neutrum Plural durch Hinzufügung von *«Dinge»* oder durch Singularisierung substantiviert werden. *coetu vestro dimisso* ist AmP, der sich mit *nach* präpositionalisieren lässt. Das PPP *dimisso* substantiviere ich durch *«Auflösung»* und die beiden Bezugsnomen *(coetu vestro)* genitiviere ich durch *«eurer Senatssitzung».*

Domum meam maioribus praesidiis munivi atque firmavi, exclusi eos, quos tu ad me salutatum mane miseras, cum illi ipsi venissent, quos ego iam multis ac summis viris ad me id temporis venturos esse praedixeram.
Ich sicherte und schützte mein Haus mit größeren Schutzmaßnahmen, sperrte diese aus, welche du morgens zu meiner Begrüßung geschickt hattest, nachdem jene selbst gekommen waren, von welchen ich schon vielen und hohen Männern vorausgesagt habe, dass sie zu mir zu dieser Zeit kommen werden.

Eine Erklärung verdient an diesem Satz das Supinum 1 *salutatum.* Die Form leitet sich vom PPP von *salutare, begrüßen,* ab. Als Supinum erkennt man sie an der Endung im Akkusativ Neutrum *(-tum),* an dem Prädikat *miseras* (Indikativ Plusquamperfekt von *mittere, schicken*) und daran, dass sie kein kongruentes Bezugswort hat. Ein Supinum 1 übersetzt man ähnlich einem Gerundium mit *ad* durch einen präpositionalen Ausdruck mit *zum* + substantiviertem Infinitiv oder *zur* + Tätigkeitswort auf *-ung (zum Begrüßen, zur Begrüßung). mane* hat nichts mit dem Verb *manere, bleiben,* zu tun, ist vielmehr Temporaladverb *morgens.* Beachte die Vorzeitigkeit von *venissent* (Plusquamperfekt) nach *cum.* Die nächste Schwierigkeit ist ein verschränkter AcI: *quos* ist Subjektsakkusativ, *venturos esse* Infinitiv, übergeordnetes Signalverb des Sagens ist *praedixeram.* Einen relativ verschränkten AcI leitet man mit *von* + Dativ des Relativpronomens *(von welchen)* oder *in Beziehung auf* + Akkusativ ein *(in Beziehung auf welche),* setzt nun das Prädikat ein *(ich vorausgesagt habe)* und lässt dann erst den *dass*-Satz folgen. Der Subjektsakkusativ wird hier in Form eines einfachen Personalpronomens *(sie)* wieder aufgegriffen. Zum Schluss wird der Infinitiv zu einem finiten Verb konvertiert und als Prädikat in den *dass*-Satz eingesetzt *(kommen werden).* Anschließend statte ich den Satz mit weiteren Satzteilen aus. *multis ac summis viris* steht ohne Präposition und ist folglich Dativ, nicht Ablativ. *id temporis* ist ein Genitivus partitivus nach einer Art «Quantitätsangabe» *(id)* und sollte frei mit *«zu dieser Zeit»* übersetzt werden (vgl. dazu Lehrbuch S. 205).

Tandem aliquando, Quirites, ...

Tandem aliquando, Quirites, L. Catilinam furentem audacia, scelus anhelantem, pestem patriae nefarie molientem, vobis atque huic urbi ferro flammaque minitantem ex urbe vel eiecimus vel emisimus vel ipsum egredientem verbis prosecuti sumus.

Endlich einmal, Quiriten, haben wir Lucius Catilina rasend vor Gewalt, Verbrechen ausschnaubend, die Pest dem Vaterland verbrecherisch bringend, euch und dieser Stadt mit Eisen und Flamme (mit Schwert und Brandsatz) drohend aus der Stadt entweder herausgeworfen oder herausgeschickt oder selbst (freiwillig) ausziehend mit guten Wünschen geleitet.

Die Rhetorik, die Cicero hier und im Folgenden gegen Catilina instrumentalisiert, nennt man Redundanz (Überfluss) und Hyperbel (Übertreibung). Medizinisch würde ich allerdings lieber von verbaler Flatulenz sprechen bis hin zu Logorrhoe mit sonorer peroraler Defäkation. Diese Diagnose ist nicht prüfungsrelevant! Vor uns liegt ein zusammenhängender Hauptsatz mit drei Prädikaten: *eiecimus, emisimus, prosecuti sumus*. Diese sind polysyndetisch (also durch Konjunktionshäufung) verknüpft. Das Subjekt (1. Plural) geht aus den Endungen hervor. Vokativisch angesprochen sind die *Quiriten*, also die römischen Bürger. Aufmerksamkeit verdient vor allem das Objekt *L. Catilinam*. Es ist erweitert durch fünf PPA-Attribute im Stil eines Asyndeton: *furentem, anhelantem, molientem, minitantem* später noch einmal *egredientem*. Man könnte die ersten vier aufgrund ihrer Nähe zum Objekt als Attribute übersetzen, etwa durch Relativsätze. Ich selbst habe mich hier einmal für die etwas langatmig klingende wörtlich-undeklinierte Variante entschieden, weil sie es erlaubt Platz zu sparen und die Stellung zu belassen. Die Adverbien und Objekte, die an die PPAs gebunden sind, sind der *Ablativus causae audacia*, das Akkusativobjekt *scelus*, das Akkusativobjekt *pestem*, das Dativobjekt *patriae*, das Adverb *nefarie*, die Dativobjekte *vobis* und *huic urbi* und die Ablativi instrumentales *ferro flammaque*. *ex urbe* schließlich ist adverbiale Bestimmung zu allen drei Prädikaten, *verbis* nur zum letzten Prädikat. Rhetorisch hervorzuheben ist ein Homoioteleuton der PPAs auf *-nt-em* und der Prädikate auf *-mus*, eine *f*-alliterative Stoff-statt-Produkt-Metonymie, also einer Übertragung des Materiales oder Stoffes auf das Instrument oder die Funktion, die sie ausüben (*ferro*, mit Eisen, steht für *Schwert*, *flamma*, mit Feuer, steht für *Brandsatz, Brandstiftung*) und noch ein Chiasmus:

furentem audacia
    ><
scelus anhelantem

Abiit, excessit, evasit, erupit.
Weg ging er, raus wich er, raus lief er, raus stürzte er.

Asyndetisches, e-alliteratives, parallelistisches Homoioteleuton mit Klimax (Steigerung). Es gibt Philologen, die finden das «wunderschön». Sie müssen der Grund sein, weshalb Lateinlehrer als Psychopathen gelten.

Nulla iam pernicies a monstro illo atque prodigio moenibus ipsis intra moenia comparabitur.
Kein Verderben mehr wird von jenem Monster und (jener) Missgeburt den Mauern selbst innerhalb der Mauern bereitet werden.

Subjekt ist *pernicies*, das mit *nulla* kongruiert. Das Prädikat *comparabitur* ist 3. Singular Indikativ Futur 1 Passiv. *illo* bezieht sich gleichzeitig auf *monstro* und *prodigio*, klingt aber wegen der unterschiedlichen Genera von *Monster* und *Missgeburt* etwas deplatziert. Alternativ könnte man *monstrum* als *Bestie* übersetzen, dann wären die Genera wieder gleich. *moenibus ipsis* ist Dativobjekt. Die Formen von *moenia, Mauern*, stehen als sogenannte pars-pro-toto-Metonymie (Teil-fürs-Ganze-Bezeichnungsübertragung) nicht nur für die Mauern, sondern für die ganze Stadt. Das Bild von Catilina als Monster und Missgeburt ist eine Metapher.

Atque hunc quidem unum huius belli domestici ducem sine controversia vicimus.
Und diesen einen wenigstens haben wir als Führer dieses internen Krieges ohne Meinungsverschiedenheit besiegt.

Subjekt und Prädikat sind in *vicimus* integriert. *vicimus* kommt übrigens weder von *vivere, leben,* noch *vincire, fesseln,* sondern von *vincere, siegen*. Die reichhaltige Auswahl an gesperrt stehenden kongruenten Akkusativen *(hunc ... unum ... ducem)* legt nahe, dass man *hunc unum* substantiviert und zum Objekt macht und für das prädikatsnahe *ducem* einen Präpositionentest mit *als/für/zu* durchführt um es als Prädikativum zu sichern. Das vorangestellte Genitivattribut *huius belli domestici* gehört im Deutschen natürlich dahinter.

Non enim iam inter latera nostra sica illa versabitur, non in campo, non in foro, non in curia, non denique intra domesticos parietes pertimescemus.
Denn nicht mehr zwischen unseren Rippen steckt jener Dolch, nicht auf dem Marsfeld, nicht auf dem Forum, nicht in der Kurie, schließlich nicht innerhalb der hauseigenen Wände werden wir Angst bekommen.

Eine Aufzählung von präpositionalen adverbialen Bestimmungen dominiert diesen Satz, mit Asyndeton und Anapher von *non*. *latera* gehört zu den Formen, die man ohne Kenntnis des Nix-Nominativs der 3. Deklination *(latus, Seite, Flanke, Rippe)* im Wörterbuch an der falschen Stelle sucht oder verwechselt (etwa mit *later, Ziegelstein*). Subjekt ist *sica illa*. *nostra* bezieht sich noch auf *latera*. Beide Prädikate (*versabitur* und *pertimescemus*) sind intransitiv, haben also kein Objekt. Beachte das e-Futur bei *pertimescemus*.

Loco ille motus est, cum est ex urbe depulsus.
Vom Platz ist jener entfernt worden, als er aus der Stadt getrieben wurde.

Loco ist Ablativus separativus hier in Verbindung mit dem Perfekt Passiv der Bewegung *motus est*. Das *cum* ist indikativisch in der Bedeutung *als*. Die Sperrung von *depulsus* zu *est* ist übrigens kein Indiz gegen eine Übersetzung als Perfekt Passiv.

Palam iam cum hoste nullo impediente bellum iustum geremus.
Offen werden wir bald mit dem Feind, ohne dass (uns) jemand hindert, einen rechtmäßigen Krieg führen.

Achte beim Prädikat *geremus* auf das e-Futur. Der Sinnabschnitt zwischen *cum hoste* und *nullo impediente* ist besonders schwer zu erkennen, weil man *hoste, nullo* und *impediente* aufgrund ihrer grammatischen Kongruenz intuitiv aufeinander bezieht. Tatsächlich ist *hoste* aber Ablativ in Verbindung mit der Präposition *cum, nullo impediente* hingegen Ablativus absolutus. Den negierten AmP sollte man nach der Regel (Lehrbuch S. 212) mit «ohne dass» übersetzen. Aus *nullo* wird dann *jemand*.

Sine dubio perdidimus hominem magnificeque vicimus, cum illum ex occultis insidiis in apertum latrocinium coniecimus.
Ohne Zweifel haben wir den Menschen zugrunde gerichtet und großartig besiegt, als wir jenen aus seinem verborgenen Hinterhalt ins offene Verbrechen versetzt haben.

perdidimus ist nachzuschlagen unter *perdere, perdo, perdidi, perditum, zugrunde richten*. *magnifice* ist Adverb der a-/o-Deklination. *vicimus* ist oben bereits erklärt. Der *cum*-Satz muss indikativisch mit *als* übersetzt werden. *insidae, Hinterhalt,* ist Pluralwort mit deutscher Singularbedeutung. Um herauszudestillieren, was gemeint ist, sollte man versuchen den Satz wörtlich zu verstehen. Durch seine Aufklärungsarbeit glaubt Cicero, dass er Catilina «aus dem Hinterhalt» geholt und «ins offene Verbrechen», also zu offenem verbrecherischem Handeln gebracht hat, weil Catilina nunmehr nichts mehr zu verbergen hatte.

Quod vero non cruentum mucronem, ut voluit, extulit, quod vivis nobis egressus est, quod ei ferrum e manibus extorsimus, quod incolumis civis, quod stantem urbem reliquit, quanto tandem illum maerore esse adflictum et profligatum putatis?
Dass er aber nicht die blutverschmierte Klinge, wie er wollte, rauszog, dass er bei unserem Überleben ausgezogen ist, dass wir ihm das Eisen (die Waffe) aus den Händen entwunden haben, dass er die Bürger unbeschadet, die Stadt bestehend zurückgelassen hat, von wie großer Trauer glaubt ihr, dass jener befallen und niedergeschlagen worden ist?

Eine asyndetische Aufzählung von faktischen *quod*-Sätzen mit Anapher von *quod* eröffnet diesen mit Abstand schwersten Satz des Textes. Als Erstes sollte man erkennen, dass es sich um einen direkten Fragesatz handelt mit den gesperrten Frageworten *quanto ... maerore, von wie großer Trauer*. Diese sind jedoch ähnlich einer relativen Verschränkung Bestandteil eines AcI (*«illum esse adflictum et profligatum»*), der hier durch *putatis* eingeleitet wird. Du musst also wie bei der Verschränkung mit *von* + Dativ auflösen. Dabei würde aber das *von* der Umschreibungskonstruktion (*von* + Dativ des Fragepronomens) mit dem bereits vorhandenen *von* des Ablativs kollidieren und eine Dublette bilden (*«von von wie großer Trauer»*). Nun kann statt *von* + Dativ auch mit *in Bezug auf* + Akkusativ umschrieben werden. Der Ablativ *von* muss ohnehin in den *dass*-Satz genommen werden und in pronominaler Form *(von ihr)* auf sein Bezugswort *(von wie großer Trauer)* verweisen. Das andere *von* wird allerdings dann auch in der Form *in Bezug auf wie große Trauer* eingeschmolzen. Die Kombination von der Umschreibung mit *in Bezug auf* und *von ihr* statt *von wie großer Trauer* ist von allen wörtlichen Übersetzungen vielleicht die eleganteste Lösung. Die faktischen *quod*-Sätze sind alle von *maeror, Trauer (darüber, dass),* abhängig. Innerhalb der *quod*-Sätze ist ein nominaler Ablativus absolutus hervorzuheben: *vivis nobis, zu unseren Lebzeiten,* oder *bei unserem Überleben* oder besonders elegant *trotz unseres Überlebens*. Schließlich besteht noch die Möglichkeit *incolumis* als Prädikativum zu *civis* (beides übrigens Akkusativ-Nebenformen der 3. Deklination), und das PPA *stantem* als Prädikativum zu *urbem* zu lesen. In beiden Fällen wird der Unterschied zur Lesart als Attribute (*«die unbeschadeten Bürger, die stehende Stadt»*) durch eine wörtlich-undeklinierte Übersetzung (*«die Bürger unbeschadet, die Stadt stehend»*) deutlich.

Iacet ille nunc prostratus, Quirites, et se perculsum atque abiectum esse sentit et retorquet oculos profecto saepe ad hanc urbem, quam e suis faucibus ereptam esse luget.
Es liegt jener nun hingestreckt, Quiriten, und merkt, dass er getroffen und niedergeschlagen worden ist, und er dreht die Augen allerdings oft zurück zu dieser Stadt, in Bezug auf welche er trauert, dass sie aus seinem Rachen herausgerissen wurde.

prostratus, hingestreckt, ist ein Prädikativum zu *ille* in wörtlich-undeklinierter Form. *se perculsum atque abiectum esse* ist AcI im Perfekt Passiv, abhängig von *sentit*. *profecto* hat mit dem Deponens *proficisci, aufbrechen,* nichts zu tun. Vielmehr steht es für den präpositionalen Ausdruck *pro facto*, «für eine Tatsache». In dieser Form ist es in den meisten Fällen zu einem Adverb erstarrt in der Bedeutung *tatsächlich, natürlich, allerdings*. *quam* ist Subjektsakkusativ eines relativ verschränkten AcIs *(quam ... ereptam esse)*, der von *lugere, trauern (dass),* abhängt. In der operativen Schrittabfolge zur Auflösung eines verschränkten AcI leite ich mit *von* + Dativ oder *in Bezug auf* + Akkusativ des Relativpronomens ein, ziehe das Einleiterprädikat vor, bringe einen pronominalen Stellvertreter des Relativpronomens *(sie)* in den *dass*-Satz und mache den Prädikatsinfinitiv zum finiten Verb *(herausgerissen wurde)*.

Quae quidem mihi laetari videtur, quod tantam pestem evomuerit forasque proiecerit.
Es scheint mir, dass diese sich freut, dass sie eine so große Pest ausgespiehen und vor die Tore geworfen hat.

quae ist relativer Anschluss, bezogen auf *urbem* aus dem Vorsatz und ist als Subjektsnominativ an einer NcI-Konstruktion *(quae laetari videtur)* beteiligt. Wenn ich *quae* demonstrativ *(diese)* auflöse, sollte ich keine Probleme haben es im NcI unterzubringen. Vergiss nicht *mihi* mit zu *videtur* zu ziehen. *laetari, sich freuen,* ist deponent und bedingt ein faktisches *quod*.

At etiam sunt, qui dicant ...

At etiam sunt, qui dicant, Quirites, a me eiectum esse Catilinam.
Aber es existieren auch (die/welche/einige), welche sagen, Quiriten, von mir sei Catilina herausgeworfen worden.

Subjekt zu *sunt* ist ein Subjektsatz *(qui)*. Als Stütze substituiere ich in den Hauptsatz ein passendes Subjekt (die Klammern dabei nicht vergessen). Ohne Prädikativum (Prädikatsnomen) hat *esse* die Bedeutung *da sein, geben, existieren*. Ein Konjunktiv im Nebensatz (hier: *dicant*) darf in der Regel nicht übersetzt werden. Seine Funktion ist dennoch wichtig.

In Relativsätzen markiert der Konjunktiv meist einen konsekutiven Nebensinn, so dass das Relativpronomen durch die Konjunktion *sodass* ausgetauscht werden kann (hier im Sinn: «Sie sind so, dass sie sagen ...»). An *dicant* als Verb des Sagens schließt sich schließlich ein AcI *(eiectum esse Catilinam)* an.

Quod ego si verbo adsequi possem, istos ipsos eicerem, qui haec loquuntur.
Wenn ich dies mit einem Wort erreichen könnte, würde ich diese selbst rauswerfen, welche dies sagen.

quod ist relativer Anschluss und muss zu einem Demonstrativpronomen *(dies)* gemacht werden. *si* als eigentliches Nebensatzsignal kommt zwei Wörter zu spät (nachhängende Konjunktion). In *si*-Sätzen muss der Konjunktiv Imperfekt (hier: *possem*) grundsätzlich wörtlich (als Irrealis der Gegenwart) übersetzt werden. Das Gleiche gilt für den Konjunktiv Imperfekt im Hauptsatz (hier: *eicerem*). *haec* ist substantiviertes Neutrum Plural *(dies* oder *diese Dinge)*.

Homo enim videlicet timidus aut etiam permodestus vocem consulis ferre non potuit.
Denn der Mensch offenbar ängstlich oder sogar sehr schüchtern konnte die Stimme des Konsuls nicht ertragen.

Die beiden adjektivischen Attribute *timidus* und *permodestus* können als Attribute wörtlich-dekliniert *(der ängstliche oder sehr schüchterne Mensch)* oder als Prädikativa wörtlich-undekliniert *(der Mensch ängstlich oder sehr schüchtern)* übersetzt werden. Für Letzteres spricht die Sperrung durch das Adverb *videlicet, offenbar*. *vocem* muss man im Wörterbuch unter *vox, Stimme,* nachschlagen. Weitere meist monosyllabische Formen, deren Eintrag man ohne Vokabelkenntnis nicht durch zügiges Scannen der Anfangsbuchstaben im Wörterbuch findet sind: *genus, Art, iter, Weg, latus, Seite, lex, Gesetz, lux, Licht, merx, Ware, mos, Sitte, nox, Nacht, rex, König, ops, Hilfe, opus, Arbeit, os, Mund, vis, Gewalt*. *ferre* hat häufig den Sinn von *ertragen*.

Simul atque ire in exsilium iussus est, paruit.
Sobald es befohlen wurde, dass er ins Exil gehen sollte, gehorchte er.

simul atque oder *simulatque* oder *simul ac* oder *simulac* bedeuten alle dasselbe: *sobald*. Und *sobald* ist eine Nebensatzkonjunktion. Naive Übersetzungen wie «ähnlich wie» oder «zugleich und» sind leider Quatsch! *iussus est* ist Perfekt Passiv von *iubere, befehlen*. So wie *iubere* einen AcI einleitet, leitet *iuberi* einen NcI ein, hier allerdings ohne Nominativ. Denn jeder lateinische Satz kommt ohne einen expliziten Nominativ aus, solange man ihn aus dem Prädikat, bzw. aus dem Vorsatz ergänzen kann. Subjekt des Vorsatzes ist *homo*, gemeint war Catilina, hier ist von «er» die Rede. Wie jeden NcI leite ich auch diesen unpersönlich ein *(es ist befohlen worden)* und bringe Subjektsnominativ und Infinitiv (hier: *ire*) erst im *dass*-Satz. Da es sich um einen Befehl handelt, kann man mit *sollen* umschreiben. *paru-* ist Perfektstamm und kommt nicht von *pari-, zeugen*, nicht von *para-, bereiten*, sondern von *pare-, gehorchen*.

Quin hesterno die, cum domi meae paene interfectus essem, senatum in aedem Iovis Statoris convocavi, rem omnem ad patres conscriptos detuli.
Vielmehr habe ich am gestrigen Tage, als ich in meinem Hause beinahe getötet worden war/wäre, den Senat in den Tempel des Jupiter Stator einberufen, die ganze Angelegenheit an die Senatoren gemeldet.

quin hat furchtbar viele unterschiedliche Bedeutungen: Als Frage *warum nicht*, als Konjunktion *dass, dass nicht,* als Relativpronomen *der/die/das nicht* und hier als Adverb *ja sogar, vielmehr*. *domi* ist Lokativ und kongruiert mit *meae*, das ebenfalls Lokativ der a-Deklination ist (vgl. *Romae, in Rom*). Ob man den Konjunktiv Plusquamperfekt *interfectus essem* hier – wie es die Regel im *cum*-Satz verlangt – unübersetzt lässt oder aus dem Sprachgefühl heraus *irreal* auffasst, ist im Latinum so egal wie wenn in China ein Sack Reis umfällt. Viel weniger egal ist allerdings, ob jemand *in aedem* mit *in den Tempel* oder falsch mit *in dem Tempel* übersetzt, weil er *n* und *m*, sprich Akkusativ und Dativ nicht unterscheiden kann. Wem zu *rem* nichts anderes einfällt als *Sache*, der ist nicht weniger kreativ als die Römer selbst. Zur Auswahl für die Übersetzung von *res* stehen noch folgende Synonyme: *Fall, Problem, Situation, Krise, Tatsache, Umstand, Angelegenheit*. *detuli* ist Perfekt und kommt von *deferre, übertragen, berichten, melden*. Verwechsele es nicht mit *sustuli*, das von *tollere, beseitigen, aufheben,* kommt.

Quo cum Catilina venisset, quis eum senatorem appellavit, quis salutavit, quis denique ita aspexit ut perditum civem ac non potius ut importunissimum hostem?
Nachdem Catilina dorthin gekommen war, wer nannte ihn Senator, wer begrüßte (ihn), wer schließlich betrachtete (ihn) so wie einen verlorenen Bürger und nicht eher wie einen sehr unangenehmen Feind?

Das Frageadverb *quo, wohin,* verhält sich hier wie ein relativer Anschluss. Daher muss man die Frageform *(wohin)* in die demonstrative Form *(dorthin)* des Adverbs konvertieren. Die eigentliche Nebensatzkonjunktion *cum* hängt etwas nach. Achte bei *cum* immer auf das Tempus und den Modus des Prädikates. In Verbindung mit dem Konjunktiv Plusquamperfekt muss es in vorzeitigem Verhältnis zum Hauptsatz stehen, also mit *nachdem* übersetzt werden. Der Rest des Hauptsatzes besteht aus parataktischen Fragesätzen, die alle mit der Anapher von *quis* beginnen. *appellare* mit doppeltem Kasus *(eum senatorem)* hat Signalfunktion für die Bedeutung *bezeichnen als, nennen*. *ita, so,* korrespondiert mit adverbialem *ut, wie*. *potius, früher, lieber, eher,* ist Komparativ des Adverbs auf *-ius* (Endung des Komparativs Neutrum der Adjektive: «*vergleichsweise neutraler Bratenius*»). Die Unterscheidung zwischen den Abstufungen *Bürger (civis), Bundesgenosse (socius), Freund (amicus)* und *Feind (hostis)* ist für den politischen und rechtlichen Status einer Person oder Nation in römischer Zeit von entscheidender Bedeutung.

Quin etiam principes eius ordinis partem illam subselliorum, ad quam ille accesserat, nudam atque inanem reliquerunt.
Ja sogar die Vorsitzenden dieses Standes ließen jenen Teil der Sitze, zu welchem jener hingegangen war, nackt und leer.

quin in der Bedeutung *vielmehr, ja,* hatte ich bereits oben kommentiert. *relinquere, zurücklassen, lassen,* steht oft mit doppeltem Kasus, also mit Objekt (hier: *partem illam*) und Prädikativum (hier: *nudam atque inanem*). Das Substantiv *ordo, ordinis* hat bei Cicero nahezu immer die Bedeutung *Stand* (z. B. *Senatorenstand*).

Hic ego vehemens ille consul, qui verbo cives in exsilium eicio, quaesivi a Catilina, utrum in nocturno conventu ad M. Laecam fuisset necne.

Hier fragte ich, jener gewalttätige Konsul, der ich mit einem Wort Bürger ins Exil rauswerfe, Catilina, ob er bei dem nächtlichen Treffen bei Marcus Laeca gewesen sei oder nicht.

Der Satz hat einen ironischen Unterton und das darf auch bei der Stilanalyse vermerkt werden. *Hic* muss nicht immer Pronomen der 1. Person *(dieser hier)* sein, schon gar nicht in Kongruenz mit einem komplementären Pronomen *ille (jener dort)*. Denken muss man immer auch an die Funktion als Ortsadverb *hier* mit langem i. Wenn du bei den vielen nun folgenden kongruenten Nominativen *(ego vehemens ille consul)* einen Teil der Attribute als Prädikativa in Erwägung gezogen hast, verdienst du zwar grundsätzlich Lob, dennoch muss ich dich enttäuschen: *vehemens ille consul* ist letztlich nur Attribut zu *ego* und als Apposition (*consul* ist substantivisches Attribut) in Kommata am besten aufgehoben. Die Wortabfolge verlangt allerdings Umstellung. Indem er sich selbstironisch als *«jener (= berüchtigte) gewalttätige Konsul»* bekennt, relativiert er die Angriffe seiner Gegner. *qui* bezieht sich auf *ego*. Wenn sich Relativpronomen auf eine erste oder zweite Person beziehen, so müssen wir diese Person mit dem Relativpronomen zusammen nochmals nennen *(der ich, der du)*. Bei der Übersetzung von *verbo* liegt die Betonung im Deutschen auf «einem» (Wort), um die Ironie deutlich werden zu lassen, die darin liegt, dass Cicero die Vorwürfe seiner Gegner ad absurdum führen will, indem er sie in überspitzter Formulierung bestätigt. *quaerere* in der Bedeutung *fragen* steht regelmäßig mit der Präposition *e/ex*, wo wir im Deutschen einfaches Akkusativobjekt setzen. Das kann auch bei der Übersetzung so bleiben. *utrum, ob,* und *necne, oder nicht,* bilden hier eine indirekte Doppelfrage (disjunktive Frage). *fuisset* ist Konjunktiv Plusquamperfekt. Da die Frage Ciceros jedoch als indirekte Rede formuliert ist, dominiert im Deutschen der Konjunktiv der indirekten Rede über den Konjunktiv Plusquamperfekt der indirekten Frage. Dort steht für jedes Vergangenheitstempus, also auch für das Plusquamperfekt, der Konjunktiv Perfekt *(gewesen sei)*.

Cum ille homo audacissimus conscientia convictus primo reticuisset, patefeci cetera.

Nachdem jener gewalttätige Mensch von Schuld überführt zuerst geschwiegen hatte, legte ich das Übrige offen.

Bei *cum* geht mein erster Blick auf den Konjunktiv Plusquamperfekt *reticuisset*, dann übersetze ich mit *nachdem*. Das PPP *convictus, überführt,* ist Prädikativum zu *ille homo*. Ich habe es wörtlich-undekliniert übersetzt, weil eine Auflösung als Konjunktionalsatz mit *nachdem* zu einer unschönen Dublette von *nachdem* geführt hätte *(nachdem jener Mensch, nachdem er von Schuld überführt worden war ...)*. Eine Alternative wäre die konjunktionale Auflösung mit *weil (weil er von Schuld überführt worden war)*. Näher bestimmt wird *convictus* durch *conscientia* (mit langem a), das als Ablativus causae den Grund seiner Schuldgefühle angibt. Das Objekt *cetera* ist substantiviertes Neutrum Plural und kann singularisiert *(das Übrige)* oder durch Hinzufügung von *Dinge (die übrigen Dinge)* eingedeutscht werden.

Quid ea nocte egisset, ubi fuisset, quid in proximam constituisset, quemadmodum esset ei ratio totius belli descripta, edocui.

Was er in jener Nacht getan hatte, wo er gewesen war, was er für die nächste beschlossen hatte, auf welche Weise von ihm die Strategie des ganzen Krieges beschrieben worden war, habe ich dargestellt.

Eine parallelistische Aufzählung von indirekten Fragesätzen *(quid, ubi, quid, quemadmodum)* mit Homoioteleuton von *-isse-t* (Konjunktiv Plusquamperfekt) hängt von einem Hauptsatz ab, der aus einem einzigen Einleiterprädikat besteht: *edocui, ich habe dargestellt*. Der Nominativ zu *nocte, nox, Nacht,* ist ebenso schwer zu finden wie *genus, Art, iter, Weg, latus, Seite, lex, Gesetz, lux, Licht, merx, Ware, mos, Sitte, ops, Hilfe, opus, Arbeit, os, Mund, rex, König, vis, Gewalt, vox, Stimme*. Da hilft nur: Lernen oder Wörterbuch frisieren. Die Übersetzung der Plusquamperfekte als Indikative und nicht als Konjunktive der indirekten Rede hat den Grund, dass Cicero hier keine indirekte Rede, sondern aus seiner Sicht Tatsachen berichtet. Die Präposition *in* vor *proximam (noctem)* bezeichnet eine zeitliche Richtungsangabe («in Richtung auf die nächste Nacht») und klingt frei mit *für* übersetzt am «deutschesten». Mit dem Dativ *ei* dürften wohl die meisten ihre Schwierigkeiten haben. Es handelt sich um einen Dativus auctoris, einen Dativ des Urhebers, der als Agens, also zur Bezeichnung der «handelnden» Person bei passiven Ausdrücken, Verwendung findet. Er tritt regelmäßig beim passiven Notwendigkeitspartizip Gerundivum auf, seltener, aber nicht niemals, beim Perfekt Passiv (PPP + *esse* hier: *esset descripta*). Übersetzt wird der Dativus auctoris immer mit *von* + Dativ. *ratio* ist wieder so ein Platzhalterwort, das allein 24 unterschiedliche Grundbedeutungen (Pons) hat. Die griffige Bedeutung *Strategie*, die so nicht im Wörterbuch erscheint, leite ich durch Nachdenken von *Methode* ab. Solche Abstrahierungen sind durchaus zulässig. Erfahrungsgemäß ist allerdings die Wahrscheinlichkeit, dass du als durchschnittlich begabter Anfänger bei solchen Substantiven die richtige Bedeutung triffst, gering. Genau so gut kannst du einen Stift ins Wörterbuch fallen lassen oder auf göttliche Eingebung hoffen. Dagegen hilft auch Vokabellernen wenig, nur viel Lesen bringt es – zum Beispiel in diesem Buch.

Cum haesitaret, cum teneretur, quaesivi, quid dubitaret proficisci eo, quo iam pridem pararet.
Als er zögerte, als er gehalten wurde, fragte ich, was (warum) er zögere dorthin aufzubrechen, wohin er schon lange plante (aufzubrechen).

quid leitet immer eine indirekte Frage ein, jedoch trägt es nicht immer die Grundbedeutung *was*, sondern auch *warum*. Da Cicero den Inhalt einer Frage (also auch einer wörtlichen Rede) wiedergibt, greift wieder der deutsche Konjunktiv der indirekten Rede *(zögere)*. *eo, dorthin,* ist Richtungsadverb in Verbindung mit einem Verb der Bewegung *(proficisci)* und korrespondiert natürlich mit *quo, wohin. iam pridem, schon längst,* sollte als Adverb bekannt sein. Zu *parare*, wörtlich: *vorbereiten,* passt hier die Bedeutung *vorhaben, planen* am besten.

In exsilium eiciebam, quem iam ingressum esse in bellum videram?
Habe ich (ihn) ins Exil geworfen, von welchem ich gesehen hatte, dass er schon in den Krieg eingetreten war?

Die Frage ist rhetorisch, weil Cicero die Antwort «nein» bereits antizipiert. Der Relativsatz *(quem)* vertritt das Objekt zu *eiciebam* des Hauptsatzes (Objektsatz). Ein in Klammern ergänztes Stützobjekt kann helfen. *quem* ist zugleich relativ verschränkter Subjektsakkusativ eines AcI *(quem ingressum esse)*, der von einem Verb der sinnlichen Wahrnehmung *(videram)* abhängt. Übersetzt habe ich in folgenden Schritten: 1. Einleitung mit *in Beziehung auf* + Akkusativ oder *von* + Dativ des Relativpronomens *(von welchem)*, 2. Transplanation des Einleiterprädikates *(ich gesehen hatte)*, 3. Einschaltung des dass-Satzes und 4. Wiederholung des Subjektsakkusativs *(dass er)*, 5. Konvertierung des Infinitivs *(eingetreten war)* zum finiten Verb. *in bellum* heißt *in den Krieg*, nicht *im Krieg*!

Etenim recordamini, Quirites ...

Etenim recordamini, Quirites, omnis civilis dissensiones, non solum eas, quas audistis, sed eas, quas vosmet ipsi meministis atque vidistis.
Denn erinnert, Quiriten, alle bürgerlichen Konflikte, nicht nur diese, welche ihr gehört habt, sondern diese, welche ihr selbst erinnert und gesehen habt.

Sowohl *recordamini* als auch *meministis* haben die Grundbedeutung *erinnern* gemeinsam. Während im Deutschen die Formulierung «*sich erinnern an*» (mit Präposition) gängiger ist als «*etwas erinnern*» (mit Objekt), gibt es im Lateinischen nur diese letzte Variante mit direktem Objekt. *meministis* ist zudem ein sogenanntes präsentisches Perfekt. Ein präsentisches Perfekt ist ein Verb, von dem es nur Perfektformen gibt und das meist als Präsens übersetzt wird. Dazu zählen: *meminisse, sich erinnern, coepisse, anfangen, novisse, kennen, odisse, hassen*. Das erklärt, weshalb hier nebeneinander zwei Perfektformen *(meministis, vidistis)* stehen, von denen aber nur eine *(vidistis)* auch wirklich als Perfekt übersetzt wird. Die Akkusative Plural *omnis civilis* weisen einen Stammauslaut auf *-i* auf. Das Suffix *-met* an *vosmet* hat eine unterstreichende Funktion, die wir aber im Deutschen so nicht nachbilden können. Man könnte *selbst* ergänzen – das würde hier mit *ipsi* aber zu einer Doppelbesetzung führen.

L. Sulla P. Sulpicium oppressit.
Lucius Sulla hat Publius Sulpicius vernichtet.

Gewöhne dir an, lateinische Vornamen (Pränomen) auszuschreiben und Familiennamen (Gentilnomen) nur im Nominativ zu verwenden. Also nicht: «*L. Sulla hat P. Sulpicium vernichtet.*»

C. Marium, custodem huius urbis, multosque fortis viros partim eiecit ex civitate, partim interemit.
Gaius Marius, den Schützer dieser Stadt, und viele tapfere Männer warf er teils aus der Bürgerschaft, teils brachte er (sie) um.

Subjekt des Satzes ist noch immer *Sulla* und geht grammatisch aus den Endungen von *eiecit* und *interemit* hervor. *custodem* ist ein substantivisches Attribut (Apposition) zu *C. Marium*. *fortis* ist Akkusativ Plural mit i-Stammauslaut und damit kongruent mit *multos viros*, das durch *-que* angeschlossen ist. Die Gliederungsadverbien *partim ... partim ..., teils ... teils ...*, sollte man kennen. Das Objekt zu *interemit* ist noch immer *multos fortis viros*, sollte aber zur Verdeutlichung erneut wiederaufgegriffen werden in Form eines Personalpronomens in Klammern.

Cn. Octavius consul armis expulit ex urbe conlegam: omnis hic locus acervis corporum et civium sanguine redundavit.
Der Konsul Gnaius Octavius vertrieb mit Waffen seinen Kollegen aus der Stadt: dieser ganze Ort floss über mit den Bergen von Leichen und dem Blut von Bürgern.

Statt *consul* als dauerhaftes Attribut zu übersetzen *(der Konsul Gnaius Octavius)*, kann man es auch als Prädikativum *(Gnaius Octavius als Konsul)* auffassen. Das Subjekt im zweiten Satz ist *omnis hic locus. omnis* im Singular heißt *jeder, ganz,* im Plural *alle*. Zwei Stilfiguren fallen ins Auge: ein Zeugma und ein Chiasmus. Bei einem Zeugma bezieht sich das Prädikat grammatisch auf zwei Objekte oder adverbiale Bestimmungen, inhaltlich jedoch nur auf eines der beiden Objekte oder adverbialen Bestimmungen. So kann in diesem Beispiel ein Ort nicht buchstäblich von Leichenbergen überfließen, wohl aber von Blut. Bei dem Chiasmus kreuzen sich die beiden Ablative *(acervis, sanguine)* und ihre Genitivattribute *(corporum, civium)*.

acervis corporum
civium sanguine

Superavit postea Cinna cum Mario: tum vero clarissimis viris interfectis lumina civitatis exstincta sunt.
Es siegte später Cinna mit Marius: Da aber wurden nach Ermordung der angesehensten Männer die Lichter der Bürgerschaft ausgelöscht.

Wenn ein lateinisches Prädikat an der Stelle des ersten Satzteils steht (hier: *superavit*), kann man bei der deutschen Übersetzung mit einem Stellvertretersubjekt *es* einleiten und dann schon das Prädikat setzen ohne das Subjekt bereits zu kennen *(es siegte)*. Danach übersetzt man den Satz locker runter und wartet auf das Subjekt. *clarissimis viris interfectis* weist alle typischen Merkmale eines AmPs auf: PPP mit kongruentem Bezugswort im Ablativ ohne Präposition. Für die Übersetzung eines AmP stehen zwei Techniken zur Auswahl: 1. Konjunktionalisierung (Auflösung durch einen Konjunktionalsatz) 2. Präpositionalisierung (Auflösung durch einen präpositionalen Ausdruck, PSG-Technik). Sowohl bei der Konjunktionalisierung als auch bei der Präpositionalisierung hängt die Wahl der richtigen Konjunktion vom Tempus des Partizips ab, beim PPP (hier: *interfectis*) also das vorzeitige «nachdem» oder «nach». Bei der Konjunktionalisierung muss ich zudem die Diathese des Partizips beachten (hier: Passiv). Die Präpositionalisierung wiederum eignet sich nur für kurze AmPs. Sobald Objekte oder adverbiale Bestimmungen hinzutreten, werden die Regeln komplizierter als bei der Konjunktionalisierung. Die *lumina civitatis, Lichter* oder *leuchtende Gestalten der Bürgerschaft,* fallen als Stilmittel in den Bereich der Metapher.

Ultus est huius victoriae crudelitatem postea Sulla; ne dici quidem opus est, quanta deminutione civium et quanta calamitate rei publicae (ultus est).
Gerächt hat die Grausamkeit dieses Sieges später Sulla: es ist nicht einmal nötig, dass gesagt wird, mit welch großem Verlust an Bürgern und welch großem Unglück des Staates (er gerächt hat).

Das Deponens *ulcisci, ulciscor, ultus sum, rächen,* steht hier mit einem einfachen Objekt *(crudelitatem). opus est, es ist nötig,* leitet tatsächlich auch hier einen AcI ein. Denke daran, dass nicht die Diathese des Infinitivs, sondern des Signalverbs ausschlaggebend ist für AcI oder NcI. Schwer zu finden ist allerdings der Subjektsakkusativ, der von dem indirekten Fragesatz *(quanta)* als Objektsatz zu *dici opus est* vertreten wird. Dieser indirekte Fragesatz ist allerdings wiederum elliptisch verkürzt, weil er kein Prädikat aufweist. Inhaltlich wird er noch von dem Prädikat aus dem ersten Satz in dem in Klammern ergänzten Sinne versorgt. Die beiden Ablative *quanta deminutione* und *quante calamitate* sind also adverbiale Bestimmungen zu *ultus est*.

Dissensit M. Lepidus a clarissimo et fortissimo viro Q. Catulo.
In der Meinung wich Marcus Lepidus von dem hochberühmten und sehr tapferen Mann Quintus Catulus ab.

dissentire, wörtlich: «auseinander empfinden», muss durch eine freiere deutsche Phrase übersetzt werden, damit man die Präposition *a* übersetzt bekommt *(in der Meinung abweichen von).* Denke auch hier daran Eigennamen auszuschreiben und zu «nominativieren», also nicht: «*M. Lepidus wich von Q. Catulo ab.*»

Attulit non tam ipsius interitus rei publicae luctum quam ceterorum.
Es brachte nicht so (sehr) der Untergang von ihm selbst dem Staate Sorgen als (vielmehr) (der Untergang) von den Übrigen.

Attuli (von *adferre, bringen*) steht mit dem Akkusativobjekt *luctum* und dem Dativobjekt *rei publicae*. Hauptfehlerquelle dürfte darin bestehen, dass man *rei publicae* als Genitiv ansieht und auf *ipsius* bezieht. Dagegen spricht allerdings auch die Stellung. Das Genitivattribut *ceterorum* steht analog zu *ipsius* und bezieht sich auf *interitus*. Die Adverbien *non tam ... quam ...* haben gliedernde Funktion.

Atque illae tamen omnes dissensiones erant eius modi, quae non ad delendam, sed ad commutandam rem publicam pertinerent.
Und alle jene Konflikte waren dennoch von dieser Art, welche (dass sie) nicht zur Zerstörung, sondern zur Veränderung des Staates dienten (dienen sollten).

Bei jeder Form von *esse* muss automatisiert nach einem Subjekt und einem Prädikativum gesucht werden. Subjekt ist hier das kongruente *illae omnes dissensiones*. Die Funktion eines Prädikativums kann grundsätzlich jede Form von Attribut (nominal, pronominal, präpositional, genitivisch) übernehmen, so hier das Genitivattribut *eius modi*, das im Deutschen durch ein Präpositionalattribut *(von dieser Art)* übersetzt werden muss. Nun verleitet die demonstrative Formulierung *von dieser Art*, zudem die Nähe zum Relativsatz sehr stark dazu das Relativpronomen *quae* intuitiv darauf zu beziehen. Das ist hier jedoch aufgrund der nötigen NG-Kongruenz (nicht KNG-Kongruenz) zwischen Relativpronomen und Bezugswort nicht möglich. Denn jedes Relativpronomen muss wenigstens in Numerus und Genus mit seinem Bezugswort übereinstimmen. *quae* ist jedoch Plural und Femininum, *modi* ist Singular und Maskulinum. Vielmehr bezieht sich *quae* mit leichter Verspätung auf das Subjekt *illae omnes dissensiones*. Umso schwieriger ist der Relativsatz unterzubringen. Der Grund liegt in einem starken konsekutiven Nebensinn des Relativsatzes, auf den zunächst nur der Konjunktiv *pertinerent* hindeutet. Dieser Nebensinn ist sogar so stark, dass der Satz ohne Weiteres eleganter und verständlicher wird, wenn man das Relativpronomen gegen die passende Konjunktion *(dass)* eintauscht. Beide Gerundiva (*ad delendam* und *ad commutandam*) beziehen sich auf *rem publicam* und lassen sich durch Genitivierung-Substantivierung am besten Übersetzen.

Non illi nullam esse rem publicam, sed in ea, quae esset, se esse principes neque hanc urbem conflagrare, sed se in hac urbe florere voluerunt.
Jene wollten nicht, dass kein Staat existiert, sondern dass sie in diesem, welcher existierte, Anführer waren und nicht, dass diese Stadt in Flammen aufging, sondern, dass sie in dieser Stadt blühten.

Subjekt ist *illi*, inhaltlich sind alle zuvor genannten aufständischen Anführer gemeint. Der Hauptsatz verfügt nur über ein einziges Prädikat *(voluerunt, sie wollten)*, das zudem als Einleiter für mehrere AcIs gleichzeitig fungiert. Es muss daher frühzeitig vorgezogen werden: Der erste AcI besteht aus dem Subjektsakkusativ *nullam rem publicam* und dem Infinitiv *esse*. Trotz der Sperrung von *nullam* gibt es ein Prädikativum zu *esse* hier nicht, deshalb hat es die Bedeutung *existieren*. Der nächste AcI wird durch *sed* abgegrenzt und besteht aus dem Subjektsakkusativ *se*, dem Prädikativum *principes* und dem Infinitiv *esse*. Denke bei den Reflexivpronomen daran, dass sich Singular und Plural, Maskulinum und Femininum die gleichen Formen teilen und sich immer auf das übergeordnete Subjekt (hier also *illi*) beziehen. Mit der Konjunktion *neque* schließt der nächste AcI an mit *hanc urbem* als Subjektsakkusativ und *conflagrare* als Infinitiv. Schließlich, erneut durch *sed* abgetrennt, der letzte AcI mit *se* als Subjektsakkusativ und *florere* als Infinitiv.

Atque illae tamen omnes dissensiones, quarum nulla exitium rei publicae quaesivit, eius modi fuerunt, ut non reconciliatione concordiae sed internecione civium diiudicatae sint.
Und doch waren alle jene Konflikte, von welchen keiner den Untergang des Staates anstrebte, von dieser Art, dass sie nicht anhand der Wiederherstellung des Friedens, sondern (nur) anhand der Ermordung von Bürgern unterschieden wurden.

Cicero greift dasselbe Subjekt mit exakt demselben Wortlaut, demselben Prädikat und prädikativen Genitiv *eius modi* wie im vorletzen Satz nochmals auf: «*atque illae tamen omnes dissensiones eius modi fuerunt*». Im Relativsatz ist *nulla* das Subjekt, *exitium* das Objekt und *rei publicae* ein Genitivattribut zu *exitium*. Die Konjunktion *ut* leitet nun wirklich den Konsekutivsatz ein, den man auch schon bei dem anderen Satz erwartet hätte. *diiudicatae sint* ist der Form nach Perfekt Passiv, hat jedoch deponenten Charakter. Viel besser würde es passen, wenn man *diiudicari* nicht passivisch *(unterschieden werden)*, sondern reflexiv *(sich unterscheiden)* übersetzt. Der Sinn wäre dann: «*dass sie sich nicht in ihrem Ziel, der Wiederherstellung des Friedens, sondern nur in den Mitteln, nämlich der Zahl der ermordeten Bürger, unterschieden*».

Ignosce, ignosce, Caesar ...

Ignosce, ignosce, Caesar, si eius viri auctoritati rex Deiotarus cessit, quem nos omnes secuti sumus;
Verzeihe, verzeihe, Caesar, wenn König Deiotarus dem Ansehen dieses Mannes wich, welchem wir alle gefolgt sind;

Die unmittelbare, rhetorische Wiederholung eines Wortes, hier des Imperativs *ignosce* nennt man Geminatio (Verdopplung). *cessit* (von *cedere, gehen, weichen*) steht mit dem Dativ *auctoritati*, dem wiederum ein Genitivattribut *eius viri* vorangestellt ist. Das Relativpronomen *quem* steht im Akkusativ, weil das Deponens *sequi, folgen,* nicht wie im Deutschen mit Dativ, sondern mit Akkusativ steht.

ad quem cum di atque homines omnia ornamenta congessissent tum tu ipse plurima et maxima.
auf diesen hatten sowohl Götter und Menschen alle Auszeichnungen zusammengehäuft als auch besonders du die meisten und größten.

quem ist relativer Satzanschluss und muss als Demonstrativpronomen übersetzt werden. Die Doppelkonjunktion *cum ... tum ...* in der Bedeutung *sowohl ... als auch besonders ...* ist leicht zu verwechseln mit den jeweils einzelnen Konjunktionen *cum* und *tum*. Die Form *di* bereitet regelmäßig Probleme. Man muss wissen, dass sie eine Kurzform für den Nominativ Plural *dei, Götter,* ist. Die Akkusative *plurima* und *maxima* kongruieren noch mit dem Objekt *ornamenta* und auch das Subjekt *tu ipse* wird vom Prädikat *congessissent* versorgt. Das Plusquamperfekt *congessissent* erklärt sich aus einem kausalen Nebensinn des Relativsatzes, mit dem er begründet, warum Caesar Deiotarus verzeihen soll: «*weil ja auf diesen sowohl Götter und Menschen ... als auch besonders du ...*».

Nec enim, si tuae res gestae ceterorum laudibus obscuritatem attulerunt, idcirco Cn. Pompei memoriam amisimus.
Denn nicht, wenn deine Taten den Ehren der Übrigen Dunkelheit gebracht haben (Sinn: die Übrigen in den Schatten gestellt haben), haben wir die Erinnerung an Gnaius Pompeius verloren.

Das Subjekt des Hauptsatzes *wir* geht aus der Endung des Prädikates *amisimus* hervor. Objekt ist *memoriam*, dem ein Genitivattribut *(Cn. Pompei)* vorgeschaltet ist. Dies erfüllt die Funktion eines Genitivus obiectivus, weil *Pompeius* das Objekt, nicht der Inhaber der Erinnerung ist. Daraus erklärt sich auch die Übersetzung «*an Gnaius Pompeius*» und nicht «*des Gnaius Pompeius*». Solltest du statt der Form *Pompei* die Form *Pompeii* erwarten: hier sind Stammauslaut *-i* und Endung *-i*, also zwei gleiche, unmittelbar aufeinanderfolgende Vokale, zu einem langen Vokal zusammengeflossen. Dies geschieht vor allem bei allen Substantiven der o-Deklination auf *-ius (Pompeius, Gaius, filius)* und *-ium (imperium, ingenium, vitium)*. Der *si*-Satz muss dich nicht alarmieren, denn er steht nicht mit einem der beiden kritischen, irrealen Konjunktive (Imperfekt oder Plusquamperfekt). Subjekt ist *tuae res gestae*, wörtlich: *deine getanen, geleisteten, vollbrachten Dinge,* frei: *deine Leistungen, deine Taten*. *attulerunt* (von *adferre, bringen*) assoziiere ich zugleich mit direktem Objekt (*wen oder was bringen?* hier: *obscuritatem*) und indirektem Objekt (*wem etwas bringen?* hier: *laudibus*).

Quantum nomen illius fuerit, quantae opes, quanta in omni genere bellorum gloria, quanti honores populi Romani, quanti senatus, quanti tui, quis ignorat?
Wie groß der Name von jenem gewesen ist, wie groß die Machtmittel, wie groß in jeder Art von Kriegen (sein) Ruhm, wie groß die Ehrungen des römischen Volkes, wie groß (die Ehrungen) des Senates, wie groß deine (Ehrungen), wer weiß (das) nicht?

Der ganze Satz ist eine rhetorische Frage, also eine Frage, die die Antwort schon vorwegnimmt (Sinn: *Wer weiß das nicht? Jeder weiß das!*). Von *ignorare, nicht wissen,* hängt typischerweise ein indirekter Fragesatz ab. Die Aufzählung von kongruenten Frage- und Bezugswörtern im Nominativ führt zu einer Vielzahl an Subjekten *(nomen, opes, gloria, honores)* und Genitivattributen. Allen diesen indirekten Fragesätzen gemeinsam ist das Prädikat im Konjunktiv Perfekt: *fuerit*. *quanta* kongruiert mit *gloria* und klammert gleichzeitig ein Präpositionalattribut *(in omni genere)* und dessen Genitivattribut *(bellorum)* ein. In der Übersetzung sollte man solche Attribute aus der Umklammerung lösen und nachstellen. Nur selten kann man sie, wie hier, in der Stellung belassen. Denke bei Formen mit dem Stamm *gener-* immer daran, dass du sie nur unter dem Nominativ *genus, Art,* im Wörterbuch findest. Ähnlich degeneriert sind im Nominaitv Singular die Stämme von: *iter*, Weg, *latus*, Seite, *lex*, Gesetz, *lux*, Licht, *merx*, Ware, *mos*, Sitte, *nox*, Nacht, *rex*, König, *ops*, Hilfe, *opus*, Arbeit, *os*, Mund, *vis*, Gewalt, *vox*, Stimme. Lernsache! Alle drei *quanti* kongruieren mit *honores*, das allerdings bei der zweiten und dritten Nennung von *quanti* in Klammern ergänzt werden muss. *populi Romani* hingegen ist Genitivattribut zu *honores* und kongruiert nicht mit *quanti*. Auch *senatus* (mit langem u) ist Genitivattribut zu *honores*, obwohl es ebenfalls der Form nach mit *quanti* kongruieren könnte. *tui* hingegen ist wieder kongruentes Attribut zu *honores*.

Tanto ille superiores vicerat gloria, quanto tu omnibus praestitisti.
Genau so hatte jener (seine) Vorgänger an Ruhm besiegt, wie du allen überlegen gewesen bist.

Der Komparativ *superiores*, wörtlich: *Größere, Frühere,* muss hier durch Großschreibung substantiviert und entweder wörtlich-dekliniert *(Frühere)* oder durch Umschreibung *(Vorgänger)* übersetzt werden, weil er über kein Bezugswort verfügt. Gedanklich sind militärische Vorgänger gemeint. *gloria* gibt als Ablativus instrumentalis das Mittel an, durch das Pompeius gesiegt hat. *praestare, überlegen sein,* steht mit dem Dativ *omnibus*. *omnes, alle,* hat ohne Bezugswort substantivischen Charakter.

Itaque Cn. Pompei bella, victorias, triumphos, consulatus admirantes numerabamus: tuos enumerare non possumus.
Deshalb zählten wir die Kriege, Siege, Triumphe, Konsulate des Gnaius Pompeius auf, während/weil wir (sie) bewunderten: deine aufzählen können wir nicht.

Die asyndetisch und klimaktisch (steigernd) aufgezählten Akkusative *(bella, victorias, triumphos, consulatus)* dienen grammatisch gleich zwei Verbformen als Objekte: zum einen dem PPA *admirantes*, zum anderen dem Prädikat *numerabamus*. Das können wir im Deutschen nur nachbilden, wenn wir das PPA wörtlich-undekliniert übersetzen: *«Deshalb zählten wir Kriege, Siege, Triumphe, Konsulate des Gnaius Pompeius bewundernd auf.»* Bei der Konjunktionalisierung (also der Auflösung durch die Konjunktion *während*) müssen wir uns durch eine Ergänzung in Klammern *(sie)* behelfen. Beachte, dass kein Unterschied besteht zwischen PPAs, die von einem aktiven Verb und solchen, die von einem deponenten Verb stammen (hier: *admirari*). Anders ist das beim PPP und PP-Dep, die sich in der Form gleichen, in der Übersetzung aber unterscheiden. Wichtig ist nur, dass du *admirantes* nicht auf *consulatus* beziehst, sondern auf das Subjekt des Satzes *(wir)* – und das steckt nun wieder einmal im Verb. Achte auch auf die korrekte Übersetzung des Imperfekts *numerabamus*. Niemals darfst du ein Imperfekt als Perfekt übersetzen. Das Imperfekt hat hier einen iterativen, also wiederkehrenden Aspekt. Cicero hat offenbar schon öfters die Leistungen des Pompeius lobend erwähnt. Hinter *tuos* sind noch einmal gedanklich dieselben Objekte zu ergänzen.

Ad eum igitur rex Deiotarus venit hoc misero fatalique bello, quem antea iustis hostilibusque bellis adiuverat, quocum erat non hospitio solum, verum etiam familiaritate coniunctus, et venit vel rogatus ut amicus, vel arcessitus ut socius, vel evocatus ut is, qui senatui parere didicisset.

Zu diesem also kam König Deiotarus in diesem schlimmen und schicksalhaften Krieg, welchen er vorher in rechtmäßigen und feindlichen Kriegen unterstützt hatte, mit welchem er nicht nur in Gastfreundschaft, sondern auch in Freundschaft verbunden war, und er kam entweder eingeladen wie ein Freund, oder zur Hilfe gerufen, wie ein Bundesgenosse, oder herbeizitiert, wie dieser, welcher dem Senat zu gehorchen gelernt hatte.

adiuvare steht regelmäßig mit dem Akkusativ. Übersetzen wir mit *helfen*, müssen wir das direkte Objekt (hier: *quem*) zum indirekten Objekt *(welchem)* konvertieren. Arbeiten wir mit der Bedeutung *unterstützen*, ändert sich nichts. Der Begriff *bellum hostile*, wörtlich: *feindlicher Krieg*, meint einen Krieg gegen einen außenpolitischen oder externen Feind und dient hier zur Unterscheidung von *bellum civile, Bürgerkrieg*, bzw. buchstäblich von dem «*schlimmen und schicksalhaften Krieg*» zwischen Caesar und Pompeius. *quocum* ist nicht etwa irgendein subatomares Elementarteilchen, sondern schlichtweg die Kombination aus Präposition *cum* und dem Relativpronomen im Ablativ *quo*. Die weitere Gliederung übernimmt die Doppelkonjunktion *non solum ... verum etiam ...* Das PPP *coniunctus, verbunden,* sollte man trotz der Beziehung zum Imperfekt *erat*, besser ohne *worden* übersetzen, also nicht als Plusquamperfekt Passiv *(verbunden worden war)*, sondern als Zustandspassiv *(verbunden war)*. Es schließt sich mit *et* ein weiterer Hauptsatz an ohne ein namentliches Subjekt außerhalb des Prädikates *venit*. Inhaltlich ist noch immer *Deiotarus* zu ergänzen. Auf diesen beziehen sich drei Prädikativa in Form dreier PPPs *(rogatus, arcessitus, evocatus)* in einer parallelistisch geschalteten, polysyndetischen Satzstruktur *(vel ... vel ... vel)* mit Homoioptoton der Nominativendung *-t-us (rogatus, amicus, arcessitus, socius, evocatus)*. Die schlankeste und technisch ausgereifteste Übersetzung ist wieder mal wörtlich-undekliniert. Wer mit *nachdem* konjunktionalisiert, macht aber nichts grundlegend falsch. *paruit* kommt von *parere, gehorchen*. Unterscheide den e-Stamm *pare-, gehorchen*, mit seinem u-Perfekt *paru-* vom kurz-i-Stamm *pari-, zeugen*, mit seinem Reduplikationperfekt *peper-* und von *para-, bereiten*, mit dem v-Perfekt *parav-*!

Postremo venit ut ad fugientem, non ut ad insequentem, id est: ad periculi, non ad victoriae societatem.

Zuletzt kam er wie zu einem Fliehenden, nicht wie zu einem Verfolgenden, das ist: zu (einer Gesellschaft) der Gefahr, nicht zu einer Gesellschaft des Sieges.

fugientem verfügt nicht über ein kongruentes Bezugswort und folglich müssen wir es substantivieren durch Großschreibung und Artikulierung, also Ausstattung mit einem bestimmten *(der)* oder unbestimmten Artikel *(ein)*. Gleiches gilt für *insequentem*. Übrigens ist es nicht falsch, wenn man statt von einem *Fliehenden* von einem *Flüchtling* und statt von einem *Verfolgenden* von einem *Verfolger* spricht. Die Wendung *id est*, die wir auch im heute gebräuchlichen Deutsch oder Englisch noch aus der Abkürzung «*i. e.*» kennen, hat erklärende Funktion im Sinne von: «*das bedeutet, das heißt*». «*ad periculi*» bereitet einen präpositionalen Ausdruck mit eingeklammertem Genitiv *(periculi)* vor, das Bezugswort folgt aber erst nach einem weiteren Ansatz zu einem präpositionalen Ausdruck mit eingeklammertem Genitiv *(victoriae)* in Form des Substantivs *societatem*. Dieser Umstand verlangt die vorgezogene Ergänzung von *societatem* zu «*ad periculi*» *(societatem)*.

Itaque Pharsalico proelio facto a Pompeio discessit.

Daher ging er nach Beendigung der Schlacht bei Pharsalos von Pompeius weg.

Pharsalico proelio facto ist ganz eindeutig ein AmP. *Pharsalicus*, wörtlich: «*pharsalisch*», bezieht sich auf den Ort Pharsalus in Griechenland, wo im Jahre 48 vor Christus die letzte entscheidende Schlacht zwischen Caesar und Pompeius stattfand (latinumsrelevant!). Es ist ein adjektivisches Attribut, das dem deutschen Sinn am ehesten gerecht wird, wenn man es präpositionalisiert, also durch einen präpositionalen Ausdruck des Ortes übersetzt: «*in Pharsalus, von Pharsalus, bei Pharsalus*». Die weiteren Übersetzungsschritte: 1. Präpositionalisierung und Substantivierung des vorzeitigen PPP *facto* mit *nach Durchführung, nach Erledigung, nach Beendigung* 2. Genitivierung des Bezugssubstantivs *proelio, des Kampfes*. Der präpositionale Ausdruck *a Pompeio* ist übrigens nicht mehr Bestandteil des Absolutus, bezieht sich vielmehr auf *discessit*.

Spem infinitam persequi noluit.
Einer unendlichen (leeren) Hoffnung folgen wollte er nicht.

Anders als beim deutschen Verb *folgen* steht das lateinische *sequi* und alle seine Komposita (wie hier: *persequi*) nicht mit dem Dativ, sondern mit dem Akkusativ. Das muss man wissen, sonst bekommt man bei *spem infinitam* Probleme. Außerdem sollte man den Perfektstamm *nolu-* zu *nolle, nicht wollen,* kennen.

Vel officio si quid debuerat, vel erroris si quid nescierat, satis factum esse duxit.
Wenn er entweder seiner Pflicht etwas geschuldet hatte, oder wenn er «was von einem Fehler» (irgendeinen Fehler) nicht gewusst (erkannt) hatte, glaubte er, dass genug getan worden war.

Der vielleicht schwerste Satz dieses Textes beginnt mit zwei parallelen Konjunktionalsätzen mit nachhängender Konjunktion *si.* Diese gehört also zunächst einmal an den Anfang. Die Doppelkonjunktion *vel ... vel ... entweder ... oder ...* sollte bekannt sein. Nach *si* entfällt die Vorsilbe *ali-* vor *quid. officio* ist hier – selten in dieser Form – Dativ, *debere* hat die – ebenfalls seltene – Bedeutung *schulden. erroris* ist Genitivus partitivus nach Quantitätsangaben, hier nach *(ali-)quid (irgendetwas von einem Irrtum),* was man besser kongruent dekliniert übersetzt: *irgendeinen Fehler. ducere* kann AcIs einleiten in der Bedeutung *glauben, meinen.* Subjektsakkusativ ist *satis, genug, factum esse* ist dazu der Infinitiv.

Domum se contulit teque Alexandrinum bellum gerente utilitatibus tuis paruit.
Nach Hause begab er sich und während du den Krieg in Alexandria führtest, gehorchte er deinen Bedürfnissen.

domum, nach Hause, ist ein erstarrter Richtungsakkusativ, wie man ihn auch aus Wendungen wie *Romam, nach Rom* oder *Athenas, nach Athen* kennt. *se conferre* hat die feststehende Bedeutung *sich begeben.* Das mit *-que* angeschlossene *te Alexandrinum bellum gerente* erfüllt die Kriterien als AmP: ein PPA *(gerente)* und kongruentes Bezugsnomen oder *-pronomen (te)* stehen im Ablativ ohne Präposition. *Alexandrinum bellum* ist Objekt zu *gerente.* Das Adjektiv *Alexandrinus* bezeichnet den sogenannten Alexandrinischen Krieg, die Belagerung und Einnahme Alexandrias unter Caesar in den Jahren 47–46 v. Chr. Ich hatte bereits darauf hingewiesen, dass man solche Adjektive auch durch einfache adverbiale Bestimmungen des Ortes in Form präpositionaler Ausdrücke (hier: *in Alexandria*) umschreiben kann. Bei längeren, durch Objekte erweiterten AmPs empfehle ich die Präpositionalisierung nicht. Sicherer ist hier die Konjunktionalisierung. Die Anleitung dazu: 1. Wähle die Konjunktion in Abhängigkeit von der Zeitstufe. Ein PPA ist gleichzeitig und die Konjunktion lautet: *während.* 2. Konvertiere das kongruente Bezugswort zum Subjekt des Konjunktionalsatzes: *du.* 3. Füge nun weitere Satzbausteine (Objekte, adverbiale Bestimmungen) ein: *den Alexandrinischen Krieg.* 4. Konvertiere das PPA zum Prädikat des Konjunktionalsatzes. Beachte dabei Diathese (hier: Aktiv) und Zeitverhältnis zum übergeordneten Prädikat (gleichzeitig zum Perfekt *paruit*): *führtest.*

Segesta est oppidum pervetus ...

Segesta est oppidum pervetus in Sicilia, iudices, quod ab Aenea fugiente a Troia atque in haec loca veniente conditum esse demonstrant.
Segesta ist eine sehr alte Stadt in Sizilien, in Bezug auf welche sie den Anspruch erheben, dass sie von Aeneas, als er von Troia floh und in diese Gegend kam, gegründet worden sei.

pervetus ist ein trügerisches Adjektiv. Die Endung *-us* täuscht eine o-Deklination vor. In Wirklichkeit handelt es sich um ein einendiges (!) Adjektiv der 3. Deklination. Das erklärt hier die Kongruenz mit *oppidum*. Der AcI, der von *demonstrant* abhängig ist, ist relativ verschränkt, weil der Subjektsakkusativ *(quod)* gleichzeitig einen Relativsatz einleitet. Wir müssen also mit *von* + Dativ oder *in Bezug auf* + Akkusativ operieren. Der Infinitiv *esse* steht mit dem prädikativen PPP *conditum*, also als Perfekt Passiv. Die PPAs *fugiente* und *veniente* können in nahezu allen Varianten übersetzt werden, wichtig ist nur, dass man die adverbialen Erweiterungen *a Troia* und *in haec loca* mit in die Partizipialkonstruktionen einbezieht. Wörtlich-dekliniert: «von dem aus Troia fliehenden und in diese Gegend kommenden Aeneas». Wörtlich-undekliniert: «von Aeneas aus Troia fliehend und in diese Gegend kommend». Relativsatz: «von Aeneas, der aus Troia floh und in diese Gegend kam». Oder, wie in meinem Vorschlag, konjunktional.

Hoc quondam oppidum [...] a Carthaginiensibus vi captum atque deletum est omniaque, quae ornamento urbi esse possent, Carthaginem sunt [...] deportata.
Diese Stadt wurde einst von den Karthagern mit Gewalt eingenommen und zerstört und alle Dinge, welche der Stadt zur Zierde gereichen konnten, wurden nach Karthago deportiert.

Alle Prädikate dieses Satzes *(captum ... deletum est, sunt deportata)* stehen im Perfekt Passiv, bestehend aus PPP + finiten Formen von *esse*. *von*-Agens ist *a Carthaginiensibus*. Das Adverb *quondam, einst,* sperrt die zwei kongruenten Akkusative *hoc* und *oppidum*. Verwechsele es nicht mit *quodam* oder *quoddam*. *vi* ist der Ablativ Singular des defektiven (= nicht in allen Kasus vorkommenden) Substantivs *vis, Gewalt,* das sehr leicht mit *vir, Mann,* (o-Deklination) verwechselt wird. *omnia, alles, alle Dinge,* ist substantiviertes Neutrum Plural. Dazu kongruent steht auch hier wieder das prädikative PPP *deportata* in Verbindung mit *sunt* (Perfekt Passiv). Es gilt als Zeichen von Bequemlichkeit und Einfallslosigkeit, wenn Übersetzer lateinische Worte mit deutschen Fremdwortäquivalenten übersetzen, so wie ich hier *deportare* mit *deportieren* übersetze. Doch diese Bedeutung trifft auch den Sinn im modernen Deutsch so scharf, dass ich es mir nicht verkneifen konnte. Wer es gern anders hätte, darf gern mit *wegschaffen, wegbringen,* oder auch *abtransportieren* arbeiten. Der Relativsatz zu *omnia (quae)* hält noch einen doppelten Dativ bereit. Dieser besteht aus einem Dativus finalis (hier: *ornamento*), einem Dativobjekt *(urbi)* und einer Form von *esse*. Dabei übersetzt man den Dativus finalis mit *zu*, das Dativobjekt wörtlich oder mit *für*, und *esse* entweder wörtlich oder mit *dienen, gereichen*.

Fuit apud Segestanos ex aere Dianae simulacrum, cum summa atque antiquissima praeditum religione tum singulari opere artificioque perfectum.
Bei den Segestanern war aus Erz ein Standbild der Diana, welches sowohl mit höchster und ältester religiöser Bedeutung belegt, als auch besonders mit einzigartiger Arbeit und Kunstfertigkeit geschaffen worden war.

Ein Verb wie *esse* bedarf neben einem Subjekt normalerweise eines Prädikativums, das angibt, was das Subjekt ist. Viele verwenden dafür die ungenaue Bezeichnung Prädikatsnomen. Doch für diese Funktion kommen auch andere Wortarten als nur Nomen in Frage, zum Beispiel Präpositionalausdrücke, wie in diesem Satz *apud Segestanos*. Auch *ex aere, aus Erz,* ist ein solcher Präpositionalausdruck, es erfüllt jedoch die Funktion eines Attributes zu *simulacrum*, weil es die materielle Beschaffenheit des Standbildes beschreibt. Die Form *aere* kann zu einer komischen Verwechslung führen, für die man dem Prüfling nicht einmal böse sein kann. Denn der Ablativ *aere* ist zwei Substantiven gemeinsam: *aes, aeris, Erz,* und *aer, aeris, Luft*. Die Absurdität eines Standbildes aus Luft muss allerdings jeden, der nicht völlig indolent ist, nach einer Alternative suchen lassen. Die Beziehung der Konjunktionen *cum* und *tum* in der Bedeutung *sowohl ... als auch besonders ...* wird leicht übersehen und dann als *wenn ... dann ...* übersetzt. Sie gliedert hier zwei PPPs *(praeditum, perfectum)*, die Attribute zu *simulacrum* bilden, indem auch sie dauerhafte Eigenschaften des Standbildes beschreiben. Alle Attribute lassen sich gut als Relativsätze wiedergeben. Die etwas isolierte Form *religione* kongruiert mit *summa* und *antiquissima*. Von der Form *opere* muss man den Nominativ kennen, um sie übersetzen zu können: *opus*. Formen von *opus* sind auch leicht zu verwechseln mit *ops, Mittel,* und *opera, Mühe*. Nicht weniger irritierend sind die Divergenzen zwischen Nominativ und Genitivstamm bei: *genus, Art, fax, Fackel, iter, Weg, latus, Seite, lex, Gesetz, lux, Licht, merx, Ware, mos, Sitte, nox, Nacht, rex, König, ops, Mittel, vis, Gewalt, vox, Stimme*.

Erat admodum amplum et excelsum signum cum stola, verum tamen inerat in illa magnitudine aetas atque habitus virginalis: sagittae pendebant ab umero, sinistra manu retinebat arcum, dextra ardentem facem praeferebat.

Es war ein ziemlich breites und hochragendes Standbild mit einem langen Gewand, aber dennoch war in jener Größe jungfräuliches Alter und (jungfräuliche) Haltung enthalten: Pfeile hingen von der Schulter, mit der linken Hand hielt sie den Bogen nach hinten, mit der rechten trug sie eine brennende Fackel voran.

Wenn das Prädikat eines lateinischen Satzes gleich zu Beginn fällt (hier: *erat*), kann man sich im Deutschen eines trickreichen Handgriffes bedienen, um das Prädikat in Zweitstellung zu bekommen ohne der Stellung der anderen Satzteile Gewalt anzutun: Man setzt einen Subjektstellvertreter ein in Form des deutschen Pronomens *es*. Dieser Substituent erlaubt es dem tatsächlichen Subjekt (hier: *signum*) die Stellung zu halten. Bei *esse* kann man dann sowohl Subjekt als auch Prädikativum (Prädikatsnomen; hier: *amplum* und *excelsum*) zusammen übersetzen. *inerat*, obwohl im Singular, bezieht sich auf beide Subjekte *aetas* und *habitus*, ebenso wie *virginalis*, jungfräulich. *aetas* meint hier das Jugendalter. zu *dextra* ergänze *manu* (beides Ablative). *ardentem* ist ein attributives PPA zu *facem*. Der Nominativ von *facem* ist ebenso schwer zu finden wie auch bei anderen Substantiven auf *-x* mit einem Genitivstamm auf *-c* oder *-g*, z. B.: *lex*, Gesetz, *lux*, Licht, *rex*, König, *vox*, Stimme.

Aliquot saeculis post P. Scipio bello Punico tertio Carthaginem cepit.

Einige Jahrhunderte später nahm Publius Scipio im Dritten Punischen Krieg Karthago ein.

Das trügerische an einigen Präpositionen ist, dass sie gar keine Präpositionen sind, sondern Adverbien. Sie dienen dann auch als Indiz dafür, dass sich die Präpositionen ursprünglich aus den Adverbien heraus entwickelt haben, ähnlich wie die Konjunktionen. Zu diesen Adverbien zählen: *ante*, vorher, *contra*, im Gegensatz, *prope*, beinahe, und auch *post*, später, das Anlass zu diesem Exkurs gab. *aliquot saeculis post* heißt also nicht: «nach einigen Jahrhunderten», sondern: «einige Jahrhunderte später», genau genommen im Jahre 146 vor Christus. Abkürzungen römischer Eigennamen wie hier *P.* für *Publius* solltest du in der Übersetzung ausschreiben. Im Idealfall sollten dir einige der genannten Namen auch als historische Persönlichkeiten etwas sagen. *Publius Scipio Africanus* wäre so einer, den du kennen solltest, einmal als Zerstörer Karthagos (146 v. Chr., daher auch der Beiname *Africanus*) und als Förderer griechischer Literatur in Rom.

Illo tempore Segestanis maxima cum cura haec ipsa Diana, de qua dicimus, redditur. Reportatur Segestam.

Zu jener Zeit wird den Segestanern mit größter Sorgfalt diese Diana selbst, über welche wir sprechen, zurückgegeben. Sie wird nach Segesta zurücktransportiert.

Dass *Segestanis* nur Dativ, nicht Ablativ sein kann, erkennt man an der Tatsache, dass es ohne Präposition steht. Denn der Ablativ der Person steht nie ohne Präposition, außer in zwei Ausnahmefällen: ohne Präposition auch bei Personen stehen der Comparationis und der Absolutus. Für den Dativ spricht hier außerdem das Prädikat *redditur* (von *reddere*, zurückgeben), das man in Begleitung eines Dativobjektes erwartet. Wenn du noch Fehler bei leicht verwechselbaren Pronomen wie *idem, eadem, idem, iste, ista, istud* oder *ipse, ipsa, ipsum*, machst, schleife dringend nach! *Segestam* ist Richtungsakkusativ bei Städtenamen hier nach einem Verb des Bringens *(reportatur)*. Analog zu *Romam*, nach Rom, *Karthaginem*, nach Karthago, *Athenas*, nach Athen, heißt *Segestam*: nach Segesta. In einigen Prüfungen wird das vorausgesetzt. Für solche Fälle am besten direkt eine Karteikarte zücken. Beachte die Form der Prädikate hier und in den folgenden Sätzen: Es handelt sich um Homoioteleuta von *-tur*.

In suis antiquis sedibus summa cum gratulatione civium et laetitia reponitur. Colebatur a civibus. Ab omnibus advenis visebatur.
Sie wird an ihren alten Platz (singularisiert) mit größter Dankbarkeit und Freude der Bürger zurückgestellt. Sie wurde verehrt von den Bürgern. Von allen Reisenden wurde sie besichtigt.

sedes, Sitz, Platz, erscheint hier als Plural *(Plätze).* Dafür gibt es keinen konkreten grammatischen Grund wie etwa ein Plurale tantum (also ein Wort, das nur im Plural existiert) oder eine Sonderbedeutung im Plural. Vielleicht könnte man von einem sogenannten poetischen Plural sprechen, also einer gewissen dichterischen Freiheit. In jedem Falle wären die Implikationen, wenn die Segestaner, die ohnehin heilfroh waren, dass sie ihre Diana in einem Stück zurück hatten, sie gleich an mehreren Stellen aufgestellt hätten, mit der Integrität des Standbildes nicht vereinbar gewesen. Die Singularisierung musst du aber grundsätzlich in Klammern kenntlich machen! *cum* ist eine zwischen ihren Bezugswörtern eingeklemmte Präposition. *advena* ist ein maskulines Substantiv der a-Deklination und bedeutet soviel wie: *Ankömmling,* und im weiteren Sinne dann auch *Reisender,* um nicht zu sagen *Tourist.* Dazu passt auch *visebatur* (nicht *videbatur*!) von *visere, besichtigen.*

Hanc cum iste sacrorum omnium et religionum hostis praedoque vidisset, quasi illa ipsa face percussus esset, item flagrare cupiditate atque amentia coepit.
Nachdem diese (Diana) dieser Feind und Freibeuter aller Kulte und Heiligtümer gesehen hatte, als wenn er von jener Fackel selbst getroffen worden wäre, begann er ebenso zu brennen vor Begierde und Wahnsinn.

Die Präposition *cum* gehört eigentlich an den Anfang. Sie bereitet einen vorzeitigen Konjunktionalsatz mit *nachdem* vor *(vidisset* ist Konjunktiv Plusquamperfekt). Das Objekt *hanc* drängt sich jedoch wegen des engen Bezuges zu den vorherigen Sätzen in den Vordergrund. Schließlich ist noch immer von einer Göttin die Rede. Nun folgt ein Ungetüm von einem Genitivattribut mit Homoioptoton (gleiche Kasusendung) auf *-um,* das sich so zwischen seinen Bezugswörtern *iste, hostis* und *praedo* breit macht, dass es sie als Subjekte des Satzes fast aus der Zeile drängt. Auch *quasi* gehört zur Familie der *si*-Sätze und wie in allen *si*-Sätzen muss auch hier der Konjunktiv Plusquamperfekt *(percussus esset)* ganz wörtlich ins Deutsche übersetzt werden. *illa ipsa face* ist ein kongruenter Ablativus instrumentalis. *coepit* ist eigentlich ein präsentisches Perfekt, das gewöhnlich als Präsens übersetzt werden muss, in den Kontext passt hier aber auch das Perfekt. Abhängig davon ist ein einfacher Infinitiv *flagrare,* der mit *zu* übersetzt werden muss.

Imperat magistratibus, ut eam demoliantur et sibi dent.
Er befiehlt den Beamten, dass sie diese abmontieren und ihm geben sollen.

imperare, befehlen, steht, im Gegensatz zu *iubere, befehlen,* nicht mit dem AcI, sondern mit dem Dativ und einem *ut*-Satz. Da es sich um einen Befehl handelt, kann man den Sinn durch die Formulierung mit *sollen* noch etwas aufpolieren. Das Reflexivpronomen *sibi* kann, je nach Zusammenhang, *ihr, ihnen, sich* oder, wie hier, *ihm* heißen. Nur der Kontext entscheidet. Es bezieht sich immer auf das Subjekt des übergeordneten Satzes (hier: Verres).

Nihil sibi gratius ostendit futurum.
Er erklärt, dass nichts ihm lieber sein werde.

Die Ellipse von *esse* in diesem AcI ist einer der Fußhaken des Textes. Eingeleitet wird die Konstruktion durch *ostendere, darlegen,* erklären. Subjektsakkusativ ist *nihil,* der Infinitiv ist nur noch rudimentär erahnbar durch das prädikative Attribut *futurum,* einem PFA von *esse. esse* selbst ist elliptisch, das in Verbindung mit dem PFA die sogenannte Coniugatio periphrastica activa bildet, die Umschreibung des Futur 1 Aktiv. *sibi* ist auch hier wieder Reflexivpronomen im Dativ zum übergeordneten Subjekt *(Verres).* Das Prädikativum zu *futurum esse* ist der Komparativ Neutrum *gratius.*

Iste tum petere ab illis, tum minari.
Bald forderte dieser von jenen, bald drohte er.

Der historische Infinitiv ist nicht gerade Ciceros Spezialität. Dass er ihn aber durchaus gelegentlich einsetzt, zeigt dieses Beispiel. Beim historischen Infinitiv steht ein bloßer Infintiv Präsens anstelle eines finiten Erzähltempus (vor allem Perfekt). In der deutschen Übersetzung muss man daher jeden Infinitiv zunächst sinngemäß finit machen. Dazu orientiert man sich am Numerus des Subjekts (hier: *iste*) und am deutschen Erzähltempus Präteritum.

Itaque aliquando multis malis magnoque metu victi Segestani praetoris imperio parendum esse decreverunt.
Daher beschlossen irgendwann die Segestaner, nachdem sie durch viele üble Dinge und große Furcht überwältigt worden waren, dass dem Befehl des Prätors gehorcht werden musste (zu gehorchen war).

Das PPP im Nominativ Plural *victi* ist Prädikativum zum Subjekt *Segestani* und sollte mit *nachdem* konjunktionalisiert werden. Vergiss dabei nicht, dass jedes Partizip auch durch adverbiale Bestimmungen näher beschrieben werden kann (hier die Ablative *multis malis magnoque metu*), die ebenfalls in den Konjunktionalsatz gehören. Das Prädikat *decreverunt* (von *decernere, beschließen*) initialisiert einen AcI, bestehend aus einem prädikativen Gerundivum mit *esse* und neutralem Subjekt. Dieses neutrale Subjekt steht im Lateinischen nicht da, sondern geht aus KNG des Prädikativums *(parendum)* hervor. Im Deutschen muss man bei finiten Formen von *esse* das Pronomen *es* ergänzen *(«es ist zu gehorchen», «es muss gehorcht werden»)*, hier im AcI-bedingten *dass*-Satz kommt man jedoch ohne aus. *parendum* kommt vom e-deklinierten *parere, gehorchen* (Stamm *pare-*), nicht vom kurz-i-stämmigen *parere, zeugen* (Stamm *pari-*). Das geht nur aus dem Kontext hervor, wo zweimal von Befehlen *(imperat, imperio)* die Rede ist. *parere* tritt regelmäßig mit dem Dativ auf *(wem gehorchen)* und so ist *imperio* hier nicht etwa Dativus auctoris, sondern einfaches Dativobjekt. *praetoris* ist vorangestelltes Genitivattribut zu *imperio*.

Magno cum luctu totius civitatis [...] simulacrum Dianae tollendum locatur.
Mit großer Trauer der ganzen Bürgerschaft wird der Abtransport des Standbildes der Diana durchgeführt.

totius ist Genitivattribut von *totus, ganz*, das gemeinsam mit einer Reihe weiterer Pronominaladjektive *(«unus, solus, totus, ullus, uter, alter, neuter, nullus und uterque ...»)* in zwei Kasus von der o-Deklination abweicht: im Genitiv *(-ius)* und im Dativ Singular *(-i)*. Subjekt des Satzes ist *simulacrum*, kongruent mit dem Gerundivum *tollendum*. Am einfachsten macht man sich diese Konstruktion in den meisten Fällen, wenn man das Notwendigkeitspartizip substantiviert und sein Bezugswort genitiviert, hier also: *der Abtransport des Standbildes*. Dabei findet zwar im Deutschen ein Subjektswechsel statt, aber man ist die Sorge los und das Ganze macht auch noch Sinn. Dem Stammwechselverb *tollere*, sonst in den Bedeutungen *beseitigen, aufheben, wegnehmen,* anzutreffen, habe ich hier mit *abtransportieren* einen etwas neueren Schliff gegeben.

Et quoniam mihi videris ...

Et quoniam mihi videris istam scientiam iuris tamquam filiolam osculari tuam, non patiar te in tanto errore versari, ut istud, [...] quod tanto opere didicisti, praeclarum aliquid esse arbitreris.
Und weil es mir scheint, dass du diese Wissenschaft des Rechts so wie dein Töchterchen küsst, werde ich nicht zulassen, dass du dich in einem so großen Irrtum befindest, dass du glaubst, dass dies, [...] welches du so sehr studiert hast, irgendwas Großartiges ist.

Der Satz beginnt mit einem Nebensatz *(quoniam)*, setzt sich mit dem Hauptsatz *(non patiar)* fort und läuft in einem *ut*-Satz aus, in den ein Relativsatz *(quod)* zwischengeschaltet ist. Nun gehe ich Satz für Satz vor. Die Prädikatsanalyse von *videris* ergibt: 2. Singular Indikativ Präsens Deponent von *videri, scheinen*. Eine solche Form leitet meistens einen NcI ein nach dem deutschen unpersönlich-neutralen Übersetzungsschema: «*Es scheint mir, dass ...*». Der Subjektsnominativ muss hier aus der 2. Person des Prädikats extrahiert und in den *dass*-Satz transferiert werden. Anschließend macht man den Infinitiv *(osculari, küssen)* zum Prädikat des *dass*-Satzes: «*... du ... küsst ...*». Der Rest des *quoniam*-Satzes ist technisch anspruchslos. *iuris* ist Genitiv von *ius*, ein Nominativ, der wegen der abweichenden Stammauslaute schwer zu finden ist wie auch *lux, Licht, genus, Art, iter, Weg, latus, Seite, lex, Gesetz, merx, Ware, mos, Sitte, nox, Nacht, rex, König, ops, Hilfe, opus, Arbeit, os, Mund, vis, Gewalt, vox, Stimme. patiar*, von *pati, zulassen*, kann der Form nach sowohl 1. Person a-/e-Futur als auch Konjunktiv Präsens Deponent sein. Die konjunktivische Unentschlossenheit ist in den Reden jedoch nicht Ciceros Art. Auch *pati* gehört zu den AcI-Signalen, deswegen kann man jetzt bereits den AcI-Ansatz anlegen: «*ich werde zulassen, dass ...*». Subjektsakkusativ ist *te*, Infinitiv ist das Deponens *versari, sein, sich aufhalten, sich befinden*: «*... du dich befindest ...*». An das demonstrative Pronominaladjektiv *tanto* knüpft *ut* wieder an. Auch das Prädikat des *ut*-Satzes *arbitreris* leitet klassischerweise einen AcI ein, der hier aus dem Subjektsakkusativ *istud*, dem Infinitiv *esse* und einem nach *esse* obligatorischen Prädikativum *aliquid praeclarum* besteht. *quod* bezieht sich relativ auf *istud*. *didicisti* ist ein Reduplikationsperfekt von *discere, lernen*.

Aliis ego te virtutibus, continentiae, gravitatis, iustitiae, fidei, ceteris omnibus, consulatu et omni honore semper dignissimum iudicavi.
Anderer Tugenden, der Selbstbeherrschung, der Chrakterstärke, der Gerechtigkeit, der Zuverlässigkeit, aller Übrigen, des Konsulates und jeder Ehrung habe ich dich immer für sehr würdig gehalten.

Tragende Struktur des Satzes ist *iudicare* in der Bedeutung *halten für* mit doppeltem Akkusativ *(te dignissimum)*. Das Adjektiv *dignus, würdig*, steht im Deutschen mit Genitiv *(würdig wessen)*, im Lateinischen mit dem Ablativ. Ablative sind hier die vom Subjekt *ego* und Objekt *te* gesperrten Formen *aliis ... virtutibus*, ferner *ceteris omnibus, consulatu* und *omni honore*. Die Formen der asyndetischen Liste *continentiae, gravitatis, iustitiae, fidei* liegen alle im selben Kasus vor und dafür kommt formal nur der Genitiv in Frage. Als Attribute beziehen sie sich auf *virtutibus* und geben den genauen Inhalt dieser Tugenden an, also die Tugend der Selbstbeherrschung, der Seriosität usw. Diesen Genitiv nennt man auch Genitivus definitionis, Genitiv der Abgrenzung oder der Bestimmung.

Quod quidem ius civile didicisti, [...] illud dicam: nullam esse in ista disciplina munitam ad consulatum viam.
Was allerdings die Tatsache betrifft, dass du das bürgerliche Recht studiert hast, [...] will ich jenes (Folgendes) sagen: dass in dieser Wissenschaft kein gesicherter Weg zum Konsulat ist (liegt).

Eine kurze Anmerkung noch zu dem *quod*: Es handelt sich um ein faktisches *quod (dass)*, dem ursprünglich ein Satz von ähnlichem Wortlaut wie der ergänzte («*Was aber die Tatsache betrifft ...*») auch im Gedanken des lateinischen Sprechers vorweg ging. Dieser fiel mit der Zeit aus Gewohnheit weg. *dicam* darf auch als a-/e-Futur 1 übersetzt werden. Wichtiger ist die Erkennung des AcI «*nullam esse ... munitam ... viam*». Dieser hängt von *dicam* ab. Der Doppelpunkt unterstreicht lediglich das bedeutungsschwangere *illud*, das kurz darauf den AcI zur Welt bringt. Die Hyperbata der Attribute *nullam* und *munitam* zu *viam* sind auffällig, ob man sie attributiv und wörtlich-dekliniert *(kein gesicherter Weg)* oder zumindest *munitam* prädikativ und wörtlich-undekliniert *(kein Weg gesichert)* übersetzt. Ohne Prädikativum kann *esse* auch die Bedeutungen *existieren, bestehen, liegen*, annehmen. Mit Prädikativum bleibt man besser bei *sein*. Als Prädikativa stehen das PPP *munitam* («*dass kein Weg gesichert ist*») oder sogar das Präpositionalattribut «*in ista disciplina*» («*dass in dieser Wissenschaft kein gesicherter Weg ist*») oder sogar beide («*dass in dieser Wissenschaft kein Weg gesichert ist*») zur Auswahl.

Omnes enim artes, quae nobis populi Romani studia concilient, et admirabilem dignitatem et pergratam utilitatem debent habere.
Denn alle Fähigkeiten, welche uns die Wählerstimmen des römischen Volkes sichern, müssen sowohl ein bewundernswertes Ansehen als auch eine sehr beliebte Interessenvertretung haben.

Der Einfallsreichtum für Alternativübersetzungen des Substantivs *ars* ist meistens so begrenzt wie ein Schrebergarten. Wenn *Kunst* nicht passt, dann vielleicht *Kunst*, im Zweifelsfall noch *Kunst*. Bitte denkt doch wenigstens mal an *Kunstfertigkeit* oder sogar an *Eigenschaft, Fähigkeit, Wissenschaft, Geschick, Handwerk, Übung*! Der Konjunktiv *concilient* (Präsensstamm ist *concilia-*) verleiht dem Relativsatz einen finalen Nebensinn, so dass *quae* durch *ut* ersetzt werden kann (In dem Sinne: *Sie müssen Ansehen und Nutzen haben, damit sie uns Wählerstimmen sichern*). Beachte die zweigliedrige Konjunktion *et ... et ... sowohl ... als auch .... debere* heißt meistens *müssen* und nur sehr selten *schulden*! Denke daran beim Raussuchen!

Summa dignitas est in eis, qui militari laude antecellunt.
Höchstes Ansehen ist (liegt) in diesen, welche durch militärischen Ruhm hervorragen.

Denke daran, dass Adjektive der 3. Deklination im Singular meist auf *-i* auslauten (hier: *militari*). Leider verwechseln unerfahrene Anfänger dieses *i* immer wieder mit dem Dativ der 3. Deklination und sogar mit dem Nominativ oder Genitiv der o-Deklination. Sei nicht nachschlagefaul und sichere die Deklinationsklasse mit Hilfe des Wörterbuches ab!

Omnia enim, quae sunt in imperio et in statu civitatis, ab his defendi et firmari putantur.
Denn es wird geglaubt, dass alle Dinge, welche im Herrschaftsbereich und im Bestand des Staates sind (liegen), von diesen verteidigt und gesichert werden.

Das substantivierte Neutrum Plural *omnia* und die Infinitive *defendi* und *firmari* sind als Subjektsnominativ und Infinitive Konstituenten eines NcIs, der von dem Signalverb *putantur* katalysiert wird. Person und Numerus des Einleiterprädikats sind für die Einleitungsphrase irrelevant. Erst im *dass*-Satz definieren sie Person und Numerus des Subjektsnominativs und des Prädikates: Initialisiert wird die deutsche NcI-Auflösung immer durch einen unpersönlich-neutralen Ausdruck mit *es*, also hier: «*es wird geglaubt ...*» Das *von*-Agens *ab his* bezieht sich auf die ruhmreichen Militärs aus dem Vorsatz. Bei mehrdeutigen Formen wie *imperium*, eigentlich *Herrschaft, Reich,* und dem Allerweltsprädikat *sunt*, eigentlich: *sie sind,* kannst du in Klammern ruhig freier werden, wenn es dir passend erscheint.

Summa etiam utilitas, si quidem eorum consilio et periculo cum re publica tum etiam nostris rebus perfrui possumus.
Höchste Interessenvertretung (ist in diesen Militärs) auch, wenn wir jedenfalls durch die Planung und Risikobreitschaft von diesen sowohl aus unserem Staat als auch besonders aus unseren Sachen (unserem Vermögen, unserem Besitz) Nutzen ziehen können.

Der Anfang dieses Satzes weist Parallelen auf zum Anfang zwei Sätze zuvor. Deshalb spart sich Cicero eine erneute Nennung identischer Satzabschnitte, wie wir das auch in der deutschen Umgangssprache tun. Richtig übersetzt versteht man den Satz auch ohne die Klammer. Von dem Prädikat des *si*-Satzes *possumus* (Indikativ!) hängt ein Infinitiv ab *(perfrui)*. Dieser ist, wie in der Hilfe angegeben, mit zwei Ablativi separativi konstruiert (*re publica* und *nostris rebus*), die ihrerseits durch die Doppelkonjunktion *cum ... tum etiam ...* in eine Reihe gebracht werden. *consilio* und *periculo* hingegen sind normale instrumentale oder kausale Ablative, die den Infinitiv *perfrui* adverbial modifizieren. *eorum* ist dazu ein Genitivattribut. Die Übersetzung *Risikobereitschaft* steht nicht im Wörterbuch, trifft aber hier am besten zu. Von den Wörterbuchbedeutungen nähert sich *Lebensgefahr* diesem Sinn an. Vergiss nicht, dass in der klassischen Philologie zuletzt ein Umdenken stattgefunden hat, als wir noch einen Kaiser hatten – dementsprechend reformresistent sind auch die Wörterbücher.

Gravis etiam illa est et plena dignitatis dicendi facultas, quae saepe valuit in consule deligendo […].
Wichtig auch und voll von Ansehen ist jene Fähigkeit des Redens, welche oft Bedeutung hat bei der Wahl des Konsuls […].

Subjekt des Hauptsatzes ist *facultas*. Das Prädikat *est* verlangt ein Prädikativum (Prädikatsnomen). Als Prädikativa stehen in diesem Satz gleich drei Formen zur Verfügung, die sich in KNG nach dem Subjekt richten: *gravis, plena* und *illa*. Alle drei Formen stehen voneinander auffällig weit gesperrt. Aus der Stellung kann man nicht erkennen, welches Prädikativum und Attribut ist, sondern allenfalls durch Intuition oder Ausprobieren. Kongruente Pronominalattribute (hier: *illa*) neigen eher zu rein eigenschaftsattributiver Funktion. Das Adjektiv *plenus, voll*, steht mit dem Genitivus partitivus (hier: *dignitatis*) zur Angabe des Maßes oder der Teilmenge. *dicendi* kann wegen seiner Nähe zu einem scheinbar kongruenten Genitiv *(dignitatis)* für ein Gerundivum gehalten werden. Das würde jedoch keinen Sinn machen, weil es nicht heißen kann: *«voll von zu sagendem Ansehen»* oder *«voll vom Sagen des Ansehens»*. Während sich *dignitatis* jedoch funktional auf *plena* bezieht, ist *dicendi* ein isoliertes Genitivattribut zu *facultas* und damit ein substantivierter Infinitiv, den ich in der Übersetzung artikuliere und groß schreibe *(des Redens)*. *in consule deligendo* ist hingegen ein typisches präpositionales Gerundivum im Ablativ. *in* hat bei nd-Formen im Ablativ die Bedeutung *beim*, das Notwendigkeitspartizip wird substantiviert *(Wählen)*, das Bezugswort genitiviert *(des Konsuls)*. Wer es unbedingt wörtlich will: *«beim zu wählenden Konsul»*.

Quaeritur consul, qui dicendo non numquam comprimat tribunicios furores, qui concitatum populum flectat, qui largitioni resistat.
Gesucht wird ein Konsul, welcher durch Reden manchmal die tribunizischen Wutausbrüche unterdrückt (unterdrücken kann), welcher das aufgebrachte Volk umstimmt (umstimmen kann), welcher der Bestechung widersteht (widerstehen kann).

dicendo, *durch Reden*, ist ein einfaches Gerundium im instrumentalen Ablativ. *non numquam*, auch zusammen geschrieben: *nonnumquam*, wörtlich: *nicht niemals*, entspricht unserem *manchmal*. Die Konjunktive *comprimat, flectat, resistat* im Relativsatz sind kein Zufall. In ihnen schwingt ein konsekutiver Nebensinn mit in dem Sinne: *«Gesucht wird ein Konsul von der Art, dass er unterdrücken, umstimmen, widerstehen kann.»* Diesen konjunktivischen Nebensinn kann man durch potentiale Ausdrücke mit *können* auch im deutschen Relativsatz herausziselieren. Das PPP *concitatus* trägt hier fast nur noch die Bedeutung eines reinen Adjektivs *(unruhig, unzufrieden)*. Man kann es aber auch mit einem Konjunktionalsatz auflösen (konjunktionalisieren): *«das Volk, nachdem es aufgewiegelt worden ist»*. Die Volkstribunen konnten kraft ihrer Amtsgewalt gegen jeden Senatsbeschluss ihr Veto einlegen. Die Formulierung *furores, Wutausbrüche,* spielt auf Fälle an, in denen das Veto-Recht als Instrument demonstrativer Blockadepolitik genutzt wurde. Das euphemistisch (beschönigend) ausgedrückte *«Unterdrücken»* der tribunizischen Amtsgewalt bestand nicht selten aus Mord und Totschlag unliebsamer politischer Gegner, wie im Falle des berühmtesten Volkstribunen der römischen Geschichte Tiberius Sempronius Gracchus (133 v. Chr.) oder unter der Diktatur Sullas (82 v. Chr.).

Non mirum, si ob hanc facultatem homines saepe etiam non nobiles consulatum consecuti sunt, praesertim cum haec eadem res plurimas gratias, firmissimas amicitias, maxima studia pariat.
Nicht verwunderlich (Kein Wunder), wenn wegen dieser Fähigkeit oft auch nicht adlige Menschen den Konsulat erreicht haben, besonders weil diese selbe Sache (die Beredsamkeit) die meisten Anerkennungen, die festesten Freundschaften, die wichtigsten Wählerstimmen hervorbringt.

Zwischen das Subjekt *homines* und sein kongruentes Attribut *nobiles* drängen sich allein zwei Adverbien (*saepe* und *etiam*), die dort nicht hingehören. So entsteht eine Sperrung. *consulatum* ist Akkusativobjekt von dem u-deklinierten Substantiv *consulatus*. *consecuti sunt* ist PPDep von *consequi*, *erreichen* + *esse* und bildet damit ein Perfekt Deponent. Der kausale Nebensatz besteht aus dem Subjekt *haec eadem res* und einem asyndetischen, dreigliedrigen Objektparallelismus mit Homoioptoton der Akkusativ-Plural-Endung *-as*. Sowas muss man auf einen Blick erkennen, wenn auch nicht unbedingt benennen können. Denke bei Formen von *idem* an die Voranstellung von *selbe* und bei *ipse* an die Nachstellung von *selbst*. *pariat* kommt hier vom kurz-i-konjugierten *pari-, peper-, part-, zeugen,* nicht aber von *pare-, paru-, gehorchen*.

Quorum in isto vestro artificio, Sulpici, nihil est.
Von diesen Dingen ist in diesem eurem Beruf, Sulpicius, nichts.

quorum ist ein partitiver Genitiv in Verbindung mit *nihil, nichts,* was ja durchaus als Quantitätsangabe angesehen werden darf. Gleichzeitig ist es ein relativer Anschluss in Form eines substantivierten Neutrum Plurals *(Dinge)*, das die Gesamtheit der genannten Attribute und Fähigkeiten, die Cicero von einem Konsul verlangt, noch einmal zusammenfassend aufgreift, also *dignitas, Ansehen, utilitas, Interessenvertretung, dicendi facultas, rhetorische Fähigkeit. Sulpici* ist ein Vokativ, der in dieser Form auf *-i* nur bei Namen der o-Deklination auftritt, die den Nominativ auf *-ius,* bzw. einen Wortstamm auf *-io-* aufweisen. Da wir im Deutschen zwischen Vokativ und Nominativ nicht unterscheiden, ist es falsch und als Fehler anrechenbar, wenn man solche Formen bei der deutschen Übersetzung unverändert *(Sulpici)* stehen lässt. Auch hier gilt: Für jeden lateinischen Kasus eines Eigennamens tritt im Deutschen immer und unverändert nur der lateinische Nominativ *(Sulpicius)* oder entsprechend gebräuchlichere deutsche Namen (z. B. Marc Anton statt Marcus Antonius, Karthager statt Carthaginienses, Römer statt Romani).

Vetus est haec opinio ...

Vetus est haec opinio [...] insulam Siciliam totam esse Cereri et Liberae consecratam.
Alt ist diese Sage, dass die Insel Sizilien ganz der Ceres und Libera geweiht ist.

Es ist ein Substantiv, kein Verb, das hier einen AcI einleitet *(opinio)*. Der AcI selbst besteht aus dem Subjektsakkusativ *insulam Siciliam,* dem Infinitiv *esse* und dem mit *esse* verbundenen Prädikativum *consecratam,* einem PPP von *consecrare, weihen.* Diese Konstruktion lässt einen zunächst an das Perfekt Passiv denken. Wenn aber der passive Zustand (hier das geweiht Sein) aus der Vergangenheit bis in die Gegenwart andauert, spricht man von einem sogenannten Zustandspassiv. Dies unterscheidet sich nur im Deutschen von den Formen des Perfekts Passiv, weil es ohne *worden* steht. Es ist natürlich grammatisch nicht falsch, wenn du übersetzt hast: «... *geweiht worden ist».* Das Attribut *totam* kann sowohl attributiv wörtlich-dekliniert *(die ganze Insel Sizilien)* als auch prädikativ wörtlich-undekliniert *(die Insel Sizilien ganz)* aufgefasst werden. Ein formal wahrnehmbarer Unterschied besteht nur im Deutschen!

Nam et natas esse has in his locis deas et fruges in ea terra primum repertas esse arbitrantur et raptam esse Liberam [...] ex Hennensium nemore.
Denn sie glauben, dass diese Göttinnen in diesen Orten geboren wurden und Früchte in dieser Erde erstmals gefunden wurden und dass Libera aus dem heiligen Hain von Henna geraubt wurde.

Dieser Text ist mit AcIs bis unter die Decke vollgestapelt. Das Deponens *arbitrari* ist eines der klassischen AcI-Signalverben und versorgt gleich drei, durch polysyndetisches *et* verbundene AcIs mit drei Subjektsakkusativen *(has deas, fruges, Liberam)* und drei Infinitiven mit PPPs im Perfekt Passiv *(natas esse, repertas esse, raptam esse).* Lass dich nicht durch die Stellung von *arbitrantur* irritieren. Für jeden AcI-Einleiter gilt: An den Anfang damit! Stilistisch interessant ist die Sperrung der kongruenten Bezugswörter *has* und *deas* durch einen ganzen präpositionalen Ausdruck *(in his locis),* außerdem das eingeklammerte Genitivattribut zwischen *ex* und *nemore* (Hyperbaton).

Quam cum investigare et conquirere Ceres vellet, dicitur inflammasse taedas iis ignibus, qui ex Aetnae vertice erumpunt.
Als Ceres diese aufspüren und suchen wollte, wird es gesagt, dass sie Fackeln angezündet habe mit diesen Feuern, welche aus dem Gipfel des Aetna ausbrechen.

Das Akkusativobjekt *quam* ist relativer Anschluss an *Liberam* aus dem Vorsatz. Denke an die Übersetzung solcher Relativpronomen als Demonstrativpronomen. *cum* ist die eigentliche nebensatzeinleitende Konjunktion. Der NcI im Hauptsatz kann kaum übersehen werden, weil *dicitur* sehr auffällig positioniert ist. Das Subjekt des Nebensatzes *(Ceres)* muss auch im Hauptsatz herhalten als Subjektsnominativ. Infinitiv ist *inflamasse,* in dem das Perfektsuffix *v* und der Anlaut der Infinitiv Endung *i (-isse)* mit dem Stammauslaut *-a* verschmiert worden ist. Für die deutsche Einleitungstechnik des NcI mit «es» spielt das Geschlecht des Subjektsnominativs zunächst keine Rolle. Erst im *dass*-Satz wird das Subjekt genannt oder, wie hier, pronominal *(sie)* wieder aufgegriffen. *Aetnae* ist Genitiv in Klammerstellung.

Henna autem, ubi ea, quae dico, gesta esse memorantur, est loco perexcelso atque edito, quo in summo est aequata agri planities et aquae perennes, tota vero ab omni aditu circumcisa atque directa est.

Henna aber, von wo berichtet wird, dass diese Dinge, welche ich erzähle, getan worden sind, ist auf einem sehr hohen und erhabenen Ort, auf dessen höchster Stelle eine geebnete Fläche von Ackerland ist und nie versiegende Wasserquellen, ganz aber ist es (Henna) von jedem Zugang ringsum abgeschnitten und steil abfallend.

Der Nebensatz «*ubi ea ... gesta esse memorantur*» enthält einen verschränkten NcI. Wenn ein solcher Nebensatz nicht mit einem Relativpronomen, sondern einem Frageadverb (hier: *ubi, wo*) beginnt, operiert man technisch ähnlich wie beim relativ verschränkten NcI oder AcI: Man setzt mit *von* + Frageadverb statt Relativpronomen an. Einen Dativ kann man davon nicht bilden. Anschließend zieht man das Signalverb vor (hier: *memorantur*), dass man beim NcI ganz normal unpersönlich (also mit neutralem Subjekt *es*) einleitet, ungeachtet der PN-Kongruenz mit dem Subjektsnominativ (also Person-Numerus-Übereinstimmung mit der 3. Plural von *ea*). Manchmal kann es sogar weggelassen werden: «*von wo (es) berichtet wird ...*». Erst im *dass*-Satz erhält das Subjekt eine *finite* Verbform, indem man den Infinitiv (hier: *gesta esse*) in PN-Kongruenz mit dem Subjekt zum Prädikat macht: «*... dass diese Dinge getan worden sind.*» *ea* ist übrigens substantiviertes Neutrum Plural. *aequata* kann man bei der Übersetzung wie ein adjektivisches Attribut wörtlich deklinieren *(geebnete Fläche)*. Die PPPs *circumcisa* und *directa* sind wieder zustandspassivisch. Wegen der Nähe von *esse* zu allen drei Partizipien (*est aequata,* bzw. *circumcisa atque directa est*) ist eine Übersetzung als Perfekt Passiv vielleicht formal nicht falsch, sinngemäß aber in keinem Fall. Der Stil, in dem Cicero hier die Szenerie beschreibt, ist poetisch angehaucht. In der antiken Literaturtheorie heißt dieses häufige und geradezu typologische Setting *(Abgeschiedenheit, Erhabenheit, Fruchtbarkeit, Gewässer) locus amoenus (schöner Ort)*.

Quam circa lacus lucique sunt plurimi atque laetissimi flores omni tempore anni, locus ut ipse raptum illum virginis [...] declarare videatur.

Rings um dies (Henna) sind sehr viele Seen und Haine und die herrlichsten Blumen zu jeder Zeit des Jahres, so dass es scheint, dass der Ort selbst jenen Raub der Jungfrau erklärt.

Quam ist wieder relativer Anschluss, diesmal an das Subjekt des Vorsatzes *Henna*, das als Stadtname im Deutschen neutrales Geschlecht bekommt. *lacus* (mit langem u) ist Nominativ Plural der u-Deklination, analog zu *luci*. Der Komparativ *plurimi* bezieht sich auf beide. Den Stamm *flor-* von *flores* findet man nur unter dem Nominativ *flos, Blume*, wenn man ein so schönes und bekanntes Wort nicht schon vorher errät. Der Ablativ *omni* ist natürlich kongruent zu *tempore* und nicht etwa zu *flores* oder *anni*. Die Einleitung des nun folgenden Nebensatzes *(ut)* tritt um ein Wort *(locus)* verzögert ein. Auch das geht auf Rechnung der Dichterlaune, in die Cicero hier geraten ist. *locus* ist Subjektsnominativ eines NcI, der von *videatur* abhängt und mit der gewohnten Übersetzungstechnik transkribiert wird. Zugehöriger Infinitiv ist *declarare*. *raptum* sieht auf den ersten Blick wie ein PPP aus, was es in den meisten Fällen auch ist. Hier stammt die Form *raptum* jedoch von einer Substantivklasse der u-Deklination *(raptus)* ab, die ihren Stamm teilweise von den PPPs bezieht, bzw. ähnlich wie diese mit einem *-t* gebildet wird (vgl. *exercitus, dominatus*), dann aber nach den u-Stämmen flektiert. Der *locus amoenus* verliert auch hier nichts von seiner Schönheit und es fehlt nur noch ein letztes Element, das zu den typischen Gattungsmerkmalen jedes *locus amoenus* zählt: eine Grotte.

Etenim prope est spelunca quaedam conversa ad aquilonem infinita altitudine, qua Ditem patrem ferunt repente cum curru exstitisse abreptamque ex eo loco virginem secum asportasse et subito non longe a Syracusis penetrasse sub terras lacumque in eo loco repente exstitisse, ubi usque ad hoc tempus Syracusani festos dies anniversarios agunt celeberrimo virorum mulierumque conventu.
Denn nahebei ist eine gewisse Grotte, gerichtet nach Norden (die nach Norden gerichtet ist), von unendlicher Tiefe, in Bezug auf welche (die Grotte) sie überliefern, dass aus ihr Dis Pater plötzlich mit einem Wagen erschien und die Jungfrau, nachdem sie von diesem Ort geraubt worden war, mit sich wegtrug und plötzlich nicht weit von Syrakus unter die Erde (singularisiert) eindrang und ein See an diesem Orte plötzlich entstand, wo bis zu dieser Zeit die Syrakusaner festliche Tage jährlich abhalten in einer feierlich belebten Versammlung von Männern und Frauen.

Die mit dem Suffix -*dam* zusammengesetzten Pronomen (substantivisch: *jemand, ein gewisser*) solltest du inzwischen auswendig können! *spelunca* bitte nicht als *Spelunke* übersetzen – das ist alberner Quatsch! Das PPP *conversa* ist ein Attribut zu *spelunca* (denn die Grotte ist nicht nur zur Zeit der Prädikatshandlung nach Norden gerichtet) – deshalb die Übersetzung als Relativattribut. Die wörtlich-undeklinierte Übersetzung passt hier allerdings auch und ermöglicht Stellungstreue. *infinita* und *altitudine* kongruieren im Ablativ. Da die Tiefe eine Eigenschaft oder Qualität der Grotte ist, handelt es sich um einen Ablativus qualitatis, der mit *von* übersetzt wird. Kongruent zu *spelunca* schließt sich nun ein Relativpronomen im Ablativ an *(qua)*. Er hat separative Funktion (Ablativus separativus) und ist als adverbiale Bestimmung Bestandteil eines AcIs *(Ditem exstitisse)*, der von *ferunt* abhängt. Ein AcI mit Beteiligung eines Relativpronomens ist relativ verschränkt und muss immer mit *von* + Dativ oder *in Beziehung auf* + Akkusativ des Relativpronomens angesetzt werden. Die eigentliche Funktion des Relativpronomens als Separativus wird in den *dass*-Satz verlegt, wo sie nicht als Relativ-, sondern als Personalpronomen zur Anwendung kommt: «*von welcher sie überliefern, dass aus ihr ...*». Der Rest des AcIs ist lang, aber linear durchkonstruiert und gut auflösbar. Das vorangestellte PPP *abreptam* ist durch *ex eo loco* erweitert und Prädikativum zu *virginem*. Im Deutschen kehre ich die Stellung von *virginem* um, damit ich einen Konjunktionalsatz mit *nachdem* anschließen kann («*die Jungfrau, nachdem sie ...*»). Denke daran, adverbiale Bestimmungen wie *ex eo loco*, die zum Partizip gehören, mit in den deutschen Konjunktionalsatz zu überführen. *asportasse* und *penetrasse* sind schlichtweg beim Sprechen oder Schreiben verschluckte Formen der Perfektinfinitive *asportavisse* und *penetravisse*. Städtenamen im Plural (hier das Femininum *Syracusae*) stammen ursprünglich von Adjektiven ab, die sich auf mehrere Häuser bezogen (hier z. B.: «*die syrakusanischen Häuser*»), ähnlich: *Athenae*. In der deutschen Übersetzung ignorieren wir diesen Numerusunterschied und übersetzen schlicht mit den heute üblichen Singularformen *Syrakus* oder *Athen*. *non longe a Syracusis* heißt also: *nicht weit von Syrakus*. Der Plural *terras* hingegen ist wieder dichterischer Natur und sollte im Deutschen singularisiert, aber auch als Singular kenntlich gemacht werden. Verwechsele den Städtenamen *Syracusae* nicht mit den nun folgenden *Syracusani*, den Bewohnern von Syrakus. Dass das Objekt *festos dies* mit *agere* steht, ist idiomatischen Ursprunges und heißt: *Festtage begehen,* oder, noch wörtlicher, *festliche Tage abhalten.* Das Adjektiv *anniversarios* ist kongruent zu *festos dies*. Als Attribut kann es wörtlich-dekliniert übersetzt werden, muss dazu aber vorgezogen werden: *jährliche festliche Tage*. Viel eleganter ist hingegen die wörtlich-undeklinierte und nachgestellte Übersetzung als Prädikativum: *festliche Tage jährlich*. Dabei rückt das prädikative Attribut im Deutschen bereits in die Nähe des Adverbs, weil man das deutsche Wort *jährlich* nicht so sehr als «Zustandsattribut» oder zeitliches «Umstandsattribut» empfindet, sondern als temporales Adverb. für *celeber, bekannt, gut besucht, feierlich, belebt*, habe ich hier gleich zwei der möglichen Bedeutungen kombiniert. *virorum mulierumque* ist als Genitivattribut zwischen seinen Bezugswörtern *(celeberrimo conventu)* eingerahmt.

Propter huius opinionis vetustatem, quod horum in his locis vestigia ac prope incunabula reperiuntur deorum, mira quaedam tota Sicilia privatim ac publice religio est Cereris Hennensis.
Wegen des Alters dieser Sage, weil an diesen Orten die Spuren und nahezu die Geburtsorte dieser Gottheiten gefunden werden, ist in ganz Sizilien privat und öffentlich ein gewisser wunderbarer Kult der Ceres von Henna.

Das Genitivattribut *huius opinionis* wird von der Präposition *propter* und ihrem Bezugswort *vetustatem* beidseitig flankiert. Die begründende Präposition *propter* legt nahe, dass auch das *quod* begründende, also kausale Natur hat. Auch dieser Satz ist nur wegen seiner extremen Hyperbata schwer: *deorum* überspringt acht Wörter um sich von seinem kongruenten Bezugswort *horum* zu distanzieren. Das ganze Genitivattribut *(horum deorum)* steht wiederum durch das Prädikat *reperiuntur* gesperrt von seinen Bezugswörtern *vestigia* und *incunabula*. Auch die Attribute *mira quaedam* müssen fünf Wörter oder zwei Satzteile *(tota Sicilia, privatim ac publice)* auf ihr kongruentes Bezugswort *religio* warten. *tota* reiht sich nicht in diese Nominative ein, sondern ist Ablativ Singular und nimmt im Verband mit *Sicilia* die Präposition *in* in die Zange. Auch *Cereris Hennensis*, das eigentlich zu *religio* gehört, wird durch *est* in die Endstellung gesperrt.

Quaeris a me ...

Quaeris a me, ecquid ego Catilinam metuam.
Du fragst mich, ob ich Catilina fürchte.

quaerere in der Bedeutung *fragen* steht nicht mit einem Akkusativobjekt, wie im Deutschen, sondern regelmäßig mit der Präposition *e/ex* oder *a/ab* + Ablativ in dem Sinne: «*von jemandem wissen wollen, von jemandem in Erfahrung bringen wollen*». Diesen präpositionalen Ausdruck kann man im Deutschen ruhig durch das erwartete Akkusativobjekt austauschen. In der Bedeutung *suchen* steht *quaerere* auch im Lateinischen mit Akkusativobjekt.

Nihil, et curavi, ne quis metueret, sed copias illius, quas hic video, dico esse metuendas.
Ganz und gar nicht, und ich habe (dafür) gesorgt, dass nicht (irgend-)wer (ihn) fürchtete (fürchten musste), aber ich sage, dass die Anhänger von jenem, welche ich hier sehe, zu fürchten sind (gefürchtet werden müssen).

Zu *curare*, wörtlich nur: *sorgen*, kann man zum weicheren Klang im Deutschen das Adverb *dafür* ergänzen. In dem verneinten *ut*-Satz *(ne)* sollte man in Klammern ein logisches Objekt ergänzen. In dem *sed*-Satz muss vor allem der AcI korrekt wiedergegeben werden. Dazu zieht man am besten erstmal den Einleiter vor *(dico)* und packt den Rest in den *dass*-Satz. Beachte das Notwendigkeitspartizip *metuendas*, das in Verbindung mit *esse* ein Prädikativum zu *copias* bildet und entweder wörtlich mit *zu* + Infinitiv oder mit *werden müssen* zu übersetzen ist.

Nec tam timendus est nunc exercitus L. Catilinae quam isti, qui illum exercitum deseruisse dicuntur.
Und nicht so zu fürchten ist nun das Heer des Lucius Catilina wie diese, von welchen gesagt wird, dass sie jenes Heer verlassen haben (aus jenem Heer desertiert sind).

Bei der Satzgliederung müssen die Doppeladverbien *tam ... quam ..., so ... wie ...,* ins Auge fallen. Auch *timendus est* ist ein prädikatives Gerundivum mit *esse*, das wir entweder wörtlich oder mit *werden müssen* auflösen. Grammatisch kongruiert es nur mit *exercitus*, inhaltlich auch mit dem zweiten Subjekt *isti*. Von *isti* abhängig ist ein NcI-verschränktes Relativattribut *(qui)*, das gleichzeitig Subjektsnominativ ist. Von diesem bilden wir zunächst nur den Dativ und konstruieren einen präpositionalen Ausdruck mit *von (von welchen)*, um es dann erst im *dass*-Satz in seiner eigentlichen Form (Nominativ: *sie*) zur Geltung kommen zu lassen.

Non enim deseruerunt, sed ab illo in speculis atque insidiis relicti in capite atque in cervicibus nostris restiterunt.
Denn sie sind nicht desertiert, sondern, nachdem sie von jenem in Höhlen und Hinterhalten zurückgelassen worden sind, auf (unserem) Kopf und auf unseren Hälsen zurückgeblieben.

Schwierigkeiten dürften hier die erweiterten PPPs aus dem *sed*-Satz bereiten. Sie stehen in KNG-Kongruenz zu einem Subjekt, das grammatisch nur aus den Prädikaten *(deseruerunt, restiterunt)*, inhaltlich auch aus dem Vorsatz *(isti)* als Nominativ Plural Maskulinum erkennbar ist. Erweitert sind sie durch die zwei Präpositionalausdrücke *ab illo* und *in speculis atque insidiis*. Bei der Konjunktionalisierung (Auflösung durch einen Nebensatz) mit *nachdem* muss ich diese adverbialen Bestimmungen mit in den Nebensatz übernehmen («*nachdem sie von jenem in Höhlen und Hinterhalten ...*»). *nostris* bezieht sich KNG-kongruent nur auf *cervicibus*, inhaltlich jedoch auch auf *capite* – daher die Ergänzung von *unserem*. Mit den beiden Präpositionalausdrücken ist kein innerer Aufenthaltsort gemeint (in dem Sinne «*in unserem Kopf und in unseren Hälsen*» gemeint), sondern ein äußerer (in dem Sinne: «*auf oder über unserem Kopf und unseren Hälsen*»). Das Bild gehört in den metaphorischen Bereich, Kopf und Hals, als die empfindlichsten und zugleich wichtigsten Teile des Körpers, werden auf den Bereich der staatlichen Sicherheit übertragen.

Hi et integrum consulem et bonum imperatorem et natura et fortuna cum rei publicae salute coniunctum deici de urbis praesidio et de custodia civitatis vestris sententiis deturbari volunt.
Diese wollen, dass sowohl ein unbeschadeter Konsul als auch guter Feldherr, der sowohl in seiner Natur als auch durch das Glück mit der Sicherheit der Republik verbunden (worden) ist, vom Schutz der Stadt abgehalten und von der Bewachung des Staates durch eure Wählerstimmen abgelenkt wird.

Leitkonstruktion des Satzes ist ein von *volunt* (*wollen* oder *wünschen, dass*) abhängiger AcI, dessen Grundgerüst aus den Subjekts-akkusativen *consulem* und *imperatorem*, sowie den passiven Infinitiven *deici* und *deturbari* gebildet wird. Unübersichtlichkeit kommt durch eine «doppelte Doppelkonjunktion» *(et ... et ...)* in den Satz: die ersten beiden *et* verbinden die beiden Subjektsakkusative *consulem* und *imperatorem*, die zweiten *et* verbinden die beiden Ablative *natura* und *fortuna*, die als adverbiale Bestimmungen das PPP-Attribut *coniunctum* zu *imperatorem* beschreiben. Das PPP-Attribut *coniunctum* beschreibt eine dauerhafte Eigenschaft des Feldherrn. Als solches lässt es sich im Deutschen am besten durch einen Relativsatz umschreiben. Außerdem sollte man auf die Übersetzung mit *worden* verzichten, weil der Zustand der Verbundenheit noch andauert (sogenanntes Zustandspassiv). Der präpositionale Ausdruck *cum ... salute* klammert sein Genitivattribut *rei publicae* ein. Das Gleiche geschieht bei *de urbis praesidio*, während das Genitivattribut bei *de custodia civitatis* nachgestellt ist.

His vos si alterum consulem tradideritis, multo plus erunt vestris sententiis quam suis gladiis consecuti.
Wenn ihr diesen einen anderen Konsul überlassen haben werdet, werden sie viel mehr durch eure Wählerstimmen als durch ihre Schwerter erreicht haben.

si ist eine klassische nachhängende Konjunktion. Eigentlich gehört es ganz an den Anfang des Satzes. Indirektes Objekt *(his)* und Subjekt *(vos)* folgen unmittelbar aufeinander. Das Demonstrativpronomen *his* steht im Dativ Plural, denn: Ablativ der Person – nie ohne Präposition! Das Prädikat des *si*-Satzes kann sowohl Indikativ Futur 2 *(tradid-er-i-tis)* als auch Konjunktiv Perfekt *(tradid-eri-tis)* sein. Beide erfüllen jedoch im Nebensatz so ähnliche Funktionen, dass es oft empfehlenswert ist, das Futur 2 im Nebensatz stumpf zu ignorieren und immer als Perfekt zu übersetzen (hier also in dem Sinne: «Wenn ihr... überlassen habt, werden sie ... erreicht haben»). Das Prädikat des Hauptsatzes legt dennoch das Futur 2 näher, denn *consecuti erunt* (PPDep + *esse*) ist eindeutig und ausschließlich Futur 2 (hier in deponenter Form). *multo* ist ein adverbialer Zusatz zu dem Objekt im Akkusativ Neutrum Singular *plus, mehr*. Der Komparativ *plus* unterhält Beziehungen zu *quam, als*.

Nolite arbitrari mediocribus consiliis aut usitatis viis eos uti.
Ihr sollt nicht glauben, dass diese von gemäßigten Plänen oder gewohnten Methoden Gebrauch machen.

Der Imperativ des Verbs *nolle, nicht wollen,* in Verbindung mit dem Infinitiv (hier: *nolite arbitrari*) dient sowohl in der 2. Person Singular *(noli)* als auch Plural *(nolite)* zur Formulierung eines höflichen Verbotes, das mit *nicht sollen* übersetzt wird. Von *arbitrari* hängt mit etwa der gleichen Wahrscheinlichkeit ein AcI ab wie der Wurmfortsatz am Blinddarm und hier ist das *eos uti*. Das Verb *uti, gebrauchen, benutzen,* steht nicht, wie im Deutschen, mit einem direkten Objekt, sondern mit einem Ablativus separativus (hier: *mediocribus consiliis* und *usitatis viis*). Das kann man im Deutschen nachempfinden, wenn man statt eines transitiven Verbs die Wendung «Gebrauch machen von» einsetzt. *viis* kommt natürlich von *via, der Weg, das Mittel, die Methode*.

Non lex improba, non perniciosa largitio, non auditum aliquando aliquod malum rei publicae quaeritur.
Nicht ein unmoralisches Gesetz, nicht eine verderbliche Korruption, nicht irgendein irgendwann gehörtes Übel für den Staat wird angestrebt.

malum, schlecht, übel, ist ein substantiviertes Adjektiv im Neutrum Singular und fungiert als Subjekt. Auch das deutsche Äquivalent entsteht durch Großschreibung *(Übel)*. Die Anordnung der Attribute *auditum* und *aliquod* zu *malum* kann im Deutschen nicht in dieser Reihenfolge stehenbleiben und verlangt einen Eingriff. Pronominalattribute (hier: *aliquod*) gehören im Deutschen in der Regel an den Anfang einer Attributkette, egal, wo sie zuvor im Lateinischen gestanden haben. *auditum* ist ein eigenschaftsattributives PPP, das durch *non, nicht,* und *aliquando, irgendwann,* adverbial bestimmt wird. Daher müssen beide adverbiale Bestimmungen vor *auditum* gezogen werden. Wenn PPPs nicht zu umfangreich durch adverbiale Bestimmungen oder Objekte erweitert sind, braucht man sie nicht relativisch oder konjunktional aufzulösen, sondern kann wörtlich bleiben. Prädikativa übersetzt man wörtlich-undekliniert, Attribute, wie hier *auditum*, wörtlich-dekliniert. *rei publicae* ist kein Dativ! Die deutsche Übersetzung täuscht. Es handelt sich um einen Genitivus obiectivus zu *malum*, der das Objekt des Übels angibt. Dazu behilft man sich im Deutschen bestimmter Präpositionen, die dem Sinn eher gerecht werden als der deutsche Genitiv. Grammatisch falsch ist eine wörtliche Übersetzung (hier: *das Übel des Staates*) hingegen nicht.

Inita sunt in hac civitate consilia, iudices, urbis delendae, civium trucidandorum, nominis Romani exstinguendi.
Gefasst worden sind in dieser Bürgerschaft Pläne, ihr Richter, der/zur Zerstörung der Stadt, der/zur Ermordung von Bürgern, der/zur Auslöschung des römischen Namens.

Die Wendung *consilium inire* ist idiomatisch in der Bedeutung «einen Plan fassen» und sollte nicht wörtlich übersetzt werden. *inita* ist PPP und wird in Verbindung mit *sunt* zum Perfekt Passiv. Von *consilia, Pläne,* sind drei Genitivattribute in Form von drei Gerundivkonstruktionen abhängig. Nach Substantivierung der nd-Formen und Genitivierung der Bezugswörter bestehen zwei Möglichkeiten: Entweder du übersetzt sie wörtlich als Genitive oder du präpositionalisierst sie als objektive Genitive. Im ersten Fall entstehen doppelte Genitive, weil zusätzlich zu den genitivierten Bezugswörtern noch die substantivierten nd-Formen in eine Genitivform gebracht werden. Im zweiten Fall setzt man eine Präposition wie *zur* oder *für* vor die substantivierten Formen.

Atque haec cives, cives, inquam, si eos hoc nomine appellari fas est, de patria sua et cogitant et cogitaverunt.
Und diese Dinge planen sowohl als auch haben geplant Bürger, Bürger, sage ich, wenn es erlaubt ist, dass diese mit diesem Namen bezeichnet werden, in Bezug auf ihr Vaterland.

Die Prädikate *cogitant* und *cogitaverunt* sind doppelgliedrig durch *et ...et ..., sowohl ... als auch ...,* verbunden. Eine wörtliche und zusammenhängende Übersetzung beider Formen erfordert etwas Geschick und Kompromissbereitschaft, es sei denn man stellt um und schreibt alles doppelt hin: «Und dies planen Bürger sowohl, als auch haben *(Bürger)* geplant, Bürger, sage ich ...». Subjekt des Hauptsatz ist *cives*. Lass dich durch die *Geminatio* nicht irritieren. Eine *Geminatio* (Verdopplung, Zwillingsbildung) ist eine Stilfigur, bei der ein Wort emphatisch (betonend) wiederholt wird. Zur weiteren Betonung dient der Einschub *inquam*, der je nach Zusammenhang im Präsens *(ich sage)* oder im Präteritum *(ich sagte)* übersetzt werden muss. Zu dieser Form in der 1. Person Singular existiert nur noch eine weitere Form in der 3. Singular *inquit, er sagt, sagte*. Einen Infinitiv gibt es ebensowenig wie andere Personalformen, Tempora oder Modi. Objekt ist das substantivierte Pronomen im Neutrum Plural *haec* (singularisiert: *dies,* substantiviert mit Dinge: *diese Dinge*). *fas est* ist ein unpersönlicher Ausdruck, mit einem neutralen Subjekt *(es)*. Meistens ist ein Infinitiv oder AcI von unpersönlichen Ausdrücken abhängig, so auch hier der Subjektsakkusativ *eos* und der Infinitiv Passiv *nominari*. *hoc* ist Ablativ Singular und kongruiert mit *nomine*.

Horum ego cotidie consiliis occurro, audaciam debilito, sceleri resisto.
Den Plänen von diesen trete ich täglich entgegen, ihre Gewaltbereitschaft schwäche ich ab, ihrem Verbrechen leiste ich Widerstand.

Durch disziplinierte Kasusanalyse und sauberes Beziehen lässt sich dieser Satz lösen. Das Genitivattribut *horum* steht in Hyperbaton zu *consiliis*. *consiliis* ist Dativobjekt zu *occurro*, das in der Bedeutung *entgegentreten* auch im Deutschen mit dem Dativ steht. Meine Übersetzung von *audacia* mit *Gewaltbereitschaft* steht so nicht im Wörterbuch. Alle dort angebotenen Bedeutungen wie *Kühnheit, kühne Tat, Mut, Verwegenheit, Wagnis, Vermessenheit, Frechheit* sind entweder euphemistisch, oder so barock wie die Perückensammlung von Ludwig XIV.

Sed moneo, iudices. In exitu iam est meus consulatus.
Aber ich warne (euch), Richter. Im Ausgang (am Ende) schon ist mein Konsulat.

Nach *moneo* ergänze ich ein logisches Objekt. Denke daran, dass *Konsulat* eigentlich auch im Deutschen maskulin ist und es nur aus Konventionsgründen zuweilen auch «*das*» *Konsulat* heißt.

Nolite mihi subtrahere vicarium meae diligentiae, nolite adimere eum, cui rem publicam cupio tradere incolumem ab his tantis periculis defendendam.
Ihr sollt mir nicht den Nachfolger meiner Fürsorge entziehen, ihr sollt nicht diesen wegnehmen, welchem ich die Republik unbeschadet übergeben will, die vor diesen so großen Gefahren verteidigt werden muss.

Auch hier gilt: der Imperativ von *nolle, nicht wollen,* + Infinitiv dient als Verbot mit *nicht sollen*. *subtrahere, entziehen,* steht häufig mit Dativobjekt (hier *mihi*). *meae diligentiae* ist hingegen Genitivattribut und bezieht sich auf *vicarium*. *cupere* hat hier die simple Bedeutung *wollen* und zieht einen einfachen Infinitiv *tradere, übergeben,* nach sich. Dieses Prädikat steht mit doppeltem Akkusativ, dem direkten Akkusativobjekt *rem publicam* und einem Prädikativum *incolumem, unbeschadet*. Bei der Übersetzung von Prädikativa verzichtet man auf die Deklination des Stammes. So bleibt von dem zugrundeliegenden Adjektiv nur der wörtlich-undeklinierte Stamm (hier: *unbeschadet*) zurück. Das Notwendigkeitspartizip *defendendam* lässt sich als Attribut zu *rem publicam* auffassen. Da es sich um ein Gerundivum handelt, muss es entweder wörtlich übersetzt («*die zu verteidigende Republik*») oder als Relativattribut («*die Republik, die verteidigt werden muss*») aufgelöst werden. Wie bei jedem Verbaladjektiv darf man Satzteilerweiterungen (hier die adverbiale Bestimmung *ab his tantis periculis*) nicht außen vor lassen oder falsch beziehen. Eine Alternative zu dieser Übersetzung ist die Substantivierung-Genitivierung des Gerundivums. Dabei funktioniert aber die wörtlich-undeklinierte Übersetzung von *incolumem* nicht mehr. Diese Form muss nun ebenfalls als Attribut zu *rem publicam* gezogen und wie dieses wörtlich-dekliniert und genitiviert werden: «*... welchem ich die Verteidigung einer unbeschadeten Republik vor diesen so großen Gefahren übergeben will.*»

Bellum Gallicum, patres conscripti ...

Bellum Gallicum, patres conscripti, C. Caesare imperatore gestum est, antea tantum modo repulsum.
Der gallische Krieg, Senatoren, ist unter dem Oberbefehlshaber Gaius Caesar durchgeführt worden, vorher nur abgewehrt.

Die Anrede *patres conscripti* stammt aus den frühesten Zeiten der römischen Republik: Brutus soll auch Ritter in den Senatorenstand erhoben haben. Diese hießen *conscripti*, «Eingetragene», weil sie neu in die Senatorenliste eingetragen worden waren. So entstand zunächst die offizielle Bezeichnung *patres et conscripti*, *Väter* (für die alten Senatoren) *und Eingetragene*. Später wurde daraus die abgekürzte Form *patres conscripti*. Im Deutschen übersetzt man einfach *Senatoren*! Komm bloß nicht auf die Idee irgendwas von «eingeschriebenen Vätern» zu schreiben! *C. Caesare imperatore* ist in der Analyse ein Konglomerat von kongruenten Ablativen eines Personennamens *(C. Caesare)* und einer Amts- oder Funktionsbezeichnung *(imperatore)* ohne Präposition. Damit erfüllt es eigentlich nur die Kriterien eines nominalen Ablativus absolutus. Übersetzt wird er durch eine Präpositionalisierung mit *während/bei/unter*. Oft kann es passen, das Amts- oder Funktionssubstantiv (hier *imperator*, *Feldherr*) in ein Tätigkeitssubstantiv umzuwandeln und anschließend den Personennamen oder das personale Pronomen zu genitivieren: «*unter dem Feldherrenamt des Gaius Caesar*» oder auch «*unter dem Oberbefehl des Gaius Caesar*». *gestum* bildet in Verbindung mit *est* ein Perfekt Passiv.

Semper illas nationes nostri imperatores refutandas potius bello quam lacessendas putaverunt.
Immer haben unsere Oberbefehlshaber geglaubt, dass jene Völker eher zurückzudrängen (zurückgedrängt werden mussten) durch Krieg als zu provozieren waren (provoziert werden mussten).

Leitkonstruktion ist ein von *putaverunt* abhängiger elliptischer AcI *(illas nationes refutandas ... lacessendas),* der bei der *Coniugatio periphrastica passiva* (prädikatives Gerundivum mit *esse*) häufig und typisch ist. Übersetze also wörtlich oder mit *werden müssen*. Beachte ferner den Komparativ *potius* in Beziehung zu *quam, als. bello* hingegen ist trotz der Nähe zum Komparativ kein komparativer sondern ein modaler Ablativ.

C. Caesaris longe aliam video fuisse rationem.
Ich sehe, dass die Methode von Gaius Caesar bei Weitem anders gewesen ist.

Auffällig ist die stilistische Scherenbewegung, mit der Cicero das Akkusativobjekt *rationem* und das zugehörige Genitivattribut *C. Caesaris* durch den sich dazwischenschiebenden Restsatz in der Mitte auseinanderreißt (Hyperbaton). Das Gerüst des Satzes wird gebildet durch einen AcI, der von einem Verb der sinnlichen Wahrnehmung *(video)* abhängt und aus einem Subjektsakkusativ *(rationem)* und und einem Prädikatsinfinitiv *(fuisse)* besteht. *aliam* erfüllt die nach Formen von *esse* so zwingende Funktion eines Prädikativums (Prädikatsnomens). *longe* ist Adverb der a-/o-Deklination auf -e («*Ahnungslose Omas essen ...*»).

Non enim sibi solum cum iis, quos iam armatos contra populum Romanum videbat, bellandum esse duxit, sed totam Galliam in nostram dicionem esse redigendam.
Denn er war überzeugt, dass er nicht nur mit diesen, welche er schon bewaffnet gegen das römische Volk sah, kämpfen musste, sondern dass ganz Gallien in unsere Macht zu bringen war (gebracht werden musste).

Der Satz ist gegliedert durch *non ... solum ..., sed ..., nicht nur ... sondern ....* Wenden wir unsere Aufmerksamkeit zunächst dem Prädikat des Hauptsatzes *(duxit)* zu. Zu den Nebenbedeutungen von *ducere*, wörtlich: *führen*, gehört: *überzeugt sein, glauben*. In dieser Bedeutung ist es unschwer zu erraten, welche Konstruktion folgt. Ein AcI – hier bestehend aus einem unpersönlichen Gerundivum mit *esse (bellandum esse)*. Da die nd-Form (das Notwendigkeitspartizip) in Verbindung mit *esse* immer die Funktion eines Prädikativums erfüllt (zur Bildung der Coniugatio periphrastica), fehlt eigentlich ein Subjektsakkusativ. Dieses ist zwar an KNG von *bellandum* als Neutrum Singular zu erkennen, braucht jedoch in einem *dass*-Satz gar nicht ergänzt zu werden. Das prädikative Gerundivum mit *esse* wird oft durch einen Dativus auctoris begleitet. Auch hier werden wir fündig: Das Reflexivpronomen *sibi* ist rückbezüglich auf das Subjekt des Satzes *(Caesar)*, hat also wörtlich die Bedeutung *ihm*. Als Auctoris muss der Dativ jedoch regelmäßig zum *von*-Agens + Passiv («*dass von ihm gekämpft werden musste*») oder zum Subjekt + Aktiv («*dass er kämpfen musste*») konvertiert werden. In dem *sed*-Satz folgt eine weitere Gerundivkonstruktion mit *esse (redigendam esse)*, diesmal allerdings kongruent zum Subjektsakkusativ *totam Galliam*, entweder wörtlich übersetzbar («*dass ganz Gallien in die Gewalt zu bringen war*») oder mit *werden müssen*. *quos* ist direktes Objekt zu *videbat* («*welche er ... sah*»). *armatos* muss als Prädikativum, also wörtlich-undekliniert *(bewaffnet)*, übersetzt werden, so dass es den Zustand von *quos* während des Sehens *(videbat)* beschreibt. Alternativ zu dieser Übersetzung lässt sich auch annehmen, dass das PPP *armatos* Prädikativum zu *esse* in einem elliptischen AcI ist. In diesem Fall haben wir es mit einer relativen Verschränkung des Subjektsakkusativs *quos* zu tun und müssen mit *von* + Einleiterprädikat + *dass*-Satz + Wiederaufnahme des Subjektsakkusativs als Subjekt + finitem Perfekt Passiv oder Zustandspassiv (ohne *worden*) arbeiten: «*... von welchen er sah, dass sie bewaffnet (worden) waren.*»

Itaque cum acerrimis nationibus et maximis Germanorum et Helvetiorum proeliis felicissime decertavit, ceteras conterruit, compulit, domuit, imperio populi Romani parere adsuefecit, et, quas regiones quasque gentis nullae nobis antea litterae, nulla vox, nulla fama notas fecerat, has noster imperator nosterque exercitus et populi Romani arma peragrarunt.

Daher kämpfte er mit den härtesten und größten Völkern der Germanen und Helvetier in Schlachten äußerst erfolgreich, die Übrigen schüchterte er ein, schlug sie, befriedete sie, gewöhnte sie daran, der Herrschaft des römischen Volkes zu gehorchen, und, welche Gegenden und welche Völker uns keine Schriften, keine Erzählung, kein Gerücht bekannt gemacht hatte, diese durchzogen unser Feldherr und unser Heer und die Waffen des römischen Volkes.

Der Satz hat folgende Struktur: Im ersten Abschnitt (von *itaque* bis *adsuefecit*) bildet eine asyndetische, parataktische und teilweise parallele Aufzählung den ersten Hauptsatz mit auffälligem Homoioteleuton aller fünf Prädikate *(decertavit, conterruit, compulit, domuit, adsuefecit)*. Das hier in keiner Nominativform näher genannte Subjekt bleibt weiterhin *Caesar* aus dem Vorsatz. Der zweite Satzabschnitt wird durch *et* angeknüpft. Der sofort einsetzende Relativsatz *(quas)* bezieht sich auf das Demonstrativpronomen und Akkusativobjekt *has* aus dem Hauptsatz. Gegenüber dem ersten Abschnitt stechen gleich drei Subjekte *(imperator, exercitus, arma)* hervor. Soweit die Synopse, nun ins Detail. *acerrimus* ist ein Superlativ des «Suffixes» *-errim-* zu dem Adjektiv *acer, heftig, scharf, hart*. Eigentlich handelt es sich um ein Pseudosuffix, weil in *-errim-* noch Teile des Stammes *acer-* enthalten sind. Ich bezeichne es aus pragmatischen Gründen als Suffix. *felicissime* ist Elativ des Adverbs von *felix, glücklich, erfolgreich*. Da alle Adverbien der Superlative nach der a-/o-Deklination *flektieren*, ungeachtet der Deklinationsklasse des Positivs *(felix* ist 3. Deklination), erscheint hier nur die Endung *-e* («*Ahnungslose Omas essen*»). *ceteras, die übrigen,* bezieht sich natürlich noch auf die femininen *nationes, Stämme,* und ist Akkusativobjekt zu den folgenden vier Prädikaten. Zum letzen Prädikat in dieser Reihe *(adsuefecit)* tritt noch der Infinitiv *parere, gehorchen,* (e-Konjugation!) hinzu – nicht verwechseln mit *parare, bereiten,* oder *parere, zeugen, hervorbringen,* (kurz-i-Konjugation). *parere* wiederum steht selten ohne Dativobjekt (hier: *imperio*). *imperium* – Star Wars lässt grüßen – darf man nie als *Imperium* übersetzen, ebensowenig wie *imperator* als *Imperator*! Im zweiten Satzabschnitt findet sich ein Phänomen, das man als Hineinziehung des Bezugswortes in den Relativsatz bezeichnet. *nationes* und *gentis* (i-stämmige Nebenform des Akkusativ Plural von *gens,* Stamm) sind eigentlich die übergeordneten Bezugswörter des doppelten und durch *-que* verbundenen Relativpronomens *quas.* Deshalb erwarten wir sie im Deutschen neben dem im Hauptsatz verbliebenen Demonstrativpronomen *has,* etwa in folgender Anordnung: «*has nationes et gentis, quas ..., diese Völker und Stämme, welche ...*». Cicero zieht sie aber zur stilistischen Kompression in den Nebensatz. Das habe ich in der deutschen Übersetzung versucht nachzuempfinden. Umgekehrt kann man diesen Vorgang im Deutschen auch wieder rückgängig machen und die beiden Bezugswörter aus dem Relativsatz in den Hauptsatz extrahieren. Dabei entfällt im Relativsatz allerdings das zweite Pronomen *quas (-que)* und es kommt oben erwähnte Anordnung und Übersetzung heraus. Der Relativsatz zählt drei Subjekte asyndetisch auf: *litterae,* wörtlich: *Buchstaben,* im übertragenen Sinne *Schrift* usw., *vox,* hier: *Erzählung,* und *fama, Kunde, Gerücht, Sage. fecerat* steht nur zu dem letzten der drei in PN-Kongruenz, inhaltlich aber zu allen dreien. *notas,* vom Adjektiv *notus, bekannt,* ist ein Prädikativum zum Objekt *quas* und Bestandteil eines doppelten Akkusativs in Verbindung mit *fecerat* von *facere,* hier in der Bedeutung «*jemanden oder etwas bekannt machen*» – daher auch die wörtlich-undeklinierte Übersetzung von *notas. peragrarunt* ist wieder einmal eine Verschleifung von Suffix und Endung. Die uspüngliche Form lautete: peragra-v-erunt.

Semitam tantum Galliae tenebamus antea, patres conscripti.

Einen Pfad nur hielten wir von Gallien vorher, Senatoren.

tantum als Adverb hat die Bedeutung *nur.* Das Genitivattribut *Galliae* könnte sowohl partitiv *(der Pfad als Teil von Gallien)* als auch objektiv *(ein Pfad nach Gallien)* gemeint sein.

Ceterae partes a gentibus aut inimicis huic imperio aut infidis aut incognitis aut certe immanibus et barbaris et bellicosis tenebantur.
Die übrigen Teile wurden von Stämmen gehalten entweder feindlich diesem Reich oder unberechenbar oder unbekannt oder in jedem Falle schrecklich und barbarisch und kriegerisch.

Subjekt des Satzes ist *ceterae partes*, NP-kongruent mit dem passiven Prädikat *tenebantur*. Der Übersicht halber ziehe ich beide Teile des Prädikates *(wurden gehalten)* so früh wie möglich vor. Der Rest ist ein *von*-Agens *(a gentibus)*, das durch insgesamt fünf umfangreiche polysyndetisch (durch *aut ... aut ... aut ...* und *et ... et ...*) aufgezählte Adjektive *(inimicis, infidis, incognitis, immanibus, barbaris, bellicosis)* erweitert ist. Ihre Übersetzung dürfte die meisten Schwierigkeiten bereiten, weil sie sowohl als Attribute als auch als Prädikativa übersetzt werden können. Ich habe mich für eine stellungskonservative wörtlich-undeklinierte Übersetzung als Prädikativa entschieden. Die wörtlich-deklinierte Übersetzung als Attribute erfordert eine Umstellung wie folgt: «*... von entweder diesem Reich feindlichen oder unzuverlässigen oder unbekannten oder in jedem Falle schrecklichen und barbarischen und kriegerischen Völkern ...*».

Quas nationes, nemo umquam fuit, quin frangi domarique cuperet.
Niemand existierte jemals, welcher nicht wollte, dass diese Völker gebrochen und zivilisiert werden.

Das auffälligste und ungewöhnlichste Merkmal dieses Satzes besteht darin, dass der eigentliche Hauptsatz *(nemo umquam fuit)* einen zusammenhängenden Nebensatz unterbricht und nicht umgekehrt. Im Deutschen erwarten wir diesen Hauptsatz am Anfang und um eine Umstellung kommen wir leider nicht herum. Beginnen wir also mit: «*Niemand war*», oder hier «*jemals*» existierte. *quin* kann sowohl konjunktionalen *(dass)* als auch relativischen Charakter haben. Dieser letzte Fall tritt idiomatischerweise besonders häufig nach *nemo, niemand,* auf. Dabei ist *quin* eine Legierung aus den Pronomen *qui, quae, quod* und der Negation *non* in der Bedeutung «*welcher, welche, welches nicht*». Nun zurück zum Anfang des lateinischen Satzes: *Quas* ist ein relativer Anschluss. In Verbindung mit *nationes* bildet es den Subjektsakkusativ eines AcI mit den beiden passiven Infinitiven *frangi* und *domari* und dem Signalverb *cuperet*. Nach Vorziehung des Signalverbs übersetze ich *quas* demonstrativisch und baue es in den *dass*-Satz ein: «*... wollte, dass diese ...*».

Nemo sapienter de re publica nostra cogitavit iam inde a principio huius imperi, quin Galliam maxime timendam huic imperio putaret.
Niemand hat vernünftig in Bezug auf unsere Republik nachgedacht schon von Beginn dieses Reiches an, welcher nicht glaubte, dass Gallien besonders von diesem Reich gefürchtet werden musste (für dieses dieses Reich Gallien fürchten musste).

Anaphorisch (wiederaufgreifend) erscheint auch in diesem Satz wieder die Wendung *nemo, quin, niemand, welcher nicht*. *inde* hat mit *iam* und vor der Präposition *a* die temporale Bedeutung *von ... an ...*. Der Genitiv *imperi* steht oft als Kurzform von *imperii*. Der Nebensatz wird beherrscht von einem elliptischen AcI, abhängig von *putaret, glaubte,* mit dem Subjektsakkusativ *Galliam* und dem dazu prädikativen Notwendigkeitspartizip (Gerundivum) *timendam*, hinter welchem, wie so oft, ein elliptisches *esse* zu ergänzen ist. Bei der Übersetzung muss vor allem der Dativus auctoris *huic imperio* beachtet werden, zu dem ich gleich drei Übersetzungsvorschläge angeboten habe, an denen du dich orientieren kannst. Weiteres dazu ist im Lehrbuch (S. 183) nachzulesen.

Sed propter vim ac multitudinem gentium illarum numquam est antea cum omnibus dimicatum.
Aber wegen der Stärke und Masse jener Stämme ist niemals zuvor mit allen gekämpft worden.

est tritt trotz weiter Sperrung natürlich mit dem prädikativen PPP *dimicatum* zusammen zur Bildung eines klassischen Perfekts Passiv. Das Subjekt dazu ist ein aus der *-um*-Endung erkennbares Neutrum Singular, das die Wendung zu einem sogenannten unpersönlichen Ausdruck erstarren lässt in dem Sinne: «*es ist gekämpft worden*».

Restitimus semper lacessiti: nunc denique est perfectum, ut imperi nostri terrarumque illarum idem esset extremum.

Wir leisteten Widerstand immer, nachdem wir provoziert worden waren: nun endlich ist es erreicht worden, dass die Grenze unseres Reiches und jener Länder dieselbe war.

Der Perfektstamm *restit-* von *resistere, Widerstand leisten,* steht unerklärlicherweise nicht im Pons, der doch sonst auch weniger stark abweichenden Perfektstämmen die Ehre eines eigenen Eintrags angedeihen lässt. Ich halte diesen Umstand daher für ein ausnahmsweise nicht vorsätzlich irreführendes Versäumnis. Das PPP *lacessiti* ist Prädikativum zu einem aus NP des Verbs hervorgehenden Subjekt in der 1. Person Plural *(wir)* und sollte konjunktionalisiert (mit *nachdem* übersetzt) werden. Das Perfekt Passiv *est perfectum* ist, ebenso wie im Vorsatz, ein unpersönlicher Ausdruck mit *es* als neutralem Subjekt, gefolgt von einem konjunktivischen *ut*-Satz: Das substantivierte Adjektiv *extremum, Grenze,* ist Subjekt. Es wird inhaltlich ausgepolstert durch das subjektive Genitivattribut *imperi nostri terrarumque illarum*. Die Sperrung des dazu KNG-kongruenten Pronomens *idem* durch *esset* spricht für seine Funktion als Prädikativum zu *esset*. Gemeint ist etwa Folgendes: «*Unsere Grenze ist mit der Grenze jener Länder identisch*» oder «*wir haben unsere Grenze durch Annexion jener Länder erweitert*». Diese Behauptung basiert zu diesem Zeitpunkt (56 v. Chr.) übrigens entweder auf einem trügerischen Frieden oder schlichtweg auf einer euphemistischen Propagandalüge Ciceros. Gallien war alles andere als besiegt und der Eburonen- und Tremeraufstand (55 v. Chr.), und zahlreiche Schlachten, darunter die von Gergovia und Alesia (52 v. Chr.), sollten Caesar noch weitere vier Jahre an Gallien binden.

Venio nunc ad istius ...

Venio nunc ad istius, quemadmodum ipse appellat, studium, ut amici eius, morbum et insaniam, ut Siculi, latrocinium.

Ich komme nun zu dessen, wie er selbst (es) nennt, Lieblingsbeschäftigung, wie seine Freunde (es nennen), Krankheit und Perversion, wie die Sizilier (es nennen), Raubüberfall.

Der eigentliche Hauptsatz besteht aus dem Prädikat *venio*, dem Adverb *nunc* und der Präposition *ad* mit den Bezugswörtern *studium, morbum, insaniam* und *latrocinium*. Die vier Bezugswörter sind durch drei parallel angeordnete Adverbialsätze (*quemadmodum, wie, auf welche Weise*, und zwei mal *ut, wie*) in gleichmäßigen Abständen von der Präposition gesperrt. Die Subjekte der Adverbialsätze variieren *(ipse, amici, Siculi)*. Das erste Bezugswort der Präposition *ad* (*studium*) umklammert von hinten zunächst den Adverbialsatz und dann erst das Genitivattribut. Wollen wir *istius* in der Stellung belassen, können wir daher nicht mit *von* + Dativ *(von diesem)* übersetzen, sondern müssen wörtlich bleiben *(dessen)*. Als Objekt zu *appellat* ist *studium* zu denken, weil Verres selbst seinen Kunstfimmel als *studium* bezeichnet. Daher sollte man «*es*» einsetzen als Objektstellvertreter, der immer passt. *ut* steht hier scheinbar ganz ohne Prädikat in der Bedeutung *wie* und tritt als Synonym für *quemadmodum* ein. Entsprechend sollte man in der deutschen Übersetzung in beiden *ut*-Sätzen sowohl das Subjekt als auch das Prädikat aus dem *quemadmodum*-Satz in PN-Kongruenz zu den Subjekten im Plural *(nennen)* wiederholen.

Ego quo nomine appellem, nescio.

Mit welchem Namen ich es nennen soll, weiß ich nicht.

Von *nescire*, dem klassischen Verb des Nichtwissens, hängt häufig eine indirekte Frage ab, so auch hier in Form der Fragewörter *quo nomine, mit welchem Namen,* markiert durch den Konjunktiv Präsens *(appellem)*. Das Personalpronomen *ego* ist betont an den Anfang gestellt. Da es sich beim indirekten Fragesatz jedoch um einen Nebensatz handelt, muss der im Lateinischen nachhängende Einleiter im Deutschen an den Anfang. Aus einer gewissen sprachlichen Intuition heraus, will man hier den Konjunktiv *appellem* nicht ignorieren und übersetzt statt *ich benenne* lieber als Deliberativus *ich benennen soll,* obwohl dafür grammatisch kein echtes Indiz besteht.

Rem vobis proponam, vos eam suo, non nominis pondere penditote.

Den Fall will ich euch vorlegen, ihr sollt diesen durch sein eigenes (Gewicht), nicht durch des Namens Gewicht abwägen.

Wenn zwischen der 1. Person a-Futur und Konjunktiv Präsens nicht entschieden werden kann (wie bei *proponam*), kann man mit *wollen* eine Brücke schlagen zwischen futurischer Entschlossenheit *(ich werde)* und konjunktivischem Zögern *(ich möchte, ich sollte)*. Das Verb *proponere* steht regelmäßig mit indirektem Objekt (hier *vobis*). Nach dem Komma findet ein Subjektswechsel und Prädikatswechsel zu *vos ... penditote* statt. Das Pronomen *eam* vertritt jedoch dasselbe Objekt *(rem). pend-i-to-te* setzt sich zusammen aus dem Stamm *pend-,* Bindevokal *-i-,* Suffix für den Imperativ Futur *-to-* und Endung der 2. Singular Imperativ Aktiv *-te*. Die Form kann synonym mit dem deutschen Imperativ Präsens übersetzt *(wägt ab)* oder mit *sollen* umschrieben werden *(ihr sollt abwägen)*. Die meisten Schwierigkeiten bereitet in der Regel die adverbiale Bestimmung *suo, non nominis pondere*. Zunächst muss man den Stamm von *pondere* (*ponder-*) auf den Nix-Nominativ der 3. Deklination *pondus, Gewicht,* zurückführen können mit dem Ablativ Singular *pondere.* Kongruent zu *pondere* verhält sich das Possessivpronomen *suo, so,* dass man *suo pondere* übersetzen kann: *durch sein Gewicht, nach seinem Gewicht. suo* ist also pronominales Attribut zu *pondere*. Das zweite Attribut *nominis* ist nun kein pronominales, sondern ein Genitivattribut zu *pondere*. Als Genitivus possessivus drückt es ähnlich wie auch das Possessivpronomen ein Besitzverhältnis aus. Urteilen sollen die Richter also *nach «seinem» Gewicht* (nach der Schwere des Verbrechens selbst), nicht nach «des Namens» Schwere (also nicht nur nach der juristischen Bezeichnung). Zur Verdeutlichung habe ich im Deutschen bereits hinter *suo* das Bezugswort *«Gewicht»* aufgenommen und den Genitiv nicht hintangestellt und anschließend das Bezugswort *«Gewicht»* nochmals wiederholt.

Genus ipsum prius cognoscite, iudices.
Die Art (des Verbrechens) selbst lernt vorher kennen, ihr Richter.

genus ist kein Maskulinum der o-Deklination, sondern Neutrum der 3. Deklination. Daher ist es hier Akkusativobjekt zu *cognoscite*. *prius, früher, eher, vorher,* ist Komparativ des Adverbs auf *-ius*. *cognoscite* ist 2. Plural Imperativ Präsens Aktiv: *lernt kennen*. Zuweilen kommt es vor, dass jemand die Form *iudices* als 2. Singular Konjunktiv Präsens Aktiv von *iudicare, urteilen,* übersetzt: du sollst beurteilen. Das ist zwar grammatisch richtig, inhaltlich aber Quatsch. Mildernde Umstände gibt es trotzdem, weil man den entscheidenden Hinweis nicht unter dem Stamm *iudic-* im Wörterbuch findet, sondern unter *iudex, Richter*. *iudices, ihr Richter,* ist also vielmehr der Vokativ Plural eines Substantivs der 3. Deklination mit dem Nix-Nominativ *iudex, Richter*.

Deinde fortasse non magno opere quaeretis, quo id nomine appellandum putetis.
Dann werdet ihr vielleicht nicht sehr fragen, mit welchem Namen ihr meint, dass dieses benannt werden muss.

deinde, fortasse und *magno opere* oder *magnopere* sind alles drei Adverbien, die du kennen musst. *quaeretis* ist e-Futur von *quaerere, suchen, fragen*. Auch da gibt es kein Vertun oder einen fetten Tempusfehler. Abhängig von *quaeretis*, einem Verb des Fragens, ist erwartungsgemäß eine indirekte Frage, wieder in Form des ablativischen Fragepronomens *quo* und seinem kongruenten Bezugssubstantiv *nomine*. Dieser Ablativ ist als adverbiale Bestimmung in einen verschränkten AcI hineinkonstruiert. Eingeleitet wird dieser durch *putetis*. Subjektsakkusativ ist *id*. Der Prädikatsinfinitiv *esse* ist elliptisch wegen des Gerundivums *appellandum*. Da der AcI selbst nicht verschränkt ist, lässt er sich relativ einfach übersetzen. Man leitet mit der Frage selbst ein *(mit welchem Namen)*, zieht anschließend das Einleiterprädikat vor *(ihr glaubt)*, schaltet den *dass*-Satz und subjektiviert den Subjektsakkusativ *(dass dieses)*. Die fehlende Form von *esse* muss in jedem Fall als finites Verb ergänzt werden, ob man das Gerundivum nun wörtlich übersetzt mit *zu* + Infinitiv *(zu benennen ist)* oder mit *werden müssen (benannt werden muss)*.

Nego in Sicilia tota, tam locupleti, tam vetere provincia, tot oppidis, tot familiis tam copiosis, ullum argenteum vas, ullum Corinthium aut Deliacum fuisse, ullam gemmam aut margaritam, quicquam ex auro aut ebore factum, signum ullum aeneum, marmoreum, eburneum, nego ullam picturam neque in tabula neque in textili, quin conquisierit, inspexerit, quod placitum sit, abstulerit.

Ich bestreite, dass in ganz Sizilien, einer so wohlhabenden, so alten Provinz, in so vielen Städten, so vielen so reichen Familien, irgendein silbernes Gefäß, irgendein korinthisches oder delisches gewesen ist (war, existierte), irgendein Edelstein oder eine Perle, irgendetwas aus Gold oder Elfenbein Gemachtes, irgendein ehernes Standbild, marmornes, elfenbeinernes, ich bestreite, dass irgendein Bild, weder in einer Vertäfelung noch in Stoff gewesen ist (war, existierte), welches er nicht aufsuchte, inspizierte, (und) welches (ihm) gefallen hat, weggenommen hat.

Wenn man die Konstruktion dieses Satzes einmal durchblickt hat, entfaltet er sich vor einem wie ein handgeknüpfter Perserteppich, wenn nicht, ist der ganze Satzblock hinüber und die Klausur ist gelaufen. *negare* leitet nahezu immer einen AcI ein! Der erste Schritt ist also das Aufsuchen und Sichern von Subjektsakkusativ und Prädikatsinfinitiv, auch wenn man sich dazu bequemen muss wirklich Wort für Wort zu prüfen. Der Infinitiv ist schnell gefunden: *fuisse*. Auch vor Subjektsakkusativen kann man sich kaum retten: angefangen bei *ullum argenteum vas* bis *eburneum* ist praktisch alles Subjektsakkusativ. Dahinter fällt auf, dass der AcI unter Wiederholung des Einleiters *(nego)* als gedankliche Stütze nochmals aufgefrischt wird. Unter Einsetzung eines elliptischen Infinitivs *fuisse* (siehe Hilfe) folgt also nochmals die identische Konstruktion mit *ullam picturam* als Subjektsakkusativ. Bei *fuisse* stellt sich noch die Frage nach dem Prädikativum. Dieses muss nicht nominal sein (Prädikatsnomen), sondern kann auch in Form anderer Wortarten vorliegen, so hier in Form des Präpositionalausdrucks *in Sicilia tota*, der auch als adverbiale Bestimmung aufgefasst werden kann. In solchen Fällen kann *esse* auch die Bedeutung *geben, existieren,* haben. Der präpositionale Ausdruck ist auffällig erweitert, denn sowohl gedanklich als auch grammatisch bezieht sich die Präposition *in* nicht nur auf *Sicilia*, sondern auch auf die Substantive *provincia, oppidis* und *familiis*. All diese Substantive sind ihrerseits durch adjektivische Attribute beschrieben. *tota* bezieht sich auf *Sicilia*, *locupleti* und *vetere* auf *provincia*, wobei die Anapher von *tam* unterstreichend hinzukommt. Anaphorisch ist auch das undeklinierbare Pronominaladjektiv *tot, so viele,* einmal auf *oppidis*, einmal auf *familiis* bezogen. Auf *familiis* bezieht sich auch noch das nachgestellte Attribut *copiosis*, mit erneuter Anapher von *tam*. Bei der Aufzählung der Subjektsakkusative imponieren ein Parallelismus, ein Asyndeton und eine Anapher des Pronominaladjektivs *ullum* bzw. *ullam*. Die Bezugswörter dieser Pronominaldjektive *(vas, gemmam, margaritam, signum, picturam)* bezeichnen allesamt Kunstgegenstände, bei denen man sich die Finger wundblättert. Zu den adjektivischen Attributen *Corinthium* und *Deliacum* ist in Analogie zu *argenteum* nochmals *vas* zu ergänzen. Das Pronominaladjektiv *quicquam* hat hier substantivische Funktion *(irgendetwas)*, dient also als Bezugswort des PPP *factum*. Mit diesem klammert es einen präpositionalen Ausdruck *(ex auro aut ebore)* ein, der *factum* adverbial bestimmt. Bei *factum* handelt es sich um ein Attribut zu *quicquam*. Übersetzen lässt es sich jedoch sowohl wörtlich-dekliniert *(irgendetwas aus Gold oder Elfenbein Gemachtes)*, als auch wörtlich-undekliniert *(irgendetwas aus Gold oder Elfenbein gemacht)* oder als Relativsatz *(irgendetwas, das aus Gold oder Elfenbein gemacht worden war)* übersetzen. *signum, Standbild,* dient nicht nur als Bezugswort für *aeneum*, sondern auch für *marmoreum* und *eburneum*. Auch dem zweiten, elliptischen Infinitiv *fuisse* dienen zwei präpositionale Ausdrücke als Prädikativa, die durch eine Doppelkonjunktion verknüpft sind: *neque in tabula neque in textili*. *quin* kann neben seiner Funktion als Konjunktion *(dass, dass nicht)* auch ein mit *non* verneintes relatives *quod* in verkürzter Form sein. Die Form *conquisierit* entsteht durch Verschleifung des Stammauslauts v. Den Perfektstamm *abstul-* von *auferre, wegtragen, wegnehmen,* musst du kennen! Die Konjunktive *(conquisierit, inspexerit, abstulerit)* verleihen dem Relativsatz einen konsekutiven Nebensinn, so dass man *quin* durch die Konjunktion *ut non (dass nicht)* ersetzen könnte, in dem freien Sinne: «Es gab in ganz Sizilien keinen Kunstgegenstand, der von so geringem Wert oder so verborgen gewesen wäre, dass Verres ihn nicht aufgesucht und inspiziert hätte.» Der Konjunktiv Perfekt Semideponent *placitum sit* bezieht sich auf das Subjekt *quod* und wird aktivisch übersetzt *(hat gefallen)*. Als Konjunktiv gibt auch er dem relativen *quod*-Satz einen Nebensinn, diesmal eher konditional im Sinne der Konjunktion *wenn* («wenn es ihm gefallen hat»).

Magnum videor dicere: attendite etiam, quemadmodum dicam.

Es scheint, dass ich großes sage (Großes scheine ich zu sagen): Beachtet auch, auf welche Weise ich spreche (wie ich [es] sage).

Das deponente *videor* leitet einen NcI ein, wobei der Nominativ *(ich)* im Verb selbst steckt. NcIs, die mit *videri, scheinen,* eingeleitet werden, kann man wörtlich übersetzen (siehe Klammer), weil *scheinen* auch im Deutschen mit NcI steht. Wer dagegen bei der Standardtechnik bleiben möchte, depersonalisiert *videor* und leitet mit *es scheint* ein, setzt dann einen *dass*-Satz, fügt das Subjekt ein *(ich)* und macht den Infinitiv *(sage)* zu einem finiten Verb. Das substantivierte Adjektiv *magnum, Großes,* ist einfach nur direktes Objekt zu *dicere (wen oder was sagen)*. *attendite* ist 2. Plural Imperativ Aktiv von *attendere, aufmerksam sein, beachten,* und steht mit indirekter Frage, die durch *quemadmodum* eingeleitet und durch den Konjunktiv *dicam* markiert wird.

Neque enim verbi neque criminis augendi causa complector omnia.

Denn weder wegen der Vergrößerung der Rede noch des Verbrechens (weder um meine Rede noch das Verbrechen aufzubauschen) erfasse ich alles.

In diesem Satz möchte ich vor allem den ausgedehnten «*postpositionalen Ausdruck*» mit *causa* und Beteiligung der nd-Form *augendi* (von *augere, vergrößern, vermehren*) ansprechen. *causa* steht als Postposition immer hinter ihrem Bezugswort. Die nd-Form bezieht sich kongruent sowohl auf *verbi* als auch auf *criminis,* so dass es sich um ein Gerundivum (passives Notwendigkeitspartizip) handelt. In wörtlicher Übersetzung müsste es also heißen: «*weder der (zu vergrößernden) Rede noch des zu vergrößernden Verbrechens wegen*». Das können wir im Deutschen nachbilden, müssen es aber nicht. *wegen* können wir auch an den Anfang stellen, das Gerundivum substantivieren, die Bezugssubstantive genitivieren, wie in meinem Übersetzungsvorschlag. Alternativ können wir auch mit *um zu* + Infinitiv umschreiben, wie in der Klammer vorgemacht. *omnia* ist substantiviertes Adjektiv im Akkusativ Plural Neutrum und als solches Objekt zum Deponens *complector*.

Cum dico nihil istum eius modi rerum in tota provincia reliquisse, Latine me scitote, non accusatorie loqui.

Wenn ich sage, dass dieser nichts von dieser Art von Dingen in der ganzen Provinz zurückließ, sollt ihr wissen, dass ich klar und deutlich, nicht polemisch spreche.

cum steht hier zur Abwechslung mal wieder mit dem Indikativ *(dico)* in der Bedeutung *wenn*. Wie meistens leitet das Verb *dicere* einen AcI ein. Subjektsakkusativ ist *istum,* nicht *nihil,* obwohl das grammatisch zwar möglich wäre, den Sinn aber abwürgen würde wie eine defekte Verteilerkappe. *nihil* ist vielmehr direktes Objekt zum Prädikatsinfinitiv *reliquisse*. Die Genitivkaskade *eius modi rerum* hat folgende Bezüge: *eius* kongruiert mit *modi* als pronominales Attribut *(dieser Art, von dieser Art)*, *modi* bezieht sich auf *nihil* und nimmt *eius* mit *(nichts von dieser Art)*. *rerum* bezieht sich auf *modi* und steht deshalb dahinter. Alle Genitive habe ich mit *von* + Dativ umschrieben. Der eigentliche Hauptsatz, der aus dem *cum*-Satz folgt, muss mit dem Prädikat beginnen, weil dieses nach dem *cum*-Satz als erstem Satzteil (Adverbialsatz, bzw. adverbiale Bestimmung) den zweiten Rang bekleidet. Dieses ist wieder eine 2. Plural Imperativ Futur Aktiv *(scitote)*, die wie ein gewöhnlicher Imperativ wörtlich übersetzt *(wisset)* oder besser mit *sollen* umschrieben wird. An ein Verb des Wissens, wie *scire, wissen,* knüpft sich entweder eine indirekte Frage oder ein AcI, so auch hier in Form des Subjektsakkusativs *me* und des Prädikatsinfinitivs *loqui*. Das Personalpronomen *me* bezieht sich natürlich auf Cicero selbst, der von sich in der ersten Person spricht. *Latine* und *accusatorie* sind zwei Adverbien der a-/o-Deklination, die nach der Regel «*Ahnungslose Omas essen ...*» auf -e enden.

Etiam planius: nihil in aedibus cuiusquam, ne in hospitis quidem, nihil in locis communibus, ne in fanis quidem, nihil apud Siculum, nihil apud civem Romanum, denique nihil istum, quod ad oculos animumque acciderit, neque privati neque publici neque profani neque sacri tota in Sicilia reliquisse.

Noch platter (sage ich): dass (dieser) nichts im Haus von irgendwem, nicht einmal von einem Gastgeber, nichts an öffentlichen Orten, nicht einmal in Heiligtümern, nichts bei einem Sizilier, nichts bei einem römischen Bürger, dass dieser schließlich nichts, was (ihm) vor die Augen und in den Sinn (in den Kopf) gekommen ist, weder an Persönlichem, noch an Öffentlichem, noch an Weltlichem, noch an Heiligem in ganz Sizilien zurückließ.

Leitkonstruktion dieses Satzes ist ein AcI, der im Prinzip die identische Grundstruktur wie der aus dem Vorsatz aufweist *(dico nihil istum ... reliquisse)*: Eingeleitet wird er durch ein (gedanklich zu ergänzendes) *dico*, Subjektsakkusativ ist das weit nach hinten gesperrte *istum*, das man am Anfang vermisst, Prädikatsinfinitiv *reliquisse* und Akkusativobjekt zu *reliquisse* ist *nihil*, das in fünffacher Anapher dem Satz eine sehr parallelistische Struktur verleiht. Parallelität gewinnt der Satz auch durch andere stilistische Effekte, z. B. die viermalige Wiederholung der Präposition *in*, Dublette von *apud*, Dublette von *ne ... quidem* und schließlich die Quadrille von *neque* und jeweils einem Genitivattribut mit Homoioptoton auf -*i*. Die Architektur dieses Satzes weist also eine ähnlich barocke Stukkatur auf wie die Fassade eines Hotelkasinos in Las Vegas. Der Betonkern dahinter ist weniger spektakulär. Als kleine Hilfe finden sich im Lehrbuch S. 240 die wichtigsten Stilfiguren aufgelistet und mit Beispielen erklärt. Das Substantiv *aedes* hat im Singular *(Tempel)* eine völlig andere Bedeutung als im Plural *(Haus)*. Vor allem darf der Plural in diesem Kontext nicht pluralisch übersetzt werden. Das Pronominaladjektiv *cuiusquam* ist Genitivattribut zu *aedibus*. Nachdem nun das erste *in* mit Ablativ konstruiert ist, meinen viele, *hospitis* wäre ebenfalls Ablativ in Ermangelung einer passenderen Form, und leiten *hospitis* auf abstrusem Wege von *hospitium, Gaststätte, hospita, Wirtin* oder *hospitus, gastlich, fremd*, her. Alles falsch! *hospitis* ist Genitiv von *hospes, Gastfreund*, und steht nicht parallel zu *aedibus*, sondern zu *cuiusquam*. Ein Bezugssubstantiv zu *in* fehlt scheinbar. Tatsächlich muss gedanklich noch einmal *aedibus* ergänzt werden. Gemeint ist also: «*Verres ließ nichts im Haus von irgendwem, nicht einmal im Haus eines Gastfreundes zurück.*» Anders verhält es sich wieder bei *in fanis*. *fanis* ist tatsächlich Ablativ des Substantivs *fanum, Heiligtum*. Der *quod*-Satz ist relativisch und bezieht sich auf das davorstehende *nihil*. Der Konjunktiv *acciderit* hat wieder einen konditionalen Nebensinn, so dass das Relativpronomen durch die Konjunktion *wenn* und das Personalpronomen *es* ersetzt werden könnte: «nichts, wenn es ihm vor die Augen und in den Sinn gekommen ist». Die Formen *privati, publici, profani* und *sacri* sind substantivierte Adjektive im Genitiv Singular Neutrum und beziehen sich auf *nihil*. Der Genitiv ist partitiver Natur und gibt an, aus welcher Gesamtmenge «nichts» ein Teil ist. Übersetzt wird der partitive Genitiv mit einer der Präpositionen *von, aus* oder *an*, hier also «nichts an Privatem» oder «nichts vom Privateigentum» usw. Beim präpositionalen Ausdruck *tota in Sicilia* steht die Präposition *in* in Klammerstellung.

In eo sacrario intimo ...

In eo sacrario intimo signum fuit Cereris perantiquum, quod viri non modo non, cuius modi esset, sed ne esse quidem sciebant.

In diesem Heiligtum im Innern war das sehr alte Standbild von Ceres, von welchem Männer nicht nur nicht wussten, von welcher Art es war, sondern nicht einmal, dass (es) existierte.

Das superlativische Adjektiv *intimus, innerst*, ist kein Attribut im Sinne von «*in diesem innersten Heiligtum*». Denn das würde bedeuten, dass es auch äußere Heiligtümer gäbe. Vielmehr handelt es sich um ein Prädikativum, das beschreibt, in welchem «Zustand», bzw. an welchem Ort des Heiligtums sich das Standbild befand. Man könnte also auch übersetzen: «*im Innern dieses Heiligtums*». Der präpositionale Ausdruck dient gleichzeitig als prädikatives Präpositionalattribut, bzw. adverbiale Bestimmung zu *fuit*. Sowohl das Genitivattribut *Cereris* als auch das Attribut *perantiquum* sind durch *fuit* von ihrem Bezugswort *signum* gesperrt – allerdings nur aus stilistischen Gründen. Eine prädikative Funktion haben sie hier nicht. *quod* ist relativ verschränkter Subjektsakkusativ eines nicht ganz einfachen AcI. Der zugehörige Infinitiv ist *esse*, das Signalverb *sciebant*. Von *sciebant* ist außerdem noch eine indirekte Frage abhängig *(cuius modi esset)*. Strukturiert wird die Konstruktion durch die Doppelkonjunktion *non modo non ..., sed ne ... quidem, nicht nur nicht ..., sondern nicht einmal ....* Wenn das Relativpronomen selbst Subjektsakkusativ ist, leiten wir zunächst mit *von* + Dativ des Relativpronomens ein: *von welchem*. Anschließend folgen Subjekt *(viri)* und Signalverb: *Männer nicht nur nicht wussten.* Nun folgt zunächst die indirekte Frage. Sie wird eingeleitet durch einen Genitivus qualitatis *(cuius modi)*, der als Frage formuliert ist. Schwierigkeiten bereitet die Übersetzung nicht, wenn man mit *von* + Dativ übersetzt *(von welcher Art)*. Da der Genitivus qualitatis seiner Natur nach ein Attribut ist, fehlt noch ein Subjekt zu *esset*, das man aus *quod* in Form des Personalpronomens *es* ziehen kann. Nach *sed* geht der AcI weiter, zu dem *quod*, der Subjektsakkusativ war. Denke an die richtige Übersetzung der zweiteiligen Negation *ne ...quidem ... nicht einmal!* Zu *esse* fehlt hier ein Prädikativum. In solchen Fällen hat *esse* die Bedeutung *da sein, existieren*. Dass übrigens *viri* von *vir, Mann*, und nicht von *vis, Kraft*, kommt, brauche ich hoffentlich nicht mehr zu erklären, auch wenn ich es hier trotzdem tue.

Aditus enim in id sacrarium non est viris.

Einen Zugang nämlich in dieses Heiligtum haben Männer nicht.

viris in Verbindung mit *esse* ist Dativus possessivus. Diese Konstruktion sollte man nicht wörtlich übersetzen (in dem Sinne: «*ein Zugang ist Männern nicht*»), sondern das Subjekt *(aditus)* zum Objekt *(einen Zugang)*, das Dativobjekt *(viris)* zum Subjekt *(Männer)* und das Verb *(est)* zu einer Form von *haben* machen. Erkenne außerdem hier die Richtungsangabe durch *in* + Akkusativ *(id sacrarium)*. Die Übersetzung «*in diesem Heiligtum*» ist falsch!

Sacra per mulieres ac virgines confici solent.

Die heiligen Dinge (Heilige Handlungen) pflegen durch Frauen und Jungfrauen gemacht zu werden.

Subjekt ist das substantivierte Adjektiv Plural Neutrum *sacra*, das man auch frei mit *heilige Handlungen, Kulte, Rituale*, übersetzen kann. Von dem Verb *solere, pflegen, gewöhnlich tun*, ist ein einfacher Infinitiv Passiv *(confici)* abhängig, der mit *zu* übersetzt werden muss. Formal gleicht diese Konstruktion einem NcI, der aber aufgrund der Ähnlichkeit zwischen dem Deutschen und Lateinischen nicht auffällt.

Hoc signum noctu clam istius servi ex illo religiosissimo atque antiquissimo loco sustulerunt.

Dieses Standbild entfernten nachts heimlich die «Sklaven» (Handlanger) von diesem aus jenem hochheiligen und uralten Ort.

hoc signum ist direktes Objekt, *servi*, hier eher *Handlanger* als *Sklaven*, Subjekt zu *sustulerunt*. Den Perfektstamm *-tul-* teilen sich alle Formen von *ferre (auferre, deferre, referre)* und *tollere, aufheben, wegnehmen*, mit dem Stamm *sustul-*. Diesen Stammwechsel muss man kennen. Allein in den Verres-Reden sind Verben wie *auferre, wegtragen, wegnehmen*, und *tollere, aufheben, beseitigen, wegnehmen*, unzählige Male belegt. Das Genitivattribut *istius* bezieht sich grammatisch auf *servi*, inhaltlich ist mit *iste* in all seinen Formen immer *Verres* gemeint. Die beiden Adjektive *religiosissimo* und *antiquissimo* sollten eher elativisch als superlativisch übersetzt werden. Wie man das auf sehr elegante Weise durch metaphorische Adjektive machen kann, habe ich in meiner Übersetzung gezeigt (vgl. auch Lehrbuch S. 144).

Postridie sacerdotes Cereris atque illius fani antistitae, maiores natu, probatae ac nobiles mulieres, rem ad magistratus suos deferunt.
Am folgenden Tag melden die Priesterinnen der Ceres und die Hohepriesterinnen jenes Heiligtums, von Geburt ältere, angesehene und adlige Frauen, den Fall an ihre Beamten.

Subjekte des Satzes sind *sacerdotes* und *antistitae*. Das Genitivattribut *Cereris* bezieht sich nachgestellt auf *sacerdotes*, *illius fani* dagegen vorangestellt auf *antistitae*. Der Komparativ *maior*, wörtlich: *größer*, hat häufig die Bedeutung *älter,* so in Form des substantivierten Adjektivs *maiores, Vorfahren,* und hier in Verbindung mit dem Ablativ *natu*, wörtlich: *von Geburt, durch Geburt,* der als Ablativus modi bezeichnet werden kann. Der Zusatz von *Geburt* kann in Verbindung mit *maiores* auch weggelassen werden. *mulieres* ist substantivisches Attribut zu *antistitae* und seinerseits durch zwei adjektivische Eigenschaftattribute (*probatae* und *nobiles*) ergänzt. Das Verb *deferre, hinbringen, hintragen,* hat im übertragenen Sinne die Bedeutung *melden, berichten,* und steht hier mit dem präpositionalen Ausdruck *ad magistratus suos*.

Omnibus acerbum, indignum, luctuosum denique videbatur.
Allen schien es schlimm, unwürdig, traurig schließlich.

videri (hier in der Form *videbatur*) steht hier nicht mit NcI, sondern doppeltem Nominativ. Dabei geben die drei Adjektive *acerbum, indignum* und *luctuosum* die Prädikativa an, während das Subjekt als unpersönliches «es» nur aus der KNG-Kongruenz mit den Prädikativa und aus der PN-Kongruenz mit dem Prädikat gedacht werden kann. *omnibus* ist indirektes Objekt zur Angabe, wem etwas erscheint.

Tum iste permotus illa atrocitate negoti, ut ab se sceleris illius suspicio demoveretur, dat hospiti […] cuidam negotium, ut aliquem reperiret, quem illud fecisse insimularet, daretque operam, ut is eo crimine damnaretur, ne ipse esset in crimine. Res non procrastinatur.

Dann gibt dieser, beunruhigt durch jene Grausamkeit der Tat, damit der Verdacht jenes Verbrechens von ihm abgewendet wurde, einem gewissen Gastfreund den Auftrag, dass er irgendeinen finden sollte, welchen er beschuldigte jenes getan zu haben, und (dass) er (sich) Mühe geben sollte, dass dieser wegen dieses Verbrechens verurteilt wurde, damit nicht er selbst unter Anklage «war» (stand). Der Fall wird nicht vertagt.

Bei Schachtelsätzen wie diesem lege immer zunächst eine Synopse über die syntaktische Struktur an! *tum* leitet einen Hauptsatz ein, der durch einen ersten *ut*-Satz (also einen Nebensatz 1. Ordnung) unterbrochen wird und dann mit *negotium* zu Ende geht. Es folgt ein zweiter *ut*-Satz (ebenfalls 1. Ordnung), der durch einen Relativsatz (*quem,* nunmehr 2. Ordnung) unterbrochen wird und mit *daret,* angeschlossen durch *-que* weitergeht. Diesem *ut*-Satz ist ein zweiter *ut*-Satz (3. Ordnung) untergeordnet, dem wiederum (in 4. Ordnung) ein *ne*-Satz (also ein verneinter *ut*-Satz) unterliegt. Bereits hinter *tum* als adverbialer Bestimmung gehört das Prädikat (*dat*) in obligater Zweitstellung. Dieses suche ich im hinteren Bereich des Hauptsatzes auf, ziehe es vor und sichere es direkt ab. *iste* ist Subjekt des Hauptsatzes, ein substantiviertes Pronomen, mit dem in den Verres-Reden fast immer nur einer gemeint sein kann: Verres selbst. Auf *iste* bezieht sich das PPP *permotus* prädikativ. Erweitert ist es durch den Ablativ *illa atrocitate*, wobei das Substantiv *atrocitate* seinerseits mit dem Genitivattribut *negoti* (verschliffen aus *negotii* von *negotium*) versehen ist. Nun bin ich einerseits ein Freund der wörtlich-undeklinierten Übersetzung von Partizipien, weil ich so ihre Stellung in der natürlichen Abfolge konservieren kann. Gleichzeitig empfehle ich immer wieder bei erweiterten Partizipien durch einen Konjunktionalsatz aufzulösen. Die Konjunktionalisierung ist also auch hier legitim, weil sie das Partizip und all seine Erweiterungen zu einem überschaubaren Block komprimiert. Beachten muss ich dabei nur das vorzeitige Zeitverhältnis des PPPs *permotus* zum Präsens *dat*: «*nachdem er durch jene Grausamkeit der Tat beunruhigt worden ist*». Das ablativische Reflexivpronomen *se* kann sich logisch nur auf Verres beziehen, weil es wenig Sinn machen würde, wenn *suspicio, der Verdacht,* das zweite in Frage kommende Bezugssubstantiv von sich selbst abgelenkt würde. Übersetzen muss man *ab se* also mit *von ihm (Verres)*. *sceleris illius* ist vorangestelltes Genitivattribut zu *suspicio*. Es handelt sich um eine Art des Genitivus obiectivus, weil das Verbrechen nicht Inhaber oder Aussprecher des Verdachtes ist (in dem falschen Sinne: «*der Verdacht, den jenes Verbrechen hatte*»), sondern vielmehr Objekt oder Inhalt (in dem richtigen Sinne: «*der Verdacht jenes Verbrechen begangen zu haben*»). In Verbindung mit dem Prädikat des Hauptsatzes *dat* (von *dare, geben*) erwartet man ein Dativobjekt. Dies liegt in der Form *hospiti cuidam* vor. *hospiti* gehört zu jenen Substantiven der 3. Deklination, deren Nominativ-Singular-Stamm stark vom Stamm der übrigen Substantive abweicht. Wer also unter *hospitium, Gaststätte, hospita, Wirtin* oder *hospitus, gastlich, fremd,* nachschlägt, wird genau so auf eine falsche Spur gelockt, wie der Leser eines Agatha-Christie-Romans. Der Nominativ Singular zum Dativ Singular *hospiti* lautet *hospes, Gastfreund.* Solche Substantive lohnen die Investition in einen Stapel Karteikarten. *cuidam* kommt von *quidam, ein gewisser,* eines der zu lernenden Pronominaladjektive (Lehrbuch S. 256). Im nun folgenden *ut*-Satz wechselt das Subjekt zu dem besagten *Gastfreund*. Da es sich um einen Befehl oder Auftrag handelt, wird *reperiret* mit *sollen* übersetzt. Der nun folgende Relativsatz ist eigentlich mit einem AcI verschränkt, wobei *quem* Subjektsakkusativ, *fecisse* Prädikatsinfinitiv und *illud* indirektes Objekt zu *fecisse* ist. Eine übersetzungstechnische Umschreibungskonstruktion ist in diesem Fall jedoch deshalb überflüssig, weil uns das Verb *insimulare, beschuldigen, bezichtigen,* auch im Deutschen erlaubt einen AcI zu bilden. Unbemerkt und intuitiv gelingt die Übersetzung ganz wörtlich. Der Gastfreund regiert als Subjekt auch noch die Prädikate *insimularet* und *daret*. *operam* gehört ebenfalls zu den Klassikern, die versäumtes Lernen oder falsches Nachschlagen entlarven können. Die Form kommt nicht von *opus, Arbeit,* sondern von *opera, Mühe.* Der phraseologische Ausdruck *operam dare* verlangt im Deutschen nur die Ergänzung von *sich*: *sich Mühe geben.* Mit *is* wird anschließend ein drittes Subjekt eingeführt, das inhaltlich auf den Sündenbock Bezug nimmt, dem der Gastfreund die Schuld für Verres Verbrechen (hier in Form des Ablativus causae *eo crimine*) zuschieben soll. Im *ne*-Satz wechselt das Subjekt schließlich zu Verres zurück in der Form *ipse*. Mit der Präposition *in* in Verbindung mit dem Ablativ *crimine* und *esset* muss man ein wenig herumprobieren, bis ein schöner deutscher präpositionaler Ausdruck herauskommt. Der schnelle Wechsel zwischen Gegenwarts- und Vergangenheitsformen ist narrative Effekthascherei. Präsensformen, die eigentlich vergangene Handlungen dem Leser hautnah und unmittelbar illustrieren sollen, bezeichnet man als dramatisches Präsens. Es bleibt dem Übersetzer überlassen, ob er dieses nachbildet oder ins Präteritum translatiert. Im Zweifelsfall solltest du das vorgegebene lateinische Tempus jedoch nicht verlassen. Wenn doch, erläutere deine Änderung durch Klammern.

Nam cum iste Catina profectus esset, servi cuiusdam nomen defertur.
Denn nachdem dieser von Catina aufgebrochen war, wird der Name eines gewissen Sklaven angezeigt.

cum steht hier mit dem Konjunktiv Imperfekt von *esse* und einem PPDep als Prädikativum. Daraus entsteht ein Plusquamperfekt Deponent, so dass *cum* vorzeitig mit *nachdem* übersetzt werden muss. Das Deponens *proficisci, aufbrechen, abreisen,* steht regelmäßig entweder mit Angabe des Ursprungs oder des Zieles der Reise. Als Ziel- und Richtungskasus dienen Präpositionen mit dem Akkusativ oder einfacher Akkusativ. Der Ort der Abreise wird durch Präpositionen mit dem Ablativ oder den Separativus angegeben, so auch hier in Form des Städtenamens *Catina* (gelesen mit langem a). Subjekt des Hauptsatzes ist *nomen*. Vorangestellt ist ihm das Genitivattribut *servi cuiusdam*, wobei *cuiusdam* mit *servi* kongruiert und nicht etwa ein weiteres Genitivattribut zu *servi* darstellt.

Is accusatur, ficti testes in eum dantur.
Dieser wird angeklagt, fingierte Zeugen gegen diesen werden «gegeben» (gestellt).

Das PPP *ficti* (von *fingere, fälschen, vortäuschen, «fingieren»*) ist Attribut zum Subjekt *testes*. Dafür spricht vor allem die Voranstellung und Nähe zu seinem Bezugswort. Da es nicht erweitert ist, übersetzt man am besten wörtlich-dekliniert. *in* steht hier mit dem Akkusativ *eum* zur Angabe einer Richtung oder Beziehung. Bei Personen hat *in* in diesem Sinne häufig die Bedeutung *gegen*.

Rem cunctus senatus Catinensium legibus iudicabat. Sacerdotes vocantur.
Den Fall beurteilte der ganze Ältestenrat nach den Gesetzen der Catinenser. Die Priesterinnen werden gerufen.

Das Genitivattribut *Catinensium* bezieht man intuitiv auf *senatus,* weil Genitivattribute im Deutschen nachgestellt werden. Tatsächlich handelt es sich jedoch um ein vorangestelltes Genitivattribut zu *legibus.* Anders würde der Satz nämlich weniger Sinn machen aus folgenden Gründen: In einem der vorangegangenen Sätze erfahren wir, dass die Priesterinnen den Diebstahl bei «*ihren (also örtlichen) Beamten*» (*magistratus suos*) melden, so dass mit *cunctus senatus* nicht der römische Senat gemeint sein kann, sondern der Ältestenrat von Catina. Deshalb verzichte ich hier auch auf die Übersetzung mit *Senat* und im folgenden Satz *Kurie,* beides Begriffe, die im Allgemeinverständnis nur Stadtrom vorbehalten sind. Das macht die Ergänzung *Catinensium* zu *senatus* entbehrlich. Wenn man nun davon ausgeht, dass auch in *Catina,* einer so zivilisierten und götterfürchtigen Stadt, grundsätzlich Gesetze befolgt wurden, wird auch die bloße Angabe *legibus* entbehrlich, also dass der Fall «*nach Gesetzen*» abgeurteilt wurde. Sinnvoll erscheint diese Information erst, wenn man *Catinensium* hinzunimmt, ausgestattet mit dem Hintergrundwissen, dass auf lokaler Ebene die Provinzbewohner ihren eigenen Gesetzen unterlagen. Rechtsstreitigkeiten wurden nicht nach römischem, sondern dem in der jeweiligen Bürgerschaft geltenden Recht beigelegt, solang keine römischen Bürger davon betroffen waren, die Anspruch auf römisches Recht hatten. Bei dem angeklagten Sklaven dürfte es sich schwerlich um einen römischen Bürger gehandelt haben, der Fall wurde also «*nach den Gesetzen der Catinenser*» verhandelt. So war Verres doppelt aus dem Schneider, weil er einerseits darauf hoffen durfte, dass ein anderer für sein Verbrechen einsaß, andererseits die Angelegenheit auf diesem Wege niemals bis nach Rom dringen würde. Nur so ist auch das Schlussplädoyer dieses Falls zu verstehen, in dem Cicero verlangt, dass Verres (jetzt, da der Fall in Rom verhandelt wird) doch für dieses Verbrechen verurteilt wird. Verres bietet hier übrigens keine Ausnahme. Es war gängige Praxis auch in Rom, dass Sklaven für die Verbrechen ihrer Herren herhalten mussten, weil sie keinen Rechtsstatus genossen.

Ex iis quaeritur secreto in curia, quid esse factum arbitrarentur, quem ad modum signum esset ablatum.
Von diesen wird im Geheimen im Rathaus erfragt (diese werden gefragt), von was sie glaubten, dass es getan worden ist, auf welche Weise das Standbild weggenommen worden sei.

Zu *quaeritur* findet sich kein namentlich genanntes Subjekt, so dass man bei einer wörtlichen Übersetzung aus der PN-Kongruenz nur einen unpersönlichen Ausdruck mit «es» destillieren kann *(es wird gefragt),* wobei man dieses neutrale Subjekt nicht selten auch einfach unter den Tisch fallen lassen kann. Phraseologisch steht das Verb *quaerere* in der Bedeutung *fragen* jedoch regelmäßig mit der Präposition *ex,* wo wir im Deutschen ein direktes Objekt erwarten und auch übersetzen. Gekehrt ins Passiv wird aus diesem Objekt *zu fragen* ein Subjekt (hier zu *gefragt werden*). So kommt mein freier Übersetzungsvorschlag in Klammern zustande. Von einem Verb des Fragens ist typischerweise eine indirekte Frage abhängig, hier eingeleitet durch das Fragepronomen *quid.* Dieses ist als Subjektsakkusativ mit einem AcI verschränkt, der von *arbitrarentur* abhängt. Der zugehörige Prädikatsinfinitiv ist *esse,* das in Verbindung mit dem PPP *factum* als Prädikativum zu einem Perfekt Passiv zusammentritt. Eingeleitet wird mit *von* oder zur Abwechslung mal mit *in Bezug auf.* Anschließend folgen Subjekt *(sie)* und Signalverb des AcI *(glaubten).* Im *dass*-Satz dürfen wir nicht vergessen den Subjektsakkusativ *(quid, was)* noch einmal in Form eines Personalpronomens *(es)* anklingen zu lassen. Das Perfekt Passiv wird zum finiten Verb umgeformt *(getan worden sei).* Nach dem AcI folgt nochmals eine normale indirekte Frage, eingeleitet durch den präpositionalen Frageausdruck *quemadmodum, auf welche Weise.* Das PPP *ablatum* (von *auferre, wegtragen, wegnehmen, entwenden*), das in den Verres-Reden zum Grundwortschatz gehört, tritt mit dem Imperfekt *esset* zum Plusquamperfekt Passiv zusammen. Da es sich bei den Fragen an die Priesterinnen um eine indirekte Rede handelt, gilt jedoch der deutsche Konjunktiv 1 der Vergangenheit (Perfekt) der indirekten Rede noch vor dem lateinischen Konjunktiv 2 (Plusquamperfekt).

Respondent illae praetoris in eo loco servos esse visos.
Es antworten jene, dass die Sklaven (Handlanger) des Prätors an diesem Ort gesehen worden seien.

Bei Erststellung des lateinischen Prädikates leitet man mit dem Subjekt-Substituenten *es* ein um die Stellung zu konservieren. *respondere* katalysiert einen AcI mit dem Subjektsakkusativ *servos* dem Infinitiv *esse* und damit verbunden das prädikative PPP *visos,* hier nicht als PPDep, sondern als PPP, so dass kein Perfekt Deponent *(seien erschienen),* sondern ein Perfekt Passiv *(seien gesehen worden)* entsteht. In Form eines Hyperbaton an auffällig prominenter Position steht das Genitivattribut *praetoris,* das sich vorangestellt auf *servos* bezieht, aber den präpositionalen Ausdruck *in eo loco* überspringt.

Res, quae esset iam antea non obscura, sacerdotum testimonio perspicua esse coepit.
Der Fall, welcher schon vorher nicht unklar war, beginnt durch das Zeugnis der Priesterinnen deutlich zu sein (werden).

Der Konjunktiv im Relativsatz *esset* generiert einen kausalen Nebensinn, weil man das Relativpronomen *quae* im Deutschen durch die Kausalkonjunktion *weil* + Personalpronomen ersetzen kann (in dem Sinne: «*weil sie ja schon vorher nicht unklar war*»). Das Genitivattribut *sacerdotum* bezieht sich vorangestellt auf *testimonio* und muss im Deutschen umgestellt werden. Von dem meist präsentisch zu übersetzenden Perfekt *coepisse* (hier in der Form *coepit*) hängt regelmäßig ein einfacher Infinitiv ab, der im Deutschen mit *zu* übersetzt wird. Statt *esse, sein,* erwarten wir nach *beginnen* im Deutschen allerdings eher *werden,* eine phraseologischere, freie Übersetzung ist daher legitim.

Itur in consilium.
Es wird in die Beratung gegangen. (Man geht in die Beratung.)

Es widerspricht der intransitiven Semantik des Verbs *gehen,* dass man davon passive Formen bilden könnte. Man kann nicht «*gegangen werden*». Eine Ausnahme gibt es dennoch von dieser Regel. Wenn von intransitiven Verben unpersönliche Ausdrücke mit einem neutralen Subjekt im Singular *(es)* gebildet werden, werden sie auch in passiver Form intuitiv verstanden. «*Es*» kann *gesprochen, gekämpft, gesagt, gekommen werden.* Ebenso intuitiv bevorzugt man allerdings die Formulierung mit *man. Man spricht, kämpft, sagt, kommt.* So erklären sich denn auch sowohl Form als auch Übersetzung von *itur.* Falsch darf man hier nur nicht den Akkusativ nach *in* übersetzen. Gegangen wird in **die** Versammlung, nicht in **der** Versammlung.

Servus ille innocens omnibus sententiis absolvitur, quo facilius vos hunc omnibus sententiis condemnare possitis.
Jener unschuldige Sklave wird von allen Anklagepunkten freigesprochen, damit umso leichter ihr diesen in allen Anklagepunkten schuldig sprechen könnt.

Das Adjektiv *innocens* ist ursprünglich ein verneintes PPA des Verbs *nocere, schaden,* wörtlich also als «*nicht schadend*» zu übersetzen. Solche allzu wörtlichen Ansätze sollte man jedoch unterlassen. Der verbaladjektivische Charakter mancher Partizipien ist besonders in negierter Form (durch das Präfix *in-*) so weit geschwunden, das man mit Fug und Recht nur noch von Adjektiven sprechen kann. Das Verb *absolvere, befreien, frei sprechen,* steht regelmäßig mit dem Ablativus separativus, hier in der Form *sententiis. quo* als Konjunktion in Verbindung mit dem Komparativ (hier in Form des Adverbs auf *-ius*: *facilius*) entspricht der deutschen konjunktionalen Phrase *damit umso* + Komparativ (Lehrbuch S. 150).

Sciunt ei, qui me norunt ...

Sciunt ei, qui me norunt, me pro mea tenui infirmaque parte, postea quam id, quod maxime volui, fieri non potuit, ut componeretur, id maxime defendisse, ut ei vincerent, qui vicerunt.
Es wissen diese, welche mich kennen, dass ich für meinen unbedeutenden und schwachen «Teil» (Partei), nachdem dieses, welches ich am meisten wollte, nicht hatte geschehen können, (nämlich) dass man sich einigte, dieses vor allem «verteidigt habe» (durchsetzen wollte), dass diese siegten (siegen sollten), welche gesiegt haben.

Wie grundsätzlich vor jeder Übersetzung, so besonders in langen und komplizierten Sätzen, sollte man die Satzstruktur analysieren. *sciunt* ist erster Teil des Hauptsatzes. Dieser wird zunächst durch einen Relativsatz *(qui)*, anschließend durch einen *postquam*-Satz *(postea quam)* unterbrochen. Der *postquam*-Satz wird seinerseits geteilt durch einen relativen *quod*-Satz und geht bei *potuit* zu Ende, woraufhin sich auf zweiter Ebene noch ein *ut*-Satz anschließt. Erst bei *id* geht der Hauptsatz weiter und mündet in einen weiteren *ut*-Satz, dem nochmals ein Relativsatz *(qui)* untergeordnet ist. Da der lateinische Hauptsatz mit dem Prädikat *(sciunt)* anfängt, subs-tituiere ich als Subjekt ein unpersönliches «es». So bleiben sowohl *sciunt* als auch das eigentliche Subjekt *ei* in ihrer natürlichen Stellung. *norunt* ist eine *erodierte* Form des präsentischen Perfekts *noverunt*. Ein präsentisches Perfekt ist nur der Form nach Perfekt, übersetzt wird es meist als Präsens. Da es von präsentischen Perfekten kein Präsens gibt, stehen sie unter der jeweils ersten Person Perfekt im Wörterbuch, in diesem Fall also unter *novi*. *scire*, ein Verb des Wissens, leitet einen AcI ein, der einen längeren Einschub umschließt. Der Subjektsakkusativ ist *me*. Für den Infinitiv muss man einen langen Bogen über drei Nebensätze machen: *defendisse*. Das Pronomen *id* ist zu *defendisse* direktes Objekt im Akkusativ. Als Arbeitsgrundlage sollte ich das AcI-Gerüst zunächst schriftlich absichern: «Es wissen diese ... dass ich dieses verteidigt habe.» Nun kann ich vorne mit der weiteren Ausstaffierung beginnen. *tenui* ist Ablativ Singular von *tenuis, unbedeutend,* und nicht 1. Singular Indikativ Perfekt Aktiv von *tenere, halten.* Es kongruiert mit *parte*. *postea quam* ist nicht so sehr im wörtlichen Sinne («später als»), als vielmehr als Nebenform altlateinischer Genese für die spätere Konjunktion *postquam, nachdem,* zu übersetzen und auch zu lernen. Diese schafft ein vorzeitiges Zeitverhältnis, so dass hier das Perfekt *potuit* in vorzeitiges Verhältnis zum Infinitiv Perfekt *defendisse* gebracht, also ins Plusquamperfekt *(hatte gekonnt)* konvertiert werden muss. *quod* ist als relatives *quod* an der Kongruenz mit *id* erkennbar. Von *potuit* ist ein einfacher, unveränderter zu übersetzender Infinitiv *(fieri)* abhängig. Der *ut*-Satz hat eine erläuternde Funktion zu dem, was Cicero als «*dieses, welches ich am meisten wollte*» andeutet. Für die letzen beiden Sätze muss man vor allem die Stammformen von *vincere, siegen,* kennen.

Quis enim erat, qui non videret humilitatem cum dignitate de amplitudine contendere?
Wer nämlich war (existierte), welcher nicht sah, dass die Unterschicht mit dem Senatsstand um Bedeutung kämpfte?

quis ist Subjekt. Zum Prädikat *erat* findet sich kein passendes Prädikativum, das angeben könnte, was das Subjekt war. In solchen Fällen hat *esse* die Bedeutung *da sein, existieren*. *videret* leitet als Verb der sinnlichen Wahrnehmung einen AcI ein: *humilitatem contendere*. Die Präposition *de* muss nicht zwanghaft mit *in Bezug auf* übersetzt werden. So passt in diesem Zusammenhang gut *um*.

Quo in certamine perditi civis erat non se ad eos iungere, quibus incolumibus et domi dignitas et foris auctoritas retineretur.
In diesem Kampf war es Zeichen eines verkommenen Bürgers nicht sich an diese zu binden, durch deren Schonung sowohl zu Hause die Standeswürde und in der Öffentlichkeit das Ansehen gewahrt wurde.

Die Präposition *in* ist in Klammerstellung zwischen die beiden Kongruenzen *quo* und *certamine* geraten, wobei das Relativpronomen *quo* einen relativen Anschluss bildet und demonstrativ übersetzt werden muss. Bei *perditi civis* handelt es sich um einen Genitivus pertinentiae (Lehrbuch S. 204). Das Genitivattribut dient hier als Prädikativum zu einem neutralen Subjekt *es*, das nur aus der PN-Kongruenz mit *erat* erahnbar ist. Übersetzungstechnisch ergänzt man zusätzlich zum Genitivattribut noch ein Substantiv wie *Sache, Zeichen, Aufgabe,* so dass ein unpersönlicher Ausdruck entsteht: *es war Zeichen eines verkommenen Bürgers.* Häufig folgt auf diesen phraseologischen Ausdruck eine einfache Infinitiverweiterung, die im Deutschen mit *zu* + Infinitiv übersetzt wird, so auch hier in Form des Infinitivs *iungere, zu binden.* Das Reflexivpronomen *se* bildet das Akkusativobjekt zu *iungere,* antwortet also auf die Frage: *wen zu binden?* Außerdem wird *iungere* noch durch den präpositionalen Ausdruck *ad eos* bestimmt, an den sich ein seltener, relativ verschränkter nominaler Ablativus absolutus anschließt, den ich aufgrund der Hilfe nicht näher erläutern möchte. Die beiden adverbialen Lokative *domi, zu Hause,* und *foris, in der Öffentlichkeit,* stehen sich hier inhaltlich gegenüber. Verbunden sind sie durch voranstehendes doppelgliedriges *et (sowohl ... als auch).* Beide Lokative solltest du dir notieren. Das Prädikat im Singular *retineretur* bezieht sich auf zwei Subjekte *(dignitas, auctoritas).*

Quae perfecta esse et suum cuique honorem et gradum redditum gaudeo, iudices, vehementerque laetor eaque omnia deorum voluntate, studio populi Romani, consilio et imperio et felicitate L. Sullae gesta esse intellego.
Dass diese Dinge geschafft worden sind und dass jedem seine Ehre und Standesstufe zurückgegeben worden ist, begrüße ich, ihr Richter, und bin sehr erfreut (erleichtert), und ich erkenne, dass diese Dinge alle durch den Willen der Götter, die Bemühung des römischen Volkes, durch Klugheit und Herrschaft und Erfolg des Lucius Sulla vollbracht worden sind.

Das substantivierte Relativpronomen im Akkusativ Plural Neutrum bildet einen relativen Anschluss und muss demonstrativ übersetzt werden. Gleichzeitig ist es Subjektsakkusativ eines AcI – daher beginne ich mit dem *dass*-Satz *(dass diese Dinge).* Dieser hängt von *gaudeo,* einem Verb der Freude, ab, das ich erst hinter den *dass*-Satz zu schalten brauche, weil der *dass*-Satz als Block für einen einzigen Satzteil steht. Das PPP *perfecta* bildet als Prädikativum in Verbindung mit *esse* ein Perfekt Passiv *(geschafft worden sind).* Mit *et* wird ein zweiter, ebenfalls von *gaudeo* abhängiger AcI angeschlossen: «*suum ... honorem et gradum redditum*». Das PPP *redditum* (von *reddere, zurückgeben*) scheint elliptisch. Als Prädikatsinfinitiv dieses zweiten AcIs nehmen wir jedoch *esse* aus dem ersten AcI mit, so dass es auch hier in Verbindung mit *redditum* als Prädikativum ein Perfekt Passiv bildet *(zurückgegeben worden ist).* Das Verb *reddere* steht naturgemäß regelmäßig mit Dativobjekt *(wem zurückgeben),* hier repräsentiert durch das Pronominaladjektiv *cuique, jedem* (von *quisque, jeder*). *iudices* ist Vokativ Plural. Etwas redundant erscheint der zweite Ausdruck der Freude *laetor* (von *laetari, sich freuen, erfreut sein*), der sich über *-que* direkt an *gaudeo* anschließt und indirekt ebenfalls den AcI beeinflusst. Daher biete ich eine freiere Übersetzung mit *erleichtert sein. vehementer* ist Adverb eines Adjektivs der 3. Deklination («3 Liter»). Nach dem zweiten *-que* und eingeleitet durch *intellego, ich erkenne,* folgt ein dritter AcI mit dem substantivierten Neutrum Plural *ea omnia, alle diese Dinge,* als Subjektsakkusativ und dem Infinitiv Perfekt Passiv *gesta esse, getan worden sind.* Hinzu treten noch drei adverbiale Bestimmungen, jeweils in Form eines Ablativs mit einem zugehörigen Genitivattribut: *deorum voluntate, studio populi Romani* und *consilio et imperio et felicitate L. Sullae.* Stilistisch sind diese jeweils etwas variiert. So stehen die ersten beiden chiastisch:

deorum voluntate

studio populi Romani

Innerhalb der letzten findet sich aber ein Polysyndeton *(consilio et imperio et felicitate),* während alle drei adverbialen Bestimmungen insgesamt wieder asyndetisch sind.

Quod animadversum est in eos, qui contra omni ratione pugnarunt, non debeo reprehendere.
Dass eingeschritten worden ist gegen diese, welche dagegen mit jedem Mittel ankämpften, darf ich nicht tadeln.

Der faktische *quod*-Satz hängt von dem Ausdruck des Tadels am Ende des Satzes ab. *debere*, wörtlich: *müssen*, muss, in verneinter Form ähnlich dem englischen *must not*, als *nicht dürfen* übersetzt werden. An *debere* in der Bedeutung *müssen* (nicht *schulden*) schließt sich regelmäßig ein einfacher, unverändert zu übersetzender Infinitiv an (hier *reprehendere, tadeln*). Innerhalb des faktischen *quod*-Satzes liegt ein unpersönlicher Ausdruck mit neutralem Subjekt *(es)*, erkennbar an der Kongruenz mit dem PPP *animadversum*. Dieses bildet in Verbindung mit *est* ein Perfekt Passiv. Die Präposition *in* mit Akkusativ (hier *eos*) hat bei Personen meist die Bedeutung *gegen*. Dass es sich bei *eos* um Personen handelt, wird aus dem Relativsatz deutlich, der sich darauf bezieht. *contra* ist hier keine Präposition, da es kein Bezugswort (im Akkusativ) gibt. *omni ratione* ist einfacher Ablativus modi oder instrumentalis zur Angabe des Mittels oder der Methode *(ratio)*, mit der sie kämpften. Vom Perfekt *pugnaverunt* ist in der hier vorliegenden altlateinischen Form nur noch das erodierte Skelett *pugnarunt* stehen geblieben.

Quod viris fortibus, quorum opera eximia in rebus gerendis exstitit, honos habitus est, laudo.
Dass tapferen Männern, deren herausragende Leistung im Vollbringen von Taten entstand, eine Ehrung abgehalten wurde, lobe ich.

Die Struktur dieses Satzes gleicht der des vorherigen. Diesmal ist der faktische *quod*-Satz von einem Ausdruck des Lobens *(laudo)*, nicht des Tadelns, abhängig, der gleichzeitig als einziges Wort den Hauptsatz bildet. Subjekt des Nebensatzes ist *honos*, eine alte Form für *honor*, Ehre. Prädikat ist *est* in Verbindung mit dem PPP *habitus* als Prädikativum zur Bildung eines Perfekt Passiv. Um dieses Perfekt Passiv übersetzen zu können, muss man die phraseologische Wendung *honorem habere, eine Ehrung abhalten,* kennen und sollte gleichzeitig wissen oder sich denken können, dass diese mit Dativobjekt steht, hier in der Form *viris fortibus*. Auf diese bezieht sich der Relativsatz, eingeleitet durch ein Genitivattribut *(quorum)* zum Subjekt *opera*. Das Prädikat *exstitit* kommt von *exsistere*, entstehen, auftreten, existieren. *gerendis* ist ein passives Notwendigkeitspartizip (Gerundivum), das sich als Attribut auf den Ablativ *rebus* bezieht. Die Präposition *in* mit Ablativ wird bei nd-Formen normalerweise durch *bei* oder *während* übersetzt, wörtlich also: «bei den zu vollbringenden Taten». Schöner ist hier allerdings die Übersetzung mit *im* und die Substantivierung-Genitivierung: «im Vollbringen von Taten».

Quae ut fierent, idcirco pugnatum esse arbitror meque in eo studio partium fuisse confiteor.
Damit diese Dinge geschahen, dass deswegen gekämpft worden ist, glaube ich und gestehe, dass ich auf dieser Seite der Parteien gewesen bin.

Das substantivierte Pronomen im Neutrum Plural *quae* ist relativer Satzanschluss. Die Konjunktion *ut* hängt nach und muss im Deutschen vorgezogen werden. Der *ut*-Satz hängt unmittelbar von *idcirco* ab, das den Hauptsatz einleitet. *idcirco* selbst beschreibt als adverbiale Bestimmung den Infinitiv Perfekt *pugnatum esse*, der als Prädikatsinfinitiv Teil eines AcIs ist. Dieser ist abhängig vom deponenten *arbitror* und lässt einen Subjektsakkusativ vermissen, weil es sich wieder um einen unpersönlichen Ausdruck mit neutralem Subjekt *(es)* handelt. Dieses kann man jedoch im Deutschen ebenso weglassen wie im Lateinischen, so dass nur das PPP *pugnatum* als Prädikativum und *esse* als Infinitiv stehen bleiben *(gekämpft worden ist)*. Nach *-que* schließt sich, eingeleitet durch das deponente *confiteor, ich bekenne*, ein weiterer AcI an: *me ... fuisse*. Als Prädikativum für *fuisse* dient hier der phraseologische präpositionale Ausdruck *in eo studio partium*.

Sin […] id actum est et idcirco arma sumpta sunt, ut homines postremi pecuniis alienis locupletarentur et in fortunas unius cuiusque impetum facerent, et id non modo re prohibere non licet, sed ne verbis quidem vituperare, tum vero in isto bello non recreatus neque restitutus, sed subactus oppressusque populus Romanus est.

Wenn es aber darum ging und darum die Waffen ergriffen worden sind, dass die allerletzten Menschen mit fremden Geldern bereichert wurden (sich bereicherten) und auf die Vermögen eines jeden einen Anschlag machten, und dies nicht nur durch Handeln zu verhindern nicht erlaubt ist, sondern nicht einmal durch Worte zu tadeln, dann aber ist in diesem Krieg das römische Volk nicht wiederaufgebaut und nicht wiederhergestellt, sondern unterworfen und unterdrückt worden.

Der letzte Satz ist zugleich wohl der schwerste des Textes. Die Nebensatzkonjunktion *sin, wenn aber,* leitet einen *si*-Satz ein. Wegen des Indikativs *(sunt)* muss hier jedoch nichts weiter beachtet werden. In zweiter Ebene schließt sich an diesen ein *ut*-Satz an, der sich bis *facerent* erstreckt und dort zurückkehrt auf die Ebene des *si*-Satzes. Dieser zieht über die Konjunktion *sed* bis zu *vituperare*. Mit *tum vero, dann aber,* das mit *sin, wenn aber,* korrespondiert, beginnt der eigentliche Hauptsatz, der über *sed* bis zum Ende reicht. Nach dem unpersönlichen Ausdruck *id actum est* folgt als Subjekt *arma, Waffen,* und als Prädikat *sunt,* das mit dem PPP *sumpta* (von *sumere, nehmen, ergreifen*) als Prädikativum zum Perfekt Passiv zusammentritt. Subjekt des *ut*-Satzes ist *homines postremi,* wobei *postremi* keine quanitative Angabe *(die letzten Menschen in einer Reihe),* sondern eine qualitative Angabe *(die letzten oder schlechtesten Menschen der Gesellschaft)* ist. Dieses verfügt zunächst über das Prädikat *locupletarentur,* das zwar passive Form, aber eher reflexiven Sinn hat *(sich bereicherten).* Das nächste Prädikat ist *facerent* in Verbindung mit dem Objekt *impetum, Angriff, Anschlag, Ansturm.* Als Richtung des Anschlags dient der präpositionale Ausdruck *in fortunas.* Beachte den Akkusativ nach *in* und übersetze entsprechend. Die singularische Bedeutung des Plurals *fortunae, Vermögen, Besitztum,* weicht von der des Singulars *fortuna, Glück, Schicksal,* ab. Zu *fortunas* tritt noch das pronominaladjektivische Genitivattribut *unius cuiusque* (von *unus quisque, ein jeder*). Nach *et* folgt eine komplexe Konstruktion aus einem Akkusativobjekt *(id)* und zwei Infinitiven *(prohibere* und *vituperare),* die durch die Doppelkonjunktion *non modo ... non, sed ne ... quidem ..., nicht nur nicht ..., sondern nicht einmal ...,* verbunden und von dem unpersönlichen Ausdruck *licet, es ist erlaubt,* abhängig ist. Dabei handelt es sich nicht um einen AcI, sondern um gewöhnliche Objekte zu Infinitiven, die mit *zu* übersetzt werden müssen. Übersetzungstechnisch bleibe ich stellungskonservativ. Der Sinn ist: «Es war nicht nur nicht erlaubt durch Handeln einzugreifen (also sich gegen die Konfiskationen zu wehren), sondern nicht einmal durch Worte Kritik an dieser Verfahrensweise zu üben.» Nach diesem so langen konditionalen Polysyndeton, kommt Cicero nun endlich zur Sache: mit *tum vero* setzt der eigentliche Hauptsatz ein. Dieser besteht aus einem Subjekt *(populus Romanus),* einem Prädikat *(est)* und vier PPPs *(recreatus, restitutus, subactus, oppressus),* die als Prädikativa mit *est* passive Perfektformen bilden. Beachte die häufigen Konjunktionen *(neque, sed, -que).* Der Übersicht und Lesbarkeit halber ziehe ich das Subjekt vor die Prädikatsequenz.

Übersetzung und Kommentar: Altklausuren – Caesar

At hostes ...

At hostes, ubi primum nostros equites conspexerunt, quorum erat quinque milium numerus, cum ipsi non amplius octingentos equites haberent, quod ii, qui frumentandi causa erant trans Mosam profecti, nondum redierant, nihil timentibus nostris, quod legati eorum paulo ante a Caesare discesserant atque is dies indutiis erat ab his petitus, impetu facto celeriter nostros perturbaverunt.

Aber die Feinde brachten, sobald sie unsere Reiter erblickt hatten, von welchen die Zahl fünf der Tausend war, während sie selbst nicht mehr als achthundert hatten, weil diese, welche des Getreide Holens wegen (um Getreide zu holen) über die Maas aufgebrochen waren, noch nicht zurückgekehrt waren, ohne dass die Unsrigen etwas fürchteten, weil die Gesandten von diesen kurz vorher von Caesar weggegangen waren und dieser Tag für einen Waffenstillstand von diesen erbeten worden war, nach Durchführung eines Angriffes schnell die Unsrigen in Unruhe.

Der erste Satz ist ein echter Schocker, der jedem die Illusion nehmen sollte, der je geglaubt hat, Caesar sei einfacher als Cicero. Trotzdem ist er ein Kabinettstückchen der lateinischen Syntax. Alles beginnt mit einer syntaktischen Konstruktionsskizze:

HS *(At)* ..., NS 1 *(ubi primum)* ..., NS 2 *(quorum)*, NS 3 *(cum)* ..., NS 4 *(quod)*, NS 5 *(qui)* ..., NS 4 (Fortsetzung mit *nondum*) ..., HS *(nihil)* ..., NS 1 *(quod)*, HS *(impetu)*.

Anhand der Satzanfänge kann man die Unterteilung in Haupt- und Nebensätze vornehmen je nach dem, ob Nebensatzeinleiter (hier Konjunktionen und Relativpronomen) vorhanden sind oder nicht. Anschließend reiße ich, um dem Titanen seinen Schrecken zu nehmen, vorsorglich schon mal das Herz, den Hauptsatz, heraus:

At hostes ... nihil timentibus nostris ... impetu facto celeriter nostros perturbaverunt.

Die Konjunktion *at* zählt nicht als Satzteil, so dass das Subjekt *hostes* die erste Stelle einnimmt. Nun ziehe ich das Prädikat *perturbaverunt* in die Zweitstellung vor. Wenn es sich, wie hier, um ein zusammengesetztes Prädikat handelt *(in Unruhe bringen)*, genügt es nur den konjugierbaren Teil *(bringen)* vorzuziehen, so dass ich nun von folgendem Ansatz aus operieren kann: *Aber die Feinde brachten ...* Der Rest besteht nun nur noch aus geduldigem Abarbeiten der Nebensätze. Dabei bloß keine Satzteile, geschweige denn Sätze umstellen und so wenig wie möglich an der natürlichen Wortabfolge herumdoktern! Hervorheben möchte ich dabei das vorzeitige Zeitverhältnis nach *ubi primum*. Ähnlich wie nach *postquam* muss hier jedes Tempus vorzeitig zum Hauptsatz gehalten werden. Hier wird also aus einem Perfekt *(conspexerunt)* ein Plusquamperfekt wegen der Vorzeitigkeit zu *perturbaverunt* (Perfekt; vgl. Tabelle S. 264). Die Form *milium* ist Genitiv Plural von *mille*, Tausend, und hat übrigens nichts mit *miles, militis* (Gen. Plural *militum*), Soldat zu tun. *frumentandi* ist Gerundium, das vor *causa* durch einen *um-zu*-Ausdruck übersetzt werden sollte. *profecti* ist PPDep mit esse von *proficisci*. Außerdem enthält der Satz zwei AmPs. Der erste *(nihil timentibus nostris)* sollte wegen der Negation *(nihil)* mit *ohne dass* eingeleitet werden. Den zweiten *(impetu facto)* präpositionalisiere ich. *indutiis* ist Dativ Plural von *indutiae*, ein feminines Pluralwort in singularischer Bedeutung *(Waffenstillstand)*. Denke an die Substantivierung von *nostri, die Unsrigen, unsere Leute.*

Rursus his resistentibus sua consuetudine ad pedes desiluerunt subfossisque equis compluribusque nostris deiectis reliquos in fugam coniecerunt atque ita perterritos egerunt, ut non prius fuga desisterent quam in conspectum agminis nostri venissent.

Während diese (die Unsrigen) wiederum Widerstand leisteten, sprangen sie (die Feinde) nach ihrer Gewohnheit auf die Füße herab und, nachdem mehrere Pferde von unten aufgeschlitzt und mehrere Unsrige abgeworfen worden waren, schlugen sie die Übrigen in die Flucht und trieben sie so völlig erschrocken (vor sich her), dass sie nicht eher von der Flucht abließen als (bis) sie in Sichtweite unseres Heeres gekommen waren.

Lediglich ein *ut*-Satz ist am Ende des Hauptsatzes abgeteilt. Der Hauptsatz beginnt mit einem AmP *(his resistentibus)* und geht auch mit einem AmP weiter *(subfossisque equis compluribusque nostris deiectis)*. Beide würde ich aufgrund ihrer Länge oder umständlicher Formulierungen nicht präpositionalisieren sondern konjunktional auflösen. *compluribus nostris* ist im Lateinischen kongruent, im Deutschen klingt es schöner, wenn ich *nostris* zusätzlich genitiviere *(mehrere der Unsrigen)*. *perterritos* ist Prädikativum zu *reliquos* und als solches übersetzt man es am besten wörtlich-undekliniert. Hinter *egerunt* kann man durch eine Erläuterung den Sinn plastischer heraus schnitzen. Wer allerdings keine Ahnung hat, sollte solche altkluge Klammerbemerkungen tunlichst unterlassen. *fuga* ist *Ablativus separativus* nach *desistere, ablassen (von)*. *non prius ... quam* gehört als häufige Wendung auf eine Karteikarte und heißt: *nicht eher ... als (bis)*.

In eo proelio ex equitibus nostris interficiuntur quattuor et septuaginta, in his vir fortissimus Piso Aquitanus amplissimo genere natus, cuius avus in civitate sua regnum obtinuerat, amicus ab senatu nostro appellatus.

In diesem Kampf werden aus/von unseren Reitern vier und siebzig getötet, unter diesen ein sehr tapferer Mann, Piso Aquitanus, der aus einem sehr bekannten Geschlecht geboren worden war, dessen Großvater in seiner Bürgerschaft die Herrschaft besessen hatte, nachdem er von unserem Senat Freund genannt worden war.

Im Sinne eines *Genitivus partitivus* kann auch ein präpositionaler Ausdruck mit *ex* stehen, um die Herkunft aus einer Gruppe deutlich zu machen. *ex* wird dann mit *von* übersetzt. In der Bedeutung *unter* kann die Präposition *in* stehen, wenn sie die Zugehörigkeit zu einer Gruppe deutlich macht. *amplissimo genere* ist *Ablativus separativus*. Der Kerngedanke der Trennung steckt ja auch im Vorgang der Geburt oder des «aus sich Zeugens». Das Verb *nasci, geboren werden*, kommt nur im Passiv vor, ist deswegen aber keinesweg deponent. Die Wörterbücher machen das selten richtig klar. Das PPP *natus* ist also auch der Bedeutung nach ein Perfekt Passiv. In einer Nebenbedeutung von *nasci, abstammen*, erhält es jedoch deponenten Charakter. So könnte man hier auch übersetzen: «der aus einer sehr bekannten Familie abstammte».

Hic, cum fratri intercluso ab hostibus auxilium ferret, illum ex periculo eripuit, ipse equo vulnerato deiectus, quoad potuit, fortissime restitit.

Dieser riss, als er seinem Bruder, der von den Feinden eingeschlossen worden war, Hilfe brachte, jenen aus der Gefahrenzone, selbst leistete er, nachdem er nach Verwundung des Pferdes abgeworfen worden war, solange er konnte, tapfer Widerstand.

Auch in diesem Schachtelsätzchen bedarf es keiner großen Kunst, Haupt- und Nebensätze zu unterscheiden und die beiden Hauptsatzprädikate *(eripuit, restitit)* in die Zweitstellung zu transplantieren *(«Dieser riss ...»; «selbst leistete ...»)*. Das PPP *intercluso* lässt sich sowohl wörtlich-dekliniert *(«seinem von den Feinden eingeschlossenen Bruder»)* als auch durch Relativ- oder Konjunktionalsatz gut übersetzen. *periculum, Gefahr*, übersetze ich hier etwas reißerischer und moderner als es der staubige Philologenstil zulässt. *equo vulnerato* ist AmP in Klammerstellung und lässt sich unter Substantivierung-Genitivierung gut mit *nach* präpositionalisieren. Den Rahmen bilden *ipse* und sein kongruentes Zustandsattribut *deiectus*.

Cum circumventus multis vulneribus acceptis cecidisset atque id frater, qui iam proelio excesserat, procul animadvertisset, incitato equo se hostibus obtulit atque item interfectus est.

Nachdem er, umzingelt, nach Erleiden vieler Wunden gefallen war und dies sein Bruder, welcher sich schon aus dem Kampfgeschehen entfernt hatte, von fern bemerkt hatte, stürzte er sich nach Antreiben seines Pferdes den Feinden entgegen und wurde ebenfalls getötet.

Die Präposition *cum* steht hier mit dem Konjunktiv Plusquamperfekt, muss also vorzeitig mit *nachdem* übersetzt werden. Gleich darauf folgt ein PPP *(circumventus)* in prädikativer Funktion, das ebenfalls vorzeitig ist. Wiederum vorzeitig dazu folgt ein AmP *(multis vulneribus acceptis)*, so dass bei konsequenter Auflösung der Vorzeitigkeit durch Konjunktionalsätze ein bizarres Konjunktionalsatztriplett mit *nachdem* steht: «*nachdem er, nachdem er, nachdem viele Wunden erlitten worden waren, umzingelt worden war, gefallen war*» Bei einem so engmaschigen Wechsel der Zeitverhältnisse (erst wird er verwundet, dann umzingelt, zuletzt getötet) kann es sich also als satzbautechnisch absurd herausstellen, jedes PPP stumpf mit *nachdem* einzuleiten. Die Varianten (wörtlich-undekliniert, Präpositionalisierung nach Substantivierung-Gentivierung) habe ich in meiner Übersetzung demonstriert. *proelio* ist Ablativus separativus nach einem Verb der Entfernung. *incitato equo* ist AmP, *se obferre* (im Wörterbuch meist unter *offerre* oder *offero* zu finden), *sich stürzen*, ist feststehender Ausdruck.

Erant in ea legione ...

Erant in ea legione fortissimi viri, centuriones, qui iam primis ordinibus appropinquarent: Titus Pullo et Lucius Vorenus.
Es waren in dieser Legion sehr tapfere Männer, Centurionen, welche sich schon den ersten Rangklassen annäherten: Titus Pullo und Lucius Vorenus.

Wenn ein lateinischer Satz mit dem Verb beginnt (hier *erant*), kann man im Deutschen einen unpersönlichen Ausdruck mit dem neutralen Subjekt *es* einsetzen. Dieses *es* fungiert als Subjektsubstituent, vertritt also das Subjekt, bis dieses in der gegebenen Abfolge der Satzteile (hier: *viri*) selbst an der Reihe ist. Nach Formen von *esse* erwartet man zunächst ein Prädikativum (Prädikatsnomen). Dafür bietet sich *fortissimi* an, so dass man grammatisch richtig – logisch falsch – übersetzt: «*Es waren in dieser Legion die Tapfersten die Männer.*» Die groteske Folge aus dieser Übersetzung wäre nämlich, dass es auch noch weniger tapfere Frauen gab. Gegen ein Prädikativum spricht zudem die Nähe des Attributs *fortissimi* zum eigentlichen Subjekt *viri* und die Entfernung vom Prädikat. Auch *centuriones* steht als Prädikativum nicht zur Verfügung (in dem falschen Sinne: «*die tapfersten Männer waren Centurionen*»), weil es in Kommata steht und somit nur eine Apposition zu *viri* sein kann. Eine letzte Zuflucht kann man zu *Titus Pullo* und *Lucius Vorenus* selbst nehmen, indem man sie zu Prädikativa macht, in dem Sinne: «*Die tapfersten Männer in dieser Legion waren Titus Pullo und Lucius Vorenus*». Dagegen spricht allerdings das Hyperbaton (Überspringung) des Relativsatzes, der sie weit von ihren kongruenten Bezugswörtern (*fortissimi viri*) und noch weiter vom Prädikat abdrängt. Es spricht also vieles dafür, dass sowohl *centuriones* als auch der Relativsatz als auch die beiden Namen allesamt Attribute sind. Als Prädikativa kommen jedoch auch nicht-nominale Attribute in Frage, z. B. präpositionale Attribute. Das ist der Grund, weshalb die Suche nach «Prädikatsnomen» unzureichend sein kann. Die Funktion eines prädikativen Präpositionalausdrucks könnte *in ea legione* übernehmen: «*In dieser Legion waren die tapfersten Männer ...*» Zuweilen kann es jedoch auch vorkommen, dass *esse* gar nicht mit Prädikativum, sondern allein steht, in der Bedeutung: *da sein, geben, existieren,* der Sinn lautete dann: «*Da waren (es gab) in dieser Legion tapfere Männer.*» Auch wenn im Pons die Wendung *primis ordinibus appropinquare* mit der Bedeutung «*die Beförderung zur ersten Rangklasse in Aussicht haben*» gehirnbekömmlich und nervenschonend vorgekaut wird (unter dem Eintrag *appropinquare*), möchte ich doch noch ein paar Worte zur Erklärung anmerken: *appropinquare*, wörtlich: sich *nähern,* steht, wie im Deutschen, mit einem Dativobjekt (hier: *primis ordinibus*), so dass man bei dieser Form nicht von einem Ablativ ausgehen darf.

Hi perpetuas inter se controversias habebant, uter alteri anteferretur, omnibusque annis de locis summis simultatibus contendebant.
Diese hatten andauernde Streitigkeiten untereinander, welcher dem anderen vorgezogen wurde, und in all den Jahren konkurrierten sie in Bezug auf die höchsten Posten (um die höchsten Posten) in Rivalitäten.

Der präpositionale Ausdruck *inter se*, wörtlich: *zwischen sich, zwischen ihnen,* freier: *untereinander,* wird vom direkten Objekt *controversias* und seinem kongruenten Bezugswort *perpetuas* eingeklammert. Solche Stellungen sprechen für eine Funktion als Präpositionalattribut, nicht als adverbiale Bestimmung. Der Formulierung *controversias habere, Streitigkeiten haben,* folgt eine indirekte Frage, eingeleitet durch das Pronominaladjektiv *uter, welcher von beiden. anteferre,* vorziehen, steht mit einem Dativobjekt, hier ebenfalls einem Pronominalattribut (*alteri,* das wie alle Pronominalattribute im Genitiv auf -*ius*, im Dativ auf langes -*i*, sonst nach der o-Deklination flektiert wird). Die Kongruenzen im Folgenden sind nicht leicht zu trennen: *omnibus* kongruiert mit *annis* als *Ablativus temporis. summis* kongruiert mit *locis* ebenfalls als Ablativ nach *de. simultatibus* hingegen steht allein, also nicht etwa mit *summis*.

Ex his Pullo, cum acerrime ad munitiones pugnaretur, «Quid dubitas, inquit, Vorene?»
Von diesen sagte Pullo, als heftigst bei den Befestigungen gekämpft wurde: «Was zögerst du, Vorenus?»

Die Präposition *ex* mit Ablativ kann zuweilen auch die Funktion eines *Genitivus partitivus* haben, um anzugeben, von woher, aus welcher Gesamtgröße, jemand oder etwas ein Teil ist. Hier stehen beide Soldaten für das Ganze, von diesen beiden *(ex his)*, fordert nun Pullo den anderen heraus. *inquit* ist die typische Einleitung einer direkten Rede. Leider steht sie jedoch nie dort, wo wir sie erwarten, nämlich vor dem Doppelpunkt und damit vor der indirekten Rede, sondern mitten in der direkten Rede, so dass sich der Satzanfang der direkten Rede und das Prädikat des Vorsatzes *inquit* überschneiden. Ein häufig gemachter Fehler besteht nun darin, dass der Übersetzer vergisst *inquit* rechtzeitig vorzuziehen, so dass plötzlich mitten in der direkten Rede ein deplaziertes *«er sagte»* aufkreuzt. In der Übersetzungstechnik müssen wir es deshalb an die zweite Stelle des vorherigen Satzes vorziehen, hier also noch vor *Pullo*. *acerrime* ist am Suffix *-errim-* leicht als Superlativ zu erkennen und an der Endung *-e* als Adverb. Viele nehmen als Subjekt des *cum*-Satzes weiterhin *Pullo* an und übersetzen dann «*cum acerrime pugnaretur*» mit «*als er heftigst bekämpft wurde*» – was grammatisch zwar denkbar, inhaltlich aber fragwürdig ist. Tatsächlich liegt ein unpersönlicher Ausdruck mit neutralem Subjekt *es* vor, in dem Sinne: «*als heftigst gekämpft wurde*», «*als man heftigst kämpfte*». *Vorene* ist Vokativ der o-Deklination. Dieser darf im Deutschen nicht in dieser Form stehen bleiben. Für alle lateinischen Kasus tritt im Deutschen immer nur der lateinische Nominativ ein. Die Deklination übernimmt im Deutschen der Artikel, daher wird *Vorene* auch hier nur mit *Vorenus* übersetzt.

Aut quem locum tuae probandae virtutis exspectas?
Oder welche Gelegenheit des Beweises deiner Tapferkeit erwartest du?

locus, wörtlich: *Ort,* kann in verschiedenen Zusammenhängen sehr unterschiedliche Bedeutungen annehmen. War es oben noch der *Posten* oder *Rang,* ist es hier die *Gelegenheit* oder *Möglichkeit*. An *locum* hängt sich ein Genitivattribut mit passivem Notwendigkeitspartizip auf *-nd-* (Gerundivum): *tuae probandae virtutis,* wörtlich: *«deiner zu beweisenden Tapferkeit»*. Substantiviert man die nd-Form *probandae* (*das Beweisen* oder *der Beweis*), genitivert man das Bezugswort *virtutis* mit seinem kongruenten Attribut *tuae* (*deiner Tapferkeit*) und genitivert dann die ganze Form nochmals entsprechend dem lateinischen Genitiv, so kommt heraus: *«des Beweises deiner Tapferkeit»*. Nun kann man dieses lateinische Genitivattribut noch als Objekt der Gelegenheit (Genitivus obiectivus) und nicht die Gelegenheit als Besitz auffassen und mit einem präpositionalen Ausdruck übersetzen: *«zum Beweis deiner Tapferkeit»*.

Hic dies de nostris controversiis iudicabit.
Dieser Tag wird über unsere Streitigkeiten entscheiden.

dies, Tag, ist das einzige Substantiv der e-Deklination, das maskulines Genus hat. Deshalb kongruiert es auch mit *hic.* Am besten merkt man sich den Spruch:

e-Stämme sind feminin,
doch dies, Tag, ist maskulin.

Haec cum dixisset, procedit extra munitiones quaque pars hostium confertissima est visa, irrumpit.

Nachdem er diese Dinge gesagt hatte, rückt er vor außerhalb der Befestigungen und wo die Front der Feinde am dichtesten erschien, bricht er ein.

Das Pronomen *haec* ist ein substantiviertes Neutrum Plural, das man im Deutschen entweder mit *Dinge* oder durch Singularisierung *(dieses)* substantiviert. Bei *cum*-Sätzen muss man grundsätzlich als erstes Tempus und Modus des Prädikats beachten für die Übersetzung des Zeitverhältnisses: Mit dem Konjunktiv Plusquamperfekt (hier: *dixisset*) muss *cum* grundsätzlich mit *nachdem* übersetzt werden. Subjekt des Hauptsatzes ist zunächst Pullo *(er)* und grammatisch in *procedit* enthalten. *extra, außerhalb,* ist eine bei Cicero und Sallust seltene, Caesar-spezifische Präposition mit dem Akkusativ. Nach *quaque* findet ein Subjektswechsel zu *pars* statt. Dieses Substantiv sollte nach Möglichkeit nicht immer stupide mit der Grundbedeutung *Teil* übersetzt werden. Wie viele Substantive mit allgemeinerer Semantik *(res, causa, negotium, munus, locus, tempus)* gibt es je nach Zusammenhang feine Unterschiede, im Krieg z.B. *Seite, Front,* in der Politik *Partei,* im Theater *Rolle.* pars (Femininum!) kongruiert mit dem Superlativ *confertissima* und dem PPDep *visa. visa* ist Prädikativum zu *est* mit dem es ein Perfekt Deponent von *videri, scheinen,* bildet. Dieses steht regelmäßig mit doppeltem Nominativ, verbraucht also *confertissima* als weiteres Prädikativum. Das Präsens der Prädikate *procedit* und *irrumpit* und auch der folgenden Sätze nennt man dramatisches oder historisches Präsens. Es dient der Erzeugung von Spannung. Im Deutschen muss das dramatische Präsens nicht unbedingt übersetzt werden, sondern kann auch als Präteritum wiedergegeben werden. Dieser Handgriff muss aber gekennzeichnet und anschließend auch konsequent durchgehalten werden. Wer sich unsicher ist, bleibt beim Präsens.

Ne Vorenus quidem tum sese vallo continet, sed omnium veritus existimationem subsequitur.

Nicht einmal Vorenus hielt da sich (selbst) auf dem Wall zurück, sondern folgte aus Furcht vor dem Urteil von allen nach.

Bei der Erstanalyse dieses Satzes muss *ne ... quidem ..., nicht einmal ...,* auffallen. Dieses Doppeladverb wird oft nicht erkannt, weil es, in seine Einzelteile zerlegt, mit der Konjunktion *ne, dass nicht,* und dem Adverb *quidem, jedoch, jedenfalls,* verwechselt wird. Das gedoppelte Reflexivpronomen *sese* ist bei Caesar häufig und hat eine leicht verstärkende Bedeutung im Sinne von *selbst.* Meist liegt es als Akkusativobjekt vor (als Ablativ nur im Absolutus), wie hier zu *continet. veritus* ist das PPDep von *vereri, fürchten.* Ihm folgt entweder ein *ne*-Satz oder ein direktes Objekt der Furcht im Akkusativ. PPDeps kommen nahezu nur als Prädikativa entweder mit oder ohne *esse* vor. Mit *esse* dienen sie der Tempusbildung (Perfekt). Ohne *esse* lassen sie sich nur zäh wörtlich übersetzen *(veritus, «gefürchtet habend»).* Aus diesem Grund wählt man bestimmte standardisierte Formen der Präpositionalisierung, für *veritus* z.B. *«aus Furcht»* und, um das Objekt der Furcht (hier: *existimationem*) auch noch mit unterzukriegen, lernt man am besten noch die Präposition *vor* hinzu (*«aus Furcht vor»*). Das Genitivattribut *omnium* steht durch *veritus* von seinem Bezugswort *existimationem* in Hyperbaton.

Mediocri spatio relicto Pullo pilum in hostes immittit atque unum ex multitudine procurrentem traicit.

Nachdem eine mittlere Reichweite übriggeblieben war, schleuderte Pullo den Wurfspeer (Archäologen: das *Pilum*!) in die Feinde und durchbohrte einen aus der Menge Hervorlaufenden (der aus der Menge hervorlief).

mediocri spatio relicto ist ein Ablativus absolutus der Gattung AmP. Dieser eignet sich jedoch nicht für die Präpositionalisierung mit *nach,* weil das PPP *relicto* nicht sonderlich elegant substantiviert werden kann (*«nach dem Übrigbleiben»* klingt umständlich). In solchen Fällen ist die Konjunktionalisierung immer noch die sicherste Lösung. Arbeite also mit *nachdem,* subjektiviere das Bezugswort (= mache *spatio* zum Subjekt) und konvertiere *relicto* zum Prädikat – beachte dabei die Diathese (Passiv)! *spatium, Reichweite,* meint hier die Wurfdistanz des Pilums, in die man zunächst vorrücken musste um einen Treffer landen zu können. Für die korrekte Übersetzung eines präpositionalen Ausdrucks wie *in hostes* musst du zwei Dinge wissen: 1. die Bedeutung der Präposition 2. den Kasus, mit dem sie steht. Viel zu oft wird hier geraten. *in* kann mit Akkusativ oder mit Ablativ stehen. Prüfe also als erstes, mit welchem der beiden Kasus *in* hier steht (Akkusativ). Der Akkusativ ist ein Richtungskasus, während der Ablativ ein Ortskasus ist. Aus diesem Unterschied wird klar, warum *in hostes,* nicht *in den Feinden* oder *bei den Feinden,* sondern *in die Feinde* oder *gegen die Feinde* heißen muss. *procurrentem* ist ein PPA, erkennbar am Suffix *-nt-*. Es bezieht sich auf das direkte Objekt des Satzes *unum* und kann wörtlich-dekliniert und sogar substantiviert *(einen Hervorlaufenden),* relativiert *(einen, der hervorlief)* oder auch konjunktionalisiert übersetzt werden *(einen, während er hervorlief),* je nach dem, ob man *procurrentem* eher als Attribut oder als Zustandsattribut auffasst. Unschön klingt allerdings die wörtlich-undeklinierte Übersetzung *(einen hervorlaufend).*

Quo percusso et exanimato hunc scutis protegunt, in hostem tela universi coniciunt neque dant progrediendi facultatem.
Nachdem dieser geschlagen und bewusstlos gemacht worden war, decken sie diesen mit ihren Schilden, gegen den Feind werfen alle ihre Speere, und geben nicht die Möglichkeit des Vorrückens.

Bei Caesar hilft die Statistik den Ablativus Absolutus zu erkennen: Selbst wenn man nicht die geringste Ahnung hat, was ein *Ablativus Absolutus* eigentlich ist, kann man in mehr als 50% der Caesar-Sätze davon ausgehen, dass es sich bei der komischen Konstruktion am Anfang um einen *Absolutus* handelt. So auch hier: Ein AmP (Ablativ mit Partizip) besteht aus einem Substantiv, substantivierten Adjektiv oder Pronomen im Ablativ (hier der relative Anschluss *quo*) und einem kongruenten Partizip (hier: *percusso* und *exanimato*). Nun prüft man zunächst Tempus und Diathese des Partizips (hier Perfekt Passiv). Anschließend muss man sich für eine von zwei Übersetzungstechniken entscheiden: 1. die Präpositionalisierung, 2. die Konjunktionalisierung. Bei längeren AmPs (wie hier) ist die Konjunktionalisierung vorzuziehen. Beim PPP leitet man mit der Konjunktion *nachdem* ein, macht das Nomen oder Pronomen *(quo, dieser)* zum Subjekt (Subjektivierung) und konvertiert das Partizip zu einem passiven Prädikat unter Beachtung des Zeitverhältnisses *(geschlagen und bewusstlos gemacht worden war)*. Anschließend setzt man ein Komma und beginnt einen übergeordneten Satz, der von dem AmP nicht tangiert wird. Der weitere Satz besteht aus drei Prädikaten *(protegunt, coniciunt, dant)*, die sich die Feinde *(sie)* als Subjekt teilen. Das erste Objekt *hunc* ist der von Pullo getroffene Gegner. *scutis* ist ein klassischer Ablativus instrumentalis. Auch bei *in hostem* ist wieder der Kasus nach *in* zu beachten. Zu schnell passiert es, dass man hier zwischen Ablativ *(in hoste)* und Akkusativ *(in hostem)* nicht unterscheidet. *in* mit Akkusativ hat in diesem Zusammenhang oft die Bedeutung *gegen*. Der Akkusativ Neutrum Plural *tela* ist das zweite direkte Objekt, diesmal zum Prädikat *coniciunt*. Schließlich bleibt noch *facultatem* als Objekt zu *dant*. Auf der Suche nach *dare* geraten viele beim Blättern im Wörterbuch in Verzweiflung. Der Grund: Nach Wegstreichen der Infinitivendung bleibt der Stamm *da-* stehen. Dieser Stamm wird jedoch von der Endung der 1. Person in der a-Konjugation überdeckt, so dass man im Wörterbuch nur unter der scheinbar ungewohnten Form *do* fündig wird. *facultatem* verfügt über ein Genitivattribut in Form des substantivierten Infinitivs *progrediendi*. Einen Infinitiv substantiviert man durch Artikulierung und Großschreibung *(das Vorrücken,* bzw. hier *des Vorrückens)*.

Transfigitur scutum Pulloni et verutum in balteo defigitur.
Durchbohrt wird der Schild (dem) Pullo und die Spitze im Schwertgürtel festgeheftet.

Subjekt zum Passiv *transfigitur* ist *scutum*. Aus dem Dativ der 3. Deklinatinon *Pulloni* machen viele einen Genitiv der o-Deklination und übersetzten <u>falsch</u> «der Schild des Pullo». Um den Dativ im Deutschen deutlicher zu machen, kann man einen Artikel in Klammern einfügen. Subjekt zum Passiv *defigitur* ist *verutum*. In einigen Kommentaren wird nicht klar, ob es sich bei diesem *verutum* um den zweiten *Kurzstreckenwurfspieß* des römischen Legionärs handelt, der wie auch das *pilum* hinter den Lederriemen geklemmt wurde, der quer zwischen den Längsrändern des gewölbten Schildes als Halte- und Tragegriff gespannt war, oder um die *Spitze* der gallischen Wurfwaffe. Es ist indes wahrscheinlicher, dass eine frontal durch den Schild dringende feindliche Speerspitze im pectoralen anterioren Schwertgürtel eindringt als die nach kranial gerichtete Spitze des longitudinal verlaufenden eigenen *verutum* des Legionärs. Leider muss diese noch sehr ungenaue Erklärung zu meinem Übersetzungsvorschlag an dieser Stelle genügen.

Avertit hic casus vaginam et gladium educere conanti dextram moratur manum impeditumque hostes circumsistunt.
Dieser Unfall verdrehte die Schwertscheide und (ihm, Pullo), während er das Kurzschwert (Archäologen: den *Gladius*!) herauszuziehen versuchte («und dem das Kurzschwert herauszuziehen Versuchenden»), wurde seine rechte Hand behindert und den Behinderten (Pullo) umzingeln die Feinde.

Das Subjekt des Satzes ist zunächst *casus, Fall*. Dieses Substantiv kann positiv *(Glücksfall)*, häufiger noch negativ *(Unglücksfall, Unfall)* besetzt sein. Es verfügt über zwei Prädikate *(avertit* und *moratur)* und zwei entsprechende Akkusativobjekte *(vaginam* und *manum)*. Das PPA und indirekte Objekt *conanti* (vom Deponens *conari, versuchen)*, sträubt sich gegen jede wörtliche Übersetzung als Dativ Singular, weil es über kein Bezugssubstantiv verfügt, sondern selbst substantiviert werden muss *(dem Versuchenden)*. Obendrein ist es noch durch einen Infinitiv *(educere)* und dieser Infinitiv wiederum durch ein Objekt *(gladium)* erweitert. Wenn man dieses Partizip durch einen Konjunktionalsatz mit *während* auflöst, sollte man ein substantivisches Personalpronomen *(ihm)* in Klammern davor einfügen. Nach *-que* findet ein Subjektswechsel zu *hostes* statt. Akkusativobjekt ist nun das PPP *impeditum*, das gedanklich zwar für *Pullo* steht, grammatisch aber substantiviert und wörtlich-dekliniert übersetzt werden muss.

Succurrit inimicus illi Vorenus et laboranti subvenit. Ad hunc se confestim a Pullone omnis multitudo convertit.
Zur Hilfe eilt jenem sein Rivale Vorenus und kommt ihm notleidend (dem Notleidenden) zur Hilfe. Zu diesem wendet sich unmittelbar von Pullo die ganze Menge hin.

Subjekt des ersten Satzes ist nun *Vorenus*. Die Verben beider Prädikate (*succurrere* und *subvenire*) stehen beide mit dem Dativobjekt *(illi)*. *laboranti* ist Prädikativum zu *illi* und kann wörtlich-undekliniert übersetzt werden. Man kann es auch substantivieren und wörtlich-dekliniert übersetzen *(dem Notleidenden)*. Subjekt des zweiten Satzes ist *multitudo*. Unterscheide außerdem genauestens die Präpositionen *ad* und *a* mit ihren jeweils unterschiedlichen Kasus und Bedeutungen.

Vorenus gladio rem comminus gerit atque uno interfecto reliquos paulum propellit.
Vorenus greift mit dem Kurzschwert (mit dem «*Gladius*») im Nahkampf an und treibt nach Tötung von einem die Übrigen ein wenig vor.

gladio ist instrumentaler Ablativ. *uno interfecto* ist AmP mit dem PPP von *interficere, töten*. Dieses substantiviere ich mit *Tötung,* genitiviere das Pronominaladjektiv durch Umschreibung mit *von + Dativ (von einem)* und präpositionalisiere anschließend das ganze mit *nach*. Das Adjektiv *reliquos, die Übrigen,* steht allein und muss substantiviert werden. *paulum* ist ein im Akkusativ erstarrtes Adverb.

Dum cupidius instat, in locum inferiorem deiectus concidit.
Während er heftiger anstürmt, stürzt er nieder, nachdem er in eine tiefere Stelle herabgeworfen worden ist.

Subjekt des Haupt- und Nebensatzes ist weiterhin *Vorenus,* grammatisch steht jedoch im Lateinischen nur das Prädikat *(concidit)* und im Deutschen das Personalpronomen *er* zur Verfügung, das bei den vielen und schnellen Subjektswechseln zu Verwechslungen mit *Pullo* führen kann. *dum* mit Indikativ (hier: *instat*) heißt *während*. Denke an die Konjunktivbedeutung *(bis)*. *cupidius* ist Komparativ des Adverbs mit der singularen Neutralendung *-ius* («vergleichbar neutraler Bratenius»). Auf *Vorenus* bezieht sich auch das PPP *deiectus,* von *deicere, herabwerfen*. Es ist erweitert durch den präpositionalen Ausdruck *in locum inferiorem*. Beachte den Akkusativ nach *in*. <u>Falsch</u> ist die Übersetzung: <u>*in einer tieferen* Stelle</u>. <u>Richtig</u> ist die Übersetzung: <u>*in eine tiefere* Stelle</u>. Bei der Auflösung durch einen Konjunktionalsatz gehört jede Erweiterung eines Partizips mit in diesen Nebensatz. Das Prädikat *concidit* kommt von *concidere, stürzen, niederfallen* (mit kurzem i). Daneben gibt es eine Form mit langem i in der Bedeutung *niederschlagen*. Dieser Unterschied kann nur aus dem Zusammenhang geschlossen werden. Beim Vorlesen sollte der Prüfer allerdings tunlichst auf Längen und Kürzen achten, was leider nicht immer der Fall ist.

Huic rursus circumvento fert subsidium Pullo atque ambo incolumes compluribus interfectis summa cum laude sese in munitiones recipiunt [...], ne diiudicari posset, uter utri virtute anteferendus videretur.

Diesem, nachdem er wiederum umzingelt worden ist, bringt Pullo Unterstützung und beide ziehen sich unversehrt nach Tötung von mehreren mit höchster Anerkennung in die Befestigungen zurück, so dass es nicht entschieden werden konnte, von welchem von beiden es schien, dass er welchem von beiden an Tapferkeit vorzuziehen war (wörtlich: «welcher von beiden welchem an Tapferkeit vorzuziehen schien»).

Subjekt des Satzes ist zunächst *Pullo*. Die Wendung *subsidium ferre, Unterstützung bringen,* steht regelmäßig mit einem Dativobjekt *(huic)*. Dieses Dativobjekt ist mit dem PPP *circumvento* (von *circumvenire, umzingeln*) versehen, das seinerseits mit dem Adverb *rursus* erweitert ist und deshalb mit *nachdem* aufgelöst werden sollte. Mit *atque* schließt sich ein zweiter Hauptsatz an. Prädikat ist die idiomatische Phrase *se* (bzw. *sese) recipere, sich zurückziehen,* Subjekt die undeklinierbare Form *ambo, beide.* Daher kann auch das Adjektiv *incolumes, unversehrt,* mit *ambo* kongruieren. Dabei handelt es sich um ein Prädikativum und es sollte wörtlich-undekliniert übersetzt und in Beziehung zum Rückzug gesetzt werden *(beide ziehen sich unversehrt zurück).* Als wörtlich-dekliniertes Attribut wären die beiden dauerhaft unversehrt (die beiden unversehrten). Daran schließt sich der AmP *compluribus interfectis* an, der entsprechend *uno interfecto* im Vorsatz übersetzt wird, nur im Plural. Die Präposition *cum* ist zwischen beide Ablativ-Kongruenzen geklemmt *(summa laude).* Beachte bei *in munitiones* den Richtungsakkusativ: *in die Befestigungen* und nicht *in den Befestigungen.* Das Prädikat des *ne*-Satzes *posset* hat ein neutrales Subjekt *(es),* das einen unpersönlichen Ausdruck einleitet. Beachte den Infinitiv Passiv *«diiudicari».* Dieser leitet eine indirekte Frage mit dem Pronomen *uter, welcher von beiden* ein. Dieses Fragepronomen ist gleichzeitig Subjektsnominativ eines elliptischen NcI *(uter ... anteferendus ... videretur),* ist also eine verschränkte indirekte Frage. Der NcI in der Verschränkung wird nach der standardisierten Übersetzungstechnik mit *von* + Dativ (oder *in Bezug auf* + Akkusativ) des Frage- oder Relativpronomens *(uter, von welchem von beiden)* eingeleitet, gefolgt vom NcI-Signalverb *(videretur, es schien).* Erst dann folgt der *dass*-Satz, in dem das Subjekt als Personalpronomen *(er)* wiederaufgegriffen wird. Als «Infinitiv» kommt das Lateinische mit dem Gerundivum *anteferendus* aus, zu dem grammatisch eine Form von *esse* ergänzt werden muss. Bei der Bildung des deutschen *dass*-Satz-Prädikates ist eine finite Verbform obligatorisch, ob man nun wörtlich bleibt *(vorzuziehen war)* oder freier wird und mit *werden müssen* umschreibt *(vorgezogen werden musste).* Erst wenn dieses Gerüst steht, kann man mit verbleibenden Objekten *(utri, welchem von beiden)* und adverbialen Bestimmungen *(virtute, an Tugend)* auffüllen. Als Alternativvorschlag biete ich auch eine ganz wörtliche, weniger technische Übersetzung an, die auf den ersten Blick scheinbar einfacher ist. Für den Anfänger ist es trotzdem zu empfehlen sich an das Schema zu halten, weil die wörtliche NCI-Auflösung nur bei dem Signalverb *videri, scheinen,* funktioniert.

Ipse, cum maturescere frumenta inciperent ...

Ipse, cum maturescere frumenta inciperent, ad bellum Ambiorigis profectus per Arduennam silvam, quae est totius Galliae maxima [...], L. Minucium Basilum cum omni equitatu praemittit, si quid celeritate itineris atque opportunitate temporis proficere possit.
Er selbst schickt, als das Getreide (singularisiert) zu reifen begann, nachdem er zum Krieg des Ambiorix (mit Ambiorix) aufgebrochen ist durch den Ardennenwald, welcher der größte von ganz Gallien ist, Lucius Minucius Basilus mit der gesamten Kavallerie vor für den Fall, dass er was durch Schnelligkeit des Marsches und Gunst des Zeitpunktes erreichen kann.

Neben dem inflationären Gebrauch des AmPs ist der Schachtelsatz Caesars Markenzeichen. Wer hier so unorganisiert übersetzt, wie die Gallier gekämpft haben, erlebt bei der Übersetzung seinen eigenen gallischen Krieg, und wir wissen ja, wie der ausgegangen ist. Deshalb sollte man sich bei langen Caesar-Sätzen eine Übersicht über Haupt- und Nebensätze, gewissermaßen die Schlachtordnung der Grammatik, verschaffen: Mit dem Subjekt *ipse* beginnt der Hauptsatz und nach der Drei-Schritt-Methode (Lehrbuch S. 234) sollte man ohne zu zögern nun das Prädikat (*praemittit* als erstes finites Verb) in die zweite Reihe bringen. Anschließend kann man den Satz schon etwas entspannter und immer der Reihe nach angehen. Beachte in allen *cum*-Sätzen das Zeitverhältnis. Beim Konjunktiv Imperfekt (hier: *inciperent*) muss mit *als* und Präteritum übersetzt werden. Subjekt ist der Nominativ Neutrum Plural *frumenta, Getreide,* das sich kaum pluralisieren lässt und deshalb im Singular bleiben sollte. Denke daran anschließend auch das Prädikat zu singularisieren und über dein Vorgehen durch eine Klammerbemerkung Rechenschaft abzulegen. Von *inciperent* ist ein einfacher Infinitiv abhängig. Nun geht der Hauptsatz weiter: das PPDep *profectus* ist ein Prädikativum ohne *esse*. Eine wörtliche Übersetzung von PPDeps (hier etwa: «aufgebrochen seiend») ist ungeeignet. Man kann es präpositionalisieren *(nach dem Aufbruch)* oder konjunktionalisieren unter Beachtung der Vorzeitigkeit *(nachdem er aufgebrochen ist/war).* Anschließend folgt ein Relativsatz, der sich auf *silvam* bezieht. Denke hier daran, dass das Adjektiv *totus, ganz,* im Genitiv Singular in allen drei Genera die Endung *-ius* aufweist und deshalb hier auch mit *Galliae* kongruiert. Anschließend folgt das Objekt zu *praemittit (L. Minucium Basilum).* In der deutschen Übersetzung lateinischer Eigennamen bildet man immer den Nominativ, egal, welcher Kasus im Lateinischen steht, Abkürzungen schreibt man aus (hier also: *Lucius Minucius Basilus).* Abschließend folgt ein *si*-Satz. Beim Konjunktiv Präsens *(possit)* muss man jedoch nichts Besonderes beachten, sondern indikativisch übersetzen. Nach *si* fällt das Präfix *ali-, irgend-,* aus, so dass *quid, was,* eigentlich für *aliquid, irgendwas,* steht. Ähnlich verhält es sich also auch im Deutschen. Der Genitiv *itineris* ist deswegen schwer im Wörterbuch zu finden, weil der Stamm *itiner-* auf den Nominativ *iter, Weg, Reise, Marsch,* zurückgeführt werden muss. Deshalb gehört *iter* (vor allem bei Caesar!) zu den Lernvokabeln. Das Präsens der Prädikate hier und im Folgenden ist wieder dramatisches oder historisches Präsens. Wenn man im Deutschen mit Präteritum arbeitet, sollte man das zur Sicherheit kennzeichnen.

Monet, ut ignes in castris fieri prohibeat, ne qua eius adventus procul significatio fiat.
Er mahnt, dass er verbieten soll, dass Feuer im Lager gemacht werden, damit nicht irgendein Zeichen seiner Ankunft von fern gemacht wird.

Der Hauptsatz besteht hier nur aus dem Prädikat *monet*, in dem zugleich das Subjekt des Vorsatzes *(Caesar)* enthalten ist. Dieses leitet einen *ut*-Satz ein, dessen Prädikat *prohibeat*, ein Verb des Verbietens, einen AcI initialisiert, bestehend aus *ignes* als Subjektakkusativ und *fieri* als Prädikatsinfinitiv, so dass zwei *dass*-Sätze kurz hintereinander folgen. Bei der Auflösung von AcIs des Befehlens oder Verbietens, operiert man mit *sollen. castra, Feldlager,* ist ein Neutrum Plural mit Singularbedeutung. Diese feststehende Übersetzung ist so gängig, dass sie nicht gekennzeichnet werden muss. Falsch hingegen wäre es, wenn man *castra* als Plural von *castrum, Fort, Befestigung,* übersetzt. Auch nach der Konjunktion *ne* fällt das Präfix *ali-, irgend-,* aus, das regelmäßig mit den Relativpronomen dekliniert wird – mit einer Ausnahme: dem Nominativ Femininum Singular! Hier tritt nicht das normale Relativpronomen *quae*, sondern die Form *qua* an die Vorsilbe *ali-*, so dass im Nominativ die Reihe *aliqui, aliqua, aliquod* entsteht. Diese Ausnahme liegt hier vor: *qua* ist also nicht etwa Ablativ des Relativpronomens, sondern steht für *aliqua* und kongruiert im Nominativ Femininum mit *significatio, Zeichen.* Diese beiden Kongruenzen klammern das Genitivattribut *eius adventus* ein. Das Adverb *procul, von fern,* ist Lernwortschatz.

Sese confestim subsequi dicit.
Er sagt, dass er selbst unmittelbar nachfolge.

Ein typischer AcI mit *dicit* als Einleiter, dem Reflexivpronomen *sese* als Subjektsakkusativ und dem Deponens *subsequi* als Prädikatsinfinitiv. Bei der Übersetzung von Reflexivpronomen richtet man sich immer nach dem Subjekt des übergeordneten Satzes. Subjekt ist noch immer Caesar, vertreten durch das Personalpronomen *er*. Da Caesar selbst beabsichtigt nachzufolgen und von sich in der dritten Person Maskulinum Singular spricht *(dicit)*, muss *sese* als Subjekt des *dass*-Satzes ebenfalls mit *er* übersetzt werden.

Basilus, ut imperatum est, facit.
Basilus handelt, wie (es) befohlen worden ist.

Es gibt ein konjunktivisches *ut* mit der Bedeutung *dass, so dass, damit*. Und es gibt ein indikativisches *ut* mit der Bedeutung *wie*. *est* ist Indikativ und gibt damit Aufschluss über die Bedeutung von *ut*. Das Perfekt Passiv *imperatum est* besteht aus einem Prädikativum *imperatum* (von *imperare, befehlen*) und dem Präsens von *esse*. Ein Subjekt fehlt scheinbar. Aus der Form *imperatum* geht jedoch hervor, dass es sich um einen Nominativ Neutrum Singular handeln muss. Man ergänzt also im Deutschen das Personalpronomen *es* als Subjekt. Prädikate mit einem solchen neutralen Subjekt bezeichnet man als unpersönliche Ausdrücke. Oft genügt es, wenn man dieses Subjekt nur gedanklich ergänzt, es muss auch im Deutschen nicht unbedingt sichtbar sein.

Celeriter contraque omnium opinionem confecto itinere multos in agris inopinantes deprehendit.
Nachdem schnell und gegen die Erwartung aller der Marsch beendet worden ist, nimmt er viele auf den Äckern nichtsahnend (während sie nichts ahnen) fest.

Das Adverb der 3. Deklination *celeriter* («3 Liter Bratenius») bezieht sich ebensowenig auf das Prädikat des Satzes *(deprehendit)* wie der präpositionale Ausdruck *contra omnium opinionem*, der übrigens sein Genitivattribut einklammert. Vielmehr beziehen sich beide als adverbiale Bestimmungen auf das PPP *confecto*, das mit dem Substantiv *itinere* einen AmP bildet. Bei solchen umfangreichen Erweiterungen empfiehlt es sich nicht, einen Absolutus durch Präpositionalisierung zu übersetzen, auch wenn das bei *confecto itinere* allein gut geht («nach Beendigung/nach Vollendung des Marsches»). Wichtig ist bei der Konjunktionalisierung die Wahl der richtigen Konjunktion (beim PPP *nachdem*), und vor allem die Beachtung von Diathese (beim PPP Passiv) und Zeitverhältnis (PPP ist vorzeitig, beim Prädikat im Präsens also Perfekt). Subjekt dieses Satzes ist nun Caesars Kavalleristenführer Minucius Basilus. Grammatisch tritt dieser nur als Personalpronomen *er* aus dem Prädikat *deprehendit* in Erscheinung, den Rest muss man sich aus dem Kontext denken. Objekt zu *deprehendit* ist das substantivierte Adjektiv *multos, viele*. Mit diesem kongruiert das adjektivische PPA *inopinantes, nichtsahnend*. Seine Nähe zum Prädikat und die Sperrung durch den Präpositionalausdruck *in agris* spricht gegen die wörtlich-deklinierte Übersetzung als Attribut («*viele nichtsahnende*») und für die wörtlich-undeklinierte Übersetzung *(nichtsahnend)* als Prädikativum. Der Stammtest fällt natürlich nur positiv aus, wenn man *nichtsahnend* im Deutschen auf *viele* und nicht auf das Subjekt *(Basilus)* bezieht. Ansonsten muss man konjunktionalisieren *(während sie nichts ahnen)*.

Eorum indicio ad ipsum Ambiorigem contendit, quo in loco cum paucis equitibus esse dicebatur.
Durch die Aussage von diesen eilt er zu Ambiorix selbst, von welchem Ort gesagt wurde, dass er dort (an diesem Ort) mit wenigen Reitern sei.

Denke daran, dass alle Formen von *ipse* im Deutschen nachgestellt werden, auch wenn sie im Lateinischen, wie hier, vor ihrem Bezugswort stehen *(ipsum Ambiorigem)*. Für *idem* gilt dasselbe, nur umgekehrt (Lehrbuch S. 110). Bei Caesar hat das Verb *contendere* in den meisten Fällen nur eine von zwei Bedeutungen: *eilen* oder *kämpfen*. Nach Richtungsangaben, wie hier der präpositionale Ausdruck mit *ad*, liegt *eilen* nahe. *quo* ist ein verschränktes Fragepronomen, denn der ganze präpositionale Ausdruck *quo in loco*, wörtlich: *an welchem Ort*, leitet eine indirekte Frage ein und ist gleichzeitig an einem NcI beteiligt. Dieser NcI ist zunächst durch das passive Signalverb *dicebatur* und den Infinitiv *esse* gekennzeichnet. Der Subjektsnominativ bezieht sich inhaltlich auf *Ambiorix*, grammatisch geht das Maskulinum Singular jedoch nur als Personalpronomen *er* aus dem Prädikat *dicebatur* hervor. *quo in loco* übernimmt die Funktion des Prädikativums zu *esse* zur Angabe, wo das Subjekt *Ambiorix* ist. Nun zur Übersetzung. Wie verschränkte Relativpronomen werden auch Frageadverbien oder Fragepronomen zunächst umgeformt in einen präpositionalen Ausdruck mit *von* + Dativ oder *in Beziehung auf* + Akkusativ *(von welchem Ort, in Beziehung auf welchen Ort)*. Anschließend zieht man das NcI-Signalverb vor und formt es in einen unpersönlichen Ausdruck mit *es* um *(es gesagt wurde)* – ungeachtet von Person und Numerus der lateinischen Form! Nun schaltet man den *dass*-Satz ein und das eigentliche Subjekt des NcI *(dass er)*. Im *dass*-Satz muss nun das zuvor umgeformte Relativ- oder Fragepronomen nochmals aufgegriffen werden in demonstrativer Form. Hier wird also aus der Frage: «an welchem Ort?» die demonstrative Form: «an diesem Ort» oder einfach «dort». Zum Schluss macht man noch den Infinitiv *esse* zu einem finiten Verb. Da es sich um eine fremde Aussage der Gefangenen handelt, greifen die Regeln der indirekten Rede *(sei)*.

Multum cum in omnibus rebus, tum in re militari potest Fortuna.
Vieles «kann» sowohl in allen Dingen (Angelegenheiten) als auch besonders im Militärwesen das Glück (Fortuna).

Subjekt des Satzes ist *Fortuna, das Glück, die Glücksgöttin*, die nahezu in personifizierter Form erscheint und deshalb groß geschrieben ist. In Verbindung mit *posse* erwartet man normalerweise einen Infinitiv, doch hier erscheint es mit einem direkten Akkusativobjekt im Neutrum Singular *(multum)*, im Sinne von *bewirken* oder *Bedeutung haben, Einfluss haben*. Die Doppelkonjunktion *cum ... tum ..., sowohl ... als auch besonders ...*, sollte man ruhig lernen für den Fall, dass sie nicht angegeben ist. Sie kann wegen der Einzelbedeutungen ihrer Komponenten (*cum* und *tum*) ähnlich wie *ne ... quidem ..., nicht einmal ...*, in die Irre führen.

Nam magno accidit casu, ut in ipsum incautum etiam atque imparatum incideret, priusque eius adventus ab omnibus videretur, quam fama ac nuntius adferretur.
Denn durch großen Zufall geschah es, dass er auf ihn (Ambiorix) selbst unvorsichtig sogar und unvorbereitet stieß, und eher die Ankunft von diesem (Basilus) von allen gesehen als ein Gerücht und eine Nachricht (von seiner Ankunft vorher) gemeldet wurde.

Den Präsens- und Perfektstamm *accid-* teilen sich zwei Verben, die miteinander nichts zu tun haben. Eines hat die Bedeutung *anschlagen* und lässt sich allenfalls am langen i erkennen. Das andere hat die Bedeutung *anfallen, geschehen,* mit kurzem i. Die Wendung *accidit, ut, es traf sich, dass, es geschah, dass,* kommt nur mit der zweiten Bedeutung vor. *magno* bezieht sich trotz Sperrung durch *accidit* als Attribut auf *casu*. Die Bezüge der Pronomen *ipsum* und *eius* sind im Folgenden nicht klar, wenn man den Kontext nicht verstanden hat. Auch beim Prädikat *incideret* stellt sich wieder das Problem des gemeinsamen Stammes: *incidere* heißt *einschlagen,* die Wendung *incidere in, treffen auf, geraten in, stoßen auf.* Hier kann ein gut vorgelesener Text ein Hinweis sein, ansonsten das Wörterbuch, der Sinnzusammenhang und die Präposition *in,* allerdings nur, wenn sie korrekt übersetzt wird. *in* mit Akkusativ *(ipsum)* ist eine Richtungsangabe *(in ihn selbst, auf ihn selbst)* und keine Ortsangabe im Sinne des Ablativs *(in ihm, auf ihm).* Kongruent zu *ipsum* stehen die Adjektive *incautum, unvorsichtig,* und *imparatum, unvorbereitet.* Man könnte sie zwar als dauerhafte Eigenschaftsattribute zu *ipsum (ihn, den unvorsichtigen und unvorbereiteten selbst)* beziehen oder sogar substantivieren *(den Unvorsichtigen und Unvorbereiteten selbst).* Doch Ambiorix ist nicht dauerhaft unvorsichtig und unvorbereitet. Er ist es nur in der Situation, als Basilus auf ihn trifft. Deshalb sollte man den Stammtest durchführen, indem man beide Formen wörtlich-undekliniert übersetzt *(ihn selbst unvorsichtig und unvorbereitet)* und so als Prädikativa zu *incideret* in Beziehung setzt. Der folgende durch *-que* eingeleitete Satzabschnitt ist recht kompliziert formuliert: *prius, eher,* ist Komparativ des Adverbs und nimmt Beziehung zur Vergleichskonjunktion *quam, als,* auf. Zusammengenommen dient die Form *priusquam* auch als Nebensatzkonjunktion *bevor.* Das geht auch hier, wenn man *prius* unmittelbar vor *quam* positioniert und beides zusammen mit *bevor* übersetzt. Dadurch wird die Übersetzung erheblich erleichtert. *adventus, Ankunft, fama, Gerücht* und *nuntius, Nachricht,* sind Subjekte. *adventus* ist also nicht etwa als Genitiv der u-Deklination mit *eius* kongruent. *videri,* sonst in deponenter Bedeutung *scheinen,* meint hier in wörtlich-passiver Form *gesehen werden.* Der Sinn ist also: *Basilus traf eher vor Ort ein und wurde eher persönlich gesehen,* <u>bevor</u> *irgendeine Nachricht oder vage Andeutung seiner Ankunft vorher gemeldet worden wäre.*

Sic magnae fuit fortunae omni militari instrumento, quod circum se habebat, erepto, raedis equisque comprehensis ipsum effugere mortem.
So war es eine Sache von großem Glück (große Glückssache), dass er, nachdem die gesamte militärische Ausrüstung, welche er rings um sich hatte, entrissen worden war, und (nachdem) Wagen und Pferde eingenommen worden waren, selbst dem Tod entfloh.

Magnae fortunae ist Genitivus pertinentiae (Lehrbuch Seite 204). Zunächst sollte man den AcI aufsuchen, der, wie in der Hilfe angegeben, von der Wendung *magnae fuit fortunae* abhängt. Dazu muss man einen großen Sprung bis zum Ende des Satzes machen: *ipsum effugere. mortem* kommt als Subjektsakkusativ nicht in Frage, weniger aus grammatischen als sinnlogischen Gründen (der Tod flieht nicht!). Zudem steht das Verb *effugere, entfliehen,* nicht mit dem Dativ, wie im Deutschen (<u>wem</u> *entfliehen*), sondern mit dem Akkusativ (im älteren Deutsch steht zuweilen das Simplex *fliehen* noch mit dem Akkusativ: <u>wen</u> *fliehen*). In der Auflösung des AcI macht man also *ipsum* zum Subjekt (*er selbst,* <u>nicht</u> *derselbe!*) des *dass*-Satzes, *mortem* zum Objekt von *effugere (dem Tod)* und *effugere* zum finiten Prädikatsverb *(entfloh).* Im Zentrum dieses Satzes greift ein gewaltiger *Absolutus* um sich, der von *omni* bis *comprehensis* über 12 Wörter reicht. Dabei ist *instrumento* sogar durch ein Relativsatzattribut erweitert. Genau genommen sind es zwei AmPs, die in Reihe geschaltet sind: *omni instrumento erepto* und *raedis equisque comprehensis.* Die Abwicklung erfolgt der Reihe nach, notfalls durch zwei separate Konjunktionalsätze. Die Präpositionalisierung ist bei AmPs dieser Länge nicht zu empfehlen. Die Konjunktion ist beim PPP *(erepto, comprehensis) nachdem,* die Diathese Passiv, das Zeitverhältnis vorzeitig (hier Plusquamperfekt, weil das Prädikat *fuit* schon Perfekt ist). Singularformen von *omnis* (hier: *omni*) haben die Bedeutung *jed-, ganz-, gesamt-,* nur im Plural *alle.* Man braucht sich nicht zu scheuen, den Relativsatz dem ersten *nachdem*-Satz unterzuordnen und unmittelbar hinter sein Bezugswort *(instrumento)* zu stellen. Beachte die seltene Präposition *circum, rings um,* mit dem Akkusativ (hier: *se*). Das Reflexivpronomen *se* bezieht sich auf das Subjekt des Relativsatzes (Ambiorix), bzw. des übergeordneten AcIs. Da sich der Tross, den Ambiorix mit sich führt, rings um ihn selbst befindet, «hat» er ihn «rings um sich». Verwechsele das Substantiv *equus, Pferd,* nicht mit dem Substantiv *eques, Reiter, Kavallerist, Ritter,* und erst recht nicht mit dem Adjektiv *aequus, gleich.* Solche Kapitalfehler passieren, wenn man ungenau nachschlägt und gleichgültig übersetzt.

Sed hoc factum est, quod [...] comites familiaresque eius angusto in loco paulisper equitum nostrorum vim sustinuerunt.
Aber dies ist geschafft worden, weil Begleiter und Angehörige von diesem an einer engen Stelle eine kurze Zeit die Gewalt unserer Reiter zurückhielten.

Subjekt des Hauptsatzes ist das Neutrum Singular *hoc*. Das PPP *factum* bildet mit *est* ein Prädikat im Perfekt Passiv. Die drei Bedeutungen von *quod*, sollte man bei jedem Auftauchen dieser Form einmal durchspulen: *dass, weil, welch*. Am besten passt hier *weil*. Der Nominativ Plural des Nebensatzsubjektes *comites* leitet sich von *comes, comitis, Begleiter*, ab und ist mitunter schwer im Wörterbuch zu finden. Das Genitivattribut *eius* meint wieder Ambiorix. *in* steht diesmal in Klammerstellung mit dem Ablativ *(angusto in loco)* und bezeichnet eine Ortsangabe *(an einer Engstelle)*. *equitum nostrorum* ist Genitivattribut zum Akkusativobjekt *vim*, von *vis, Kraft, Gewalt*. Damit du *vis* nicht mit *vir, Mann*, verwechselst und auch nicht mit der zweiten Singular Indikativ Präsens von *velle (vis, du willst)*, musst du alle drei Formen deklinieren, bzw. konjugieren können.

His pugnantibus illum in equum quidam ex suis intulit, fugientem silvae texerunt.
Während diese kämpften, setzte jenen (Ambiorix) jemand von den Seinen auf ein Pferd, fliehend (während er floh) schützten ihn (jenen Ambiorix) die Wälder.

Der Satz beginnt mit einem AmP mit PPA *(pugnantibus)* und substantivischem Pronomen *(his)*. Die Konjunktionalisierung erfordert eine Konjunktion der Gleichzeitigkeit *(während, als)*, damit verbunden auch ein gleichzeitiges Zeitverhältnis (hier Präteritum, weil die übergeordneten Prädikate *intulit* und *texerunt* beide Perfekt sind) und natürlich eine aktive Diathese des deutschen Konjunktionalsatzprädikates *(kämpften)*. Nach dem Absolutus als erstem Satzteil sollte man das Prädikat vorziehen: *intulit* hat den Perfektstamm *intul-* von *inferre, hinbringen, aufsetzen*. Zu den Mindestvoraussetzungen um in der schriftlichen und mündlichen Prüfung ernst genommen zu werden, gehört das Können solcher Stammformen, damit man wenigstens weiß, unter welcher Form man nachschlagen muss, wenn man die Bedeutung nicht weiß! Subjekt des Satzes ist *quidam, ein gewisser, jemand*, erweitert durch das Präpositionalattribut *ex suis*. *sui* ist ein substantiviertes Possessivpronomen, das im Deutschen durch Artikulierung und Großschreibung *(die Seinen)* nachgebildet werden kann. *ex* hat hier die Funktion eines Genitivus partitivus mit der Bedeutung *von*, und antwortet auf die Frage, von welcher Gesamtheit (nämlich der Seinen, der Angehörigen des Ambiorix) *quidam* ein Teil ist. Die Katastophenpräposition *in* steht wieder mit Akkusativ *(equum)* und gibt eine Richtung an. Nun macht es wenig Sinn davon auszugehen, das Ambiorix «*in das Pferd (hinein)*» gesetzt wurde. Das wäre ein mit dem Leben des Pferdes nicht zu vereinbarendes Versteck, und auf Dauer nicht sonderlich sicher. Eine Richtungsangabe kann auch darin bestehen, dass Ambiorix «*auf das Pferd (oben drauf)*» gesetzt wurde. Grobe Fahrlässigkeit sind falsche Übersetzungen wie «*in dem Pferd*» oder «*auf dem Pferd*». Das PPA *fugientem* ist Objekt zu *texerunt* in einem neuen, parataktischen Satz. In diesem Satz fehlt jedoch ein Bezugssubstantiv. Man müsste *fugientem* also durch Artikulierung und Großschreibung substantivieren *(den Fliehenden)*. Andererseits kongruiert es mit dem Objekt aus dem Vorsatz *(illum)*, kann also als Attribut dazu aufgefasst werden. Dazu müsste man *illum* im zweiten Satz gedanklich wieder aufgreifen und mindestens durch ein deutsches Personalpronomen kenntlich machen *(ihn)*. Da *fugientem* vor allem Beziehungen zu *texerunt* hat, sollte man seine Funktion als Prädikativum durch den Stammtest *(fliehend)* oder durch Konjunktionalisierung *(während er floh)* sichern.

Sic et ad subeundum periculum et ad vitandum multum Fortuna valuit.
So hat sowohl zum auf sich Nehmen einer Gefahr als auch zum Vermeiden das Glück viel Bedeutung.

Beachte die vorangestellte Doppelkonjunktion *et ...et ....* Das Gerundivum *subeundum periculum* bezieht sich auf die phraseologische Wendung *periculum subire, eine Gefahr auf sich nehmen*. Bei der Substantivierung der nd-Form muss man also etwas umständlich formulieren *(«das auf sich Nehmen»)*. Auch *vitandum* bezieht sich noch kongruent auf *periculum (ad vitandum periculum)*, ist also ebenfalls ein Gerundivum. Seine Substantivierung macht keine Schwierigkeiten *(das Vermeiden)*. Der Akkusativ Neutrum Singular *multum* hat hier nicht Objektfunktion, sondern ist ein in dieser Form erstarrtes Adverb *(viel)* zu *valere, Bedeutung haben*. Subjekt ist wieder *Fortuna* als Personifikation der Glücksgöttin oder des Zufalls.

Proximo die ...

Proximo die [...] Caesar ex castris utrisque copias suas eduxit paulumque a maioribus castris progressus aciem instruxit hostibusque pugnandi potestatem fecit.
Am nächsten Tage führte Caesar aus jedem von beiden Lagern seine Truppen heraus und stellte, nachdem er ein wenig vom größeren Lager vorgerückt war, die Schlachtreihe auf und schaffte (bot) den Feinden eine Gelegenheit des Kämpfens.

Subjekt des gesamten Satzes ist *Caesar*. Es verfügt über zwei Prädikate (*instruxit* und *fecit*). Diese müssen frühzeitig in die Zweitstellung gebracht werden. Ich beginne also mit der adverbialen Zeitangabe *proximo die*, ziehe das erste Prädikat (*instruxit, stellte auf*), bzw. den konjugierten Teil (*stellte*), vor und rolle anschließend die Satzteile der Reihe nach ab. Das Pronominaladjektiv *uterque* (hier im Ablativ Plural *utrisque*) musst du kennen (Lehrbuch S. 111). Das Possessivpronomen *suas* kennzeichnet Caesars, also «seinen» Besitz. Da die Possessivpronomen für alle drei Genera gleich sind, muss man aus dem Zusammenhang entscheiden, ob man *sein* oder *ihr* übersetzen muss. Nun beginnt der zweite Satzabschnitt, der vom Prädikat *fecit* regiert wird. Die zunächst folgenden beiden adverbialen Bestimmungen (*paulum* und *a maioribus castris*) beziehen sich auf das PPDep *progressus* (von *progredi, vorrücken*) und müssen in dessen Übersetzung mitintegriert werden. Dieses steht ohne *esse*, ist also Prädikativum ohne *esse*. Als solches sollte es nicht wörtlich-undekliniert («vorgerückt seiend»), sondern konjunktionalisiert übersetzt werden («nachdem er vorgerückt war»). Der Plural *maioribus castris* (wegen der Singularbedeutung des Neutrum Plural *castra, das Lager*) meint das größere (Singular) der beiden Lager. Konjunktional aufgelöst fungiert ein prädikatives Partizip wie ein Adverbialsatz und stellt damit bereits den ersten Satzteil. Spätestens jetzt muss also das Prädikat (*fecit*) folgen. Hier habe ich zunächst wörtlich (*machte, schaffte*) gearbeitet, anschließend den Sinn etwas angeglichen *(bot)*. Direktes Objekt ist *potestatem*, indirektes Objekt die präpositionslose (Dativ, nicht Ablativ!) Form *hostibus*. *potestatem* wird begleitet von einem Genitivattribut in der alleinstehenden nd-Form *pugnandi* – ein klares Indiz für einen substantivierten Infinitiv (Gerundium). Diese kann im Deutschen wörtlich durch Artikulierung und Großschreibung *(des Kämpfens)* oder mit *zu* + Infinitiv nachgebildet werden *(zu kämpfen)*.

Ubi ne tum quidem eos prodire intellexit, circiter meridiem exercitum in castra reduxit.
Sobald er erkannte, dass diese nicht einmal da vorrückten, führte er rund mittags das Heer in die Lager zurück.

ubi hat zwei Bedeutungen: als direktes und indirektes Frageadverb *wo* und als Nebensatzkonjunktion *sobald*. Diese beiden rücken auch im Deutschen in funktionale Nähe, wenngleich nur in der Umgangssprache (und im Mittelhochdeutschen), in der ein Satz wie «*wo ich ankam, war schlechtes Wetter*» sowohl den Sinn «*sobald ich ankam ...*» als auch «*an dem Ort, an dem ich ankam ...*» haben kann. Da es sich, wie gesagt, um Umgangssprache handelt, sollte man in der Übersetzung mit *sobald* operieren. Auf die Tücken der zergliederten Negation *ne ... quidem ..., nicht einmal ...*, habe ich bereits mehrfach hingewiesen, wenn man sie nicht im Zusammenhang übersetzt. *ne ..., nicht,* und *quidem ..., einmal,* klammern ihr Bezugswort (hier *tum*) stets ein. Das Nebensatzprädikat *intellexit* ist ein Hinweis auf einen AcI, der auch prompt in Form von *eos prodire* vorliegt. Sowohl *circiter, ungefähr, rund* (erkennbar an *-iter*), als auch *meridiem, mittags* (als erstarrter Akkusativ), sind Adverbien und *meridiem* nicht etwa Objekt. Direktes Akkusativobjekt ist vielmehr das nun folgende *exercitum*. Beachte bei *in castra* wieder den Kasus von *castra* (Akkusativ Neutrum Plural): *in die Lager* ist eine Richtungsangabe. Als Ortsangabe *(in den Lagern)* stünde ein Ablativ *(in castris)*. Den Plural *Lager* verwende ich hier, da wir bereits darüber informiert worden sind, dass es zwei Lager gab und die Truppen auch jeweils in beide Lager zurückgeführt wurden. Der Plural *castra, das Lager,* ist im Lateinischen nicht mehr steigerbar, auch wenn im Deutschen ein Plural *(die Lager)* intendiert ist.

Tum demum Ariovistus partem suarum copiarum, quae castra minora oppugnaret, misit.
Da erst schickte Ariovist einen Teil seiner Truppen, welche das kleinere Lager angriffen (angreifen sollten).

Auch für diesen Satz gilt: Prädikat rechtzeitig in der zweiten Reihe positionieren (also nach den Adverbien *tum* und *demum*, die als adverbialer Block den ersten Satzteil bilden). Anschließend ergibt sich der Rest des Satzes (Objekt *partem*, Genitivattribut *suarum copiarum*, Relativattribut mit *quae*) ganz von selbst. Beachte wieder den Bezug des Possessivpronomens von *suarum* auf Ariovist (*seine*, nicht *ihre*). Der Konjunktiv im Relativsatz *(oppugnaret)* erzeugt einen konjunktionalen Nebensinn. Dabei wird das Relativpronomen durch eine finale *(damit)*, kausale *(weil)* oder konsekutive *(dass, sodass)* Konjunktion + Personalpronomen ersetzt. Hier wäre also statt «*welche ... bestürmten*» denkbar: «*damit sie bestürmten*». Ein eleganter Kompromiss zwischen beidem ist die Klammerversion mit *sollen*.

Acriter utrimque usque ad vesperum pugnatum est.
Heftig ist auf beiden Seiten bis zum Abend gekämpft worden (wurde gekämpft).

Das Prädikat dieses Satzes hat ein nicht näher genanntes neutrales Subjekt *(es)*, erkennbar am Nominativ Neutrum Singular des PPPs *pugnatum*. Gemeinsam mit *est* bildet es ein Perfekt Passiv. Das neutrale Subjekt deutet auf einen unpersönlichen Ausdruck hin, kann also auch in der deutschen Übersetzung entfallen (statt <u>*es*</u> *ist gekämpft worden*). *acriter*, *utrimque* und der Präpositionalausdruck *usque ad vesperum* sind dazu adverbiale Bestimmungen.

Solis occasu suas copias Ariovistus multis et inlatis et acceptis vulneribus in castra reduxit.
Bei Untergang der Sonne (Sonnenuntergang) führte Ariovistus seine Truppen, nachdem viele Wunden sowohl beigebracht als auch empfangen worden waren, ins Lager zurück.

Die Struktur dieses Satzes reflektiert die des ersten und zweiten Satzes (siehe dort den Kommentar zu *copias suas* und *in castra reduxit*). Der AmP ist für Caesar so obligatorisch wie seine sprichwörtliche Milde. Wie er bei dieser nur in seltenen Fällen eine kleine Ausnahme machte (der Genozid an den Tenctherern wäre so eine), so auch beim AmP nur in wenigen Sätzen. In diesem Satz ist der AmP erschwert durch die den beiden PPPs *inlatis* und *acceptis* vorgestellte doppelgliedrige Konjunktion *et ... et .... inlatis* kommt von *inferre, einbringen, beibringen*, *acceptis* von *accipere, annehmen, empfangen*. Man löst also sicherheitshalber konjunktional mit *nachdem* auf. Das beiden Partizipien gemeinsame Bezugswort *vulneribus* (von *vulnus, Wunde*) und das dazu kongruente, aber gesperrte Attribut *multis* zieht man als Subjekt des *nachdem*-Satzes vor *(viele Wunden)* und setzt die Doppelkonjunktion vor die passiven Prädikate am Schluss *(sowohl beigebracht als auch empfangen worden waren)*.

Cum ex captivis quaereret Caesar, quamobrem Ariovistus proelio non decertaret, hanc reperiebat causam, quod apud Germanos ea consuetudo esset, ut matres familiae eorum sortibus vaticinationibusque declararent, utrum proelium committi ex usu esset necne.

Als Caesar von den Gefangenen wissen wollte (die Gefangenen fragte), aus welchem Grund Ariovistus in der Schlacht nicht um die Entscheidung kämpfte, erfuhr er diesen (folgenden) Grund, dass bei den Germanen diese die Sitte sei, dass die Mütter der Familie (Familienmütter) von diesen durch Runen und Orakel klar machten, ob es von Nutzen sei, dass eine Schlacht begonnen wird oder nicht.

cum steht hier mit dem Konjunktiv Imperfekt, muss also durch eine Konjunktion der Gleichzeitigkeit *(als, während)* übersetzt werden. *quaerere* mit der Präposition *ex* hat regelmäßig die Bedeutung: *wissen wollen von* oder *fragen* + Akkusativ. An *quaerere, fragen,* schließt sich eine indirekte Frage an, hier eingeleitet durch *quam ob rem* und markiert durch den Konjunktiv *(decertaret)*. Das Pronominalattribut *hanc* steht durch *reperiebat* von seinem Bezugssubstantiv *causam* gesperrt. Auch bei diesem *quod* geht man den Übersetzungsraster *dass, weil, welch* durch und vergleicht: *quod* ist hier faktisch *(dass)*. Subjekt des Satzes ist *consuetudo*. Wegen *esset* sollte man entweder das Pronominalattribut *ea* oder das Präpositionalattribut *apud Germanos* zum Prädikativum machen. Da wir uns in einer indirekten Rede (subjektive Aussage der Gefangenen) befinden, unterliegen alle Sätze (also nicht nur die AcIs) den Regeln der indirekten Rede. Subjekt des nun folgenden *ut*-Satzes sind die *matres familiae*. Unklar bleibt mir, ob sich das Genitivattribut *eorum* nachgestellt auf die Mütter oder vorgestellt auf *sortibus vaticinationibusque* bezieht (in dem Sinne: «mit den Runen und Orakeln von diesen» (also den Germanen, weil sie nur bei den Germanen vorkommen). Auch an *declararent* als Antwort auf eine Frage schließt sich eine indirekte Doppelfrage an. Diese besteht aus *utrum*, das in direkten Fragen gar nicht, in indirekten Fragen mit *ob* übersetzt wird. Der zweite Teil der Doppelfrage besteht aus *necne*, das du als Vokabel mit der Bedeutung *oder nicht* gelernt haben solltest (siehe Vokabeln: Adverbien). In dieser Doppelfrage ist ein von *ex usu esset* abhängiger AcI enthalten. Subjektsakkusativ ist *proelium*, Prädikatsinfinitiv das passive *committi*. Grundsätzlich gilt für die Übesetzung von AcIs: Egal, wo das Einleiterprädikat im Lateinischen steht, im Deutschen muss es vor den *dass*-Satz gezogen werden. So auch hier, wo der AcI vor dem Einleiterprädikat steht.

Eas ita dicere non esse fas Germanos superare, si ante novam lunam proelio contendissent.

Diese hätten so gesprochen: nicht sei es Götterwille, dass die Germanen siegen, wenn sie vor dem neuen Mond in einer Schlacht gekämpft hätten.

Die Informationen über die Runenorakel der Germanen erfährt Caesar aus dem Munde der Gefangenen, grammatisch in Form von indirekter Rede, die in diesem Satz fortgesetzt wird. Für AcIs in der indirekten Rede ist es im Gegensatz zu anderen kürzeren AcIs typisch, dass sie nur einmal eingeleitet werden und in allen folgenden AcIs auf das Einleiterprädikat verzichtet wird. In diesem Text war das Signal die Form *reperiebat* aus dem vorherigen Satz. Es erstreckt sich bis in den vorliegenden Satz, wo es gedanklich vor dem AcI *eas ita dicere* ergänzt werden müsste, damit man mit einem *dass*-Satz übersetzen kann. Doch ähnlich dem Verzicht auf Einleiterprädikate, kann man im Deutschen sowohl auf Einleiterprädikate als auch auf *dass*-Sätze verzichten, indem man den Konjunktiv der indirekten Rede direkt setzt, wie in meinem Übersetzungsvorschlag. Von *dicere* ist mit *non esse fas* ein zweiter AcI abhängig und von *non esse fas* mit *Germanos superare* ein dritter AcI, so dass wir uns in einer dreischichtigen indirekten Rede befinden, die etwa folgende Struktur hat: Einleiterprädikat: *reperiebat,* AcI 1: *eas ita dicere,* AcI 2: *non esse fas* AcI 3: *Germanos superare.* Die hinteren beiden AcIs habe ich mit *dass*-Sätzen eingeleitet. Der folgende *si*-Satz ist zwar funktional immer noch Bestandteil der indirekten Rede, der Konjunktiv Plusquamperfekt im *si*-Satz bleibt davon aber unberührt. Er muss als Irrealis mit dem deutschen Konjunktiv 2 übersetzt werden. Solche AcI-Schichten setzt Caesar ähnlich flächendeckend ein wie seine Ablativi absoluti.

Postridie [...] Caesar praesidio utrisque castris, quod satis esse visum est, reliquit.
Am folgenden Tag ließ Caesar zum Schutz beiden Lagern, von welchem es schien, dass es ausreichend war (wörtlich: (das), was ausreichend zu sein schien), zurück.

Die phraseologische Wendung *praesidio relinquere, zum Schutz zurücklassen,* ist ein Caesar-spezifischer Dativus finalis, den man lernen sollte, wenn man sich auf eine Caesar-Klausur einstellen muss. Ein Dativus finalis gibt das Ziel oder den Zweck einer Sache an und steht sonst mit *esse* in der Bedeutung *dienen, gereichen zu,* außerdem häufig mit einem Dativobjekt, dem das Ziel oder der Zweck dient (hier *utrisque castris*). Das Verb *relinquere* benötigt nun zusätzlich zu einem Dativobjekt auch noch ein Akkusativobjekt, damit klar wird, wen oder was Caesar zum Schutz beiden Lagern zurücklässt. Dieses Dativobjekt wird repräsentiert durch einen Objektsatz, also einen Relativsatz, der kein Bezugswort im Hauptsatz hat, also kein Attribut ist, sondern einen gewissen substantivischen Charakter hat. Wenn man im Deutschen vor dem Relativpronomen in Klammern ein substantivisches Demonstrativpronomen als Objekt des Hauptsatzes ergänzt (*das, was ...*), wird der Sinn des Objektsatzes klarer. Eine zusätzliche Schwierigkeit besteht bei diesem Relativsatz darin, dass *quod* Subjektsnominativ eines NcI ist. Signal ist das Perfekt Deponent *visum est*, «es ist geschienen» oder besser: *es schien*. Prädikativum zum Infinitiv *esse* ist das undeklinierbare Adjektiv *satis, genug, ausreichend*. NcIs mit *scheinen* lassen sich im Deutschen meist wörtlich nachbilden. Das sollte man auch in der Verschränkung intuitiv hinbekommen, die ja normalerweise nur Konstruktionen kennzeichnet, die man im Deutschen nicht nachbilden kann. Ansonsten bleibt bei jedem verschränkten NcI nur die Übersetzungstechnik mit *von*-Konvertierung, Einleitervorziehung, dass-Satz-Schaltung, Wiederaufnahme des Subjektnominativs als Personalpronomen und Konvertierung des Infinitivs zum finiten Verb.

Ipse triplici instructa acie usque ad castra hostium accessit.
Selbst rückte er nach Aufstellung einer dreifachen Schlachtreihe bis zum Lager der Feinde vor.

Bei der Übersetzung des Prädikates *accessit, rückte vor,* muss zumindest der erste, konjugierte Teil *(rückte)* in Zweistellung hinter *ipse* gebracht werden. Ansonsten stellt die einzige Schwierigkeit in diesem Satz der AmP *triplici instructa acie* dar. Wenn man das PPP *instructa* substantiviert *(Aufstellen, Aufstellung)* und die Bezugsnomen *triplici acie* genitiviert *(der/einer dreifachen Schlachtreihe)*, lässt sich die Konstruktion gut mit *nach* präpositionalisieren. Wichtig: die Wahl der Präposition bei der Präpositionalisierungstechnik ist nicht beliebig! *nach* kommt nur beim PPP, *bei, unter, während* nur beim PPA in Frage.

Tum demum necessario Germani suas copias castris eduxerunt generatimque constituerunt paribus intervallis [...] omnemque aciem suam raedis et carris circumdederunt, ne qua spes in fuga relinqueretur.
Da erst führten notgedrungen die Germanen ihre Truppen aus dem Lager heraus und stellten (sie) nach Stämmen auf in gleichen Abständen und ihre ganze Schlachtreihe umgaben sie mit Wagen und Karren, damit nicht irgendeine Hoffnung in der Flucht zurückgelassen wurde.

Auch in diesem Satz ziehe ich den konjugierten Teil *(führten)* des ersten Prädikates *(constituerunt)* hinter den Adverbblock *tum demum* vor, der den ersten Satzteil stellt. Auch wenn das Adverb *necessario* eigentlich noch zu diesem Adverbblock dazugerechnet werden kann *(«da erst notgedrungen»)*, passt es besser in den Kontext, wenn man es in die dritte Position bringt. *castris* ist Ablativus separativus, der mit *von* oder *aus* übersetzt wird. Im Lateinischen hingegen ist ein Separativus nicht durch eine Präposition gekennzeichnet und nur im Kontext erkennbar. Das Prädikat *constituerunt* bezieht sich weiterhin auf das Objekt *suas copias,* das deshalb in Klammern in Form eines Personalpronomens noch einmal aufgegriffen werden sollte. Ein Objektswechsel findet erst nach *-que* zu *omnem aciem* statt. Neues Prädikat ist *circumdederunt* (von *circumdare, umgeben*). *raedis* und *carris* sind instrumentale Ablative. Nach der Konjunktion *ne* fällt regelmäßig das Präfix *ali-, irgend-,* aus (Merkspruch im Lehrbuch S. 198). Normalerweise wird es regelmäßig nach der Deklination der Relativpronomen gebildet – mit einer Ausnahme: Im Nominativ Femininum Singular tritt nicht das normale Relativpronomen *quae,* sondern die Form *qua* an die Vorsilbe *ali-,* so dass im Nominativ die Reihe *aliqui, aliqua, aliquod* entsteht. Diese Ausnahme liegt hier vor: *qua* ist also nicht etwa Ablativ des Relativpronomens, sondern steht für *aliqua* und kongruiert im Nominativ Femininum mit *spes.* Der präpositionale Ausdruck *in fuga* ist eine Ortsangabe, weil *fuga* Ablativ ist. Falsch wäre es also hier, aus einer deutschen Intuition heraus «Hoffnung auf Flucht» zu übersetzen, weil in diesem Ausdruck eine Richtungsangabe steckt, die im Lateinischen mit dem Akkusativ *fugam* ausgedrückt würde!

Eo mulieres imposuerunt, quae ad proelium proficiscentes passis manibus flentes implorabant, ne se in servitutem Romanis traderent.
Dorthin stellten sie (ihre) Frauen auf, welche sie, während sie zum Kampf aufbrachen (die zum Kampf Aufbrechenden), mit ausgestreckten Händen weinend anflehten, dass sie sie nicht in die Sklaverei den Römern auslieferten.

Die Form *eo* ist immer etwas disparat, weil sie selbst dann zu passen scheint, wenn man sie falsch übersetzt. *eo* ist hier weder modaler *(durch dieses, dadurch)* noch kausaler *(wegen diesem, deswegen)* noch lokaler Ablativ *(in diesem, an diesem, auf diesem, darauf)*, sondern Richtungsadverb in der Bedeutung *dorthin*. Objekt der Richtung sind die Wagen und Karren, auf die oben drauf die Frauen postiert werden (daher der Ausdruck *eo imposuerunt*), damit sie die Kämpfenden um ihres Überlebens willen motivieren und dem Schlachtgeschehen von einer erhobenen Position aus besser folgen konnten. Subjekt des Nebensatzes ist das nominativische Relativpronomen *(quae)*, das für die Frauen steht. Das Objekt ist entweder das PPA *proficiscentes* in substantivierter Form *(die Aufbrechenden)* oder ein aus dem Kontext zu ergänzendes Personalpronomen, das die aufbrechenden Germanen vertritt (im Deutschen: *sie*). *proficiscentes* wäre dann Prädikativum, weil die Germanen ja nicht dauerhaft oder wesenhaft *aufbrechend* sind, sondern nur in dieser Situation, während sie von den Frauen angefleht werden. *passus* dient zwei Verben als Partizip: dem normalen Verb *pando, ausbreiten, ausstrecken* und dem Deponens *patior, dulden, zulassen*. *passis* ist als Ablativ kongruent mit *manibus*, das instrumentale Funktion hat. Hände kann man nur ausbreiten oder ausstrecken. In deponenter (im Deutschen aktiver) Form müssten die Hände hier «gelitten habende Hände» oder «zugelassen habende Hände» sein, nur um die Absurdität einer Übersetzung nach dem Verb *pati, dulden, zulassen,* zu demonstrieren, wenn man sie überhaupt «richtig» machen will. Sorgfalt bei der Wörterbucharbeit kann solche Fehler verhindern. Schwierigkeiten bereiten kann auch das Reflexivpronomen *se*. *se* bezieht sich auf das Subjekt des übergeordneten Satzes (also auf die Frauen als Subjekt zu *implorabant* im Hauptsatz, nicht auf die aufbrechenden Männer als Subjekt zu *traderent* im Nebensatz). Da *se* direktes Objekt zu *traderent* ist, muss man den Akkusativ eines femininen Pronomens bilden, der auf die Frage antwortet: «Wen oder was sollen die kämpfenden Männer nicht ausliefern?»: *sie, die Frauen*. *in servitutem* ist wegen des Akkusativs *servitutem* eine Richtungsangabe zu *traderent: in die Sklaverei*. Völlig missraten und falsch wäre eine Übersetzung als Ortsangabe: «*in der Sklaverei*». Betroffene sollten dringend die Deklination von Akkusativen und Ablativen unterscheiden lernen!

Quieta Gallia Caesar ...

Quieta Gallia Caesar, ut constituerat, in Italiam ad conventus agendos proficiscitur.
Nach Beruhigung Galliens bricht Caesar, wie er beschlossen hatte, nach Italien zur Abhaltung von Gipfeltreffen auf.

quieta Gallia lässt sich als Ablativus absolutus auffassen. Wenn man *quietus* als Adjektiv *(ruhig, friedlich)* auffasst, ist in erster Linie an einen nominalen Absolutus zu denken. Diesen übersetzt man durch einen präpositionalen Ausdruck mit *während, bei, unter,* hier etwa: *unter einem friedlichen Gallien. quietus* lässt sich auch als Verbaladjektiv, der Form nach PPP, von *quiescere, ruhen, zur Ruhe kommen*, auffassen. Die Übersetzung macht insofern Schwierigkeiten, als man von *ruhen* kein Passiv und folglich auch kein PPP bilden kann. Man kann *quietus* allenfalls als PPDep auffassen und aktivisch übersetzen, etwa: *nachdem Gallien zu Ruhe gekommen ist/war.* Ein Kompromiss ist die von mir vorgeschlagene Präpositionalisierungstechnik mit *nach,* unter Substantivierung des Verbaladjektivs *(Beruhigung)* und Genitivierung des Bezugssubstantivs *(Galliens)*. Manchmal muss man mit den verschiedenen Techniken ein wenig laborieren. Das *ut* ist indikativisch *(constituerat). in Italiam* ist eine Richtungsangabe (*in* steht mit Akkusativ) und antwortet auf die Frage *wohin?* Bei Städte- und Ländernamen übersetzt man mit *nach*. Völlig falsch wäre dagegen die Übersetzung «*in Italien*». Betroffene sollten unbedingt ihr Präpositions- und Kasusverständnis überprüfen (Lehrbuch S. 134). *ad conventus agendos* ist ein präpositionales Gerundivum. Das Verbaladjektiv *agendos* kongruiert mit *conventus* (u-Deklination!) im Akkusativ Plural. Die Präposition *ad* wird bei allen nd-Formen entweder mit *zu, zum, zur* oder mit *um zu* + Infinitiv übersetzt. Eine ganz wörtliche Übersetzung («*zu abzuhaltenden Gipfeltreffen*») sollte man wegen der Dublette von *zu* und der damit verbundenen Fehlerträchtigkeit meiden, vom verzerrten Sinn und verkorksten Stil ganz zu schweigen.

Ibi cognoscit de P. Clodii caede de senatusque consulto certior factus, ut omnes iuniores Italiae coniurarent, dilectum tota provincia habere instituit.
Dort erfährt er von der Ermordung des Publius Clodius und nachdem er von dem Beschluss des Senates benachrichtigt worden ist, dass alle Wehrfähigen von Italien den Fahneneid schwören sollten, beschließt er eine Truppenaushebung in der ganzen Provinz abzuhalten.

Wenn man hier die Präposition *de* gepaart mit *cognoscere, erkennen, erfahren,* starr mit *in Bezug auf* übersetzt, können Übersetzungen wie «*er erkannte in Bezug auf die Ermordung ...*» herauskommen. Solches Deutsch sollte man vermeiden, auch wenn es »irgendwie« nicht ganz falsch ist. Hier passt die buchstäbliche Übersetzung von *de* in der Bedeutung *von* einfach besser. Oft versteht man den Sinn beim zweiten Durchlesen. Das Genitivattribut *P. Clodii* steht in Klammerstellung zwischen Präposition und Bezugswort. Denke daran, dass du nicht übersetzt «*von P. Clodii*», sondern das Pränomen aussschreibst und nominativierst *(von Publius Clodius)*. Das *-que* an *senatus* erwartet man eigentlich schon an der Präposition *de*. Präpositionen tragen jedoch äußerst selten angehängte Partikel oder sonstige Erweiterungen. Deshalb greift man auf das nächste zur Verfügung stehende Wort zurück. Ein *senatus consultum* bezeichnet als feststehender Begriff einen *Senatsbeschluss*. Dass der Genitiv *senatus* hier in Klammerstellung gerät, ist daher eher Zufall, weil er bei dieser Form immer vorangestellt ist. Die Caesar-spezifische phraseologische Wendung *certiorem facere* heißt wörtlich: *sicherer, informierter machen.* Der Komparativ *certiorem* ist dabei Prädikativum zum direkten Objekt (Akkusativ), so dass man von einem doppelten Akkusativ (wörtlich etwa: «*jemanden informierter machen*») sprechen kann. Eingebürgert hat sich dafür die Übersetzung mit *jemanden benachrichtigen.* Von dieser Wendung lässt sich ein Passiv bilden mit *fieri, gemacht werden* – das Objekt wird zum Subjekt und das Prädikativum tritt in den Nominativ: *certior fieri, benachrichtigt werden.* Dieses Passiv wird im Perfekt mit dem PPP von *facere factus* gebildet. Dieses PPP steht hier als Prädikativum ohne *esse (certior factus)* und ist durch den präpositionalen Ausdruck *de senatus consulto* erweitert. Am deutlichsten wird der Sinn daher, wenn man mit *nachdem* konjunktionalisiert. Der konjunktivische *ut*-Satz gibt den Inhalt des Senatsbeschlusses an. Die Übersetzung mit *sollen* macht dessen bindende Wirkung deutlicher. Von *instituit* ist wieder eine einfache Infinitivkonstruktion abhängig. *dilectum* ist also nicht etwa Subjektsakkusativ eines AcIs, sondern einfaches direktes Objekt zu *habere. tota provincia* ist Ablativus loci.

Eae res in Galliam Transalpinam celeriter perferuntur.
Diese Dinge (Ereignisse) werden nach Gallia Transalpina (ins transalpine Gallien) schnell getragen (berichtet, gemeldet).

Dass für das Füllwort *res* auch andere Übersetzungen als immer nur *Ding* oder *Sache* in Frage kommen, versuche ich in meinem Vorschlag deutlich zu machen. Denkbar sind alle Wörter, die so semantisch unpräzise und definitorisch verwaschen sind, dass man sie ebensowenig an die Wand nageln kann wie einen Pudding: *Situation, Entwicklung, Prozess, Vorgang, Umstand, Tatsache, Zustand, Krise, Affäre, Aktivität. in Galliam Transalpinam* bezeichnet eine Richtungsangabe (*in* + Akkusativ), die bei Länder- und Städtenamen meist mit *nach* übersetzt wird. Als *Gallia Transalpina* oder *das transalpine Gallien* wird der von Italien aus gesehen jenseits der Alpen liegende Teil Galliens bezeichnet im Gegensatz zu *Gallia cisalpina*, dem diesseits der Alpen gelegenen Teil Galliens. In Verbindung mit diesen Adjektiven kann auch mit «*in das transalpine/cisalpine Gallien*» übersetzt werden, nur nicht «*in Gallien*» oder «*im transalpinen Gallien*»!

Addunt ipsi et adfingunt rumoribus Galli, quod res poscere videbatur: retineri urbano motu Caesarem neque in tantis dissensionibus ad exercitum venire posse.
Hinzufügen und hinzudichten in Gerüchten die Gallier selbst, von welchem / von was es schien, dass die Situation es forderte (wörtlich: welches/was die Situation zu fordern schien): aufgehalten werde Caesar aufgrund einer städtischen Unruhe und könne nicht in so großen Konflikten zum Heer kommen.

ipsi steht zu seinem kongruenten Bezugswort *Galli* in Hyperbaton. Trotzdem müssen wir das Pronomen *ipse*, *selbst*, ungeachtet seiner lateinischen Stellung im Deutschen immer nachstellen. Das direkte Objekt zu den beiden Prädikaten des Satzes (*addunt* und *adfingunt*), also die Antwort auf die Frage: *Wen oder was fügen und dichten die Gallier hinzu?*, wird zunächst durch den relativen *quod*-Satz vertreten (denke an die *quod*-Satz-Probe mit *dass, weil, welch*), «*welches/was die Situation zu fordern schien*». Der Relativsatz ist also ein Objektsatz. Nach dem Doppelpunkt folgt noch der Inhalt zu *addunt* und *adfingunt* in Form eines AcI *(retineri ... Caesarem ...)*. Zunächst nehmen wir uns den *quod*-Satz vor: *quod* ist Subjektnominativ eines NcI, Infinitiv ist *poscere* und *videbatur* der Einleiter. Neben der unkonventionellen wörtlichen Übersetzung geht man nach der Schritt-Technik vor: *von*-Einleitung, Vorziehung des Einleiters und Konvertierung in einen unpersönlichen Ausdruck mit *es, dass*-Satz-Schaltung, Wiederaufgreifen des Subjektsnominativs in Form eines Personalpronomens und schließlich Konvertierung des Infinitivs zum Prädikat. Das klingt vielleicht nicht so elegant wie die wörtliche Variante, funktioniert aber in allen Fällen, während die wörtliche Übersetzung nur bei *videri, scheinen*, angewandt werden kann. Der AcI hängt locker an *addunt* und *adfingunt* und ist Vorbote einer längeren indirekten Rede, die in den folgenden Sätzen wieder aufgegriffen wird. Subjektsakkusativ ist *Caesarem*, Prädikatsinfinitive sind nacheinander *retineri* und *posse*. *posse* ist wiederum *venire* als einfacher Infinitiv untergeordnet und wird auch unverändert übersetzt. Bei der Übersetzung eines AcIs der indirekten Rede verzichtet man auf einen *dass*-Nebensatz und bildet einen normalen Aussagesatz. Wichtig ist dabei nur, dass man den Konjunktiv der indirekten Rede (Konjunktiv 1) im Deutschen beherrscht und auch konsequent anwendet.

Hac impulsi occasione, qui iam ante se populi Romani imperio subiectos dolerent, liberius atque audacius de bello consilia inire incipiunt.
Durch diese Gelegenheit angetrieben, beginnen sie, welche schon vorher klagten, dass sie der Herrschaft des römischen Volkes unterworfen worden waren, offener und gewaltbereiter in Bezug auf Krieg Pläne zu fassen.

Der Satz beginnt mit einem PPP *(impulsi)*, das durch den Ablativus modi *hac occasione* erweitert und eingeklammert ist. Es bezieht sich kongruent auf ein gedachtes Subjekt im Nominativ Plural Maskulinum (gemeint sind die *Galli* aus dem Vorsatz), das im Lateinischen nur aus der Endung des Verbs *incipiunt* hervorgeht: *sie*. Es scheint mir jedenfalls äußerst unüblich, wenn auch grammatisch nicht undenkbar, ein PPP wie *impulsi* zu substantivieren und dann selbst zum Subjekt des Satzes zu machen (in dem Sinne: «die durch diese Gelegenheit Angetriebenen»). Wahrscheinlicher ist seine Funktion als Prädikativum, weil es den Zustand der Gallier erklärt, in dem sie ihre Umsturzpläne schmieden. Deshalb führe ich entweder den Stammtest mit wörtlich-undeklinierter Übersetzung durch *(angetrieben)* oder konjunktionalisiere mit *nachdem* («nachdem sie durch diese Gelegenheit angetrieben worden sind») und ziehe das Prädikat mit dem darin enthaltenen Subjekt *incipiunt* so hinter das Prädikativum, dass ich «sie» als Anknüpfungspunkt für den Relativsatz habe. Sonst hätte der Relativsatz kein Bezugswort und müsste wie ein Subjektsatz behandelt werden. Der Relativsatz enthält einen elliptischen AcI. Eingeleitet wird dieser AcI durch das Verb *dolere, Schmerz empfinden, sich beklagen.* Als Subjektsakkusativ dient das Reflexivpronomen *se,* als Infinitiv ein entfallenes *esse,* das mit dem PPP *subiectos* einen Infinitiv Perfekt Passiv bildet. Beim PPP ist die Ellipse eher selten. Häufig steht sie nach der *Coniugatio periphrastica passiva* (Gerundivum mit *esse*) oder *activa* (PFA mit *esse*). Gib Acht, dass du *ante* und *se* nicht als präpositionalen Ausdruck (in dem falschen Sinne: *vor sich, vor ihnen*) auffasst, sondern säuberlich funktional trennst. *ante* ist dabei nicht Präposition, sondern in Ermangelung eines Bezugswortes Adverb *(vorher),* *se* ist, wie gesagt, reflexiver Subjektsakkusativ und bezieht sich auf das Subjekt desselben Satzes, also das Subjekt zu *dolerent* (weiterhin die Gallier: *sie*). Das Gerüst des AcIs lautet also: «welche beklagten, dass sie … unterworfen worden waren». Das Plusquamperfekt kommt durch die Vorzeitigkeit des Infinitivs Perfekt (PPP + das ergänzte *esse*) zu *dolerent* zustande, das an sich schon Präteritum ist und nur noch durch das Plusquamperfekt übertroffen werden kann. *populi Romani* ist ein vorangestelltes Genitivattribut zu *imperio* und muss im Deutschen immer nachgestellt werden. *imperio* wiederum ist indirektes Objekt der Unterwerfung, antwortet also auf die Frage: *Wem wurden sie unterworfen? liberius* und *audacius* sind an der *ius*-Form leicht zu erkennende Komparativ-Adverbien («Bratenius») und bestimmen das Prädikat *incipiunt.* An *incipiunt* hängt der Infinitiv *inire* und dieser Infinitiv wiederum bringt *consilia* als Akkusativobjekt mit. Die idiomatische Wendung *consilium inire, einen Plan fassen,* musst du lernen!

Indictis inter se principes Galliae conciliis silvestribus ac remotis locis queruntur de Acconis morte.
Nach Verabredung von Treffen unter sich (untereinander) in bewaldeten und entfernten (abgelegenen) Gegenden beklagen sich die Fürsten Galliens über den Tod des Acco.

Der obligatorische AmP *indictis … conciliis* ist in diesem Satz fragmentiert. Die präpositionale adverbiale Bestimmung *inter se* und das Subjekt des Satzes *principes Galliae* schieben sich zwischen die beiden Ablativ-Kongruenzen – es entsteht ein Hyperbaton. Die Klammerstellung von *inter se, unter sich, untereinander,* erklärt sich daraus, dass es das PPP *indictis* (von *indicere, ansagen, ansetzen, verabreden*) adverbial bestimmt. Wenn man also das PPP substantiviert und mit *nach* präpositionalisiert *(nach Ansage, nach Verabredung)* und *conciliis* genitiviert oder mit *von* umschreibt *(der Treffen, von Treffen),* muss man *inter se* nachstellen. Das Subjekt *principes Galliae, die Fürsten Galliens,* nimmt man ganz aus der AmP-Konstruktion heraus und setzt es an geeigneter Stelle hinter das vorzuziehende Prädikat *(queruntur).* Teil des AmP ist auch noch der lokale Ablativ *silvestribus ac remotis locis,* der aufgrund der Kongruenz im Ablativ vom AmP scheinbar nicht zu trennen ist. Tatsächlich handelt es sich um eine ganz eigene adverbiale Bestimmung. Trotz der Nähe zu *queruntur* gibt diese allerdings nicht den Ort an, an dem sich die Fürsten beklagen, sondern an dem das Treffen angesetzt ist. Das Prädikat *queruntur* wird aufgrund der Stammähnlichkeit schnell mit *quaeruntur* verwechselt. Tatsächlich kommt *queruntur* nicht von *quaerere, suchen, fragen, anstreben,* sondern von dem Deponens *queri, sich beklagen.* Der Genitiv *Acconis* steht in Klammerstellung.

215

Hunc casum ad ipsos recidere posse demonstrant.
Sie weisen darauf hin, dass dieser Fall auf sie selbst zurückfallen kann (könne).

Von *demonstrant* ist ein einfacher AcI abhängig: Subjektsakkusativ ist *hunc casum*, Infinitiv ist *posse*, das wieder mit dem Infinitiv *recidere* erscheint. *recidere*. Wie bei allen Komposita vom Stamm *cid-* (vergleiche z. B. *incidere, accidere, condicere*) besteht Verwechslungsgefahr zwischen der Variante mit langem und kurzem i. Denn der Stamm *cid-* bedeutet mit langem i *(cīd-)* schlagen (vom Simplex *caedere, fällen, schlagen*, mit naturlanger Diphtonge *-ae-*), mit kurzem i *(cid) fallen* (vom Simplex *cadere, fallen*, mit kurzem i). Wenn der Prüfer nicht deutlich vorliest, kann man die Entscheidung nur aus dem Zusammenhang heraus treffen. Nachdem zuvor schon von *casus, Fall*, die Rede war, liegt es näher auch mit dem deutschen Verb *zurückfallen* zu arbeiten. Ansonsten bleibt nur: Einsetzen und ausprobieren, was besser passt!

Miserantur communem Galliae fortunam.
Sie bemitleiden das gemeinsame Schicksal Galliens.

Das Deponens *miserari, bemitleiden*, kann verwechselt werden mit Formen von *misereri*, was ungefähr das Gleiche bedeutet, vor allem aber mit Perfektformen des Stammes *mis-* von *mittere, schicken*. Der Genitiv *Galliae* steht in Klammerstellung.

Omnibus pollicitationibus ac praemiis deposcunt, qui belli initium faciant et sui capitis periculo Galliam in libertatem vindicent.
Mit allen Versprechungen und Belohnungen fordern sie auf (diejenigen), welche den Beginn des Krieges machen und unter Gefahr ihres Kopfes (Lebens) Gallien kämpfend in die Freiheit führen (sollen).

Das Relativpronomen *qui* hat keinen logischen Anknüpfungspunkt im Hauptsatz. Zudem fehlt zu *deposcunt* ein Objekt, das aufgefordert werden kann. Dieses Objekt kann man zwar gedanklich oder in Klammern im Deutschen ergänzen *(Leute, diejenigen, alle)*, grammatisch kann man es jedoch nicht herzaubern. Es wird also durch den Relativsatz vertreten (Objektsatz). Die beiden Konjunktive *(faciant, vindicent)* erklären sich aus dem finalen Nebensinn des Relativsatzes. Beim finalen Nebensinn kann man das Relativpronomen durch eine Finalkonjunktion *(dass, damit)* mit Personalpronomen austauschen. Zumindest aber sollte man den finalen Nebensinn mit *sollen* deutlich machen. Den Genitiv *capitis* findest du unter *caput, Kopf, Haupt, Leben*. Da der Nominativstamm *(caput)* wieder einmal stark vom Genitivstamm *(capit-)* abweicht, solltest du ihn lernen, genauso wie: *genus*, Art, *iter*, Weg, *ius*, Recht, *lux*, Licht, *latus*, Seite, *lex*, Gesetz, *merx*, Ware, *mos*, Sitte, *nox*, Nacht, *rex*, König, *ops*, Hilfe, *opus*, Arbeit, *os*, Mund, *pax*, Frieden, *vis*, Gewalt, *vox*, Stimme.

Inprimis rationem esse habendam dicunt, priusquam eorum clandestina consilia efferantur, ut Caesar ab exercitu intercludatur.
Sie sagen, dass vor allem Rücksicht genommen werden müsse, bevor die geheimen Pläne von diesen hinausgetragen (verraten) würden, dass Caesar vom Heer abgeschnitten werde.

Von *dicunt* hängt ein AcI ab: Subjektsakkusativ ist *rationem*, Infinitiv *esse*, Prädikativum das Gerundivum *habendam*, das in Verbindung mit *esse* zur Bildung der *Coniugatio periphrastica passiva* (umschriebenes Notwendigkeitspassiv) führt und grundsätzlich wörtlich *(Rücksicht zu nehmen sei)* oder mit *werden müssen (Rücksicht genommen werden müsse)* übersetzt werden kann. Der Formulierung liegt die idiomatische Phrase *rationem habere, Rücksicht nehmen auf*, zugrunde. Zu ihr nimmt schließlich der *ut*-Satz Beziehung auf. Die seltenere Konjunktion *priusquam, bevor*, leitet einen temporalen Nebensatz ein. Beide Nebensätze unterliegen dem Einfluss der indirekten Rede und müssen daher ungeachtet der lateinischen Formen in die deutsche indirekte Rede gemäß den Regeln des Konjunktivs 1 und seiner Ersatzformen im Konjunktiv 2 übertragen werden.

Id esse facile, quod neque legiones audeant absente imperatore ex hibernis egredi neque imperator sine praesidio ad legiones pervenire possit.
Dies sei leicht, weil weder die Legionen (es) wagten in Abwesenheit des Oberbefehlshabers aus den Winterlagern auszurücken noch der Oberbefehlshaber ohne Schutz zu den Legionen gelangen könne.

Stellungstechnisch stellt der Satz keine hohen Anforderungen an einen Anfänger. Die Hauptschwierigkeit sehe ich in der Nachbildung langer Passagen von indirekter Rede, in der wir uns auch hier wieder befinden, und das ohne Einleiterprädikat. In der Luft hängende AcIs wie *id esse facile* können zum Beispiel mit dem historischen Infinitiv verwechselt werden. Wer die Regeln nicht begriffen hat, greift zum Lehrbuch S. 54, wer sie danach immer noch nicht begriffen hat (denn sie sind nur kurz angerissen), greift zu einem ausführlicheren Lehrbuch der deutschen Grammatik, z.B. *Dreyer, Schmitt. Lehr- und Übungsbuch der deutschen Grammatik*. Eine Besprechung verdient der AmP *absente imperatore*. Dieser besteht aus dem Substantiv *imperatore* und dem PPA *absente* (von *abesse, fort sein, abwesend sein*), die in Kongruenz zu einander stehen. Da es sich um einen Ablativ der Person ohne Präposition handelt, kann es sich nur um einen Absolutus handeln. Der Absolutus kann durch Präpositionalisierung (beim PPA mit *während, bei, unter, in*) oder durch Konjunktionalisierung (beim PPA mit *während*) übersetzt werden. Bei der Präpositionalisierung substantiviert man das Partizip («während dem abwesend Sein», in Abwesenheit) und genitiviert das Bezugssubstantiv *(des Oberbefehlshabers)*. Bei der Konjunktionalisierung bildet man einen Nebensatz (hier mit *während*), macht das Bezugssubstantiv zum Subjekt *(der Oberbefehlshaber)* und das PPA zum Prädikat unter Beachtung des gleichzeitigen Zeitverhältnisses und der aktiven Diathese *(abwesend ist/war)*. *hibernis* von *hiberna, Winterlager,* ist bei Caesar feststehender Begriff. Der lateinische Neutrum Plural *(hiberna)* wird im Deutschen singularisiert, analog zu *castra, Lager*. Der Infinitiv *pervenire* hängt wieder an *possit* und wird mit diesem zusammen unverändert übersetzt.

Postremo in acie praestare interfici, quam non veterem belli gloriam libertatemque, quam a maioribus acceperint, recuperare.
Zuletzt sei es besser in der Schlacht getötet zu werden, als nicht den alten Ruhm des Krieges und die Freiheit, welche sie von den Vorfahren übernommen hätten, zurückzuerlangen.

Die große Dichte der indirekten Rede in Caesar-Texten disqualifiziert ihn weitestgehend für das kleine Latinum, weil die korrekte Übersetzung der indirekten Rede teilweise weitaus höhere Ansprüche an den Übersetzer stellt als die Übersetzung der primitiven, demagogischen Rhetorik einer Cicero-Rede. Aber eher gefriert die Hölle, als dass Caesar als Prüfungsautor für das kleine Latinum abgeschafft wird. Die indirekte Rede wird eröffnet durch einen verkappten AcI in Form des unpersönlichen Ausdrucks *praestare*. Dieser verfügt nicht über einen sichtbaren Subjektsakkusativ. Vielmehr geht das neutrale Subjekt *(es)* in der finiten Form aus der Endung *(praestat, es ist besser)*, in der infiniten Form nur aus Kenntnis der finiten Form hervor. Deshalb ist diese auch als Hilfe angegeben. Im Deutschen muss man das Personalpronomen *es* ergänzen. Von *praestare* hängt zunächst der Infinitiv Passiv *interfici* und am Ende noch der Infinitiv Aktiv *recuperare* ab. Beide müssen im Deutschen in Verbindung mit *zu* übersetzt werden. Da *praestare* einen Vergleich vorbereitet, hat das erste *quam* die Funktion der Vergleichskonjunktion *als*. Ansonsten denke (in diesem Satz vor allem auch beim zweiten *quam*) an den *quam*-Test (*als, wie, welch, möglichst,* Näheres dazu im Lehrbuch S. 108). Die Objekte *gloriam* und *libertatem* teilen sich das adjektivische Attribut *veterem* (von *vetus, alt*), so dass diese Altersangabe sich nicht nur auf *gloriam,* dem sie nahe steht, sondern auch auf die weiter entfernt stehende *libertatem* bezieht. *veterem* klammert gemeinsam mit *gloriam* dessen Genitivattribut *belli* ein. Mit dem substantivierten Komparativ Maskulinum Plural *maiores* sind immer die *Vorfahren* gemeint, solang sich *maiores* nicht als adjektivisches Attribut auf ein anderes Substantiv bezieht.

Übersetzung und Kommentar: Altklausuren – Sallust

Ea tempestate mihi imperium populi Romani ...

Ea tempestate mihi imperium populi Romani multo maxume miserabile visum est.
Zu dieser Zeit ist mir das Reich des römischen Volkes bei Weitem am meisten elend erschienen.

tempus, Zeit, ist Sallust unbekannt. Für das klassische Substantiv *tempus* tritt bei Sallust grundsätzlich *tempestas* ein. *tempestas* hat hier also nicht die Bedeutung *Unwetter, Seesturm,* wie etwa bei Cicero. Leitkonstruktion des Satzes ist ein doppelter Nominativ nach dem Deponens *videri, erscheinen als,* hier in Form des Perfekts Deponent *visum est.* Subjektsnominativ des doppelten Nominativs ist *imperium,* Prädikativum dazu *miserabile,* das im Nominativ (und Akkusativ) Neutrum Singular mit *imperium* kongruiert. *multo,* sonst in der Bedeutung *viel,* muss hier mit *bei Weitem* übersetzt werden. Solche Bedeutungsänderungen sind für Sallust typisch.

Quoi quom ad occasum ab ortu solis omnia domita armis parerent, domi otium atque divitiae, quae prima mortales putant, adfluerent, fuere tamen cives, qui se remque publicam obstinatis animis perditum irent.
Als diesem zum Untergang vom Aufgang der Sonne alles (singularisiert) bezwungen durch Waffen (nachdem es durch Waffen bezwungen worden war) gehorchte, zu Hause Friede und Reichtum, welche die Sterblichen (die Menschen) für die ersten (wichtigsten) Dinge halten, «einflossen» (Einzug hielten), «waren» (existierten, gab es) dennoch Bürger, welche sich und die Republik mit (ihren) sturen Geisteshaltungen zu Grunde richteten.

quoi ist die altlateinische Form für das Relativpronomen *cui,* bevor *cu-* später für *quo-* eintrat. Sallust macht diese höchst degenerative Sprachentwicklung wieder rückgängig und ersetzt das sittlich verkommene *cu-* eines Cicero regelmässig wieder durch das moralisch integre *quo-* des alten Cato. Ähnlich verhält es sich mit *quom. quom* ist ein Synonym für die Konjunktion *cum,* das er ebenfalls aus dem Altlateinischen abgestaubt hat. Diese stilistische Marotte für alte Formen nennt man Archaismus. Funktional ist die Abfolge von *quoi* und *quom* ein kombinierter konjunktional-relativer Anschluss. Dabei hat die Konjunktion höchste, das Relativpronomen zweite Priorität bei der Stellung. Das Relativpronomen muss beim relativen Anschluss demonstrativiert werden. Bei der präpositionalen Wendung *ad occasum ab ortu solis* erwarten wir eine etwas andere Reihenfolge *(vom Aufgang bis zum Untergang der Sonne). solis* ist der Genitiv von *sol, Sonne,* und nicht etwa eine Form von ähnlich klingenden Nomen wie *solum, Boden,* oder *solus, allein. omnia* ist substantiviertes Neutrum Plural und meint nach der deutschen Substantivierung nicht so sehr *alle Dinge* als vielmehr *alle Völker und Länder, die ganze Welt,* kurz *alles.* Deshalb habe ich *omnia* samt Prädikat *(parerent)* singularisiert. Das PPP *domita* (von *domare, zähmen, bezwingen*) ist Prädikativum zu *omnia,* weil es keine dauerhafte Eigenschaft der Welt und der Völker ist, dass sie bezwungen sind, sondern ein vorrübergehender Zustand, aufgrund dessen sie gehorchen. Deshalb löse ich *domita* auch wörtlich-undekliniert, bzw. mit *nachdem* auf, weil durch beide Übersetzungstechniken eher Zustände als Eigenschaften deutlich werden. Vergiss nicht den Instrumentalis *armis* auf *domita* zu beziehen. *parerent* kömmt von *parere, gehorchen.* Unterscheide den e-Stamm *pare-, gehorchen,* mit seinem u-Perfekt *paru-* vom kurz-i-Stamm *pari-, zeugen,* mit seinem Reduplikationsperfekt *pe-* per- und um Gottes willen auch von *para-, bereiten,* mit dem v-Perfekt *parav-. parere, gehorchen,* taucht regelmässig mit dem Dativ auf (wem gehorchen) und so ist das merkwürdige Relativpronomen *quoi* nichts weiter als ein einfaches Dativobjekt zu *parerent. domi, zu Hause,* ist eigentlich ein Lokativ, der die Funktion eines Adverbs übernimmt. Der Plural *divitiae,* eigentlich: *Reichtümer,* wird regelmässig singularisch mit *Reichtum* übersetzt. *otium* ist (übrigens nicht nur bei Sallust, sondern auch regelmässig bei Cicero) im politischen Zusammenhang nicht die *Musse,* sondern der *Friede. putare* steht im Relativsatz mit doppeltem Akkusativ in der Bedeutung *halten für.* Dabei ist das Relativpronomen *quae* das direkte Objekt und *prima* das Prädikativum, für das das Subjekt gehalten wird. Das Subjekt des *quae*-Satzes *mortales* ist ein substantiviertes Adjektiv, das wörtlich übersetzt, artikuliert und gross geschrieben *die Sterblichen* bedeutet. Diese aus dem alten heroischen Epos stammende und etwas pathetische Form setzt Sallust regelmässig für *homines, Menschen,* ein und als solche darf sie auch übersetzt werden. Bis *adfluerent* geht der *quom*-Satz. Das Prädikat des Hauptsatzes *fuere* ist Nebenform zu *fuerunt,* wobei die Perfektendung *-ere* für *-erunt* bei Sallust regelmässig eintritt. Ein echtes Prädikativum (Prädikatsnomen) zu *fuere* fehlt hier. In solchen Fällen hat *esse* eher die Bedeutung *da sein, existieren, geben.* In Form des Reflexivpronomens *se* macht sich das Subjekt des Satzes *(die Bürger)* selbst zum Akkusativobjekt *(sich).* Das PPP *obstinatis,* eigentlich: *fest entschlossen,* ist zum adjektivischen Attribut erstarrt, weshalb ich es mit *stur* übersetze. *animus, Geist, Seele, Herz, Gemüt,* habe ich etwas griffiger mit *Mentalität* oder *Geisteshaltung* übersetzt. Der Konjunkiv *(irent)* im Relativsatz entspringt einem konsekutiven Nebensinn, wenn man das Relativpronomen *qui* durch Konjunktion und Personalpronomen *(so dass sie)* austauscht.

Namque duobus senati decretis ex tanta multitudine neque praemio inductus coniurationem patefecerat neque ex castris Catilinae quisquam omnium discesserat: tanta vis morbi erat atque uti tabes plerosque civium animos invaserat.

Denn trotz zwei «Erlassen des Senates» (Senatsbeschlüssen) hatte aus einer so großen Menge weder irgendeiner von allen durch eine Belohnung verleitet (nachdem er durch eine Belohnung verleitet worden war) die Verschwörung aufgedeckt noch sich aus dem Lager Catilinas entfernt: so groß war die Gewalt der Krankheit und hatte wie eine Seuche die meisten Seelen der Bürger befallen.

Das *-que* an *nam* wirkt allenfalls verstärkend und bleibt unübersetzt. Der Genitiv *senati* stammt aus einer alten o-Deklination des Substantivs *senatus*. Da man bei Sallust immer mit solchen Kuriositäten rechnen muss, hilft manchmal nur Raten. Der Ablativ *duobus decretis* ist eine etwas merkwürdige adverbiale Bestimmung, die sich zwischen dem seltenen sogenannten Ablativus concessivus (mit einräumendem Sinn: *trotz*) und nominalem Ablativus absolutus *(bei, unter)* bewegt. Beachte im Folgenden die Doppelkonjunktion *neque ... neque ...* mit ihren beiden Prädikaten *patefecerat* und *discesserat*. Das PPP *inductus* scheint auf den ersten Blick kein Bezugssubstantiv zu haben, auf das es sich kongruent beziehen könnte, so dass man versucht ist es durch Artikulierung und Großschreibung zu substantivieren (in dem schrägen Sinne: «*ein durch Belohnung Verleiteter*») und so selbst zum Subjekt zu machen. Tatsächlich kongruiert es aber mit *quisquam*, das als Subjekt des ganzen Satzes erst mit einiger Verzögerung in Erscheinung tritt. Deshalb sollte man *quisquam* im Deutschen rechtzeitig vorziehen, zusammen mit dem Genitivus totius *omnium*. Der *Genitivus totius* (Genitiv des Ganzen) ist eine Abart des *Partitivus*, wenn der Bereich, von dem das Bezugswort ein Teil ist, eine Gesamtheit ist, wie sie durch *omnium* ausgedrückt wird. Die weite Sperrung von *inductus* spricht für seine Funktion als Prädikativum. Der Stammtest lässt eine wörtlich-undeklinierte Übersetzung *(verleitet)* zu, aber man kann auch konjunktionalisieren *(nachdem er verleitet worden war)* und im Zweifelsfall sogar relativieren *(der verleitet worden war)*. Wichtig ist in den letzten beiden Fällen die Beachtung des Zeitverhältnisses. Der Ablativ Plural *castris* wird wie auch bei Caesar regelmäßig singularisiert in der Bedeutung *Lager*. Damit es nicht zu Verwechslungen zwischen *vis, Kraft, Gewalt, vir, Mann,* und *vis, du willst* (2. Singular Indikativ Präsens von *velle*), kommt, muss man alle drei Formen gründlich lernen und gut auseinanderhalten. Die Form *uti* tritt hier für indikativisches *ut* ein, kann aber auch für konjunktivisches *ut* stehen. Daneben kann sie mit dem Infinitiv des Deponens *uti, utor, usus sum, Gebrauch machen von,* verwechselt werden. Das Pronominaladjektiv *plerique, die meisten* (hier im Akkusativ Plural *plerosque* in Kongruenz zu *animos*), sollte als Vokabel bekannt sein.

Neque solum illis aliena mens erat, qui conscii coniurationis fuerant, sed omnino cuncta plebes novarum rerum studio Catilinae incepta probabat.

Und nicht nur jene hatten (wörtlich: jenen war) eine abweichlerische Gesinnung, welche Mitwisser der Verschwörung gewesen waren, sondern insgesamt die ganze Plebs (Unterschicht) fand wegen des Wunsches nach neuen Verhältnissen (aufgrund der Revolutionsstimmung) die Unternehmungen (Aktionen) Catilinas gut.

Der Satz ist durch die Doppelkonjunktion *neque solum ... sed omnino ..., nicht nur ... sondern insgesamt ...,* in zwei Teile gegliedert. Subjekt des ersten Teils ist *aliena mens, die fremde, feindliche, abweichlerische Gesinnung.* Das Prädikat *erat* steht mit einem Dativus possessivus *(illis).* Dieser sollte in der deutschen Übersetzung so umgeformt werden, dass das lateinische Dativobjekt zum Subjekt *(jene),* die Form von *esse* zu *haben (hatten)* und das lateinische Subjekt zum Objekt des Habens *(eine entfremdete Gesinnung)* konvertiert wird. Im Deutschen klingt ein wörtlich übersetzter Possessivus nämlich nach Stammtischgeschwätz. Das Adjektiv *conscius,* wörtlich: *mitwissend, mitschuldig, beteiligt an,* steht regelmäßig mit dem Genitivus partitivus, der im Deutschen auch durch die Präposition *an* ausgedrückt werden kann. Die Form *conscii* ist hier substantiviert *(Mitwisser, Beteiligter).* Beachte das Plusquamperfekt *fuerant.* Substantive wie *plebes,* die auch im Deutschen etabliert sind, können unübersetzt bleiben, so auch *res publica, Republik, consulatus, Konsulat,* auch römische Amtsbezeichnungen wie *quaestor, praetor, consul. novarum rerum* ist ein vorangestellter Genitivus obiectivus, weil die Revolution nicht Besitzer, sondern Objekt des Wunsches *(studio)* ist – daher ist auch eine präpositionale Übersetzung mit *nach* einer wörtlichen *(Wunsch neuer Verhältnisse)* vorzuziehen. Der Begriff *studio* selbst ist ein Ablativus causae. Der Genitiv *Catilinae* hingegen bezeichnet den Besitzer oder Urheber der umstürzlerischen Aktivitäten (Genitivus possessivus oder subiectivus), bezieht sich also nicht etwa nachgestellt auf *studio,* sondern ebenfalls vorangestellt auf das Objekt *incepta.* Dabei handelt es sich um einn PPP von *incipere, anfangen, handeln, unternehmen,* das hier als substantiviertes Neutrum Plural vorliegt. Es verlangt also die Ergänzung von *Dinge (die angefangenen Dinge)* oder eine Übersetzung durch griffigere Substantive wie in meinem Vorschlag. Weniger elegant scheint mir hingegen die Singularisierung (etwa: *das Angefangene, das Unternehmen*).

Id adeo more suo videbatur facere.
Es schien, dass sie dieses nun einmal wegen ihrer Natur tat.
(Wörtlich: Dies schien sie nun einmal wegen ihrer Natur zu tun).

Die grammatische Schwierigkeit dieses Satzes wird dem Übersetzer durch die Hilfe eigentlich schon abgenommen. Man muss erkennen, dass es sich um einen NcI handelt, dessen Subjektsnominativ das Subjekt aus dem Vorsatz ist, das hier namentlich *(die Plebs)* oder pronominal *(sie)* zu ergänzen ist. Entsprechend muss das Possessivpronomen *suo* inhaltlich auf diese bezogen werden *(ihr)*. Ansonsten kann man den NcI bei *videri* wörtlich oder nach Schema mit *es*-Einleitung, *dass*-Satz-Schaltung, Subjektseinfügung und Konvertierung des Infinitivs zum Prädikat des *dass*-Satzes (Lehrbuch S. 229) auflösen. *more* ist im Wörterbuch nur unter *mos, Sitte, Art, Natur,* zu finden.

Nam semper in civitate [ii], quibus opes nullae sunt, bonis invident, malos extollunt, vetera odere, nova exoptant.
Denn immer beneiden in einem Staat [diese], welche kein Geld (singularisiert) haben (wörtlich: welchen keine Mittel sind), die Guten (die gut Gestellten, im römischen Sinne die Optimaten), die Schlechten heben sie hoch, Altes (die alten Verhältnisse) hassen sie, Neues (eine Neuordnung) sehnen sie herbei.

Da im Hauptsatz das Subjekt fehlt, ist der *quibus*-Relativsatz eigentlich ein Subjektsatz. Eine gewisse Härte sollte die Übersetzung jedoch nicht überschreiten und so wird der Satz einfacher durch die Einfügung eines sinnvollen pronominalen Subjekts. Der Relativsatz enthält wieder einen Dativus possessivus *(quibus)* zur Bezeichnung des Besitzers, der in der Deutschen Übersetzung zum Subjekt wird, *sunt* als Prädikat in der Bedeutung *haben* und dem Besessenen *(opes nullae)* als Subjekt, das in der deutschen Übersetzung zum Objekt konvertiert wird. *opes* ist unter dem Nominativ *ops, Mittel,* zu finden. In Form des lateinischen Plural hat es meist die deutsche Singularbedeutung von *Hilfs-, Macht-* oder *Geldmittel*. Das Verb *invidere, beneiden,* steht regelmäßig mit dem Dativobjekt, weicht also vom Deutschen ab, wo *beneiden* mit direktem Objekt *(wen beneiden)* konstruiert wird. Das muss man wissen oder im Wörterbuch prüfen, wenn man *bonis* richtig übersetzen will. *bonis* und *malos* sind substantivierte Adjektive im Maskulinum Plural. *vetera* und *nova* wiederum sind substantivierte Neutra Plural. Entsprechende Übersetzungsvorschläge zu all diesen substantivierten Adjektiven stehen in Klammern. *odere* ist der Form nach 3. Plural Perfekt Aktiv, Sallust-typische Nebenform zu *oderunt*. Bei dem Verb handelt es sich um ein präsentisches Perfekt. Ein präsentisches Perfekt ist ein Verb, von dem nur ein Perfektstamm existiert und von dem folglich nur Perfekt- Plusquamperfekt- und (theoretisch) Futur-2-Formen gebildet werden können. Dabei haben diese Verben meist einen Bezug zur Gegenwart, so dass sie im Perfekt als Präsens, im Plusquamperfekt als Perfekt (oder Plusquamperfekt) übersetzt werden. Neben *odisse, hassen,* gibt es noch: *novisse, kennen, meminisse, sich erinnern, coepisse, beginnen*. In manchen Zusammenhängen sollte man aber auch ein präsentisches Perfekt tatsächlich als Perfekt übersetzen.

Odio suarum rerum mutari omnia student.
Aus Hass auf ihre Verhältnisse streben sie danach, dass alles verändert wird.

Subjekt bleiben weiter die Armen *(sie)* aus dem vorherigen Satz. Das Possessivpronomen *suarum* muss diesem Plural entsprechend angepasst werden *(ihre)*. *suarum rerum* ist ein Genitivus obiectivus, denn die Verhältnisse besitzen nicht den Hass, sondern sind der Grund der Armut, gegen oder auf den sich der Hass richtet. Deshalb translatiert man nicht genitivisch *(Hass ihrer Verhältnisse)*, sondern präpositional *(Hass auf ihre Verhältnisse)*. Das Prädikat des Satzes *(student)* leitet einen einfachen AcI mit dem substantivierten Neutrum Plural *omnia* als Subjektsakkusativ und dem Infinitiv Passiv *mutari* als Infinitiv.

Turba atque seditionibus sine cura aluntur, quoniam egestas facile habetur sine damno.
In Unruhe und Aufständen werden sie ohne Sorge (problemlos) genährt, weil ja Armut leicht gehalten (aufrechterhalten oder mit anderem Sinn: durchgehalten) wird ohne Verlust.

Der Satz beginnt mit zwei Ablativen, die sich zwischen abstrakter Zeit- und Ortsangabe bewegen. Dieser Sinn wird immer am besten getroffen mit der deutschen Präposition *in*. Das Subjekt aus dem Vorsatz bleibt auch hier weiter aktiv.

Die genaue Übersetzung von *habetur* muss, wie auch einige andere Stellen bei Sallust, offen bleiben. Gemeint ist in jedem Fall Folgendes: *«Die Armen können sich ohne Problem auch in Krisenzeiten ernähren, weil sie nichts zu verlieren haben.»*

Sed urbana plebes, ea vero praeceps erat de multis causis.
Aber die städtische Plebs, diese war wirklich vorneweg (leicht geneigt, ganz vorne mit dabei) aus vielen Gründen.

Es gehört zu den stilistischen Eigenarten Sallusts, dass er weniger geschliffen und abgehackter schreibt als Cicero oder Caesar. So kann es kommen, dass assoziative Textbausteine (hier: *sed urbana plebes*) nicht zu Ende gebracht, sondern durch einen ähnlich lautenden Neuansatz *(ea vero)* abrupt abgebrochen werden (wenn es sich bei der Stelle nicht ohnehin um einen Kopistenfehler handelt). Dieses Phänomen nennt man in der Fachsprache Anakoluth (Folgelosigkeit). So musst du dich auch als wörtlicher Übersetzer von dem angefangenen Gedanken verabschieden. Jedenfalls solltest du nicht versuchen ihn gewaltsam in den Sinnzusammenhang zu zwängen, sondern einfach so stehen lassen. In dem präpositionalen Ausdruck *multis de causis* oder *de multis causis* hat *de* seine Grundbedeutung *von ... her, aus*.

Primum omnium, qui ubique probro atque petulantia maxume praestabant, item alii per dedecora patrimoniis amissis, postremo omnes, quos flagitium aut facinus domo expulerat, ii Romam sicut in sentinam confluxerant.
Zuerst von allen (diejenigen), welche überall durch Hurerei und Freizügigkeit am meisten hervorragten, ebenso andere nach Verlust ihrer Erbschaften durch unmoralische Handlungen, zuletzt alle, welche ein Vergehen oder Verbrechen aus ihrem Haus getrieben hatte, diese waren nach Rom wie in eine Kloake zusammengeflossen.

Beachte die Gliederung *primum ... item ... postremo ...* Doch auch in diesem Satz vermisst man stellenweise die geschlossene Form vollständiger Sätze. Nach dem *Genitivus totius* (siehe S. 218) *omnium* fehlt zum Beispiel ein Subjekt und ein Bezugswort für das Relativpronomen *qui*. Der Relativsatz vertritt also selbst dieses Subjekt (Subjektsatz). Zur Verdeutlichung kann man, ähnlich dem vorherigen Satz, als gedankliche oder im Extremfall auch grammatische Stütze eine Subjektprothese *(diejenigen, diese, Leute)* einbauen. Nach *item* steht zwar *alii* und nach *postremo omnes* als Subjekt zur Verfügung, jedoch in beiden Fällen kein unmittelbares Prädikat. Ein Prädikat hat erst das Pronomen *ii*, das alle zuvor genannten Subjekte noch einmal gedanklich zusammenfasst. Soviel zur synoptischen Struktur des Satzes, nun ins Detail: *ubique, überall*, ist ein Adverb und nicht eine aus *ubi, wo*, und angehängtem *-que, und*, zusammengesetzte Form. *maxume* ist kein Druckfehler für das sonst übliche Adverb *maxime*, sondern eine der häufigsten altlateinisch-sallustianischen Varianten. Der präpositionale Ausdruck *per dedecora* bezieht sich als adverbiale Bestimmung auf den AmP *patrimoniis amissis* (ein Prädikat, auf das er sich beziehen könnte, hat dieser Satz ohnehin nicht). Die Präpositionalisierung des AmPs mit *nach*, im zweiten Schritt die Substantivierung des PPPs *amissis* (von *amittere, verlieren*) mit *Verlust* und drittens schließlich die Genitivierung des Bezugssubstantivs *patrimoniis* mit «*der Erbschaften*» gelingt gut, verlangt aber die Umstellung von *per dedecora*. Eine stellungsgetreue Alternative wäre: «*nachdem durch unmoralische Handlungen ihre Erbschaften verloren worden waren*». Den separativen Ablativ *domo, von zu Hause, aus dem Hause*, sollte man ebenso kennen wie den Richtungsakkusativ *Romam, nach Rom*. Außerdem musst du bei *in* auf den Kasus achten, mit dem es steht. So hier mit dem Akkusativ *sentinam*, mit dem es eine Richtungsangabe (hier <u>richtig</u>: *in eine Kloake*), keine Ortsangabe (hier <u>falsch</u>: *in einer Kloake*), bildet.

Dux atque imperator vitae mortalium ...

Dux atque imperator vitae mortalium animus est.
Der Lenker und Herrscher des Lebens der Menschen ist der Geist.

Das Adjektiv *mortales, Sterbliche,* steht bei Sallust in substantivierter Form für *homines, Menschen.* Der Genitiv *mortalium* bezieht sich auf den Genitiv *vitae,* der sich wiederum als Attribut auf *imperator* bezieht. *dux* und *imperator* bilden zusammen das Subjekt des Satzes. Das Substantiv *animus* ist das zugehörige Prädikativum in Verbindung mit *esse*.

Qui ubi ad gloriam virtutis via grassatur, abunde pollens potensque et clarus est neque fortuna eget, quippe quae probitatem, industriam aliasque artis bonas neque dare neque eripere quoiquam potest.
Sobald dieser zum Ruhm auf dem Wege der Tugend geschritten ist, ist er im Überfluss stark und mächtig und berühmt und benötigt kein Glück, welches ja Rechtschaffenheit, Disziplin und andere gute Eigenschaften weder irgendjemandem geben noch nehmen kann.

qui ubi verbindet wieder relativen und konjunktionalen Anschluss. Vertausche die Reihenfolge, damit *ubi* an den Anfang kommt, und demonstrativiere *qui. qui* nimmt als pronominales Subjekt *animus* wieder auf *(dieser). ubi* ist eine Konjunktion der Vorzeitigkeit zum Tempus des übergeordneten Satzes. Die Hauptsatzprädikate *est* und *eget* sind Präsens, das Präsens *grassatur* muss also in die nächstvergangene Zeitstufe (Perfekt) versetzt werden. Das Genitivattribut *virtutis* bezieht sich nicht nachgestellt auf *gloriam,* sondern vorangestellt auf *via. via* selbst ist Ablativus loci. Das Subjekt des *ubi*-Satzes wandert in Form des Personalpronomens *er* in den Hauptsatz ein, wo es mit den durch *esse* bedingten Prädikativa *pollens, potens* und *clarus* kongruiert. Eine Anmerkung zum Stil: *pollens* und *potens* bilden eine Alliteration, alle drei Attribute sind durch einen Polysyndeton *(-que, et)* miteinander verbunden. Das Verb *egere, benötigen,* steht im Lateinischen nicht, wie im Deutschen, mit direktem Objekt im Akkusativ, sondern mit dem Ablativus separativus (hier *fortuna*) im Sinne von: *Mangel haben an etwas.* Mache dir bewusst, dass die Form vom Präsensstamm *ege-* kommt und nicht etwa vom Perfektstamm *eg-* (von *agere*). In der 3. Deklination treten zuweilen i-Stämme in Nebenformen auf wie *artis* für *artes. artis* kongruiert also mit *bonas* im Akkusativ Plural. Ansonsten fällt mir zu *artes bonae* nichts mehr ein, was der Erwähnung wert wäre. Vom Prädikat *potest* sind zwei Infinitive abhängig *(dare, eripere),* die über die Koppelkonjunktion *neque ... neque ...* verbunden sind. Beide stehen mit dem Dativobjekt *quoiquam,* das für die das klassische Pronominalattribut *cuiquam* eintritt.

Nam uti genus hominum conpositum ex corpore et anima est, ita res cunctae studiaque omnia nostra corporis alia, alia animi naturam sequuntur.
Denn wie das Geschlecht der Menschen zusammengesetzt aus Körper und Seele ist, so folgen alle unsere Taten und alle unsere Bemühungen der Natur des Körpers die einen, die anderen der Natur der Seele.

Das indikativische *uti* korrespondiert mit *ita (wie ... so ...).* Subjekt des Satzes ist *genus,* verbunden mit dem Genitivattribut *hominum.* Das Prädikat setzt sich zusammen aus dem Prädikativum *conpositum* und *est.* Da es sich bei *conpositum* um ein PPP von *conponere* oder *componere, zusammensetzen,* handelt, denkt man zunächst an das Perfekt Passiv *(«ist zusammengesetzt worden»).* Tatsächlich lässt sich bei manchen dieser scheinbaren Perfekt-Passiv-Konstruktionen die deutsche Form *worden* einklammern, wenn nicht der vergangene Akt, sondern der bis in die Gegenwart fortdauernde Zustand (ähnlich einem Prädikativum) betont werden soll (in unserem Beispiel also: *«ist zusammengesetzt»).* Man spricht vom sogenannten Zustandspassiv. Das Prädikat *sequuntur* verweist auf ein Subjekt in der 3. Plural, zudem auf ein Objekt im Akkusativ, denn *sequi, folgen,* steht im Lateinischen nicht, wie im Deutschen, mit Dativ, sondern mit Akkusativ. Lerne und wisse das! Subjekt kann also nur *res cunctae* sein, das durch *-que* mit *studia omnia nostra* verbunden ist. Das einzige Akkusativobjekt ist *naturam.* Dieses wiederum trägt zwei Genitivattribute mit sich *(corporis, animi),* die mit dem doppelten Pronominaladjektiv *alia ... alia ..., die einen ... die anderen ...,* einen Chiasmus bilden:

corporis alia

alia animi

alia bezieht sich KNG-kongruent auf *studia,* so dass von *«den einen»* und *«den anderen Bemühungen»* die Rede ist. In meiner habe ich diese Pronomen wörtlich-dekliniert, in ihrer etwas deplazierten Stellung belassen und nur das (im Deutschen indirekte) Objekt *«der Natur»* doppelt ausgeschrieben und so auch für den ersten, in der Luft hängenden Genitiv *corporis* ein Bezugswort substituiert. Eine freiere, dem Sinn angeglichene Übersetzung wäre: *«teils der Natur des Körpers, teils (der Natur) des Geistes».*

Sin captus pravis cupidinibus ad inertiam et voluptates corporis pessum datus est perniciosa lubidine paulisper usus, ubi per socordiam vires, tempus, ingenium diffluxere, naturae infirmitas accusatur: suam quisque culpam auctores ad negotia transferunt.

Wenn er aber ergriffen von niederen Begierden zu Trägheit und Vergnügungen des Körpers verkommen ist, unter Gebrauch von (im Umgang mit) zerstörerischem Trieb für eine Weile, sobald aus Faulheit Kräfte, Zeit und Veranlagung zerronnen sind, wird die Schwäche der Natur angeklagt: ihre Schuld schieben die Täter jeder auf die Umstände.

Dem eigentlichen, kurzen Hauptsatz *(naturae infirmitas accusatur)* geht ein längeres Nebensatz-Vorspiel voraus, bestehend aus einem *si*-Satz *(sin)*, der sich bis *usus* erstreckt, und einem *ubi*-Satz, der bis *diffluxere* reicht. Zu *sin* muss außer der richtigen Bedeutung *(wenn aber)* nichts beachtet werden, da es nicht mit einem der kritischen Konjunktive (Imperfekt und Plusquamperfekt) steht. Logisches Subjekt des *si*-Satzes bleibt weiterhin der Geist, der durch *er* vertreten wird. Das zugrundeliegende Prädikat im Perfekt Passiv *(datus est)* muss hier entsprechend der Hilfe mit *pessum* phraseologisch als Aktiv übersetzt werden. Es wird rechts und links von zwei Partizipien flankiert *(captus* und *usus)*, die als Prädikativa zum Subjekt fungieren. An das PPP *captus* trete ich übersetzungstechnisch konservativ heran, führe also zunächst eine wörtlich-undeklinierte Übersetzung durch und belasse die adverbiale Erweiterung des PPPs *pravis cupidinibus* in der Stellung *(ergriffen von niederen Begierden)*. Das PPDep *usus* stammt von dem Verb *uti, utor, usus sum, Gebrauch machen von,* und in diesem Zusammenhang auch: *Umgang haben mit.* Regelmäßig steht es statt mit direktem Objekt mit dem Ablativ (hier *perniciosa lubidine)*. Diese Information ist prüfungsrelevant und gehört samt Stammformen auf eine Karteikarte zu *uti. usus* lässt sich wörtlich nicht übersetzen ohne der deutschen Sprache Gewalt anzutun *(«Gebrauch gemacht habend von, Umgang gehabt habend mit»).* Deshalb bedient man sich entweder der Konjunktionalisierung *(nachdem er Umgang gehabt hat/hatte mit)* oder der eleganten Deponensspezifischen Präpositionalisierung (bei *usus: unter Gebrauch von* oder *im Umgang mit).* Mehr dazu im Lehrbuch S. 177. Nun geht es weiter mit einem *ubi*-Satz, der wieder einmal vorzeitig zum übergeordneten Satzprädikat liegen muss. Das Präsens des Hauptsatzprädikates *(accusatur)* erlaubt es uns das Perfekt *diffluxere* auch im Perfekt zu belassen. Die Form *diffluxere* kommt zustande, weil die reguläre Perfektendung *-erunt* bei Sallust fast konsequent durch die barocke Nebenform *-ere* ersetzt wird, abgesehen von vier Belegstellen in der *Coniuratio (consenuerunt, venerunt, dixerunt, sumpserunt)* und fünf Belegstellen im Joghurtkrieg *(convenerunt, adpetiverunt, occupaverunt, quiverunt, cognoverunt)*, von denen auch noch vier in Reden vorkommen, die den Dialekt der Sprecher imitieren sollen. Das ergibt jedenfalls meine Zählung. Der dreigliedrige Subjektblock *vires, tempus, ingenium* ist asyndetisch. *naturae* ist vorangestelltes Genitivattribut zum Subjekt *infirmitas*. Das zusammengesetzte Pronomen *quisque, jeder,* und das Subjekt *auctores, Täter,* stimmen im Numerus nicht überein und erzeugen eine scheinbare Unstimmigkeit, die ich abgesehen von einer leichten Stellungskorrektur im Deutschen einfach stehen lasse. Wichtig ist dabei nur, dass man das Possessivpronomen *suam* richtig mit *ihre,* nicht mit *seine* übersetzt. Das Substantiv *negotium* gehört wie *res* zu den Worten mit dem breitesten und abstraktesten Bedeutungsspektrum: *Situation, Umstand, Lage* passen hier gut.

Igitur praeclara facies, magnae divitiae, ad hoc vis corporis et alia omnia huiusce modi brevi dilabuntur.

Also zerfallen ein schönes Gesicht, großer Reichtum, zudem die Kraft des Körpers und alle anderen Dinge von dieser Art in Kürze.

Die drei asyndetisch aufgezählten Subjekte *(facies, divitiae, vis)* teilen sich ein deponentes Prädikat *(dilabuntur). facies* hat nichts mit *faces*, *Fackeln,* oder dem kurz-i-Stamm *faci-, tun, machen,* zu tun. Das Pluralwort *divitiae* wird singularisch als *Reichtum* übersetzt. Verwechsele *vis, Kraft,* nicht mit *vir, Mann,* geschweige denn *vis, du willst.* Das Adjektiv *alia, andere Dinge,* ist ein substantiviertes Neutrum Plural. Das angehängte Demonstrativsuffix *-ce* an dem Demonstrativpronomen *huius* kann im Deutschen unübersetzt bleiben und ändert nichts an der feststehenden Bedeutung von *huius modi, (von) dieser Art.* Ursprünglich hatte es die Bedeutung *hier.* Rudimente dieses indogermanischen Wurmfortsatzes finden sich noch an einigen Formen der Demonstrativpronomen *(hic, haec, hoc, huic, hunc, hanc)* und in der Form *ecce, schau hier.* Als Atavismus aus dem Altlateinischen tritt es bei Sallust (und sogar Cicero) zuweilen auch an anderen Formen auf *(huiusce, hosce).* Das ablativische Adverb *brevi* dient als Adverb in der Bedeutung *in Kürze.*

At ingeni egregia facinora sicuti anima inmortalia sunt.
Aber die herausragenden Taten (Produkte) der Veranlagung sind so wie die Seele unsterblich.

ingeni entsteht durch Verschleifung von Genitivendung *-i* und Stammauslaut *(ingeni-)* des Substantivs *ingenium*. Sie ist auch bei anderen Substantiven der o-Deklination auf *-ius* oder *-ium* häufig: *Lucius, Cornelius, filius, consilium, imperium*. *inmortalia* ist Prädikativum zu *facinora* und *esse*. Eine falsche KNG-Kongruenz zwischen *inmortalia* und *anima* herzustellen verbitte ich mir ebenso wie die Übersetzung von *inmortalia* als Attribut zu *facinora*, in dem falschen Sinne: «Aber die herausragenden unsterblichen Taten der Veranlagung sind wie die Seele.»

Postremo corporis et fortunae bonorum ut initium sic finis est omniaque orta occidunt et aucta senescunt: animus incorruptus aeternus rector humani generis agit atque habet cuncta neque ipse habetur.
Zuletzt ist (existiert) wie ein Anfang so ein Ende von den guten Dingen (Vorzügen) des Körpers und des Glücks, und alle Dinge verfallen, nachdem sie entstanden sind, und altern, nachdem sie gewachsen sind: Der unverdorbene (unkorrumpierte), ewige Geist handelt (wirkt) als Lenker des menschlichen Geschlechtes und hält (beherrscht) alles und wird nicht selbst gehalten (beherrscht).

Die beiden Subjekte *initium* und *finis* werden hier in einem Vergleich durch *ut ... sic, ... wie ... so ...*, gegenübergestellt. Beide sind Bezugswörter des vorangestellten Genitivattributes *bonorum* (vom substantivierten Neutrum Plural *bona*, gute Dinge, Güter, Vorzüge). Auf *bonorum* wiederum beziehen sich die ersten beiden Genitivattribute in der Reihe (*corporis* und *fortunae*). Für die Übersetzung habe ich die Abfolge der Bezugswörter genau umgedreht: «wie ein Anfang so ein Ende *(ut initium sic finis)* der Vorzüge *(bonorum)* des Körpers und des Schicksals *(corporis et fortunae)*». *esse* hat hier kein Prädikativum. In solchen Fällen wird der Aspekt des bloßen Seins oder Daseins betont und man übersetzt auch mit «existieren, geben». *-que* leitet einen neuen paratatktischen Hauptsatz ein. Dessen Subjekt *omnia* ist ein substantiviertes Neutrum Plural. Es steht in KNG-Kongruenz mit zwei Attributen, dem PPDep *orta* (von *oriri*, entstehen, geboren werden), und dem PPP *aucta* (von *augere*, vergrößern, vermehren, wachsen lassen, deponent: wachsen). Wenn man diese ohne Bezug zu den Prädikaten in der Nähe *(occidunt, senescunt)* übersetzt (also als Attribute) und wörtlich-dekliniert übersetzt, kommt man nicht ohne Umstellungen und Ergänzungen aus: «alle entstandenen Dinge gehen unter und (alle) gewachsenen (Dinge) altern». Ausweichen kann man auf die Relativierung: «alle Dinge, die entstanden sind, gehen unter, und, die gewachsen sind, altern». Wahrscheinlicher ist es jedoch, dass beide Partizipien Beziehung zum Prädikat aufnehmen und als Prädikativa nur vorübergehende Zustände ihres Bezugswortes *(omnia)* beschreiben. In diesem Fall klingt die wörtliche Übersetzung allerdings etwas verquast: «alle Dinge gehen entstanden unter und altern gewachsen». Am besten ist daher die Konjunktionalisierung in meinem Übersetzungsvorschlag. Auch die folgende Kongruenzenhäufung im Nominativ *animus incorruptus aeternus rector* lässt auf Prädikativa schließen. Das findet man heraus, indem man mit Stamm- und Präpositionentest experimentiert. Wenn man *animus* als Subjekt nimmt, kann man z.B. das PPP *incorruptus* und das Adjektiv *aeternus* wörtlich-undekliniert lassen und *rector* als substantivisches Prädikativum mit *als* übersetzen *(der Geist unzerstört, ewig, als Lenker)*. Möglich ist auch eine komplett wörtlich-deklinierte Übersetzung *(der unzerstörte, ewige Geist, Lenker)* oder eine Mischung aus beidem *(der unzerstörte Geist, als ewiger Lenker)*. *humani generis* bezieht sich als Genitivattribut auf *rector*. Nicht unerheblich wirkt sich auch die Bedeutung von *agere* auf die Übersetzung aus. So kann der Sinn entweder intransitiv sein: «Der Geist handelt (wirkt) als Lenker.» Oder transitiv mit *omnia*: «Der Geist, der Lenker, betreibt alles.» Dem Genitiv *generis* liegt der Nominativ *genus* zugrunde, den man wegen der Stammabweichungen *(genus, gener-)* kennen muss, genau so wie die Substantive: *iter*, Weg, *ius*, Recht, *lux*, Licht, *latus*, Seite, *lex*, Gesetz, *merx*, Ware, *mos*, Sitte, *nox*, Nacht, *rex*, König, *opus*, Arbeit, *ops*, Mittel, *os*, Mund, *pax*, Frieden, *vis*, Gewalt, *vox*, Stimme. *cuncta* ist substantivierter Plural Neutrum und Objekt zu *habet*.

Quo magis pravitas eorum admiranda est, qui dediti corporis gaudiis per luxum et ignaviam aetatem agunt.
Umso mehr ist die Minderwertigkeit von diesen zu bestaunen, welche, hingegeben den Freuden des Körpers, durch Luxus und Faulheit ihr Leben verbringen.

Die nd-Form *admiranda* ist ein Notwendigkeitspartizip (Gerundivum), weil sie mit *pravitas* kongruiert und mit einer Form von *esse (est)* steht. Der Übersetzer operiert in diesem Fall wörtlich mit *zu* + Infinitiv wie in meinem Vorschlag, oder mit *werden müssen (die Verkommenheit muss bestaunt werden)*. Das Deponens *admirari* ist geläufiger unter der Bedeutung *bewundern*, die hier jedoch aus sinnlogischen Gründen nicht passt. Es folgt ein längeres Relativattribut zu *eorum*, das sich von *qui* bis *agunt* erstreckt. Subjekt des Relativsatzes ist das Relativpronomen selbst *(qui)*. Näher beschrieben wird es durch das PPP *dediti* (von *dedere, ausliefern, hingeben*). Dieses wiederum ist erweitert durch das indirekte Objekt im Dativ Plural *gaudiis (wem hingegeben)* von *gaudium, Freude. gaudiis* ist seinerseits durch den vorangestellten Genitiv *corporis* attribuiert, der sich im Deutschen hinten anstellen muss. Unmittelbar im Anschluss an ein Relativpronomen würde ich ein solches Partizip nicht relativieren. Auch eine wörtlich-deklinierte Übersetzung wird hier misslingen. Es bleiben nur die wörtlich-undeklinierte Übersetzung wie in meinem Vorschlag oder die Auflösung durch einen Konjunktionalsatz mit *nachdem (nachdem sie den Freuden des Körpers hingegeben worden sind/waren). aetatem agere, sein Leben verbringen,* ist eine feststehende idiomatische Phrase, die zum Lernvokabular zählt.

Ceterum ingenium, quo neque melius neque amplius aliud in natura mortalium est, incultu atque socordia torpescere sinunt, quom praesertim tam multae variaeque sint artes animi, quibus summa claritudo paratur.
(Ihre) übrige Veranlagung, im Vergleich zu welcher (etwas) anderes weder besser noch bedeutender in der Natur der Menschen ist, lassen sie aus Mangel an Bildung und aus Faulheit abstumpfen, während insbesondere so viele und verschiedene Eigenschaften des Geistes sind (existieren), durch welche höchster Ruhm bereitet wird.

Der Hauptsatz wird zunächst durch ein Relativsatzattribut zu *ingenium (ingenium, quo)* unterbrochen und bei *incultu* fortgesetzt. Er endet mit dem Prädikat *sinunt*, in dem sich das Subjekt aus dem Vorsatz (die «Faulen») widerspiegelt. An dieses schließt sich ein Nebensatz mit *quom* an (entsprechend dem ciceronischen *cum*-Satz), gefolgt von einem Relativattribut *(quibus). ceterum* lässt sich hier sowohl als Adverb *(im Übrigen)* als auch als adjektivisches Attribut zu *ingenium* auffassen (von *ceterus, übrig*). Wenn Sallust Disziplinlosigkeit und Fehlverhalten als den schlechten Teil der Veranlagung auffasst, will er mit der Formulierung *ceterum ingenium, die sonstige Veranlagung,* die besseren Eigenschaften *(artes)* gegenüberstellen, von denen er im Folgenden spricht. In jedem Fall bildet *ingenium* das Objekt zum Infinitiv *torpescere*, der *sinunt* untergeordnet ist. Der folgende Relativsatzsatz verlangt eine genaue Analyse: das Relativpronomen *quo* ist ein *Ablativus comparationis*. Diese Funktion wird nur aus dem Kontext des Relativsatzes deutlich. Dort finden sich zwei Komparative im Neutrum Singular auf *-ius (melius* und *amplius,* vergleiche den «*vergleichbar neutralen Bratenius*»). In der Umgebung von Komparativen muss man bei Ablativen immer an den Comparationis denken und wissen, dass dieser durch den präpositionalen Ausdruck «*im Vergleich zu*» übersetzt werden kann und sollte. Die beiden Komparative sind diesmal echte Adjektive und nicht die synonymen Adverbien. Sie sind KNG-kongruent mit *aliud* und müssen als Prädikativa mit *est* übersetzt werden. Gemeint ist: «*Nichts anderes in der menschlichen Natur ist besser oder bedeutender als die Veranlagung.*» Sallusts altlateinische Formen (hier *quom* statt *cum*) waren zu ciceronischer Zeit schon provokant, altmodisch und reaktionär. *cum* steht mit dem Konjunktiv Präsens *(sint)* als Konjunktion der Gleichzeitigkeit *(während)*. Subjekt des Satzes ist *artes*, begleitet vom Genitivattribut *animi* und Relativattribut mit *quibus*.

Bellum scripturus sum ...

Bellum scripturus sum, quod populus Romanus cum Iugurtha rege Numidarum gessit, primum, quia magnum et atrox variaque victoria fuit, dein, quia tunc primum superbiae nobilitatis obviam itum est.
Den Krieg werde ich beschreiben, welchen das römische Volk mit Iugurtha, dem König der Numider, führte, zuerst (erstens), weil er groß und schlimm und von wechselndem Erfolg war, dann (zweitens), weil damals erst der Überheblichkeit des Adels entgegengetreten wurde.

Abgesehen von der Form *futurus* steht das PFA fast nur mit *esse* zur Bildung des umschriebenen Futur 1 Aktiv *(Coniugatio periphrastica activa)*, so auch hier in der Form *scripturus sum, ich werde beschreiben*. Beim folgenden Nebensatz ergibt die *quod*-Satz-Probe *(dass, weil, welch)*, dass es sich um ein relatives *quod* handelt. Wegen *fuit* sind die beiden Adjektive *magnum* und *atrox* prädikativ. *varia victoria* ist jedoch nicht das zugehörige Subjekt im Nominativ, weil *victoria* nicht mit *magnum* als Prädikativum kongruiert. Damit bleibt für *varia fortuna* nur der Ablativ. Als Subjekt muss man *bellum* vom Anfang übernehmen. Funktional muss der Ablativ jedoch mit *magnum* und *atrox* in Verbindung stehen, weil alle drei Formen polysyndetisch durch *et* bzw. *-que* verknüpft sind. In dieser attributiven Funktion kommt nur der *Ablativus qualitatis* in Frage, den man mit *von* übersetzt *(von wechselndem Erfolg)*. *tunc* ist synonym mit *tum*. *obviam ire* ist eine phraseologische Wendung und bedeutet *entgegen treten*. Diese liegt hier in Form eines unpersönlichen Ausdrucks im Perfekt Passiv (PPP *itum* + *est*) vor. Das neutrale Subjekt *(es)* geht nur aus dem PPP *itum* hervor als Nominativ Neutrum Singular. Es kann jedoch auch bei der deutschen Übersetzung entfallen. Im Anschluss erwartet man einen Dativ *(wem entgegentreten)*. Dieser liegt vor in der Form *superbiae*, während *nobilitatis* dazu ein Genitivattribut ist.

Quae contentio divina et humana cuncta permiscuit eoque vecordiae processit, ut studiis civilibus bellum atque vastitas Italiae finem faceret.
Diese Auseinandersetzung hat alle göttlichen und menschlichen Dinge in Unordnung gebracht und entwickelte sich zu solchem Wahnsinn, dass den bürgerlichen Unruhen der Krieg und die Verwüstung Italiens ein Ende machte.

Das Relativpronomen *quae* bildet einen relativen Anschluss und muss demonstrativiert werden. Es kongruiert mit dem Subjekt *contentio*. *divina* und *humana* sind keine Attribute zu *contentio* (in dem <u>falschen</u> Sinn: «diese göttliche und menschliche Auseinandersetzung»), sondern zum Objekt *cuncta*, das ähnlich dem gebräuchlicheren *omnia*, in Form eines substantivierten Neutrum Plural *(alles, alle Dinge)* vorliegt. *atque* verknüpft mit *bellum* und *vastitas* zwei Subjekte, die sich gemeinsam das Prädikat *faceret* und das Objekt *finem* teilen. Beide verfügen zudem noch über ein indirektes Objekt zu *finem faceret*. Der Sinn ist folgender: Der Krieg und die Verwüstung *(bellum atque vastitas)* machen als Subjekt den bürgerlichen Unruhen *(studiis civilibus)* als Dativobjekt ein Ende.

Sed priusquam huiusce modi rei initium expedio, pauca supra repetam, quo ad cognoscendum omnia illustria [...] magisque in aperto sint.
Aber bevor ich den Anfang einer Sache von dieser Art mache, will ich wenige Dinge vorher wiederholen, damit zum Verstehen alles anschaulich und mehr im Klaren ist (singularisiert).

Die Konjunktion *priusquam, bevor,* leitet einen Nebensatz ein. *huiusce* kann man zerlegen in *huius* und *ce*. Die Form ist also Genitiv des Demonstrativpronomens mit dem angehängten Demonstrativsuffix *-ce*, das als c-Rest unter Wegfall des e auch noch «regelmäßig» an *hic, haec* und *hoc* hängt. Dieses angehängte *-ce* bedeutet soviel wie das deutsche Adverb *hier*, bleibt jedoch im Zweifelsfall unübersetzt. *huius* tritt in KNG-Kongruenz mit *modi* zu der phraseologischen Bedeutung *von dieser Art* zusammen. Beide Formen bilden ein vorangestelltes Genitivattribut zu *rei*. *rei* wiederum ist seinerseits Genitivattribut zu *initium*, so dass für die deutsche Übersetzung die Genitive nachgestellt werden müssten zu: *initium rei huiusce modi, den Anfang einer Sache von dieser Art*. Bei der idiomatischen Phrase *initium expedire* sollte man sich nicht zu sehr aufhalten und einfach übersetzen: *den Anfang machen*. *pauca* ist substantivierter Akkusativ Plural Neutrum *(wenige Dinge)*. *supra, vorher,* ist Adverb. Ohne ein kongruentes Bezugswort kommt für die Bestimmung der *nd*-Form *cognoscendum* nur der substantivierte Infinitiv (Gerundium) in Frage, weil nur dieser allein also ohne Kongruenz stehen kann (siehe Lehrbuch S. 188). Das Subjekt des verkappten *ut*-Satzes mit *quo* ist der substantivierte Nominativ Plural Neutrum *omnia, alle Dinge, alles*. Dieser steht mit dem Konjunktiv Präsens *sint*, der als Form von *esse* ein Prädikativum verlangt. Dieses ist zunächst das adjektivische KNG-kongruente Attribut *illustria*. Da dies über *-que* mit dem folgenden präpositionalen Ausdruck *magis in aperto* verknüpft ist, muss es sich auch bei diesem um ein Prädikativum handeln.

Bello Punico secundo, quo dux Carthaginiensium Hannibal post magnitudinem nominis Romani Italiae opes maxume adtriverat, Masinissa rex Numidarum in amicitiam receptus a P. Scipione, quoi postea «Africanus» cognomen ex virtute fuit, multa et praeclara rei militaris facinora fecerat.

Im Zweiten Punischen Krieg, in welchem der Führer der Karthager Hannibal nach der Größe des römischen Namens die (militärischen) Mittel (Machtmittel) Italiens am meisten aufgerieben hatte, hatte Masinissa, König der Numider, (nachdem er) in die Freundschaft aufgenommen (worden war) von Publius Scipio, welcher später den Beinamen Africanus infolge (seiner) Tapferkeit hatte (wörtlich: welchem ... der Beiname Africanus ... war), viele und berühmte Taten des Militärwesens (im Militärwesen) vollbracht.

In der Synopse besteht dieser Satz aus einem Hauptsatz, der mit *bello Punico secundo* als Ablativus temporis beginnt. Er wird durch den Relativsatz von *quo* bis *adtriverat* unterbrochen und dann von *Masinissa* bis *Scipione* fortgesetzt. Nun ist ein zweiter Relativsatz dazwischen geschaltet, der von *quoi* bis *fuit* reicht. Ab *multa* wird der Hauptsatz schließlich zu Ende gebracht. Den Abschluss bildet sein einziges Prädikat *fecerat*, dessen konjugierten Teil *(hatte)* wir im Deutschen spätestens hinter den ersten Satzteil (hier nach dem Ende des Relativsatzes) positionieren müssen. Der erste Relativsatz *(quo)* ist ein Attribut zu *bello punico secundo*, mit dem es gemeinsam den ersten Satzteilblock, eine lange adverbiale Bestimmung, bildet. Das Genitivattribut *nominis Romani* bezieht sich auf den Akkusativ *magnitudinem*, der mit *post*, *nach*, einen präpositionalen Ausdruck bildet. Das Genitivattribut *Italiae* wiederum bezieht sich auf *opes*. Dessen Nominativ Singular *ops*, Mittel (nicht zu verwechseln mit *opus*, Arbeit, und *opera*, Mühe) gehört zum Lernvokabular von Substantiven der 3. Deklination mit abweichendem Nominativstamm wie *genus*, Art, *iter*, Weg, *ius*, Recht, *lux*, Licht, *latus*, Seite, *lex*, Gesetz, *merx*, Ware, *mos*, Sitte, *nox*, Nacht, *rex*, König, *opus*, Arbeit, *os*, Mund, *pax*, Frieden, *vis*, Gewalt, *vox*, Stimme. *maxume* ist die bei Sallust abgelautete Form des von Cicero bekannten Adverbs *maxime*, besonders, am meisten. Unmittelbar im Anschluss an das Relativattribut ziehe ich das Prädikat des Hauptsatzes *fecerat* vor. Da dies aus zwei Teilen besteht *(hatte vollbracht)*, genügt es zunächst nur den konjugierten Teil *(hatte)* vorzuziehen. Anschließend kann ich den Satz linear aufrollen. Es folgt das Subjekt *Masinissa rex* mit *Numidarum* als Genitivattribut sowie das PPP *receptus*, das sich kongruent auf *Masinissa* bezieht. Dieses wiederum ist durch die präpositionalen Ausdrücke *in amicitiam*, in die Freundschaft, und *a P. Scipione* adverbial erweitert. Der Akkusativ macht eine Richtungsangabe, die ablativische Ortsangabe «*in der Freundschaft*» wäre hier falsch. Ich habe *receptus* als Prädikativum übersetzt, indem ich es mit *nachdem* konjunktionalisiert habe. Wer es jedoch als dauerhafte Eigenschaft (also als Attribut) auffasst und relativiert *(der in die Freundschaft aufgenommen worden war von Publius Scipio)*, tut dem Sinn keinen Abbruch. Einer wörtlich-deklinierten *(der in die Freundschaft von Publius Scipio aufgenommene Masinissa)*, bzw. undeklinierten Übersetzung *(Masinissa in die Freundschaft aufgenommen von Publius Scipio)* fehlt hingegen die Übersichtlichkeit. Das Relativpronomen *quoi* steht im üblichen archaistischen Dialekt Sallusts für den klassischen Dativ *cui* unter Ersatz von *quo-* für *cu-*. In Verbindung mit *fuit* leitet es einen Dativus possessivus ein. Dieser sollte möglichst nicht wörtlich übersetzt, sondern umschrieben werden. Dabei konvertiert man den Dativ *(quoi)* zum Subjekt *(der)*, das Subjekt *(«Africanus» cognomen)* zum direkten Objekt *(den Beinamen Africanus)* und das Prädikat *esse* zu einer Form von *haben (hatte)*. Erst kurz vor Schluss folgt schließlich das direkte Objekt zu *fecerat facinora* (von *facinus*, Tat), das durch die beiden Adjektive *multa* und *praeclara* erweitert ist und sein Genitivattribut *(rei militaris)* einklammert. Dieser Genitivus obiectivus kann freier auch durch einen präpositionalen Ausdruck *(im Militärwesen)* übersetzt werden, weil das Militärwesen nur als Inhalt oder Objekt der Taten gedacht ist, nicht als Urheber oder Inhaber.

Igitur amicitia Masinissae bona atque honesta nobis permansit.

Also blieb uns die Freundschaft zu Masinissa gut und aufrichtig.

Subjekt des Satzes ist *amicitia*. An diesem hängen eine Reihe von Attributen. Zunächst das Genitivattribut *Masinissae*, das als *Genitivus obiectivus* übersetzt werden sollte. Gemeint ist die Freundschaft des römischen Volkes <u>zu Masinissa</u> und <u>nicht Masinissas</u> Freundschaft (zu wem auch immer). Die Adjektive *honesta* und *bona* kann man als dauerhafte Eigenschaft auffassen und wörtlich-dekliniert und vorangestellt übersetzen *(die gute und aufrichtige Freundschaft)*. Man kann sie auch als prädikativen Zustand auffassen und wörtlich-undekliniert nachgestellt übersetzen *(die Freundschaft gut und aufrichtig)*. Der Sinn leidet nicht darunter. Man sollte im Zweifelsfall immer den Stammtest und Präpositionentest durchführen um zu prüfen, was richtiger klingt. Auch die Sperrung durch das Genitivattribut und relative Prädikatsnähe spricht eher für das Prädikativum.

Ob quae victis Carthaginiensibus et capto Syphace, quoius in Africa magnum atque late imperium valuit, populus Romanus, quascumque urbis et agros manu ceperat, regi dono dedit.
Wegen dieser (Taten) gab nach dem Besiegen der Karthager (dem Sieg über die Karthager) und nach Gefangennahme des Syphax, dessen Name (Reich, Herrschaft) in Afrika groß und weithin Macht hatte, das römische Volk, welche Städte und Gebiete auch immer es mit der Hand (im Kampf) eingenommen hatte, dem König zum Geschenk.

quae ist wieder relativer Anschluss und bezieht sich sowohl sinnlogisch als auch in KNG-Kongruenz auf *facinora* aus dem vorherigen Satz. Nach dieser ersten adverbialen Bestimmung sollte man an zweiter Stelle das Prädikat des Hauptsatzes *(dedit)* vorziehen. Dieses ist in eine Konstruktion mit doppeltem Dativ einbezogen. Diese wird meist eingeleitet durch eine Form von *esse* in der Bedeutung *dienen, gereichen*, aber auch durch andere Verben wie *relinquere, zurücklassen*, oder, wie hier, *dare, geben*. Der doppelte Dativ selbst besteht aus einem Dativobjekt (hier *regi*) und einem Dativus finalis *(hier dono)*, der den Zweck oder das Ziel ausdrückt, «zu» dem etwas gereicht, dient, zurückgelassen oder gegeben wird und der dementsprechend in der Regel mit der Präposition *zu* übersetzt wird. *victis Carthaginiensibus* und *capto Syphace* sind AmPs, die ich in meiner Übersetzung beide mit *nach* (wegen der PPPs) präpositionalisiert habe. Bei der Substantivierung des PPPs *victis* und der Genitivierung des Bezugswortes *Carthaginiensibus* muss allerdings unmissverständlich deutlich gemacht werden, dass die Karthager die Besiegten, nicht die Sieger sind (also <u>nicht</u>: «*Nach dem Sieg der Karthager*»), entweder indem man *victis* mit «Besiegen» substantiviert oder die Genitivierung wie einen *Genitivus obiectivus* durch einen präpositionalen Ausdruck mit *über* umschreibt. Subjekt des folgenden Relativsatzes *(quoius)* ist *imperium*. *quoius* ist archaistisch für *cuius*. *atque* scheint zunächst zwei völlig unterschiedliche Satzteile zu verknüpfen: das adjektivische Attribut *magnum* zu *imperium* und die adverbiale Bestimmung *late* (Adverb der a-/o-Deklination von *latus, weit*, nach der Regel: «*Ahnungslose Omas essen*») In diesem Kontext rücken beide Formen jedoch in funktionale Nähe. *magnum* ist aufgrund der Sperrung Prädikativum und lässt sich nur wörtlich-undekliniert *(groß)* ähnlich dem Adverb *late (weit)* auflösen. Stilistisch spricht man bei solchen unsauberen Konstruktionen von einer Inkonzinnität. Schließlich fehlt noch das Objekt, das dem König zum Geschenk gegeben wird. Dieses liegt in Form eines ganzen Objektsatzes *quascumque urbis et agros manu ceperat* vor. Die mit dem Suffix *-cumque* zusammengesetzten Relativpronomen haben verallgemeinernde Funktion und werden mit dem deutschen Anhang «*auch immer*» übersetzt. *quascumque* kongruiert grammatisch nur mit *urbis* (Nebenform von *urbes* im Akkusativ Plural der 3. Deklination), inhaltlich auch mit *agros*. Das Subjekt zu *ceperat* ist identisch mit dem Subjekt des Hauptsatzes *(populus Romanus)* und wird in der Übersetzung in Form eines Personalpronomens *(es)* wieder aufgegriffen.

Sed imperi vitaeque eius finis idem fuit.
Aber das Ende seiner Herrschaft und seines Lebens war dasselbe.

Ein kurzer Satz, dessen Übersetzung jedoch nur in seltenen Fällen gelingt: Das Grundgerüst besteht aus dem Subjekt *finis, Ende*, dem Prädikat *fuit* und damit verbunden dem Prädikativum *idem*: «*Das Ende war das selbe.*» *finis* vorgeschaltet sind zwei durch *-que* verbundene Genitivattribute, die in der deutschen Übersetzung nachgestellt werden müssen: *imperi* und *vitae*. Bei *imperi* verschmelzen Stammauslaut i und Endung i *(imperii)* zu einem i, ein Erbe aus altlateinischer Zeit, das jedoch auch bei Cicero nicht selten belegt ist. Schließlich bleibt noch das pronominale Genitivattribut *eius*. Trotz der Nähe zu *finis* kongruiert es mit diesem nicht im Genitiv, weil dem Satz dann ein Subjekt fehlte. Als Genitivattribut kann es sich auch nicht auf *finis* (in dem falschen Sinne: *das Ende von diesem*). *eius* bezieht sich also nachgestellt auf *imperi* und *vitae* gemeinsam. Der Sinn des Satzes ist folgender: «*Mit dem Tode von Masinissa trat zugleich das Ende seiner Herrschaft ein.*» Mit den unterschiedlichen Bedeutungen des Substantivs *imperium* muss man hier und auch im folgenden Satz etwas laborieren.

Dein Micipsa filius regnum solus obtinuit Mastanabale et Gulussa fratribus morbo absumptis.
Dann hatte sein Sohn Micipsa die Herrschaft allein inne, nachdem seine Brüder Mastanabal und Gulussa durch Krankheit hinweggerafft worden waren.

Pronominaladjektive wie hier *solus* haben sehr häufig die Funktion eines Prädikativums. Dafür spricht auch die Sperrung von seinem Bezugswort *(filius)* durch das Objekt *regnum* und die Nähe zum Prädikat *obtinuit*. In so einem Fall muss man auf jeden Fall den Stammtest mit der wörtlich-undeklinierten Übersetzung *(allein, einzig)* oder den Präpositionentest *(als einziger)* durchführen. Umfangreiche AmPs wie hier *Mastanabale et Gulussa fratribus morbo absumptis* sollte man nicht präpositionalisieren. Ein solcher präpositionaler Ausdruck würde zu umfangreich (etwa: «nach Hinwegraffen seiner Brüder Mastanabal und Gulussa durch Krankheit»). Bei der Konjunktionalisierung muss man zunächst auf Zeitverhältnis und Diathese des Nebensatzprädikates achten, das im Deutschen gebildet werden soll. Dies richtet sich nach dem Partizip. Das PPP *absumptis* erfordert ein vorzeitiges und passives Prädikat. Da das Hauptsatzprädikat *obtinuit* bereits Perfekt ist, bleibt als Vorstufe nur noch das Plusquamperfekt. Auf die beiden Ablative Singular (*Mastanabale* und *Gulussa*) folgt ein im Deutschen vorangestelltes substantivisches Attribut im Plural *(fratribus)*, weil es sich auf beide gemeinsam bezieht. Der Ablativus causae *morbo* beschreibt als adverbiale Bestimmung das Verbaladjektiv *absumptis* und gehört daher ebenfalls in den Nebensatz.

Is Adherbalem et Hiempsalem ex sese genuit Iugurthamque filium Mastanabalis fratris, quem Masinissa, quod ortus ex concubina erat, privatum dereliquerat, eodem cultu, quo liberos suos, domi habuit.
Dieser zeugte Adherbal und Hiempsal aus sich selbst und hielt Iugurtha, den Sohn seines Bruders Mastanabal, welchen Masinissa, weil er aus einer Nebenfrau entstanden war, enterbt zurückgelassen hatte, unter derselben Erziehung, mit welcher (er) seine Kinder (hielt), in seinem Haus.

Der Form *genuit* liegt der Perfektstamm *gigno, zeugen*, zugrunde. Die Form *sese* ist eine Verstärkung des Reflexivpronomens *se*, das sich auf das Subjekt desselben Satzes (also auf *is*) bezieht. Der präpositionale Ausdruck *ex sese* betont die Tatsache, dass Adherbal und Hiempsal seine leiblichen Söhne waren, Iugurtha hingegen nur ein Ziehsohn. *Iugurtham* ist also nicht mehr Objekt zu *genuit*. Vielmehr geht nach *-que* der Hauptsatz in einen zweiten Teil mit eigenem Prädikat *(habuit)* über. Bevor du daher zum Objekt *Iugurtham* fortschreitest, solltest du dieses Prädikat vorziehen und sichern. Deine Übersetzung gewinnt dadurch an Stabilität und Übersichtlichkeit in der Stellung. *filium* ist substantivisches Attribut (Apposition) zu *Iugurtham*, während *Mastanabalis fratris* Genitivattribut zu *filium* ist. Auf diesen Objektblock bezieht sich auch noch der nun folgende Relativsatz *(quem)*. Dieses Relativattribut schließt einen kausalen *quod*-Satz (Probe mit *dass, weil, welch*) mit ein. Als Subjekt dieses *quod*-Satzes muss aus dem Zusammenhang im Deutschen *Iugurtha* oder *er* ergänzt werden. *ortus erat* ist Plusquamperfekt Deponent, gebildet aus dem PPDep *ortus* von *oriri, orior, ortus sum, entstehen, geboren werden*, und dem Imperfekt von *esse*: *erat*. Die Attributkette geht weiter mit *privatum*. Diese Form steht jedoch nicht zufällig in unmittelbarer Prädikatsnähe und durch den *quod*-Satz von seinem Bezugswort *Iugurtham* gesperrt. Ein Stammtest mit wörtlich-undeklinierter und stellungskonservativer Übersetzung *(Iugurtha ... enterbt)* enthüllt *privatum* als Prädikativum im Zusammenhang mit *dereliquerat*. Wer es sich einfach machen will und ein wenig sprachliche Intuition besitzt, darf den elliptischen Relativsatz *quo liberos suos* auch freier mit «wie seine Kinder» übersetzen. Die adverbiale Bedeutung des Lokativs *domi, zu Hause,* ist dir hoffentlich bekannt.

Qui ubi primum adolevit ...

Qui ubi primum adolevit pollens viribus, decora facie, sed multo maxume ingenio validus, non se luxui neque inertiae conrumpendum dedit, sed, uti mos gentis illius est, equitare, iaculari, cursu cum aequalibus certare et, quom omnis gloria anteiret, omnibus tamen carus esse.

Sobald dieser herangewachsen war, stark an Kräften, von schöner Gestalt, aber bei Weitem am meisten durch Veranlagung tüchtig, überließ er nicht der Genusssucht und nicht der Faulheit die Zerstörung von sich (seine Zerstörung), sondern, wie es die Art jenes Volkes ist, ritt, schoss, wetteiferte im Lauf mit Gleichen (Gleichaltrigen) und, während (obwohl) er alle an Ruhm übertraf, war er dennoch allen lieb.

qui ubi primum ist ein kombinierter relativ-konjunktionaler Anschluss. Dazu muss man zunächst wissen, dass *ubi primum, sobald,* eine Nebensatzkonjunktion ist. Nebensatzkonjunktionen haben im Deutschen Vorrang vor jedem anderen Satzteil des Nebensatzes und gehören unmittelbar an den Anfang. Außerdem muss man wissen, dass *ubi primum* eine Vorzeitigkeit des Nebensatzprädikates bedingt, die sich nach dem Tempus des übergeordneten Satzes richtet. Dabei spielt das Tempus des Nebensatzes keine Rolle. So kommt es, dass das Perfekt *adolevit* hier als Plusquamperfekt übersetzt werden muss, damit es zum Perfekt des Hauptsatzprädikates *dedit* in vorzeitigem Verhältnis steht. Erst nach der Nebensatzkonjunktion wird das Relativpronomen in demonstrativer Form *(dieser)* geschaltet. *qui* ist als substantiviertes Pronomen im Nominativ gleichzeitig Subjekt des Satzes. Zur Erinnerung: Im deutschen Nebensatz hat das Prädikat Letztstellung, so dass man sich auf Nebensatzebene keine Gedanken über die Zweitstellungsregel machen muss. Auf das Subjekt *qui* beziehen sich mehrere Attribute *(pollens, decora facie, validus)*, die jedoch aufgrund ihrer prädikatsnahen und gesperrten Stellung prädikative, zustandsbeschreibende Funktion haben, also mit *adolevit* in Verbindung stehen. Das überprüft man durch den Stammtest, bei dem man die Attribute in ihrer Stellung unverändert belässt und wörtlich-dekliniert übersetzt. Das PPA *pollens* von *pollere, stark sein,* hat hier weniger die Funktion eines Verbaladjektivs (im Sinne von: «stark seiend»), sondern lässt sich auf seinen adjektivischen Charakter reduzieren (im Sinne von: *stark*). Dennoch wird es als Verbaladjektiv adverbial bestimmt durch den Ablativ *viribus*. *viribus* kommt von *vis, Kraft,* das sich nach einer defektiven i-Deklination richtet und nicht von *vir, Mann,* das nach der o-Deklination flektiert wird und die Form *viribus* gar nicht bilden kann. *decora facie* ist ein Ablativus qualitatis, mit dem man bei Sallust in erhöhtem Maße rechnen muss. Da er auf der Ablativhand durch den Daumen (abspreizbar *von*) abgedeckt ist, kann man beim Abzählen der Finger darauf kommen. Adverbiale Bestimmungen durch modale Adverbien wie hier *multo maxume* oder den *Ablativus modi ingenio* können zuweilen auch Adjektive adverbial modifizieren (hier *validus*). Diese gar nicht so seltene, aber scheinbar regelwidrige Zusatzfunktion von Adverbien, lässt sich beim Blick auf die Übersetzung intuitiv nachvollziehen. Mit *non* beginnt der Hauptsatz, der *Iugurtha* als Subjekt aus dem Nebensatz mitnimmt («er»). Wenn man *dare* mit *überlassen* übersetzt, dient das Reflexivpronomen *se* als Akkusativobjekt dazu (Das Subjekt des Satzes Iugurtha «überlässt sich selbst»). *conrumpendum* kongruiert im Akkusativ mit *se*, ist also kein Gerundium, sondern ein Gerundivum. Der Sinn wird klar, wenn man die nd-Form nach der Regel substantiviert *(das Verderben, die Zerstörung)* und *se* genitiviert *(seiner selbst)* oder auch mit *von* umschreibt *(von sich selbst)* oder sogar durch ein Possessivpronomen ersetzt *(seine)*. *luxui* und *inertiae* sind indirekte Objekte zu *dare*. *uti* ist eine ältere Variante für *ut*, wird jedoch genau wie dieses sowohl konjunktivisch *(dass, so dass, damit)* als auch indikativisch (wie hier mit *erat*) gebraucht. Die folgenden Infinitive *(equitare, iaculari, certare, esse)* sind historische Infinitive. Historische Infinitive werden im Deutschen zu finiten Verben im Erzähltempus Präteritum gemacht, müssen also von normalen Infinitiven, aber auch von AcI- und NcI-Infinitiven unterschieden werden. Die fehlende PN-Kongruenz erschwert die Übersetzung, weil wir ohne Nominativ nicht immer eindeutig wissen, welche Person und welchen Numerus das Subjekt des historischen Infinitivs und damit die Endung des deutschen Prädikates haben soll. Da im Zentrum dieses Textes Iugurtha steht, ist natürlich von ihm die Rede. Die Form *quom* ist synonym mit dem ciceronischen *cum*, wobei *quo-* für *cu-* eintritt. Gleichzeitig hat Sallust übrigens kurz zuvor auch mit *cum* zumindest im präpositionalen Ausdruck *(cum aequalibus)* gearbeitet. *carus, lieb,* ist mit *esse* Prädikativum zu *Iugurtha*. *omnibus* ist Dativobjekt, das auf die Frage antwortet: *«Wem war er lieb?»*.

Ad hoc pleraque tempora in venando agere: leonem atque alias feras primus aut in primis ferire.
Zudem verbrachte er die meisten Zeiten beim Jagen: einen Löwen und andere wilde Tiere traf er als Erster oder unter den Ersten.

ad hoc übersetzt man vorzugsweise nicht wörtlich *(«zu diesem»)*, sondern mit dem deutschen Adverb *zudem. agere* steht hier mit seinem Objekt *pleraque tempora* in der Bedeutung *verbringen*. Diese idiomatische Bedeutung muss man kennen. *venando* weist keine Kongruenz auf, ist also substantivierter Infinitiv (zu den Unterscheidungskriterien vom passiven Notwendigkeitspartizip siehe Lehrbuch S. 188). *in* + Ablativ hat bei nd-Formen grundsätzlich die Bedeutung *bei.* Zahladjektive wie *primus* sind genauso häufig wie *Pronominaladjektive* als Prädikativa zum Subjekt anzutreffen. Um die Funktion eines Adjektivs zu überprüfen, wendet man den Stammtest (wörtlich-undeklinierte Übersetzung: *erst*) oder den Präpositionentest *(als Erster, zuerst)*. Die Präposition *in* steht hier mit dem Ablativ *(primis)*. Auch wenn es sich dabei um eine Ortsangabe handelt, ist hier natürlich <u>nicht</u> gemeint: *«in den Ersten»*. Vielmehr nimmt *in* hier die Bedeutung *unter* oder *bei* an. *feras* ist Akkusativ Plural Femininum von *fera, wildes Tier,* und nicht etwa 2. Singular Konjunktiv Aktiv von *ferre, tragen*. Auch *ferire, treffen,* kommt nicht von *ferre*. Verwechslungen dieser Art haben katastrophale Folgen.

Plurumum facere, minumum ipse de se loqui.
Sehr viel tat er, sehr wenig sprach er selbst über sich.

Die Welle von historischen Infinitiven reißt auch in diesem Satz noch nicht ab. Die beiden Elative *plurumum* und *minumum* (Vorsicht mit der Übersetzung als Superlative!) entsprechen den ciceronischen Formen *plurimum* und *minimum* (über das Ablautprinzip bei Sallust Lehrbuch S. 237). Beide dienen als direktes Objekt zu *facere,* bzw. *loqui*. In Ermangelung kongruenter Bezugswörter ist davon auszugehen, dass es sich um substantivierte Neutra Singular handelt (Lehrbuch S. 100).

Quibus rebus Micipsa tametsi initio laetus fuerat existumans virtutem Iugurthae regno suo gloriae fore, tamen, postquam hominem adulescentem exacta sua aetate et parvis liberis magis magisque crescere intellegit, vehementer eo negotio permotus multa cum animo suo volvebat.

Auch wenn Micipsa aufgrund dieser Dinge (Tatsachen) anfangs froh gewesen war, im Glauben («glaubend»), dass die Tapferkeit Iugurthas seinem Reich zum Ruhm verhelfen werde, bedachte er dennoch, nachdem er erkannt hatte, dass der Mensch nach Verbringen seiner Jugend und Kinderzeit mehr und mehr heranwuchs, heftig durch diesen Umstand bewegt viele Dinge mit seinem Gemüt.

Auch dieser Satz beginnt mit einem kombinierten relativkonjunktionalen Anschluss, wobei die Nebensatzkonjunktion *tametsi* noch durch das Subjekt *Micipsa* versperrt wird. Daher wird unser erster Schritt darin bestehen diese Konjunktion an den Anfang zu stellen, gefolgt vom demonstrativierten Relativpronomen *quibus* mit seinem Bezugssubstantiv *rebus* *(auch wenn aufgrund dieser Dinge)*. *laetus* wird durch *esse* zum Prädikativum. Das PPA *existumans* leitet sich vom Deponens *existimari* her – der Ablaut von *-im-* zu *-um-* ist typisch Sallust. Es kongruiert mit *Micipsa*, nimmt aber wegen der Prädikatsnähe und durch das Hyperbaton als Prädikativum auch Beziehungen zur Prädikatshandlung auf (in dem Sinne: «*Micipsa war froh, weil er glaubte ...*»), so dass der Glaube eher einen zeitlich vorübergehenden Zustand als eine dauerhafte Eigenschaft Micipsas angibt. Folglich übersetze ich wörtlich-undekliniert *(glaubend)* oder mit *während (während er glaubte)*. Eine elegante Möglichkeit ist gelegentlich auch die Präpositionalisierung *(im Glauben)*. Wie fast jede Form von *existimari*, leitet auch *existumans* einen AcI mit dem Subjektsakkusativ *virtutem* und dem Prädikatsinfinitiv *fore*. *fore* dient als Kurzform für *futurum esse*, also des umschriebenen Futur 1 von *esse*. Das Prädikativum, das man nach *esse* erwartet, wird hier durch den Dativus finalis *gloriae*, übersetzt mit *zum Ruhm*, vertreten. Mit dem Dativus finalis nimmt *esse* die Bedeutung *dienen, gereichen*, oder auch *verhelfen zu* an. Meist steht der finale Dativ noch mit einem indirekten Dativobjekt (doppelter Dativ, Lehrbuch S. 205), dem etwas dient oder gereicht, hier *regno suo*, wobei sich *suo* auf den noch lebenden *Micipsa* bezieht und daher mit Formen vom Stamm *sein* (nicht vom Stamm *ihr*) übersetzt werden muss. *Iugurthae* hingegen ist nicht etwa Dativobjekt, sondern nachgestelltes Genitivattribut zu *virtutem*. Bis hierher haben wir uns auf der ersten Nebensatzebene bewegt. Wenn man den gesamten soeben besprochenen Nebensatz zu einem Satzteil (adverbiale Bestimmung der Zeit) zusammenfasst, muss als Nächstes das deutsche Hauptsatzprädikat folgen. Dazu müssen wir dieses aufsuchen und sichern. *tamen* reißt den Hauptsatz nur kurz an, bevor sich ein weiterer temporaler Konjuktionalsatz dazwischenschaltet. Das eigentliche Hauptsatzprädikat finden wir erst ganz am Schluss: *volvebat*, wörtlich: *er wälzte*, im übertragenen Sinne: *wälzte Gedanken, bedachte*. Wie im vorherigen Satz bei *ubi primum,* so steht auch in einem *postquam*-Satz jedes Prädikat (hier *intellegit*) ungeachtet seines tatsächlichen Tempus (Präsens) in vorzeitigem Verhältnis zum Prädikat des nächst übergeordneten Satz, hier also zum Imperfekt *volvebat*. Das Imperfekt lässt sich nur noch durch das Plusquamperfekt übertreffen, so dass wir *intellegit* mit *erkannt hatte* übersetzen müssen. Von Verben der geistigen Wahrnehmung, zu denen *intellegere* gehört, wird erfahrungsgemäß ein AcI ausgelöst, den wir hier in Form des Subjektsakkusativs *hominem* und des Prädikatsinfinitivs *crescere* vorfinden. Das zu *hominem* kongruente PPA *adulescentem, heranwachsend, jung,* lässt sich aufgrund der Nähe zu seinem Bezugswort als Attribut wörtlich-dekliniert *(der heranwachsende Mensch)* übersetzen. Denkbar ist es aber auch als Prädikativum in wörtlich-undeklinierter *(der Mensch heranwachsend)* oder konjunktionaler Übersetzung *(während er heranwuchs)*. Die Konstruktion *exacta sua aetate et parvis liberis* ist ein AmP. Dieser besteht aus dem PPP *exacta* (von *exigere, zu Ende bringen, verbringen*), das grammatisch nur mit dem Substantiv *aetate* kongruiert, inhaltlich jedoch auch auf *parvis liberis* zu beziehen ist, schon allein aufgrund der engen Verknüpfung von *aetate* und *liberis*, insbesondere wenn man mit der singularisierten Form «Kleinkindalter» arbeitet. Eigentlich sind *parvi liberi, die kleinen Kinder*. Denke an das Adjektiv Plural Maskulinum *liberi,* das nur in Kongruenz zu einem anderen Bezugssubstantiv die wörtliche Bedeutung «*die freien*» hat, in substantivierter Form aber freie (also römische, nicht sklavische) *Kinder* meint. Übersetzt habe ich den AmP dann durch Präpositionalisierung mit *nach* unter Substantivierung von *exacta (Verbringen)* und Genitivierung der beiden Bezugssubstantive *sua aetate et parvis liberis (seines Jugendalters und Kleinkindalters)*. Nun kommt endlich der Rest des Hauptsatzes dran: Hier folgt zunächst als Prädikativum zum Subjekt *(er, Micipsa)* das PPP *permotus,* das durch das Adverb *vehementer* und den kausalen Ablativus *eo negotio* näher bestimmt wird. *negotium* ist bei Sallust häufig synonym mit *res*, so auch hier, wo es die Bedeutung *Tatsache, Umstand,* annimmt. Trotz der adverbialen Erweiterungen habe ich dieses prädikative PPP in wörtlich-undeklinierter Form belassen statt es zu konjunktionalisieren um die Dopplung von *nachdem* zu vermeiden (unschön: «*nachdem er erkannt hatte ..., nachdem er ... bewegt worden war*»). Das substantivierte Neutrum Plural *multa (vieles, viele Dinge)* schließlich ist Objekt zu *volvebat*.

Terrebat eum natura mortalium avida imperi et praeceps ad explendam animi cupidinem, praeterea opportunitas suae liberorumque aetatis, quae etiam mediocris viros spe praedae transvorsos agit, ad hoc studia Numidarum in Iugurtham adcensa, ex quibus, si talem virum dolis interfecisset, ne qua seditio aut bellum oriretur, anxius erat.

Es erschreckte diesen die Natur der Menschen gierig nach Herrschaft und leicht geneigt zur Erfüllung des Triebs der Seele (um den Trieb der Seele zu erfüllen), außerdem die anfällige Situation seines und der Kinder Alters, die sogar mittelmäßige Männer wegen der Hoffnung auf Beute auf die schiefe Bahn bringt, zudem die Begeisterungsstürme der Numider, die in Bezug auf (für) Iugurtha entflammt (worden) waren, infolge welcher er ängstlich war, dass, wenn er einen solchen Mann durch Listen getötet hätte, irgendein Aufstand oder Krieg entstehen könnte.

Merke dir folgenden Trick: Steht das Prädikat am Anfang des lateinischen Satzes (hier *terrebat*), leite bei der Übersetzung im Deutschen mit dem Subjektersatz «*es*» ein und lasse das eigentliche Subjekt nachfolgen, wann es will. Subjekte sind hier zunächst *natura,* später *opportunitas* und schließlich *studia.* Das Prädikat *terrebat* teilen sie sich zu dritt. Im vorigen Satz noch Subjekt, wird *Micipsa* in diesem Satz zum Objekt *(eum).* Die Form *mortales, die Sterblichen,* hier im Genitiv Plural *mortalium,* ist bei Sallust ein etwas steinzeitliches Synonym für *Menschen.* Mit *natura* kongruieren zwei Attribute: *avida, gierig,* und *praeceps, geneigt.* Beide Attribute sind erweitert: *avida* durch das Genitivattribut *imperi* und *praeceps* durch den präpositionalen Ausdruck *ad explendam animi cupidinem.* Zu *imperi:* Der Genitivus obiectivus nach Adjektiven des Begehrens (Lehrbuch S. 205, Fußnote) wird nicht wörtlich, sondern durch die Präposition *nach* übersetzt. Die *nd*-Form *explendam* ist Verbaladjektiv (Gerundivum), weil sie mit *cupidinem* kongruiert und nicht in den Differentialraster *-ndi, -ndum, -ndo* fällt. Nach *ad* in der Bedeutung *zu* müssen wir diese *nd*-Form substantivieren *(zur Erfüllung),* anschließend das Bezugssubstantiv *cupidinem* genitivieren *(des Triebes)* und schließlich noch den echten, eingeklammerten Genitiv *animi* anhängen *(der Seele).* Alternativ können wir *ad* mit *um zu* wiedergeben, *cupidinem* tritt mit Genitivattribut als deutsches Akkusativobjekt ein *(die Begierde des Herzens),* die *nd*-Form wird zum Infinitiv *(erfüllen).* Eine wörtlich-deklinierte Übersetzung der beiden als Attribute erfordert eine massive Umstellung vor das Bezugswort, es würde ein monströser Komplex entstehen: «*die nach Herrschaft begierige und zur Erfüllung ihrer Begierden geneigte Natur der Menschen*». Solche Formulierungen sind so nachvollziehbar und charmant wie eine Plattenbausiedlung, daher habe ich es bei einer wörtlich-undeklinierten und stellungskonservativen Übersetzung belassen, auch wenn es sich eigentlich nicht um Prädikativa handelt. Das Genitivattribut zu *opportunitas aetatis* ist seinerseits durch zwei Attribute erweitert, das kongruente Possessivpronomen *suae* und das Genitivattribut *liberorum,* so dass zunächst auf die ungünstige Situation «*seines eigenen Alters*» anschließend «*des Alters der Kinder*» Bezug genommen wird. Um diese Genitiv-Verklammerung einigermaßen kompakt unterzubringen, habe ich «*der Kinder*» als Genitiv ausnahmsweise vorangestellt und dabei den durchaus noch zulässigen Raum für die deutsche Genitivstellung ausgereizt. Auf *aetatis* bezieht sich außerdem das folgende Relativattribut *(quae). mediocris* ist Nebenform mit *i*-Stammauslaut im Akkusativ Plural der 3. Deklination, kongruiert also mit *viros. praedae* ist objektiver Genitiv (die Beute ist Objekt, nicht Besitzer der Hoffnung). Das Adjektiv *transvorsos* in der Bedeutung «*auf die schiefe Bahn*» hat die Funktion eines Prädikativums zu *viros,* und drückt deren «*Zustand*» aus, in den sie «*gebracht werden*». *ad hoc* befindet sich wieder auf Hauptsatzebene mit dem letzten Subjekt *studia,* hier in der Bedeutung *Begeisterungsstürme.* Dies ist erweitert durch das Genitivattribut *Numidarum* und das PPP-Attribut *adcensa. adcensa* wiederum ist erweitert durch den präpositionalen Ausdruck *in Iugurtham. in* mit Akkusativ ist eine Richtungsangabe, die hier allerdings nicht mit «*in Iugurtha hinein*» und sinnlogisch auch nicht mit «*gegen Iugurtha*» übersetzt werden kann. Gemeint ist vielmehr «*in Richtung auf Iugurtha*», «*in Beziehung auf Iugurtha*» oder «*für Iugurtha*». Der letzte Satzabschnitt besteht aus einem auf *studia* bezogenen Relativsatz *(ex quibus),* der erst mit *anxius erat* fortgesetzt wird. Logisches Subjekt dieses Relativsatzes ist nun wieder *Micipsa (er). anxius, ängstlich,* ist ein Prädikativum nach *erat.* Auch nach solchen Ausdrücken der Furcht kann wie nach Verben des Fürchtens die Konjunktion *ne* in der Bedeutung *dass* stehen. In diesem Fall steht der *ne*-Satz jedoch nicht nach, sondern vor dem übergeordneten Einleiter, so dass der Bezug nicht auf Anhieb einleuchtet. Hinzu kommt, dass auch der *si*-Satz eigentlich von dem *ne*-Satz abhängig ist. Beide Konjunktionalsätze scheinen eher ungeordnet in den Relativsatz vorzupreschen, als sich hinter *anxius erat* in eine besser einsehbare Position zu begeben. Die Übersetzung ins Deutsche erfordert unvermeidlich eine Umstellung: 1. *anxius erat, er ängstlich war,* 2. *ne ... oriretur, dass ... entstehen könnte,* 3. *si ... interfecisset, wenn er getötet hätte.* Beachte im *ne*-Satz zunächst *qua,* vor dem *ali-* entfällt (die Ausnahmeregel im Nominativ Singular Femininum Lehrbuch S. 110 und S. 256), ferner das Deponens *oriretur* von *oriri, sich erheben, entstehen,* außerdem die elegantere Übersetzung mit *erheben könnte* statt *erhob.* Im *si*-Satz musst du den Konjunktiv Plusquamperfekt übersetzen.

His difficultatibus circumventus, ubi videt neque per vim neque insidiis opprimi posse hominem tam acceptum popularibus, quod erat Iugurtha manu promptus et adpetens gloriae militaris, statuit eum obiectare periculis et eo modo fortunam temptare.

Nachdem er von diesen Schwierigkeiten umgeben worden war, sobald er gesehen hatte, dass weder durch Gewalt noch durch ein Attentat ein den Popularen so willkommener Mensch unterdrückt werden konnte, weil Iugurtha mit der Hand (im Kampf) geschickt und strebend nach militärischem Ruhm war, beschloss er diesen Gefahren auszusetzen und auf diese Weise das Schicksal herauszufordern.

Das Subjekt dieses Satzes bleibt aus dem Kontext des vorangegangenen Satzes weiterhin *Micipsa*, der neben *Iugurtha* schon im Einleitungstext als zweiter Protagonist vorgestellt worden ist. Grammatisch geht das nur aus der PN-Kongruenz mit dem Hauptsatzprädikat *statuit* hervor. Auf diesen bezieht sich auch das mit *his difficultatibus* erweiterte PPP *circumventus*. Nicht falsch, aber umständlich ist es, wenn man dieses Partizip substantiviert, weil man die adverbiale Bestimmung *his difficultatibus* im Deutschen in eine Klammerstellung zwischen Artikel und groß geschriebenes Partizip bringen müsste: «*Der von diesen Schwierigkeiten Umgebene*». Am Elegantesten erscheint es hier, wenn du mit der Konjunktionalisierungstechnik operierst. Das PPP indiziert die Konjunktion *nachdem*, «er» wird als maskulines Subjekt im Nominativ Singular *(circumventus)* ergänzt, die adverbiale Bestimmung *his difficultatibus, von diesen Schwierigkeiten,* eingefügt, und das PPP schließlich zum passiven Prädikat konvertiert *(umgeben worden war)*. Der Hauptsatz wird nun zunächst durch einen Temporalsatz mit *ubi* und dann durch einen Kausalsatz mit *quod* unterbrochen. Auch wenn sich eine solche Sequenz adverbialer Nebensätze, im Deutschen noch in Verbindung mit dem soeben gebildeten *nachdem*-Satz in der Abfolge *nachdem ..., sobald ..., weil ...* zu einem einzigen adverbialen Satzteilblock zusammenfassen lässt, sollte man frühzeitig das Hauptsatzprädikat *(statuit)* ins Auge fassen und auch im Auge behalten, egal ob man es ganz zu Anfang vor dem (deutschen) *nachdem*-Satz, vor dem *ubi*-Satz oder erst nach dem *quod*-Satz einfügt. *ubi, sobald,* bedingt ein vorzeitiges Verhältnis, zum Prädikat des übergeordneten Satzes, hier also zum Perfekt *statuit*. Daher muss das Präsens *videt* als Plusquamperfekt wiedergegeben werden. Nach Verben der sinnlichen Wahrnehmung wie *videre,* erwartest du einen AcI. Als Subjektsakkusativ dient hier *hominem,* als Prädikatsinfinitiv *posse,* dem wiederum *opprimi, unterdrückt werden,* als einfacher, wörtlich zu übersetzender Infinitiv Passiv untergeordnet ist. Die beiden adverbialen Bestimmungen *per vim, durch Gewalt,* und *insidiis, durch ein Attentat,* sind durch die Doppelkonjunktion *neque ... neque ...* verbunden. Das Substantiv *insidiae* ist ein «Nur-Plural-Wort» (Plurale tantum), also eine Form, von der kein Singular existiert. Aus phraseologischen Gründen übersetzt man Pluralia tantum meist als Singular. Neben *insidiae, List, Attentat,* zählen dazu noch: *angustiae, Engpass, divitiae, Reichtum* und *inimicitiae, Feindschaft*. Anders verhält es sich bei Substantiven wie *ager, Acker, copia, Menge,* oder *fortuna, Schicksal,* die auch im Singular vorhanden sind, in ihren jeweiligen Pluralformen *agri, Gebiet, copiae, Truppen,* und *fortunae, Vermögen,* aber abweichende singularische Bedeutungen haben. Auswendig lernen! Das PPP *acceptum* von *accipere, annehmen,* ist Attribut zu *hominem*. Als Verbaladjektiv ist es erweitert durch das Adverb *tam* und das Dativobjekt *popularibus* (als Ablativ einer Personengruppe dürfte *popularibus* nicht ohne Präposition stehen). Bei einer wörtlichen oder relativierten Übersetzung wirst du allerdings feststellen, dass sich *acceptum* im Deutschen nicht mit einem Dativobjekt konstruieren lässt: «*ein den Popularen so angenommener Mensch*» oder «*ein Mensch, der den Popularen so angenommen worden war*» – das klingt schräg. Eine Lösung besteht darin, dass man *popularibus* nicht als Dativ sondern durch einen präpositionalen Ausdruck übersetzt *(bei den Popularen, von den Popularen),* wenn du das nicht ohnehin schon intuitiv getan hast. Die zweite Lösung, die ich auch in meiner Übersetzung favorisiere, besteht darin, dass ich *acceptum* als reines Adjektiv mit «*willkommen*» übersetze. Der nun folgende *quod*-Satz verlangt wieder die *quod*-Satz-Probe *(dass, weil, welch),* die nur mit *weil* Sinn macht. In diesem Satz findet ein kurzer Subjektswechsel zu *Iugurtha* statt. Das dazu kongruente PPA *adpetens* hat hier die (seltene) Funktion eines Prädikativums in Verbindung mit *esse* – es muss also wörtlich-undekliniert übersetzt werden *(strebend)*. *gloriae militaris* ist ein Genitivus obiectivus, der regelmäßig nach Adjektiven (und auch Verbaladjektiven) des Begehrens oder Strebens wie hier *adpetens* erscheint. Er sollte nicht wörtlich übersetzt werden (falsch: «*des militärischen Ruhmes*»), sondern mit *nach* präpositionalisiert werden *(nach militärischem Ruhm)*. Schließlich können wir uns wieder dem Hauptsatz zuwenden. Von *statuit* hängen zwei einfache Infinitive *(obiectare* und *temptare)* und von diesen Infinitiven wiederum zwei einfache direkte Objekte ab *(eum* und *fortunam)*. Auch wenn scheinbar alle Kriterien erfüllt sind, handelt es sich dabei nicht um AcIs! Das würde spätestens bei den absurden Übersetzungen klar, die dabei herauskämen. *periculis* ist kein Ablativ, sondern indirektes Objekt zu *obiectare (wem aussetzen)*.

Micipsa paucos post annos ...

Micipsa paucos post annos morbo atque aetate confectus, quom sibi finem vitae adesse intellegeret, coram amicis et cognatis itemque Adherbale et Hiempsale filiis dicitur huiusce modi verba cum Iugurtha habuisse:

Es wird gesagt, dass Micipsa, nachdem er nach wenigen Jahren von Krankheit und Alter fertig gemacht worden war (erschöpft war), als er erkannte, dass für ihn das Ende des Lebens da war, in Anwesenheit von seinen Freunde und Verwandten und ebenso seinen Söhnen Adherbal und Hiempsal Worte von dieser Art mit Iugurtha gehalten habe (gesprochen habe):

Zentralgestirn dieses ersten Satzes ist das Prädikat *dicitur*, um das ein NcI kreist, bestehend aus dem Subjektsnominativ *Micipsa* und dem Infinitiv *habuisse*. Solche Leitkonstruktionen sollte man als Anfänger immer als erstes darstellen und sichern. Forme also den Einleiter des NcI in einen unpersönlichen Ausdruck um, indem du das PN-kongruente Subjekt des Satzes zunächst durch «*es*» ersetzt: «*es wird gesagt*». Baue den *dass*-Satz an und füge erst dann den Subjektsnominativ als Subjekt des *dass*-Satzes ein: «*dass Micipsa*». Mache anschließend den Infinitiv *habuisse* zum Prädikat des *dass*-Satzes und beachte die indirekte Rede: «*gehalten, gehabt habe*». Nun können wir ans Auffüllen mit den restlichen Satzteilen gehen. Mit *Micipsa* kongruiert das PPP *confectus,* das wiederum durch den präpositionalen Ausdruck *paucos post annos* und die beiden modalen Ablative *morbo* und *aetate* adverbial erweitert ist. Wegen der umfangreichen Erweiterungen sollte man von einer wörtlichen Übersetzung Abstand nehmen und auf Relativierung oder Konjunktionalisierung zurückgreifen. *quom* steht wieder für konjunktionales *cum,* hier mit dem Konjunktiv Imperfekt *(intellegeret)* als Tempus der Gleichzeitigkeit. *intellegeret* als Verb der geistigen Wahrnehmung leitet einen AcI ein: *finem adesse.* Das indirekte Objekt *sibi* bezieht sich reflexiv auf *Micipsa.* Die seltene Ablativpräposition *coram, vor, in Anwesenheit von,* bezieht sich auf alle folgenden Ablative *(amicis, cognatis, Adherbale et Hiempsale filiis)* und bildet so einen umfangreichen präpositionalen Ausdruck. *filiis* bezieht sich als substantivisches Attribut (Apposition) im Plural auf *Adherbale* und *Hiempsale* zugleich. Objekt des Prädikatsinfinitivs *habuisse* ist der Akkusativ Plural Neutrum *verba.* Beim phraseologischen Ausdruck *verba habere,* wörtlich: *Worte haben* oder *halten,* sollte man freier werden über «*Worte sprechen*» bis hin zu «*eine Rede halten*». Als Genitiv bezieht sich *huiusce modi* vorangestellt auf *verba.* Der Variante *huius̲c̲e̲ modi,* für das ciceronische *huius modi* oder *eius modi, von dieser Art,* sind wir bei Sallust nun schon des Öfteren begegnet. *-ce* ist eine linguistische Appendix vermiformis – ohne Funktion und Bedeutung, aber Quelle von Problemen.

«Parvom ego te, Iugurtha, amisso patre, sine spe, sine opibus in meum regnum accepi, existumans non minus me tibi quam liberis, si genuissem, ob beneficia carum fore. Neque ea res falsum me habuit.

«Klein habe ich dich, Iugurtha, nach Verlust des Vaters, ohne Hoffnung, ohne Mittel in mein Reich aufgenommen, glaubend (im Glauben), dass ich dir nicht weniger als meinen Kindern, wenn ich (dich) gezeugt hätte, wegen der Zuwendungen lieb sein würde. Und diese Sache hat mich nicht getäuscht.

Subjekt des Satzes ist *ego,* also *Micipsa,* der von sich in der ersten Person spricht. Das Prädikat *accepi* steht hier mit doppeltem Akkusativ, einem direkten Objekt *(te)* und einem Prädikativum *(parvom).* In der Form *parvom* für das ciceronische *parvum* lässt sich noch deutlich der Stammauslaut der o-Deklination *(parvo-)* erkennen, der im Laufe der Zeit durch *u* überdeckt wurde, das von der Aussprache auf die Schrift abfärbte. *parvom* sollte nicht als Attribut zu *te* wörtlich-dekliniert und nachgestellt werden: *«Ich habe dich Kleinen aufgenommen».* Vielmehr muss durch wörtlich-undeklinierte (und möglichst stellungskonservative) Übersetzung deutlich gemacht werden, dass «klein» den Zustand beschreibt, in dem sich *Iugurtha (te)* befindet, als er aufgenommen wird: *«Klein habe ich dich aufgenommen.»* Wer hier den Präpositionentest durchführt, kann auch übersetzen: *«Als Kleinen* (oder freier: *als Kleinkind) habe ich dich aufgenommen.»* *amisso patre* ist ein idealtypischer AmP, der sich auch gut für die Präpositionalisierungs-Substantivierungs-Genitivierungstechnik eignet. Das PPP *amisso* kommt von *amittere, verlieren,* und verlangt die Präpositionalisierung mit *nach.* Viele stoßen sich an *amittere,* das in der ersten angegebenen Grundbedeutung *wegschicken* nicht annähernd so oft belegt ist wie in der hier und auch sonst meistens gemeinten Bedeutung *verlieren.* Merk dir die und klatsch einen neonfarbenen Balken im Wörterbuch drüber mit dem Textmarker. Der AmP ist in einen Block asyndetisch aufgezählter adverbialer Bestimmungen eingebunden *(amisso patre, sine spe, sine opibus).* Der präpositionale Ausdruck *in meum regnum* gibt eine Richtung (in + Akkusativ) an. Falsch ist also: *«in meinem Reich»,* richtig dagegen: *«in mein Reich».* Das weit gesperrte PPA im Nominativ *existumans* (das ciceronische -*im*- aus *existimans* lautet bei Sallust zu -*um*- ab) ist Prädikativum zum Subjekt *ego,* weil es den Zustand oder Umstand beschreibt, in dem *Micipsa Iugurtha* aufgenommen hat. Für die Übersetzung bieten sich wörtlich-undeklinierte Übersetzung *(glaubend),* Präpositionalisierung *(im Glauben)* oder Konjunktionalisierung unter Beachtung von Diathese und Zeitverhältnis *(als/während/weil ich glaube/glaubte)* an. *existimari* leitet wie immer einen AcI ein: *me fore. fore* (Kurzform für das umschriebene Futur 1 Aktiv *futurum esse*) verlangt zu *me* wie alle Formen von *esse* ein Prädikativum, hier *carum:* «dass ich lieb sein werde». Nun stellt sich noch die Frage: *wem?,* beantwortet durch die Dativobjekte *tibi* und *liberis,* die durch das komparative Adverb *non minus ... quam ..., nicht weniger ... als ...,* korrespondieren. Der *si*-Satz ist Irrealis der Vergangenheit (Konjunktiv Plusquamperfekt) und muss im Deutschen als nicht erfüllbare Aussage durch den Konjunktiv 2 Plusquamperfekt übersetzt werden. Als logisches Objekt ist *te* zu ergänzen.

Nam, ut alia magna et egregia tua omittam, novissume rediens Numantia me regnumque meum gloria honoravisti tuaque virtute nobis Romanos ex amicis amicissumos fecisti.

Denn, damit ich deine anderen großen und herausragenden Dinge (Taten) übergehe, jüngst hast du, während du von Numantia zurückkehrtest, sowohl mich als auch mein Reich durch Ruhm geehrt und durch deine Tapferkeit uns die Römer aus Freunden zu ganz besonderen Freunden gemacht.

nam leitet den Hauptsatz ein, wird aber sofort abgewürgt durch einen hypotaktischen Einschub: Das konjunktivische *ut* meint hier in etwa dasselbe, was wir im Deutschen mit *um zu* ausdrücken *(«um deine anderen großen und herausragenden Taten zu übergehen»).* Das Objekt des *ut*-Satzes *alia magna et egregia tua* besteht aus einem Komplex von reinen Adjektiven im Neutrum Plural, die in Ermangelung eines Bezugssubstantivs mit *Dinge* oder sinngemäß mit *Taten* substantiviert werden müssen. *novissume* ist ein Adverb im Superlativ gebildet vom Adjektiv der a-/o-Deklination *novus, neu, jung,* mit dem Suffix -*issim*-, das bei Sallust zu -*issum*- ablautet und entsprechend der Regel zu den Adverbien der a-/o-Deklination *(«Ahnungslose Omas essen»)* mit der Endung -*e* gebildet wird. Logisches Subjekt des Hauptsatzes ist *Iugurtha,* in der Übersetzung steht uns nur *«du»* zur Verfügung, auf das aus der Endung der beiden Prädikate *honoravisti* und *fecisti* geschlossen werden kann. Das PPA *rediens* ist Prädikativum und fügt sich am besten in konjunktionalisierter Auflösung in die deutsche Übersetzung. Das Verb *redire, zurückkehren,* von dem es sich ableitet, steht hier mit Ablativus separativus des Städtenamens, aus dem *Iugurtha* zurückkehrt *(Numantia).* Direkte Objekte zum Prädikat *honoravisti* sind *me* und *regnum meum,* die durch -*que* zu einer Einheit verbunden sind. *gloria* und *tua virtute* sind modale Ablative. *facere* steht häufig mit doppeltem Akkusativ in der Bedeutung *machen zu.* In unserem Beispiel ist *Romanos* direktes Objekt und *amicissumos* das Prädikativum, das beschreibt, zu was die Römer gemacht werden.

Postremo, quod difficillumum inter mortalis est, gloria invidiam vicisti.
Zuletzt, welches das Schwierigste unter den Menschen ist, hast du durch Ruhm Feindschaft überwunden.

Subjekt bleibt weiterhin der als 2. Singular angesprochene *Iugurtha (vicisti)*. Stammformen wie *vic-* von *vincere, besiegen, überwinden,* gehören zum Grundwortschatz. *quod* muss wieder mit *dass, weil, welch,* überprüft werden. Weder faktisches noch kausales *quod* machen in diesem Kontext Sinn. *quod* ist Subjekt des Relativsatzes und kongruiert mit dem Superlativ *difficillumum,* der einen prädikativen Bezug zu *est* aufbaut. *mortalis* ist substantiviertes Adjektiv im Akkusativ Plural Maskulinum. Die Nebenform auf *-is* statt auf *-es* entsteht, wenn die i-Abstammung in der 3. Deklination zur Ausprägung kommt. *gloria* ist wieder Ablativus modi.

Nunc, quoniam mihi natura finem vitae facit, per hanc dexteram, per regni fidem moneo obtestorque te, uti hos, qui tibi genere propinqui, beneficio meo fratres sunt, caros habeas neu malis alienos adiungere quam sanguine coniunctos retinere.
Nun, da nun mal mir die Natur ein Ende des Lebens macht, ermahne und beschwöre ich dich bei dieser Rechten (rechten Hand), bei der Treue zum Reich, dass du diese, welche dir in der Abstammung verwandt, in meiner Liebe Brüder sind, lieb hast und nicht lieber Fremde auf deine Seite bringen als die durch Blut Verbundenen zurückbehalten willst.

Der Hauptsatz reißt schon nach dem ersten Wort *nunc* an einem Kausalsatz von *quoniam* bis *facit* ab. Er geht weiter ab *per* und endet bei *te*. In den abschließenden *uti*-Satz, der bis *habeas* verläuft, ist ein Relativattribut eingelassen von *qui* bis *sunt*. Der Hauptsatz verfügt über zwei Prädikate (*moneo* und *obtestor*), die durch *-que* untrennbar miteinander verknüpft sind und deswegen beide vorgezogen werden müssen, spätestens hinter den *quoniam*-Satz, der mit *nunc* eine adverbiale Einheit bildet. Sie teilen sich auch dasselbe direkte Objekt: *te*. In Beschwörungsformeln hat die Präposition die Bedeutung *bei*. Grundsätzlich ist es aber nicht so tragisch, wenn du *per* mit *durch* oder *mittels* übersetzt hast. *dextera* steht für *dextra manus, die rechte Hand.* Das zweite *e* des Stammes entfällt in späterer Zeit. Der Genitiv *regni* in Klammerstellung zwischen Präposition *per* und Bezugswort *fidem* ist objektiv, weil er nicht Urheber oder Besitzer, sondern Objekt der Treue ist. Deshalb präpositionalisiere ich bei der Übersetzung mit *zu*. *uti* steht nicht etwa ohne Prädikat, sondern leitet einen konjunktivischen Nebensatz ein, der lediglich durch ein Relativattribut zu *hos (qui)* unterbrochen und bei *caros habeas* fortgesetzt wird. *qui* ist das Subjekt des Relativsatzes und verfügt für sein Prädikat *sunt* über zwei Prädikativa: *propinqui, Verwandte,* und *fratres, Brüder*. *genere* und *beneficio meo* sind Ablativi modi. *genere* findest du unter dem Nominativ von *genus, Art, Abstammung*. Das erste Prädikat des *uti*-Satzes *habeas* steht mit doppeltem Akkusativ, von dem der eine *(hos)* Objekt, der andere *(caros)* Prädikativum ist und wörtlich-undekliniert *(lieb)* übersetzt werden muss. *neu, und nicht,* schließt einen verneinten *ut*-Satz auf gleicher, nicht untergeordneter Satzebene an. Der folgende Abschnitt ist also noch immer der Bitte und Ermahnung Micipsas *(moneo obtestorque)* untergeordnet. *malis* ist 2. Singular Konjunktiv Präsens von *malle, lieber wollen,* im Wörterbuch zu finden unter *malo*. Dieses komparativische Verb steht häufig mit der Komparationskonjunktion *quam, als,* so auch hier, wo zwei von *malis* abhängige Infinitive mit ihren jeweiligen Objekten *(alienos adiungere, coniunctos retinere)* über *quam* miteinander verglichen werden. Bei den beiden Objekten *alienos* und *coniunctos* handelt es sich um substantivierte Adjektive Plural Maskulinum, die man durch Artikulierung und Großschreibung nachbilden kann. *coniunctos* ist zudem noch ein PPP von *coniungere,* das durch den Ablativ *sanguine* erweitert ist, was die Übersetzung etwas erschwert, wenn man bei der Substantivierung nicht wörtlich und in der Stellung bleibt *(die durch Blut Verbundenen)*.

Non exercitus neque thesauri praesidia regni sunt, verum amici, quos neque armis cogere neque auro parare queas: officio et fide pariuntur.

Nicht Heere und nicht Schätze sind der Schutz (singularisiert) des Reiches, sondern Freunde, welche du weder durch Waffen zwingen noch durch Gold beschaffen kannst: Durch Pflichtgefühl und Vertrauen werden sie geschaffen.

Den beiden Subjekten im Nominativ Plural *exercitus* und *thesauri* wird nach der Konjunktion *verum, aber, sondern,* das Subjekt *amici* gegenübergestellt. Alle gemeinsam kreisen um das Prädikat *sunt,* das als Form von *esse* mit dem Nominativ Neutrum Plural *praesidia* als substantivischem Prädikativum steht zur Angabe, was die Subjekte sind. *amici* wird noch durch ein Relativattribut näher beschrieben. Die Form *queas* kommt von dem seltenen und etwas unregelmäßigen Verb *quire, können,* im Wörterbuch zu finden unter *queo.* So sehr es auch in der Form abweicht, so wenig unterscheidet es sich in der Funktion von *posse.* Wie dieses steht es oft mit einfachen, wörtlich zu übersetzenden Infinitiven (hier *cogere* und *parare*). *pariuntur* weist den kurz-i-Stamm *pari-* von *parere, zeugen, (er)schaffen,* auf. *armis, auro, officio* und *fide* sind instrumentale Ablative.

Quis autem amicior quam frater fratri?

Wer aber (ist) befreundeter als ein Bruder dem Bruder?

In dieser direkten rhetorischen Frage liegt eine klassische Ellipse von *esse* vor. In Verbindung mit *esse* ist *amicior* Prädikativum zum Subjekt *quis.* Ungewöhnlich ist an dieser Form auch der Komparativ, wenn man *amicus* bislang nur als Substantiv in der Bedeutung *Freund* kennt. Denn Substantive kann man nicht steigern. *amicus* kann jedoch auch Adjektiv in der Bedeutung *lieb, befreundet,* sein. Ob Adjektiv oder Substantiv – *amicus* steht mit indirektem Objekt im Dativ (hier *fratri*) zur Angabe, wem jemand befreundet oder ein Freund ist. Nun kann man ähnlich wie schon oben beim Elativ/Superlativ *amicissumi (besonders enge Freunde)* hier auch den Komparativ *amicior* als Substantiv durch komparativische Adjektive modifizieren (etwa *ein engerer Freund*) oder einfach als Adjektiv stehen lassen *(befreundeter)*. In Verbindung mit dem Komparativ liegt natürlich die Bedeutung von *quam* nahe *(als)* und sollte den *quam*-Test eigentlich überflüssig machen.

Aut quem alienum fidum invenies, si tuis hostis fueris?

Oder welchen Fremden wirst du vertrauenswürdig finden, wenn du den Deinen (deinen Angehörigen) ein Feind gewesen sein wirst?

Auch das Verb *invenire* steht in diesem Satz mit doppeltem Akkusativ, mit dem substantivierten Adjektiv *alienum* als Objekt und dem Adjektiv *fidum* als Prädikativum, das angibt, in welchem Zustand das Objekt gefunden wird. Wie immer macht man den Stammtest *(vertrauenswürdig)* und Präpositionentest *(als vertrauenswürdig),* die beide zu befriedigenden Lösungen führen. Das Frage- und Relativpronomen *quem* bezieht sich als pronominales Attribut auf *alienum* und wird wörtlich-dekliniert und vorangestellt übersetzt *(welchen Fremden).* Beachte das e-Futur 1 in der Form *inveni-e-s.* Dementsprechend ist *fueris* im *si*-Satz auch kein Konjunktiv Perfekt, sondern Futur 2, das die Vorzeitigkeit zur Nachzeitigkeit ausdrückt in dem Sinne: «*Erst ist er seinen Angehörigen ein Feind, dann findet er keinen mehr vertrauenswürdig.*» Eine letzte Schwierigkeit dürfte die Form *tuis* bieten. Dabei handelt es sich um das substantivierte Possessivpronomen im Dativ Plural, das wie *mei, die Meinen, sui, die Seinen/die Ihren, nostri, die Unsrigen, vestri, die Eurigen,* eine zugehörige Personengruppe bezeichnet, hier zur zweiten Person Singular: *die Deinen, deine Leute, deine Angehörigen, deine Freunde, deine Verwandten.*

Equidem ego vobis regnum trado firmum, si boni eritis, sin mali, inbecillum.
Jedenfalls übergebe ich euch das Reich stark, wenn ihr gut sein werdet, wenn aber schlecht, schwach.

Zum wiederholten Male in Folge steht auch das Prädikat dieses Satzes *trado* mit doppeltem, genau genommen sogar dreifachem Akkusativ, *regnum* als direktem Objekt, und *firmum* und *imbecillum* als Prädikativa dazu, die wieder wörtlich-undekliniert übersetzt werden müssen. Ganz falsch ist es natürlich nie, wenn man als Attribut wörtlich-dekliniert auflöst *(«ich übergebe euch ein starkes Reich ... ein schwaches»)*. Beachte dabei die chiastische Stellung der beiden Prädikativa zu den beiden *si*-Sätzen:

firmum si boni
$\times$
sin mali inbecillum

Nam concordia parvae res crescunt, discordia maxumae dilabuntur.
Denn in Frieden wachsen kleine Dinge, im Streit fallen die größten auseinander.

Den krönenden Abschluss der Micipsa-Rede bildet einer der berühmtesten und am häufigsten aus Sallust zitierten Aphorismen. Subjekt ist *parvae res,* bzw. *maxumae (res)*. Das Prädikat *dilabuntur* ist deponent, wobei das *b* Stammauslaut und nicht b-Futur-Suffix ist! *concordia* und *discordia* sind Ablative mit modaler oder temporaler Färbung.

Ceterum mos partium et factionum ...

Ceterum mos partium et factionum ac deinde omnium malarum artium paucis ante annis Romae ortus est otio atque abundantia earum rerum, quas primas mortales ducunt.
Außerdem ist die Praxis der Parteienbildung und Abmachungen und dann aller schlechten Verhaltensweisen wenige Jahre vorher in Rom aufgekommen aufgrund des Friedens und Überflusses an diesen Dingen, welche die Menschen für erstrangig (die wichtigsten) halten.

Auf *mos* beziehen sich sowohl die Genitive *partium* und *factionum* als auch *omnium malarum artium*. Nach einer Lesart gab es die Parteienbildungen eher im Volk, während im Senat, der als politische Einheit auftrat, geheime Absprachen, Begünstigungen oder Seilschaften entstanden. Wenn also zwischen Beamten, Politikern und einflussreichen Privatleuten Absprachen zu Ungunsten anderer getroffen werden, spricht *Sallust* allgemein von *artes malae*. Bei *artes bonae* würde so etwas natürlich niemals passieren. *paucis ante annis* ist kein präpositionaler Ausdruck, auch wenn *ante*, wie bei präpositionalen Ausdrücken häufig, in Klammerstellung steht. Als Präposition steht *ante* ausschließlich mit dem Akkusativ, eine Regel, die auch Querulant Sallust nicht aushebelt. Vielmehr ist *paucis annis* Ablativus temporis und *ante* Adverb in der Bedeutung *zuvor*. *paucis ante annis* heißt also nicht «*vor wenigen Jahren*», sondern: *wenige Jahre zuvor*. Der Lokativus *Romae, in Rom,* kommt zu häufig vor, als dass man ihn übersehen oder aus Unkenntnis als Dativ oder Genitiv übersetzen darf. Das Deponens *ortus* (von *oriri, entstehen, aufkommen*) bildet mit *est* ein Perfekt Deponent, das im Deutschen aktiviert wird *(ist entstanden)*. *otio* und *abundantia* sind Ablativi causae. Ausdrücke des Überflusses oder Mangels stehen mit dem Genitivus partitivus, der angibt, aus welcher Gesamtheit ein Überfluss oder Mangel herrscht, hier *earum rerum*. In dem Relativattribut zu *earum rerum* ist das substantivierte Adjektiv *mortales, die Sterblichen, die Menschen,* das Subjekt. Das Verb *ducere* steht mit doppeltem Akkusativ in der Bedeutung *halten für*. Das Objekt, das für etwas gehalten wird, ist das Relativpronomen *quas*, das Prädikativum, für das das Objekt gehalten wird, ist *primas*. Bei der Übersetzung des Prädikativums kann man nach der Präposition *für* sowohl wörtlich-undekliniert *(erstrangig)* als auch dekliniert und artikuliert *(die erstrangigen, die wichtigsten)* operieren.

Nam ante Carthaginem deletam populus et senatus Romanus placide modesteque inter se rem publicam tractabant.
Denn vor der Zerstörung Karthagos lenkten Volk und Senat von Rom friedlich und maßvoll untereinander die Republik.

placide und *modeste* sind Adverbien der a-/o-Deklination auf -e («*Ahnungslose Omas essen*»). *inter se* hat nahezu immer die Bedeutung *unter sich* oder *untereinander*. Sallusts Behauptung ist natürlich maßlos idealisiert. Die Ständekämpfe zwischen Volk und Senat, zwischen Popularen und Optimaten, waren das soziale und politische Grundübel von Anbeginn der Republik an.

Neque gloriae neque dominationis certamen inter civis erat.
Weder um Ruhm noch um Herrschaft war (herrschte) zwischen den Bürgern ein Konkurrenzkampf.

Die Doppelkonjunktion *neque ... neque ...* verbindet hier zwei objektive Genitivattribute zum Subjekt *certamen*, die angeben, worauf sich der Kampf bezog, oder um was gekämpft wurde, nicht wem der Kampf gehörte, oder wer ihn führte (falsch also die Übersetzungen: «*Kampf des Ruhmes*» oder «*Kampf der Herrschaft*»). *erat* scheint in diesem Satz ohne Prädikativum, bzw. ohne Prädikatsnomen zu stehen. Einziger zur Verfügung stehender Nominativ ist das Subjekt *certamen*. In solchen Fällen hat *esse* Bedeutungen wie *existieren, geben, herrschen, bestehen*. Ob man dabei *inter civis* oder auch die objektiven Genitive prädikativ auffasst, macht für diese Übersetzung keinen Unterschied. Die Form *civis* weist wieder den *i*-Stamm der 3. Deklination im Akkusativ Plural auf.

Metus hostilis in bonis artibus civitatem retinebat.
Die feindbezogene Furcht hielt die Bürgerschaft in guten (anständigen) Verhaltensweisen fest.

Das Adjektiv *hostilis*, wörtlich *feindlich*, hat hier die gleiche Funktion wie sonst der Genitivus obiectivus. Gemeint ist also nicht eine Furcht, die selber «feindlich» ist, und auch nicht die Furcht «des Feindes» vor den Römern. Vielmehr sind die Feinde selbst Objekt der Furcht. *hostilis* sollte daher am besten mit «*feindbezogen*» übersetzt werden. Bedauerlicherweise kann man auch im Falle außenpolitischer Streitsituationen nicht immer behaupten, dass nur *artes bonae* herrschen.

Sed ubi illa formido mentibus decessit, scilicet ea, quae res secundae amant, lascivia atque superbia, incessere.

Aber sobald jene Bedrohung aus den Köpfen (oder singularisiert: dem Bewusstsein) gewichen war, drangen natürlich diese Dinge ein, welche glückliche Verhältnisse (singularisiert: Wohlstand) begünstigen, Triebhaftigkeit und Überheblichkeit.

Die Nebensatzkonjunktion *ubi, sobald,* steht in vorzeitigem Verhältnis zum übergeordneten Satz. Nachdem bereits das Prädikat des Hauptsatzes das Tempus Perfekt aufweist *(incessere)*, muss das Prädikat des Nebensatzes, das ebenfalls im Perfekt *(decessit)* steht, in die Vorvergangenheit verlegt und als Plusquamperfekt übersetzt werden. *mentibus* ist Ablativus separativus nach einem Verb der Trennung *(decessit* von *decedere)*. Das Hauptsatzprädikat *incessere* (rechtzeitig vorziehen!) ist die bei Sallust übliche Nebenform zu *incesserunt*. Die substantivierten Neutra Plural *ea, quae,* die *Dinge, welche, das, was,* bilden eine häufige Kombination aus Demonstrativ- und Relativpronomen. Das Subjekt des *quae*-Satzes *res secundae, günstige Verhältnisse, Wohlstand, Glück,* ist ebenso wie *res adversae, ungünstige Verhältnisse, Unglück,* ein phraseologischer Terminus und sollte an dieser Stelle gelernt werden. *lascivia* und *superbia,* sind substantivische Attribute (Appositionen) zu *ea,* die als Substantive nicht unbedingt im Genus oder Numerus, wohl aber im Kasus mit *ea* kongruieren müssen.

Ita, quod in advorsis rebus optaverant, otium, postquam adepti sunt, asperius acerbiusque fuit.

So war, was sie in schlechten Verhältnissen gewünscht hatten, der Friede, nachdem sie (ihn) bekommen hatten, härter und schlimmer.

Wenn man den etwas zersplitterten Hauptsatz in einen etwas vereinfachten Zusammenhang bringt, kann man die beiden Nebensätze mit *quod* und *postquam* zunächst weglassen, und erhält einen einfachen Satz: «*ita ... otium ... asperius acerbiusque fuit. So war ... der Friede ... härter und schlimmer.*» *asperius* und *acerbius* kongruieren als Komparative im Nominativ Neutrum auf *-ius* («vergleichbar neutraler Bratenius») mit *otium*. In Beziehung zu *fuit* dienen sie als Prädikativa und müssen wörtlich-undekliniert übersetzt werden. Obwohl es bei *quod* sich um ein relatives *quod* handelt, scheint es kein Bezugswort im Vorfeld zu geben, auf das es sich beziehen könnte. Viele nehmen daher irrtümlich an, es handele sich um ein kausales *quod* (in dem falschen und verzerrenden Sinne: «*weil sie (es) sich gewünscht hatten*»). Mit Grammatik und Sinn vereinbar sind zwei Varianten. Entweder es handelt sich bei dem *quod*-Satz um einen Subjektsatz (also das Subjekt des Hauptsatzes zu *fuit*) mit *otium* als substantivischem Attribut, in dem Sinne: «was (= das, was) sie sich gewünscht hatten, nämlich der Friede». Oder es handelt sich um ein Relativattribut zum Subjekt *otium,* das vor seinem Bezugswort zu liegen kommt, in dem Sinne: «der Friede, welchen sie sich gewünscht hatten». Die Konjunktion *postquam* leitet wieder einen Nebensatz vorzeitiger Natur ein. Das Perfekt Deponent *adepti sunt* (von *adipisci, erreichen, erlangen, bekommen*) muss also als Plusquamperfekt übersetzt werden. Als Objekt zu *adepti sunt* muss gedanklich der Friede, grammatisch ein personalpronominaler Stellvertreter *(ihn)* ergänzt werden.

Namque coepere nobilitas dignitatem, populus libertatem in lubidinem vortere, sibi quisque ducere, trahere, rapere.

Denn es begannen der Adel seine Amtswürde, das Volk seine Freiheit in Willkür umzuwandeln, für sich jeder zu herrschen, zu raffen, zu rauben.

-que an *nam* bleibt unübersetzt. *coepere* ist Perfektnebenform für *coeperunt*. Der Plural steht in logischer PN-Kongruenz zu drei Subjekten *(nobilitas, populus, quisque),* bzw. zu Subjekten im Singular, die Personengruppen oder Körperschaften umfassen (sogenannte *Constructio ad sensum,* Konstruktion gemäß dem Sinn). Das Verb *coepisse* hat keinen Präsensstamm, gehört also zur Gruppe der sogenannten präsentischen Perfekte. Diese werden zwar wie Perfektformen dekliniert, aber wie Präsensformen übersetzt, weil ihre Ursprungsbedeutungen Zustände beschreiben, die in der Vergangenheit anfangen, aber bis in die Gegenwart anhalten und wirken. Neben *coepisse, anfangen,* gehören noch dazu: *meminisse, sich erinnern, novisse, kennen, odisse, hassen.* Im narrativen Zusammenhang, also in Berichten oder Geschichten, die im lateinischen Erzähltempus (Perfekt, historischer Infinitiv, historisches Präsens) abgefasst sind, kann jedoch auch das präsentische Perfekt auf der Ebene des entsprechenden Erzähltempus übersetzt werden (im Deutschen also Präteritum). Von *coepere, sie beginnen/begannen,* hängt eine asyndetische Kette einfacher Infinitive mit dem Homoioteleuton von *-re* ab, die mit *zu* übersetzt werden müssen: *vortere, ducere, trahere, rapere*. Das alte, behäbige *o* des Stammes *vort-,* ist zu ciceronischer Zeit schon längst durch *e* abgelautet worden *(vert-)*. Dieser Infinitiv ist es auch, der über die beiden Objekte *dignitatem* und *libertatem* verfügt. Beachte die parallele Gegenüberstellung der ersten beiden Subjekte und Objekte und das Homoioteleuton auf *-tem: nobilitas dignitatem, populus libertatem.* Bezugswort des Reflexivpronomens *sibi* ist das letzte Subjekt *quisque, jeder.*

Ita omnia in duas partis abstracta sunt, res publica, quae media fuerat, dilacerata.
So wurde alles in zwei Teile auseinander gerissen, die Republik, welche in der Mitte gewesen war, zerfleischt.

Dieser Satz besteht im Grunde aus zwei Parataxen, die nur eines gemeinsam haben, das Prädikat *sunt*. Subjekt des ersten Abschnitts ist das substantivierte Neutrum Plural *omnia*, Subjekt des zweiten *res publica*. Die PPPs *abstracta* und *dilacerata* dienen als Prädikativa mit *sunt* zur Bildung des Perfekts Passiv, wobei das zweite PPP *dilacerata* trotz seines Numerus im Singular von *sunt* mitversorgt wird. Das Problem stellt sich nicht, wenn man auch *omnia* singularisiert. *in duas partis* ist eine Richtungsangabe («*in zwei Teile*» und nicht «*in zwei Teilen*»). Im Akkusativ Plural *partis* dringt der *i*-Stamm wieder durch und überdeckt das sprachgeschichtlich spätere *e*. Das Adjektiv *media*, *mittel*, dient sehr häufig als Prädikativum, so auch hier mit *fuit*. Aus phraseologischen Gründen kann man im Deutschen schlecht wörtlich-undekliniert übersetzen: «*welche mittel gewesen war*». In leichter Variation des Präpositionentests greift man auf eine Präpositionalisierung mit *in* zurück, statt *als*, *für*, *zu*.

Ceterum nobilitas factione magis pollebat. Plebis vis soluta atque dispersa in multitudine minus poterat.
Im Übrigen hatte der Adel durch seine Abmachung (Klüngel) mehr Macht. Die Macht der Plebs aufgelöst und zerstreut in der Menge konnte (bewirkte) weniger.

In diesen beiden Sätzen werden die Nobilität und die Plebs, vor allem in Form der beiden Adverbien *magis* und *minus*, gegenübergestellt. *plebis* ist vorangestelltes Genitivattribut zu *vis*, *Kraft*, *Macht*, *Gewalt*, das man nicht mit *vir*, *Mann*, oder *vis*, *du willst*, verwechseln sollte. Die PPPs *soluta* und *dispersa* sind Attribute zu *vis* und beide durch die adverbiale Bestimmung *in multitudine* erweitert. Neben der von mir vorgeschlagenen wörtlich-undeklinierten Übersetzung ist noch die Relativierung («*die Macht des Volkes, die gelöst und zerstreut in der Menge war*») oder Konjunktionalisierung («*die Macht des Volkes, nachdem sie gelöst und zerstreut worden war in der Menge*»). Unübersichtlich wegen der Erweiterung *in multitudine*, aber auch möglich ist die wörtlich-deklinierte Übersetzung («*die in der Menge aufgelöste und zerstreute Macht des Volkes*»). *posse* (hier in der Form *poterat*) steht hier ohne Infinitiv, so dass *können*, die Bedeutung von *bewirken*, *Fähigkeit*, *Macht*, *Bedeutung haben* ähnlich *pollere* im Vorsatz annimmt.

Paucorum arbitrio belli domique agitabatur.
Nach der Entscheidung von Wenigen wurde in Krieg und Frieden gehandelt.

Das vorgestellte Genitivattribut zu *arbitrio paucorum* geht auf ein substantiviertes Adjektiv im Maskulinum Plural zurück (*pauci, die Wenigen*). Gemeint ist eine Oligarchie (Herrschaft von Wenigen). *agitabatur* ist ein unpersönlicher Ausdruck, weil ein namentlich genanntes Subjekt fehlt und der Sinnzusammenhang kein anderes Subjekt hergibt. Allenfalls könnte man ein neutrales *es* an den Anfang setzen («*es wurde gehandelt*»).

Penes eosdem aerarium, provinciae, magistratus, gloriae triumphique erant.
In der Gewalt (immer) derselben waren (lagen) Staatskasse, Provinzen, Ämter, Ehrungen und Triumphe.

Die seltenere Präposition *penes*, *in der Gewalt von*, steht regelmäßig mit dem Akkusativ (hier *eosdem*). Mit diesen «selben» ist die ewig gleiche herrschende Clique gemeint. Der Satz verfügt über fünf Subjekte (*aerarium, provinciae, magistratus, gloriae, triumphi*), die bis auf das letzte asyndetisch sind. Wer hier ein Prädikatsnomen zu *erant* vermisst, kann *penes eosdem* als prädikativen Präpositionalausdruck ansehen. An einer intuitiv richtigen Übersetzung ändert das nichts.

Populus militia atque inopia urgebatur.
Das Volk wurde von Kriegsdienst und Armut geplagt.

Beachten muss man hier nur die kausalen Ablative *militia* und *inopia*. Ein alter Schenkelklopfer, so tatsächlich geschehen, ist die folgende Übersetzung: «*Die Pappel wurde von Kriegsdienst und Armut geplagt.*» Hier war jemand beim Nachschlagen in der Zeile von *pŏpulus* (kurzes o) zu *pōpulus* (mit langem o) verrutscht: *pōpulus* ist nämlich nicht das Volk, sondern die Pappel. Aus der Geschichte mit der Pappel kann man eine der Grundregeln für das Wortfeld der Latinumstexte lernen: «Baum- und Pflanzennamen sind tabu!» (Lehrbuch S. 236)

Praedas bellicas imperatores cum paucis diripiebant.
Die Kriegsbeuten verschleppten die Oberbefehlshaber mit Wenigen.

praedas bellicas ist Objekt, *imperatores* Subjekt des Satzes. Auch hier ist mit dem substantivierten Adjektiv *pauci* wieder eine Clique von Oligarchen gemeint, die in der Armee hohe Posten bekleideten.

Interea parentes aut parvi liberi militum, uti quisque potentiori confinis erat, sedibus pellebantur.
Unterdessen wurden die Eltern oder kleinen Kinder der Soldaten, je nachdem, wer gerade einem Mächtigeren benachbart war, aus (ihren) Wohnsitzen vertrieben.

Subjekte dieses Satzes sind *parentes* und *parvi liberi*. Denke bei dem substantivierten Adjektiv Plural Maskulinum *liberi* daran, dass nicht die «Freien» oder «Freigelassene», sondern «Kinder» gemeint sind, die zunächst zwar frei geboren waren, jedoch kein Bürgerrecht hatten. Dies erlangten zunächst einmal nur männliche Jugendliche und auch erst im Alter von 16 Jahren, wenn sie sich in die Bürgerlisten eintrugen und als Zeichen ihrer Volljährigkeit die sogenante *Toga virilis (männliche Toga)* anlegten. Das Adjektiv *confinis, benachbart,* steht regelmäßig mit indirektem Objekt (hier mit dem Komparativ *potentiori*) zur Antwort auf die auch im Deutschen gebräuchliche Frage: *wem benachbart?* Das Prädikat *pellebantur* steht als Verb der Trennung mit dem Ablativus separativus *(sedibus)*.

Ita cum potentia avaritia sine modo modestiaque invadere, polluere et vastare omnia, nihil pensi neque sancti habere, quoad semet ipsa praecipitavit.
So zog mit der Macht Gier ohne Maß und Bescheidenheit ein, beschmutzte und zerstörte alles, hielt nichts für wert oder heilig, bis sie sich selbst zugrunderichtete.

Trotz der scheinbar ähnlichen Formen auf *-a* gilt es hier sorgfältig zwischen Nominativen und Ablativen Singular Femininum zu unterscheiden. *potentia* ist als Ablativ an die Präposition *cum* gebunden, ebenso wie *modestia* durch *-que* an *modo* im Ablativ und dieses wiederum an die Präposition *sine*. Bleibt als Subjekt im Nominativ Singular Femininum auf *-a* nur *avaritia*. *invadere* ist ebenso wie *polluere, vastare* und *habere,* ein historischer Infinitiv. In der deutschen Übersetzung müssen wir den historischen Infinitiv entsprechend dem deutschen Erzähltempus und in PN-Kongruenz mit dem Subjekt zum finiten Verb machen, hier also *zog ein, beschmutzte, zerstörte, hielt.* Das substantivierte Adjektiv Plural Neutrum *omnia, alle Dinge, alles,* ist direktes Objekt zu *polluere* und *vastare. quoad, bis,* leitet einen konjunktionalen Nebensatz ein. Das Suffix *-met* dient zur Verstärkung von Personal- und Reflexivpronomen im Sinne von *selbst* (hier *se-met: sich selbst*). In Verbindung mit dem ebenfalls unterstreichenden Pronomen *ipsa* wird die Formulierung redundant (überflüssig). Die Wendung *se praecipitare* lässt sich nur schwer wörtlich nachbilden *(sich mit dem Kopf vorneweg stürzen, kopfüber gehen),* gemeint ist jedoch im negativen Sinne die Selbstzerstörung. Mit diesem letzten Satz spielt Sallust auf die Bürgerkriege an, die mit der späten Republik (133 v. Chr.–44 v. Chr.) ein ganzes Zeitalter füllten.

Igitur de Catilinae coniuratione …

Igitur de Catilinae coniuratione quam verissume potero paucis absolvam.
Also will ich über die Verschwörung des Catilina so wahrheitsgemäß ich können werde (möglichst wahrheitsgemäß) mit wenigen (Worten) abhandeln.

absolvam kann sowohl der Form als auch dem Sinne nach a-Futur oder Konjunktiv Präsens sein. In solchen unentscheidbaren Fällen arbeite ich gern mit *wollen,* das eine Mitte zwischen dem entschlossenen Futur *(ich werde berichten)* und dem überlegenden Konjunktiv *(ich möchte berichten)* bildet.

Catilinae ist Genitiv in Klammerstellung zwischen Präposition und Bezugswort. *quam verissume potero* ist nach dem Schema *quam* + Superlativ + *posse* gebildet. Es lässt sich mit *so* + Positiv + *können* oder *möglichst* + *Positiv* übersetzen (Lehrbuch S. 145).

Nam id facinus in primis ego memorabile existumo sceleris atque periculi novitate.
Denn diese Gewalttat halte ich in erster Linie für bedenkenswert aufgrund der neuen Qualität von Verbrechen und Bedrohung.

existumare (altlateinisch für *existimare*) löst hier einen doppelten Akkusativ aus in der Bedeutung *halten für.* Objekt, das für etwas gehalten wird, ist *id facinus.* Prädikativum, für das das Objekt gehalten wird, ist das Adjektiv *memorabile.* Die beiden Genitivattribute *sceleris* und *periculi* sind ihrem Bezugswort, dem Ablativus causae *novitate* vorangestellt.

De quoius hominis moribus pauca prius explananda sunt, quam initium narrandi faciam.
Über die Charaktereigenschaften dieses Menschen sind wenige Dinge früher zu erklären, als ich den Anfang des Erzählens machen werde.

Das Relativpronomen *quoius* (altlateinisch für *cuius*) bildet einen relativen Anschluss und muss demonstrativiert werden. Es ist Pronominalattribut zu *hominis,* mit dem zusammen es in Klammerstellung zwischen Präposition *de* und Bezugswort *moribus* steht. Genitivattribute sollten in der deutschen Übersetzung grundsätzlich hinter ihr Bezugswort umgestellt werden. *moribus* kommt von *mos, Sitte, Art,* im Plural auch *Charaktereigenschaften* oder singularisiert *Charakter.* Verwechsele *mos* nicht mit *mors, Tod, mora, Verzögerung, morus, Narr,* oder *morus, Maulbeere.* Unterscheide die Stämme und verwirf abwegige Bedeutungen wie Pflanzennamen oder Klamauk- und Schimpfwörter (vgl. Lehrbuch S. 236). Subjekt des Satzes ist das substantivierte Adjektiv Plural Neutrum *pauca, wenige Dinge, Weniges.* Dieses steht mit dem Gerundivum *explananda* als Prädikativum und mit *esse.* Das prädikative Gerundivum mit *esse* wird wörtlich mit *zu* + Infinitiv *(wenige Dinge sind zu erklären)* oder mit *werden müssen (wenige Dinge müssen erklärt werden)* übersetzt. Das Adverb im Komparativ *prius, eher, früher,* steht in enger Beziehung zu *quam, als,* mit dem es im Laufe der Sprachgeschichte zunehmend zu der Nebensatzkonjunktion *priusquam, bevor,* zusammentritt. Auch in der vorliegenden dissoziierten Form *prius …quam …* lässt es sich unter Umstellung in diesem Sinne übersetzen: «Über die Charaktereigenschaften dieses Menschen sind wenige Dinge zu erklären, bevor ich den Anfang des Erzählens machen werde.» Dennoch bin ich bei der etwas umständlicheren wörtlichen Form geblieben um den Sinn der dissoziierten Stellung deutlicher zu machen. Das Genitivattribut zu *initium narrandi* steht ohne Kongruenz und ist folglich ein substantivierter Infinitiv (Gerundium).

L. Catilina, nobili genere natus, fuit magna vi et animi et corporis, sed ingenio malo pravoque.
Lucius Catilina, aus einem adligem Geschlecht geboren, war von großer Kraft sowohl des Geistes als auch des Körpers, aber von schlechter und primitiver Veranlagung.

Das Subjekt *L. Catilina* wird zunächst durch das Partizip *natus* attributiv beschrieben. Das Verb *nasci, geboren werden,* kommt nur im Passiv vor, ist deswegen aber keinesweg deponent. Die Wörterbücher machen das selten richtig klar. Das PPP *natus* ist also auch der Bedeutung nach ein Perfekt Passiv. Die Übersetzung gelingt am besten wörtlich-undekliniert oder relativiert *(der aus einer adligen Familie geboren worden war).* *nobili genere* ist Ablativus separativus. Der Kerngedanke dieser Trennung steckt im Vorgang der Geburt oder des «aus sich Zeugens». In der Nebenbedeutung *abstammen,* erhält es jedoch deponenten Charakter. So könnte man hier auch übersetzen: «der aus einer adligen Familie abstammte». Als Prädikatsnomen dienen dem Prädikat *fuit* die qualitativen Ablative *magna vi* und *ingenio malo pravoque.* Die beiden Genitivattribute *animi* und *corporis* beschreiben *vi* (von *vis, Kraft,* nicht von *vir, Mann*). Sie sind durch die Doppelkonjunktion *et … et …* verbunden.

Huic ab adulescentia bella intestina, caedes, rapinae, discordia civilis grata fuere ibique iuventutem suam exercuit.

Diesem waren von Jugend an Kriege im Inneren (Bürgerkriege), Blutvergießen, Raubzüge, bürgerlicher Unfriede gelegen und dort verbrachte er seine Jugend.

Der Satz ist durch -que in zwei Teile gegliedert. Im Zentrum des ersten stehen die Subjekte *bella intestina, caedes, rapinae* und *discordia civilis,* die mit dem Prädikativum *grata* zum Prädikat *fuere* stehen. Die Form *fuere* entsteht aus Verschleifung der Perfektendung -erunt. Das Adjektiv *gratus, lieb, willkommen, gelegen,* steht regelmäßig mit einem indirekten Objekt (hier in der Form *huic*). Im zweiten Satzabschnitt wechselt das Subjekt in die 3. Singular. Gedanklich ist Catilina gemeint, der in der Übersetzung als «er» erscheint. Catilina ist auch Bezugswort des Possessivpronomens *suam (seine).*

Corpus patiens inediae, algoris, vigiliae, supra quam quoiquam credibile est.

Sein Körper (war) abgehärtet gegen Nahrungsmangel, Schmerz, Schlaflosigkeite, mehr als (es) irgendwem glaubhaft ist.

Zum Subjekt *corpus* existiert kein Prädikat. In einem solchen Fall ist an eine Ellipse von *esse* zu denken. Da es sich um eine Charakteristik im Kontext eines vergangenen Ereignisses handelt, ergänze ich im Deutschen *war*. *patiens* ist zu dieser elliptischen Form von *esse* Prädikativum. Ursprünglich handelt es sich um ein PPA zu *pati, dulden, ertragen*. Es steht mit dem Genitivus obiectivus zur Angabe dessen, was Catilina leicht ertragen kann, hier die drei asyndetisch aufgezählten Genitive *inediae, algoris, vigiliae*. Das Adverb *supra, darüber hinaus, mehr,* steht hier mit komparativischem *quam*. Nach dem *quam*-Test *(welch, wie, als, möglichst)* ist dies auch die einzige passende Form. Es schließt sich ein unpersönlicher Ausdruck mit neutralem Subjekt *(es)* an inhärent in dem Prädikat *est,* zu dem das Adjektiv im Neutrum Singular *credibile* Prädikativum ist. Dieses steht mit dem indirekten Objekt *quoiquam* (ciceronisch: *cuiquam*).

Animus audax, subdolus, varius, quoius rei lubet simulator ac dissimulator, alieni adpetens, sui profusus, ardens in cupiditatibus.

Sein Inneres (seine Mentalität) war gewaltbereit, hinterlistig, unberechenbar, von allem und jedem ein Heuchler und Täuscher, nach Fremdem strebend, mit dem Seinen verschwenderisch, brennend in (vor) Trieben.

Auch dieser Satz ist so elliptisch wie die Umlaufbahn der Erde um die Sonne. Als Prädikat ergänzen wir im Deutschen also wieder eine finite Form von *esse*, vornehmlich im Erzähltempus und in PN-Kongruenz mit dem Subjekt *animus* (hier: *war*). Als Prädikativa zu *animus* in Verbindung mit *esse* dienen die asyndetisch aufgezählten Adjektive *audax, subdolus* und *varius,* weiterhin die beiden Substantive *simulator* und *dissimulator* sowie die drei Verbaladjektive *adpetens, profusus* und *ardens.* Das PPA *adpetens* steht wie alle Ausdrücke des Strebens und Begehrens mit dem Genitivus obiectivus, der das Objekt der Begierde oder das Ziel des Strebens angibt. Das PPP *profusus* (von *profundere, ausschütten, verschwenden*) ist aus phraseologischen Gründen zum Adjektiv erstarrt. Es steht mit dem Genitivus partitivus, der hier angibt, aus welcher Gesamtmenge verschwendet wird. Da es sich bei allen drei Partizipien um Prädikativa zu *animus* handelt, müssen wir sie wörtlich-undekliniert übersetzen.

Satis eloquentiae, sapientiae parum.

(Es war/gab/existierte) genug an Beredsamkeit, an Klugheit zu wenig.

Auch in diesem Satz liegt eine Ellipse von *esse* vor, jedoch ohne Prädikativa, so dass es in der Bedeutung *da sein, geben, existieren* übersetzt werden muss. Die undeklinierbaren Adjektive *satis, genug,* und *parum, zu wenig,* bilden in substantivierter Form Subjekte. Nach solchen Mengenangaben folgen logischerweise partitive Genitive zur Angabe der Gesamtmenge, von der genug oder zu wenig existierte. Stilistisch imponiert hier ein Chiasmus von Subjekten und Attributen:

satis eloquentiae
    ><
sapientiae parum

Vastus animus inmoderata, incredibilia, nimis alta semper cupiebat.
Sein primitiver Geist begehrte Ungemäßigtes, Unglaubliches, zu Hohes (hochgesteckte Ziele) immerzu.

Die asyndetischen Adjektive *inmoderata, incredibilia* und *alta* liegen als substantivierte Neutra Plural vor und stellen Akkusativobjekte zum Prädikat *cupiebat*. In der Übersetzung habe ich singularisiert. In der Stilanalyse kann man im doppelten Anlaut auf *in-* (*inmoderata, incredibilia*) eine vokalische Alliteration erblicken.

Hunc post dominationem L. Sullae lubido maxuma invaserat rei publicae capiundae neque, id quibus modis adsequeretur, dum sibi regnum pararet, quicquam pensi habebat.
Diesen hatte nach der Gewaltherrschaft des Lucius Sulla die überaus starke Begierde befallen den Staat zu übernehmen, aber mit welchen Mitteln er dies erreichte, solange er sich nur die Herrschaft verschaffte, hielt er nicht für wichtig.

Der Satz ist durch *neque* in zwei Teilsätze aufgeteilt. Subjekt des ersten Teilsatzes ist *lubido maxima*. Die Form ist altlateinisch für das ciceronische *libido*. Direktes Objekt ist *hunc*, *invaserat* Prädikat. Trotz dem Hyperbaton über *invaserat* ist *rei publicae capiundae* Genitivattribut zu *lubido*. *capiundae* ist passives Notwendigkeitspartizip (Gerundivum), weil es als Attribut mit *rei publicae* kongruiert. Für die Übersetzung bieten sich zwei Möglichkeiten: Altbewährt ist die Substantivierung-Genitivierung. Beachte in diesem Fall, dass das Genitivattribut wieder Objekt, nicht Inhaber der Begierde ist. Die wörtliche Übersetzung klingt daher unglücklich (*Begierde der Übernahme des Staates*) im Gegensatz zur Präpositionalisierung (*Begierde zur Übernahme des Staates*). Im Genitiv kann das Gerundivum zudem häufig durch *zu* + Infinitiv umschrieben werden wie in meinem Vorschlag. Nach *neque* findet ein logischer Subjektswechsel zu Catilina (*er*) statt. Insgesamt ist die zu erwartende Abfolge der Sinnabschnitte in diesem Satz etwas derangiert. Die Negation von *neque* tritt in der deutschen Übersetzung erst relativ spät ein. Der eigentliche Hauptsatz wird zwar durch *neque* angeknüpft, dann aber erst mit *quicquam pensi habebat* fortgesetzt. Von diesem Ausdruck ist der mit *quibus modis* eingeleitete indirekte Fragesatz abhängig, obwohl dieser dafür eigentlich viel zu weit vorgerückt steht. Auch das Objekt des indirekten Fragesatzes *id* zum Prädikat *adsequeretur* ragt so penetrant in den Vordergrund, dass es sogar die einleitenden Fragewörter *quibus modis* verdrängt. Diesem indirekten Fragesatz ordnet sich schließlich der nun folgende Konjunktionalsatz unter. Subjekt bleibt weiterhin Catilina in Form des Personalpronomens *er*. *regnum* ist direktes Objekt zu *pararet*, das auf Catilina bezogene Reflexivpronomen *sibi* indirektes Objekt. Verwechsele *parare, bereiten, verschaffen*, nicht mit *parēre, gehorchen*, oder *parĕre, zeugen, hervorbringen*!

Agitabatur magis magisque in dies animus ferox inopia rei familiaris et conscientia scelerum, quae utraque iis artibus auxerat, quas supra memoravi.
Umgetrieben wurde mehr und mehr mit den Tagen sein primitiver Geist aus Mangel an Familienvermögen und im Bewusstsein seiner Verbrechen, welches beides er durch diese Eigenschaften verstärkt hatte, welche ich oben erwähnt habe.

Wenn das lateinische Prädikat am Anfang des Satzes (hier *agitabatur*) steht und im Deutschen aus mehr als einem Wort (hier: *wurde umgetrieben*) besteht, kann man auch den nicht konjugierten Teil (*umgetrieben*) als ersten und den konjugierten Satzteil (*wurde*) als zweiten Satzteil einsetzen. Anschließend kann man das eigentliche Subjekt (hier: *animus ferox*) getrost folgen lassen, wann es will. *inopia* und *conscientia* hingegen sind keine Nominative, sondern Ablativi causae, weil sie den Grund des Umtreibens angeben. Das Genitivattribut *rei familiaris* ist partitiv, weil es nach einem Ausdruck des Mangels steht. *quae utraque* sind der Form nach substantivierte Pronomen (bzw. Pronominaladjektive) im Akkusativ Plural Neutrum, die ich im Deutschen singularisiere um nicht umständlich formulieren zu müssen: «*welche beiden Dinge*». Sie bilden das Objekt des Relativsatzes, während das logische Subjekt Catilina nur im Prädikat *auxerat* (von *augere, vergrößern, vermehren, verstärken*, nicht von *audere, wagen*, oder *audire, hören*!) steht. Der folgende Relativsatz (*quas*) bezieht sich wiederum auf *iis artibus*.

Incitabant praeterea conrupti civitatis mores, quos pessuma ac divorsa inter se mala, luxuria atque avaritia, vexabant.

An reizten (ihn) (es reizten an, einen Anreiz boten) außerdem die zerrütteten Sitten der Gesellschaft, welche die schlimmsten und untereinander ausgeschlossenen (miteinander unvereinbaren) Übel, Konsum und Gier, zersetzten.

Auch im Falle von *incitabant* kann wie im vorherigen Satz verfahren werden um die Stellung zu wahren. Das Ergebnis klingt allerdings grenzwertig. Alternativ steht noch die Substitution des Subjektes mit *es* oder mein freierer Vorschlag zur Verfügung. Das PPP *conrupti* ist ein Attribut zu *mores* (von *mos, Sitte,* nicht von *mors, Tod, morus, Maulbeerbaum,* oder *mora, Verzögerung*), kongruiert also nicht mit dem Genitiv *civitatis,* der in Klammerstellung steht und in Endstellung gebracht werden muss. Da *conrupti* nicht erweitert ist, genügt einfache wörtlich-deklinierte Übersetzung. Der folgende Relativsatz *(quos)* bezieht sich auf *mores.* Subjekt des Relativsatzes ist das substantivierte Adjektiv im Nominativ Plural Neutrum *mala, schlechte Dinge, Übel.* Dies wird wiederum durch die beiden eingeschobenen substantivischen Attribute *luxuria* und *avaritia* präzisiert, außerdem durch zwei Attribute (*pessuma* und *divorsa*). Das Adjektiv *divorsa* (ciceronisch: *diversa*) ist ursprünglich ein PPP (von *divertere, abwenden, ausschließen*) und als solches erweitert durch den präpositionalen Ausdruck *inter se, unter sich, untereinander.* Die wörtliche Übersetzung lässt den Sinn etwas im Trüben. Gemeint ist, dass sich Verschwendungssucht und Besitz gegenseitig zuwiderlaufen.

Urbem Romam ...

Urbem Romam [...] condidere atque habuere initio Troiani, qui Aenea duce profugi sedibus incertis vagabantur, et cum his Aborigines, genus hominum agreste, sine legibus, sine imperio, liberum atque solutum.

Die Stadt Rom gründeten und hielten anfangs die Trojaner, die unter Führung des Aeneas flüchtig in unsteten Wohnsitzen umherzogen und mit diesen (zusammen) Ureinwohner, ein bäuerliches Geschlecht von Menschen, ohne Gesetze, ohne Regierung, frei und ungebunden.

In Verbindung mit dem substantivischen Attribut *urbem* ist *Romam* das Objekt des Hauptsatzes zu den beiden Prädikaten *condidere* und *habuere* (Nebenformen für die Perfekte *condiderunt* und *habuerunt*). Subjekt des Hauptsatzes ist zunächst *Troiani*, später auch *Aborigines*, das sich durch das *et* an *Troiani* anschließt, aber durch das Relativattribut zu *Troiani (qui)* abgespreizt wird. Das Relativpronomen übernimmt in diesem Relativsatz die Funktion des Subjekts. Das kongruente Adjektiv *profugi* fasse ich wegen der Sperrung als Prädikativum auf und führe den Stammtest und Präpositionentest durch, indem ich einmal wörtlich-undekliniert *(flüchtig)*, einmal mit den Präpositionen a*ls/für/zu (als flüchtige)* übersetze. *Aenea duce* ist nominaler Ablativus absolutus, bestehend aus einem nominalen (oder pronominalen) Bezugssubstantiv (hier *Aenea*) und einem meist substantivischen Attribut, das Beruf, Funktion, Wesen oder Amt angibt, gelegentlich stehen anstelle eines von Substantiven auch Adjektive oder Verbaladjektive, die Unwillen *(invitus)*, Lebensalter *(adulescens)*, An- oder Abwesenheit *(praesens, absens)* angeben.

Sie nähern sich dem AmP an. Man übersetzt, indem man mit *während, bei, unter,* präpositionalisiert, das substantivische Attribut zu einem substantivierten Infinitiv oder depersonalisierten Substantiv konvertiert (hier also aus *duce, Führer,* ein Substantiv wie *Führen, Führung* macht) und das Bezugssubstantiv genitiviert (hier also *des Aeneas*). Weiteres dazu siehe Lehrbuch S. 213. *sedibus incertis* ist Ablativus loci. Beachte, dass *vagari* deponent ist. An das zweite Subjekt *Aborigines* schließt sich eine Kette von Attributen verschiedener Art und Funktion an: *genus* ist ein substantivisches, Attribut zu *Aborigines*, weil sie nicht nur vorübergehend, sondern immer ein Geschlecht oder eine Art sind. Der Genitiv *hominum* ist wiederum Attribut zu *genus*, ebenso wie das adjektivische Attribut *agreste*. *sine legibus* und *sine imperio* sind präpositionale, *liberum, frei,* und *solutum, gelöst, ungebunden* (eigentlich ein PPP von *solvere, lösen*) nochmals adjektivische Attribute, die eher prädikative Zustände beschreiben, weil sie in der Übersetzung locker in der Stellung belassen, bzw. wörtlich-undekliniert übersetzt werden können (Stammtest).

Sed postquam res eorum civibus, moribus, agris aucta satis prospera satisque pollens videbatur, sicuti pleraque mortalium habentur, invidia ex opulentia orta est.

Aber nachdem der Staat von diesen, durch Bürger, Sitten, Land vergrößert, reichlich wohlhabend und reichlich mächtig erschien, kam, so wie sich die meisten Dinge (Verhältnisse, Beziehungen) der Menschen verhalten, Neid infolge des Reichtums auf.

Das Tempus des Prädikates im *postquam*-Satz *(videbatur)* orientiert sich wieder am Tempus des übergeordneten Satzes *(orta est)*. Dieses ist Perfekt Deponent – das Imperfekt *videbatur* muss ins Plusquamperfekt weichen. *videri, scheinen, erscheinen,* ist Einleiter von NcIs und doppelten Nominativen, so auch hier in Form des Subjektsnominativs *res* und der nächstliegenden beiden Prädikativa *prospera* und *pollens*, die angeben, als was der Staat erscheint. Das PPP *aucta* hingegen lässt sich zwar als Prädikativum zu *res* auffassen, beschreibt aber nicht, als was der Staat erscheint, sondern in welchem zusätzlichen zeitlichen Zustand der Staat als wohlhabend und mächtig erscheint (im konjunktionalen Sinne: *nachdem er vergrößert worden war*). Diese Übersetzung habe ich nur wegen des doppelten *nachdem* verworfen. Im Übrigen lässt sich *aucta* auch relativieren *(der vergrößert worden war)*. Vergessen darfst du in Verbindung mit *aucta* nur nicht die drei instrumental-ablativischen Erweiterungen *civibus, moribus, agris*. Der Einschub mit *sicuti* ist kein echter Nebensatz, sondern ein kommentierendes Infiltrat, das keinen syntaktischen Bezug zu seiner Umgebung aufweist. Daher könnte man ihn auch herausschneiden und separat übersetzen. Das Pronominaladjektiv im Nominativ Plural Neutrum *pleraque* dient als Subjekt. Bei der deutschen Substantivierung kann man *Dinge*, passender aber *Verhältnisse, Beziehungen, Angelegenheiten,* ergänzen.

Hi postquam in una moenia convenere, dispari genere, dissimili lingua, alius alio more viventes, incredibile memoratu est, quam facile coaluerint: ita brevi multitudo divorsa atque vaga concordia civitas facta erat.

Nachdem diese in einheitliche Mauern (singularisiert: eine Mauer; frei: gemeinsame Stadt) zusammengekommen waren, von ungleicher Abstammung, unterschiedlicher Sprache, jeder nach anderer Sitte lebend, ist es unglaublich zu erwähnen, wie leicht sie zusammenwuchsen: so in Kürze (so schnell, in so kurzer Zeit) war eine verschiedenartige und umherziehende Menge in Frieden zu einer Bürgerschaft gemacht worden.

Das pronominale Subjekt *hi* schiebt sich vor die Nebensatzkonjunktion *postquam* und lässt diese leicht nachhängen, so dass wir sie im Deutschen wieder vorziehen müssen. Denn eine Nebensatzkonjunktion genießt im Deutschen die gleiche Priorität wie der König im Schachspiel. Sie muss immer umgestellt werden, wenn ihre Stellung bedroht ist. *postquam* steht in vorzeitigem Verhältnis zum Tempus des übergeordneten Satzes. Der dem *postquam*-Satz übergeordnete Satz ist in diesem Fall jedoch nicht der naheliegende, kurze Hauptsatz *(incredibile memoratu est)*, sondern der diesem untergeordnete indirekte Fragesatz *(quam facile coaluerint)*. Der Konjunktiv *coaluerint* hat das Tempus Perfekt und verdammt damit das Perfekt des *postquam*-Satzes (*convenere*, ciceronisch: *convenerunt*) obligatorisch in die Vorvergangenheit (Plusquamperfekt: *zusammen gekommen waren*). *in una moenia* ist eine Richtungsangabe, denn *una moenia* ist Akkusativ. <u>Falsch</u> wäre also vor allem die Übersetzung: «*auf einer Mauer*» oder «*in einer Mauer*». Der Plural Neutrum *moenia* dient stilistisch auch als Metonymie (Bedeutungsübertragung) für *Stadt*, weil in der Antike ein umgebender Mauerring das Hauptkriterium für eine Stadt war. Wenn man auf dem Plural beharrt, muss man mit dem singularischen Ausdruck *una*, *ein*, herumlaborieren und etwa durch *einheitlich* oder *gemeinsam* übersetzen. *dispari genere*, und *dissimili lingua* sind Ablativi qualitatis, an die man bei Sallust in erhöhtem Maße denken muss. Die Formulierung *alius alio more viventes* ist etwas unkonventionell und lässt sich kaum wörtlich übersetzen. Die ganze Konstruktion ist ein lockeres Prädikativum zu *hi*. Deplatziert wirken vor allem die Singularformen *alius alio*. Ich löse die Irritation dadurch auf, dass ich *alius* (und nur *alius*) ausnahmsweise nicht mit *ein anderer*, sondern mit *jeder* übersetze und das PPA *viventes* wörtlich-undekliniert anhänge und durch diesen Kunstgriff das Bezugswort (eigentlich der Plural *hi*, in dieser Form aber auch der Singular *alius*) offenlasse. Zu dem Prädikativum *incredibile* und seinem zugehörigen Prädikat *est* existiert grammatisch kein Subjekt. Aus der KNG-Kongruenz mit *incredibile* und der PN-Kongruenz mit *est* kann man jedoch darauf schließen, dass es sich um einen Nominativ Singular Neutrum handelt und ein unpersönlicher Ausdruck vorliegt. In der deutschen Übersetzung ergänzt man optional das Personalpronomen *es*. Nach Adjektiven wie *mirabile*, erstaunlich, *acerbum*, bitter, *iucundum*, angenehm, und, wie hier, *facile*, leicht, steht bei Cicero selten, bei Sallust öfters, ein Supinum 2. Dabei handelt es sich um einen PPP-Stamm bestimmter Verben (*audire*, hören, *cognoscere*, erkennen, *dicere*, sagen, *facere*, tun, machen, *intellegere*, verstehen, und, bei Sallust, *memorare*, daran denken, erwähnen), der in der äußeren Form einem Ablativ der u-Deklination auf -*u* (hier *memoratu*) gleicht. Übersetzt wird er mit *zu* + Infinitiv (Lehrbuch S. 192). An diesen Ausdruck der Vorstellung knüpft sich eine indirekte Frage, die mit *quam*, wie, eingeleitet und mit dem *quam*-Test *(wie, welch, als, möglichst)* auch schnell als solche erkannt wird. Nach dem Doppelpunkt beginnt ein eigenständiger Satz mit dem Subjekt *multitudo* und dem Prädikat *erat*, das mit dem PPP *facta* als Prädikativum ein Plusquamperfekt Passiv bildet. Dieses leitet sich von *fieri*, werden, geschehen, gemacht werden, ab, das gleichzeitig als Passiv von *facere* dient. In Verbindung mit einem Prädikativum hat *fieri* die Bedeutung *gemacht werden zu*, was man auch mit dem Präpositionentest herausfinden kann. Dieses Prädikativum, zu dem die Menge gemacht wird, ist hier *civitas*. Die Adjektive *divorsa* und *vaga* sind hingegen Attribute zu *multitudo*. *concordia* wiederum ist kein Nominativ, sondern Ablativus modi oder instrumentalis.

Igitur reges populique finitumi bello temptare, pauci ex amicis auxilio esse […].

Also forderten benachbarte Könige und Völker (sie) durch Krieg heraus, wenige von (ihren) Freunden (Verbündeten) gereichten (kamen) zur Hilfe.

Wenn, wie in diesem Satz der Fall, ein finites Verb als Prädikat fehlt, während irgendwelche Infinitive (hier *temptare* und *esse*) herumhängen, so muss man (bei Sallust in erhöhtem Maße) an den historischen Infinitiv denken. Diesen darf man nicht mit anderen Infinitivkonstruktionen (Infinitiv nach *posse*, NcI, AcI) verwechseln. Den historischen Infinitiv behandelt man wie ein finites Verb, in dem man ihn in PN-Kongruenz zum Subjekt (hier *reges populique finitumi*) und *pauci* zum finiten Verb macht. Die Präposition *ex* hat hier die Funktion eines partitiven Genitivs, der angibt, aus welcher Gesamtheit (alle befreundeten Stämme) die wenigen ein Teil waren. *auxilio esse* ist ein Dativus finalis, gekennzeichnet durch die Konstruktion mit *esse* zur Angabe eines Zweckes oder Zieles. Übersetzt wird standardisiert mit *gereichen zu* oder freier in Anpassung an den jeweiligen Sinnzusammenhang (hier *kommen zu*). Weiteres zum Finalis: Lehrbuch S. 205.

At Romani domi militiaeque intenti festinare, parare, alius alium hortari, hostibus obviam ire, libertatem, patriam parentisque armis tegere.
Aber die Römer gingen in Frieden und Krieg angespannt (entschlossen) voran, bereiteten sich vor, jeder ermahnte den anderen, trat den Feinden entgegen, schützte Freiheit, Vaterland und Familien mit Waffen.

Auch in diesem Satz bestehen die Prädikate aus einem Asyndeton von historischen Infinitiven *(festinare, parare, hortari, ire, tegere)*. Diese stehen zunächst in PN-Kongruenz zum Subjekt *Romani*, danach zu *alius*. Die adverbialen Lokative *domi militiaeque, in Frieden und Krieg,* solltest du dir als Phrase merken. Das PPP *intenti* (von *intendere, anspannen*) lässt sich meist gut als einfaches Adjektiv (*angespannt* im Sinne von *entschieden, entschlossen*) übersetzen, hier als Prädikativum zu *Romani* und *festinare* in stellungskonservativer und wörtlich-undeklinierter Form *(die Römer ... entschlossen)*. Bei *alius alium* findet sich wieder der gleiche abrupte Numeruswechsel wie im vorherigen Satz, nur dass wir im weiteren Verlauf des Satzes auch im Singular bleiben können. *obviam ire, entgegen treten,* ist ein idiomatischer Ausdruck und steht regelmäßig mit dem Dativobjekt (hier *hostibus*). Die drei Akkusative *libertatem, patriam* und *parentis* (Nebenform auf *-i-* statt *parentes*) sind direkte Objekte zu *tegere. armis* ist hingegen Ablativus instrumentalis. *parentes*, eigentlich *Eltern*, habe ich hier frei mit *Familien* übersetzt, um die *pa*-Allitteration von *patriam* und *parentis* im Deutschen nachzuempfinden.

Post, ubi pericula virtute propulerant, sociis atque amicis auxilia portabant, magisque dandis quam accipiundis beneficiis amicitias parabant.
Später, sobald sie die Bedrohungen mit (ihrer) Stärke vertrieben hatten, brachten (leisteten) sie Bundesgenossen und Freunden Hilfe (singularisiert) und mehr durch Geben als durch Empfangen von Wohltaten bereiteten (schlossen) sie Freundschaften.

post kann ohne Bezugswort im Akkusativ keine Präposition sein, folglich ist es hier Adverb. *ubi* steht hier bereits mit dem Plusquamperfekt *(propulerant)*, so dass wir uns um eine Verlegung in die Vorzeitigkeit nicht mehr zu kümmern brauchen. *pericula* ist nicht etwa Subjekt, sondern direktes Objekt zu *propulerant* (es sind nicht die Bedrohungen, die vertreiben, sondern vertrieben werden). Das Subjekt geht logisch aus dem vorherigen Satz hervor *(Romani)* und steht in Form des Personalpronomens *sie*. Auch der Akkusativ Plural Neutrum *auxilia* ist Objekt, hier zu *portabant*. In der Wendung *auxilia portare* sollte man es allerdings singularisieren und bei der Übersetzung auch ruhig etwas freier werden. Das Komparativadverb *magis, mehr,* korrespondiert mit *quam, als*. Es stellt hier zwei Gerundiva im Ablativ einander gegenüber *(dandis* und *accipiundis)*. Als modale oder instrumentale Ablative präpositionalisiere ich mit *durch*, substantiviere die nd-Formen *(Geben, Empfangen)* und genitiviere bzw. umschreibe mit *von* das Bezugswort *beneficiis (von Wohltaten)*.

Imperium legitumum [...] regium habebant.
Sie hatten eine rechtmäßige monarchische Herrschaftsform.

imperium ist direktes Objekt zu *habebant*. Wer möchte, kann hier mit den beiden Adjektiven *legitumum* und *regium* in Richtung Attribut oder Prädikativum noch experimentieren (z. B. *als Herrschaftsform hatten sie eine rechtmäßig monarchische*), aber die Kürzung wirkt ohnehin ebenso vereinfachend wie verzerrend.

Delecti, quibus corpus annis infirmum, ingenium sapientia validum erat, rei publicae consultabant.
Gewählte, welche einen aufgrund ihrer Jahre schwachen Körper, (aber) eine durch Weisheit starke Veranlagung hatten, hielten Rat für den Staat.

Das PPP *delecti* (von *deligere, auswählen, wählen*) liegt hier in substantivierter Form vor, weil es sich auf kein anderes Substantiv bezieht. Es ist als Nominativ Subjekt des Hauptsatzes. Das Relativpronomen *quibus* ist Dativus possessivus in Verbindung mit *erat*. Subjekte sind *corpus* und *ingenium*. Beim Dativus possessivus steht *esse* nicht mit einem adjektivischen Prädikativum zur Angabe dessen, was das Subjekt ist. *infirmum* und *validum* sind daher Attribute zu *corpus*, bzw. *ingenium*. Vielmehr wird der Dativ selbst zum Subjekt *(welche)* und das Subjekt zu einem direkten Objekt umgeformt zur Angabe, wer was besitzt oder hat *(einen Körper, eine Veranlagung). erat* wird dabei umgewandelt zu einem Ausdruck des Habens oder Besitzens *(hatten)*. Weiteres zum Possessivus Lehrbuch S. 205. Die beiden Ablativi causae *annis* und *sapientia* beziehen sich hier auf einfache Adjektive wie sonst eher auf Verbaladjektive. Bei der Übersetzung muss man diese zwischen Artikel und Adjektiv *(einen aufgrund der Jahre schwachen Körper)* klammern. Das Verb *consultare, sorgen, Rat halten für,* steht regelmäßig mit Dativobjekt *(rei publicae)*.

Hi vel aetate vel curae similitudine patres appellabantur.
Diese wurden entweder aufgrund ihres Alters oder aufgrund der Ähnlichkeit der Fürsorge «patres» (Väter) genannt.

Das Prädikat *appellari, bezeichnen als, nennen,* steht in nahezu allen Fällen mit doppeltem Nominativ, einem Subjekt und einem Prädikativum, das angibt, als was das Subjekt bezeichnet wird. Subjekt ist hier also das substantivische Pronomen *hi, patres* hingegen das Prädikativum. Die Doppelkonjunktion *vel ... vel ..., entweder ... oder ...,* gliedert hier zwei kausale Ablative. Mit *curae similitudine* ist die ähnliche Art des Beschützerverhältnisses zwischen Staat und Bürgern wie zwischen Vater und Familie gemeint. Daher stammt die auch von Cicero verwendete Anrede der Senatoren als *patres,* die im Deutschen auch unübersetzt bleiben darf.

Post, ubi regium imperium, quod initio conservandae libertatis atque augendae rei publicae fuerat, in superbiam dominationemque se convortit, inmutato more annua imperia binosque imperatores sibi fecere.
Später, sobald die monarchische Herrschaftsform, welche anfangs zur Bewahrung der Freiheit und zur Vergrößerung des Staates gedient hatte, in Hochmut und Gewaltherrschaft sich gewandelt hatte, schufen sie sich nach Reformierung der Staatsform (des Systems) jährliche Regierungen und je zwei Oberbefehlshaber.

Zur Struktur des Satzanfanges erlaube ich mir auf meine Anmerkung zu «*post, ubi ... propulerant*» drei Sätze zuvor zu verweisen, nur dass *ubi* hier nicht mit dem Plusquamperfekt, sondern mit dem Präsens oder Perfekt (Stammperfekt) steht *(convortit)* und entsprechend ins Plusquamperfekt umgewandelt werden muss. In den *ubi*-Satz ist ein relativer *quod*-Satz (Probe mit *dass, weil, welch* nicht vergessen!) zum Subjekt *imperium* eingelassen. Den Gerundiv-Titanen *conservandae libertatis atque augendae rei publicae* lösen wir unter Beachtung der Hilfe ganz entspannt nach der Substantivierungs-Genitivierungs-Technik auf. Als einleitende Präposition dient hier *zu.* Das Prädikat *fuerat* wird ähnlich wie beim Dativus finalis in der Bedeutung *gedient hatte* übertragen. Nun substantivieren wir die *nd*-Formen *conservandae* (Bewahrung) und *augendae* (Vergrößerung) und genitivieren die Bezugssubstantive *libertatis* (der Freiheit) und *rei publicae* (des Staates). Zurück im *ubi*-Satz müssen wir die Beziehung des Verbs *se convertere, sich verwandeln,* zu der präpositionalen Richtungsangabe *in superbiam dominationemque* beachten (*in* + Akkusativ!), auch wenn der Unterschied zwischen Orts- und Richtungsangabe bei der Formulierung «*in Hochmut und Gewaltherrschaft*» nur sinnlogisch, nicht formal grammatisch deutlich wird. Im Anschluss geht der zuvor nur mit einem Wort *(post)* angeschnittene Hauptsatz mit einem AmP weiter *(inmutato more).* Dieser lässt sich leicht präpositionalisieren. Schwieriger dürfte meine etwas freie Vokabelwahl nachzuvollziehen sein. Für *inmutare* wird kaum ein Wörterbuch die Bedeutung *reformieren* führen, ebensowenig *Staatsform* oder *System* für *mos* (das ohnehin nicht leicht aus *more* hervorgeht). Es ist also weniger ein Fehler als vielmehr eine etwas einfallslose und antiquierte Formulierung, wenn man übersetzt: *nach Änderung der Sitte. annua imperia* und *binos imperatores* sind direkte Objekte zum Hauptsatzprädikat *fecere* (Nebenform zu *fecerunt*). Vergiss nicht das indirekte Objekt *sibi,* das sich reflexiv auf das Subjekt (weiterhin «sie», die Römer) bezieht.

Eo modo minume posse putabant per licentiam insolescere animum humanum.
Sie glaubten, dass der menschliche Geist auf diese Weise am wenigsten durch Disziplinlosigkeit erschlaffen kann.

Bei *putabant* muss dir ohne zu Überlegen der AcI einfallen. Ebenso selbstverständlich ist das Aufsuchen und Sichern von Subjektsakkusativ und Prädikatsinfinitiv: *animum humanum posse.* Im Zweifelsfall opfert man die Erhaltung der Stellung und zieht sowohl Einleiter als auch den *dass*-Satz als Grundgerüst vor: «*sie glaubten, dass der menschliche Geist konnte* oder (wegen der Allgemeingültigkeit der Aussage auch) *kann ...*». An den Ausdruck des Könnens schließt sich, wie so oft, ein einfacher unverändert zu übersetzender Infinitiv an *(insolescere).* Die adverbialen Bestimmungen *eo modo, minume* (= *minime*) und *per licentiam* montiere ich erst zum Schluss ein.

Sed ubi labore atque iustitia ...

Sed ubi labore atque iustitia res publica crevit [...], saevire fortuna ac miscere omnia coepit.
Aber sobald durch Leistung und Gerechtigkeit der Staat gewachsen war, begann das Schicksal zu wüten und alles aufzumischen.

ubi bedingt ein vorzeitiges Verhältnis zum Tempus des übergeordneten Satzes, so dass das Perfekt *crevit* gegenüber dem Perfekt *coepit* um eine Zeitstufe in die Vergangenheit verlegt werden muss. Da es sich nun aber bei *coepit* auch um ein präsentisches Perfekt handeln kann, ist es nicht falsch, wenn man *coepit* präsentisch übersetzt und crevit im Perfekt belässt («sobald ... gewachsen ist, beginnt ...»). Der narrative Zusammenhang legt jedoch die Vergangenheitsformen näher. Subjekt des *ubi*-Satzes ist *res publica*. *labore* und *iustitia* sind Ablativi modi. Subjekt des Hauptsatzes ist *fortuna*. Von dem Prädikat *coepit* sind zwei Infinitive abhängig *(miscere, saevire)*, die mit *zu* übersetzt werden müssen. Das substantivierte Adjektiv im Akkusativ Plural Neutrum *omnia* ist Objekt nur zu *miscere*.

Qui labores, pericula, dubias atque asperas res facile toleraverant, iis otium divitiaeque, optanda alias, oneri miseriaeque fuere.
Welche Mühen, Gefahren, unsichere und harte Zustände leicht ertragen hatten, diesen waren Friede und Reichtum, sonst zu wünschende Dinge, zur Last und zum Elend.

Der Satz beginnt mit einem vorangestellten Relativattribut zu *iis* im Hauptsatz. *qui* ist Subjekt, *labores, pericula* und *res* Objekte und *toleraverant* Prädikat des Nebensatzes. Leitkonstruktion des Hauptsatzes ist ein doppelter Dativ. Dieser besteht aus dem einfachen pronominalen Dativobjekt *iis* und den beiden finalen Dativen *oneri* und *miseriae* in Verbindung mit dem Perfekt von *esse fuere (= fuerunt)*. Der Dativus finalis wird nicht wörtlich, sondern mit *zu* übersetzt. *oneri* kommt von *onus, Last,* ein seltenes und wegen des abweichenden Nominativstammes schwer zu findendes Substantiv. Verwechsele es nicht mit *opus, Arbeit,* oder *ops, Mittel*. *divitiae* ist ein Plurale tantum («Nur-Plural-Wort») mit singularischer Bedeutung *(der Reichtum)*. Die nd-Form *optanda* kann aufgrund der Endung nur Notwendigkeitspartizip sein, irritiert jedoch, weil sie kein kongruentes Bezugswort hat. Doch wie bei allen Adjektiven ohne Bezugssubstantiv, lässt diese Tatsache nur einen Schluss zu: die Form liegt selbst in substantivierter Form vor und zwar im Neutrum Plural. Für die Übersetzung müssen wir also wieder einmal *Dinge* hinzufügen.

Igitur primo pecuniae, deinde imperi cupido crevit.
Also wuchs zunächst nach Geld, dann nach Macht die Gier.

Die beiden Genitivattribute *pecuniae* und *imperi* (kurz für *imperii*) sind Objekte der Begierde *(cupido)*. Man bezeichnet sie daher auch als *Genitivi obiectivi*. Ein Genitivus obiectivus wird besser nicht wörtlich, sondern präpositional mit *nach, zu, für, in Bezug auf* übersetzt.

Ea quasi materies omnium malorum fuere.
Diese Dinge waren gewissermaßen die Grundsubstanz aller Übel.

ea ist substantiviertes Pronomen im Nominativ Plural Neutrum und Subjekt des Satzes. Inhaltlich sind die Begriffe aus dem vorherigen Satz gemeint (Gier nach Geld und Macht). Als Prädikativum in Verbindung mit *fuere* dient das Substantiv *materies*. An diesem hängt das Genitivattribut *omnium malorum* (von den substantivierten Adjektiven im Plural Neutrum *omnia mala, alle schlimmen Dinge, alle Übel*).

Namque avaritia fidem, probitatem ceterasque artis bonas subvortit.
Denn Gier zerstörte Zuverlässigkeit, Anstand und die übrigen guten Eigenschaften.

Das bei Sallust häufige *-que* hinter *nam* bleibt unübersetzt. Subjekt ist *avaritia*, Prädikat *subvortit* (altlateinisch für *subvertit*). Die restlichen Satzteile sind Akkusativobjekte, auch *artis,* dessen Stammauslaut eine i-Einfärbung aufweist und deshalb nicht auf *-es* endet. Als hätte Sallust geahnt, auf welch schreckliche Weise sich dieser Satz noch für die heutigen *artes bonae* bewahrheiten sollte – am Boden sind sie, zerfressen von Gier, Neid, Hass und Schmerz, verraten und verkauft an den Feind. Möge ihr Leid nicht lange währen! Bessere, größere, wahrere Werte werden kommen und für sie eintreten. Möge dieses Werk der Anfang ihrer Erlösung sein.

Pro his superbiam, crudelitatem, deos neglegere, omnia venalia habere edocuit.
Anstelle von diesen lehrte sie Arroganz, Grausamkeit, die Götter zu vernachlässigen, alles für käuflich zu halten.

Das Subjekt dieses Satzes ist grammatisch an keinem Nominativ festzumachen. Es steht jedoch in PN-Kongruenz mit *edocuit* als 3. Singular und geht logisch aus dem vorherigen Satz hervor: *sie, die Gier*. Das Prädikat *edocuit* nimmt gleichzeitig Beziehung zu zwei einfachen Akkusativobjekten (*superbiam* und *crudelitatem*) und zwei Infinitiven (*neglegere* und *habere*) auf, die mit *zu* übersetzt werden. Die Akkusative *deos* und *omnia* sind jeweils Objekte zu diesen Infinitiven. *venalia* ist streng genommen ein Prädikativum zu *omnia* in Verbindung mit *habere*, in dem wörtlichen Sinne: *alles für käuflich halten*. Gemeint ist damit der idiomatische Ausdruck: *alles zum Kauf anbieten.*

Ambitio multos mortalis falsos fieri subegit, aliud clausum in pectore, aliud in lingua promptum habere, amicitias inimicitiasque non ex re, sed ex commodo aestumare magisque voltum quam ingenium bonum habere.
Die Ehrsucht zwingt viele Menschen falsch zu werden, eines verschlossen im Herzen, anderes auf der Zunge offen zu halten, Freundschaften und Feindschaften nicht nach der Sache, sondern nach dem Nutzen zu beurteilen und mehr eine gute Miene (eine positive Erscheinung) als eine gute Anlage (ein gutes Wesen, gute Fähigkeiten) zu haben.

Das Prädikat *subegit* steht streng genommen mit einem AcI, bestehend aus dem Subjektsakkusativ *multos mortalis* (Nebenform für *mortales*) und einer Kette von Prädikatsinfinitiven *(fieri, habere, aestumare, habere)*. Ausnahmsweise bietet sich bei diesem AcI die seltene Möglichkeit einer wörtlichen Übertragung ins Deutsche, weil das Verb *zwingen* auch im Deutschen mit AcI steht. So kommt es, dass wir nicht unbedingt mit einem *dass*-Satz umschreiben müssen, sondern mit *zu* + Infinitiv arbeiten können. *fieri* gehört zu den Verben mit doppeltem Kasus in der Bedeutung *werden zu*, so dass wir *falsos* hier als wörtlich-undekliniertes *(falsch)* oder mit *zu* präpositionalisiertes *(zu falschen)* Prädikativum übersetzen müssen. Während die Menschen weiterhin Subjektsakkusativ auch zu den anderen Infinitiven bleiben, sind diesen weitere direkte Objekte untergeordnet. So ist das doppelte Pronominaladjektiv *aliud ... aliud ...*, *das eine ... das andere ...*, direktes Objekt zu *habere*. Das PPP *clausum* und das Adjektiv *promptum* wiederum sind Prädikativa zu *aliud* in Verbindung mit *habere* und werden daher wörtlich-undekliniert und stellungskonservativ übersetzt. Sie sind näher bestimmt durch die beiden präpositionalen Ausdrücke *in pectore* und *in lingua*. Die Akkusative *amicitias* und *inimicitias* sind direkte Objekte zu *aestumare* (das ciceronische *aestimare* ist eine abgelautete Form von *aestumare*). Die Präposition *ex* hat hier die Bedeutung *nach, entsprechend, gemäß*. *commodum* ist ein substantiviertes Neutrum Singular in der Bedeutung *Vorteil, Nutzen, Annehmlichkeit*. Beachte die Beziehung von *magis, mehr,* und *quam, als*. Beim zweiten *habere* denkt man bei dem doppelten Akkusativ *voltum* und *ingenium* natürlich zunächst an die Bedeutung *halten für*. Tatsächlich ist *bonum* jedoch kein Prädikativum zu *voltum* und *ingenium* (in dem nicht gemeinten Sinne: «*mehr das Gesicht als die Anlage für gut halten*»). Vielmehr handelt es sich bei *bonum* um ein einfaches Attribut in wörtlich-deklinierter Übersetzung und *habere* hat die einfache Bedeutung *haben* («*mehr ein gutes Gesicht als eine gute Anlage haben*»).

Haec primo paulatim crescere, interdum vindicari.
Diese (die Ehrsucht) entwickelte sich zuerst allmählich (schleichend), manchmal wurde sie bestraft.

Subjekt des Satzes ist das Pronomen im Nominativ Singular Femininum *haec, diese,* gemeint ist die Ehrsucht aus dem Vorsatz. Anstelle finiter Verben übernehmen zwei historische Infinitive (*crescere* und *vindicari*) die Funktion der Prädikate. In der deutschen Übersetzung müssen wir sie in PN-Kongruenz zum Subjekt (3. Plural) und im Erzähltempus (Präteritum) finit machen.

Post, ubi contagio quasi pestilentia invasit, civitas inmutata, imperium ex iustissumo atque optumo crudele intolerandumque factum.

Später, sobald der Befall gewissermaßen wie eine Seuche eingedrungen war, wurde die Bürgerschaft verändert, die Herrschaft aus einer äußerst gerechten und sehr guten grausam und unerträglich gemacht.

post fungiert hier nicht als Präposition mit dem Akkusativ *(nach)*, sondern als alleinstehendes Adverb *(später)*. *ubi* leitet einen vorzeitigen Nebensatz ein. Bei der Übersetzung muss das Tempus von *invasit* vorzeitig zum Tempus des nächstübergeordneten Prädikates stehen und deshalb gegebenenfalls adaptiert werden. Nun existiert im übergeordneten Satz kein Prädikat, so dass von einer Ellipse von *esse* in der Form *est* auszugehen ist. Dieses bildet mit den PPPs *inmutata* und *factum* als Prädikativa ein Perfekt Passiv *(inmutata est, wurde verändert, factum est, wurde gemacht)*. Folglich muss *invasit* ins Plusquamperfekt rücken. Im Hauptsatz stößt man zunächst auf das Subjekt *civitas*, das mit dem Prädikativum *inmutata* in Verbindung mit dem elliptischen *est* kongruiert, anschließend auf *imperium*, das Subjekt eines zweiten parataktischen Satzes ist. Dieses kongruiert sowohl mit dem Prädikativum *factum*, ebenfalls in Verbindung mit dem elliptischen *est*, als auch mit *crudele* und *intolerandum*, die ihrerseits Prädikativa sind wegen der Form von *facere (factum)* in der Bedeutung *machen zu*. Diese übersetze ich wörtlich-undekliniert.

Sed primo magis ambitio quam avaritia animos hominum exercebat, quod tamen vitium propius virtutem erat.

Aber zuerst setzte mehr der Ehrgeiz als die Gier die Seelen der Menschen unter Druck, welches doch eine Unsitte näher der Tugend war.

Beachte auch hier zunächst wieder die Korrelation von *magis* und *quam*, die die beiden Subjekte *ambitio* und *avaritia* strukturiert. *quod* leitet einen Relativsatz ein, der zwar mittelbar ein Attribut zu *ambitio* ist, in KNG-Kongruenz jedoch nicht zu *ambitio*, sondern zu *vitium* steht. Dies lässt sich entweder in Verbindung mit *erat* als Prädikativum übersetzen («..., welches eine Unsitte war») oder aus dem Relativsatz in den übergeordneten Hauptsatz extrahieren, so dass es wie ein substantivisches Attribut zu *ambitio* in Kommata steht («..., eine Unsitte, welche der Tugend näher war»). Wissen musst du zuvor noch, dass der Komparativ *propius* sich von dem Adverb *prope*, *nahe*, herleitet und dass *prope* nicht, wie im Deutschen, mit Dativ *(wem nahe)*, sondern mit Akkusativ *(virtutem)* steht. Der Sinn besagt also: *Bevor die Menschen völlig von Gier befallen wurden, war ihre Triebfeder wenigstens noch der Ehrgeiz, der zwar auch zu den Charakterfehlern zählt, aber doch noch mehr mit Tugend und Anstand zu tun hat als Gier.*

Nam gloriam, honorem, imperium bonus et ignavos aeque sibi exoptant.

Denn Ruhm, Ehre, Herrschaft wünschen sich der Gute und der Schlechte in gleichem Maße für sich.

Die drei Objekte *gloriam*, *honorem* und *imperium* bilden ein Asyndeton. Die beiden Adjektive *bonus* und *ignavus* müssen in Ermangelung eines Bezugssubstantivs substantiviert werden. Sie stellen die Subjekte des Satzes. *ignavos* ist nicht etwa Akkusativ Plural Maskulinum, sondern ein rudimentärer Nominativ der o-Deklination, in dem der o-Stamm noch nicht vom *u* der Alltagsaussprache überdeckt wurde. Der Grund, weshalb Sallust hier eine Ausnahme macht, liegt in dem *v*, das damals nicht von *u* zu unterscheiden war, so dass es zu einer Buchstabendopplung kam in der Form *ignavvs*. In dieser hatte sich die Aussprache des *o* halten können im Gegensatz zu sonstigen Nominativen der o-Deklination auf *-us*. *aeque* ist Adverb der a-/o-Deklination («Ahnungslose Omas essen»). Das Reflexivpronomen *sibi* bezieht sich als indirektes Objekt auf die beiden Subjekte.

Sed ille vera via nititur.

Aber jener stützt sich auf den wahren Weg.

Zu diesem Satz muss man vor allem wissen, das das Deponens *niti*, *sich stützen auf*, regelmäßig mit dem Ablativ steht (hier *vera via*). Solche Hinweise stehen auch im Wörterbuch, wenn man routinemäßig immer auch nach der Konstruktion schaut.

Huic quia bonae artes desunt, dolis atque fallaciis contendit.
Weil diesem gute Eigenschaften fehlen, kämpft er mit Listen und Täuschungsmanövern.

Das Demonstrativpronomen *huic* drängt die Konjunktion *quia* auf den zweiten Platz, was wir im Deutschen nicht zulassen können. *deese, fehlen,* steht regelmäßig mit dem indirekten Objekt im Dativ. Noch immer sind *artes bonae* die einzigen Garanten der Tugend und ehrlicher Wettbewerbsbedingungen. Niemals würde man *artes bonae* mit Manipulationen, Absprachen und Klüngelei in Verbindung bringen. *dolis* und *fallaciis* sind Ablativi instrumentales.

Avaritia pecuniae studium habet, quam nemo sapiens concupivit.
Die Gier hat eine Begeisterung für Geld (Fixierung auf Geld), welches kein Weiser braucht.

Subjekt des Hauptsatzes ist *avaritia*. Das Genitivattribut *pecuniae* lässt sich als Genitivus obiectivus nun sowohl auf *avaritia (Gier nach Geld)* als auch auf *studium* (wörtlich: *Bemühung um Geld, Begeisterung für Geld*) beziehen. Achte auf die Präpositionalisierung, die wörtliche Übersetzung *(«Begeisterung des Geldes»)* ist ungenau. Der Sinn lässt sich jedoch deutlicher darstellen, wenn man *pecuniae* als vorangestelltes Attribut auf *studium* bezieht. Die für die Psychologie des BWL-Karrieristen etwas aufpoliertere Übersetzung mit *Fixierung* konnte ich mir nicht verkneifen. Führe bei *quam* den *welch-wie-als-möglichst*-Test durch. Es finden sich keine Hinweise für eine andere Bedeutung als die relative in KNG-Kongruenz mit *pecuniae*. *nemo* hat hier nicht pronominalsubstantivische *(niemand)*, sondern pronominaladjektivische *(kein)* Funktion.

Ea quasi venenis malis inbuta corpus animumque virilem effeminat. Semper infinita et insatiabilis est. Neque copia neque inopia minuitur.
Diese, nachdem sie gewissermaßen mit üblen Giften durchtränkt worden ist, verweichlicht den männlichen Körper und Geist. Immer unendlich und unersättlich ist sie. Weder durch Masse noch Mangel wird sie vermindert.

Subjekt des Satzes ist das Pronomen *ea*, das sich gedanklich scheinbar zunächst sowohl auf *Geld* als auch auf *Gier* bezieht, weil beide feminine Bezugssubstantive aus dem Vorsatz sind. Wenn man jedoch die folgenden beiden Sätze mit in Betracht zieht, wird deutlich, dass nur Gier gemeint sein kann. Mit *ea* kongruiert das Partizip *inbuta* (von *inbuere* oder *imbuere, besudeln, durchtränken*) als Prädikativum. Wegen der Erweiterungen mit *quasi* und den instrumentalen Ablativen *venenis malis* habe ich konjunktionalisiert. Objekte zu *effeminat* sind *corpus* und *animum* mit ihrem gemeinsamen Attribut *virilem*. Ein klassischer Folgefehler aus einem nicht verstandenen Sinnzusammenhang besteht im letzten Satz darin, dass man *copia* und *inopia* als Subjekt auffasst und <u>falsch</u> übersetzt: *Weder Masse noch Mangel wird vermindert.* Tatsächlich handelt es sich bei *copia* und *inopia* um modale Ablative. Subjekt und Thema des Textes war, ist und bleibt *avaritia, die Gier*.

His rebus conparatis Catilina ...

His rebus conparatis Catilina nihilo minus in proxumum annum consulatum petebat sperans, si designatus foret, facile se ex voluntate Antonio usurum.

Nach Erledigung dieser Dinge strebte Catilina um nichts weniger in Bezug auf (für) das nächste Jahr den Konsulat an hoffend (in der Hoffnung), wenn er gewählt worden wäre (gewählt werden würde), dass er leicht nach Belieben von Antonius Gebrauch machen (Antonius benutzen) würde.

his rebus conparatis fällt als AmP sofort ins Auge. Da das PPP *conparatis* nicht erweitert ist, eignet es sich gut für die Präpositionalisierungs-Substantivierungs-Genitivierungs- (PSG)-Technik. Diese sollte, wo möglich, der Konjunktionalisierung vorgezogen werden, weil sie kürzer und leichter ist. Bei der Konjunktionalisierung musst du zusätzlich auf Diathese und Zeitverhältnis (beim PPP *conparatis* Passiv und Vorzeitigkeit) achten: «*nachdem diese Dinge erledigt worden waren*». *minus* ist Komparativ des Adverbs, der bei den Formen *plus* und *minus* nicht auf *-ius*, sondern nur auf *-s*, bzw. *-us* endet (plus-minus-Regel, Lehrbuch S. 146). Dies wird nochmals adverbial modifiziert durch die Form *nihilo, in nichts, in keiner Hinsicht, um nichts*. *in proxumum annum* ist eine zeitliche Richtungsangabe (*in* + Akkusativ). Mit der richtigen Bedeutung der Präposition *in* muss man ein bisschen spielen. Wenn es wörtlich mit *in* nicht geht, passt als Arbeitsübersetzung eigentlich immer die Wendung *in Richtung auf* oder *in Beziehung auf*, außerdem hier die Präposition *für*. Für altlateinische Formen wie *proxumum*, für die Sallust noch einen nostalgischen Fimmel hat, setzt Cicero schon das abgelautete *proximum* ein. Die Wendung *consulatum petere* kann man freier und idiomatischer auch mit «*sich um den Konsulat bewerben*» übersetzen. Auf den Artikel zum deutschen Substantiv *Konsulat* legen manche Prüfer penibel wert. Unterscheide zwischen «*das Konsulat*» (= Botschaft) und «*der Konsulat*» (= Amt des Konsuls). Das PPA *sperans* leitet einen futurischen AcI ein. Selbst sollte es wegen der weiten Sperrung und der folgenden AcI-Konstruktion nicht wörtlich-dekliniert, sondern, wie in meinem Vorschlag, in der Stellung unverändert und wörtlich-undekliniert *(hoffend)*, konjunktionalisiert *(als/während/weil er hoffte)* oder präpositionalisiert *(in der Hoffnung)* übersetzt werden. Die Konstruktion *designatus foret* kommt folgendermaßen zustande: *designatus* ist ein PPP von *designare, bestimmen, wählen. foret* ist ein Sallust-spezifisches Synonym zu *esset*. Dabei tritt der Infinitiv Futur von *esse, fore*, mit einer der regulären Personalendungen zum Imperfekt von *esse* zusammen. Dieses bildet in Verbindung mit dem PPP als Prädikativum einen Konjunktiv Plusquamperfekt Passiv. Wenn dieser in einem *si*-Satz erscheint, darf er nicht ignoriert werden, sondern muss wörtlich durch den deutschen Konjunktiv 2 Plusquamperfekt translatiert werden. Wenn man es hyperakribisch nimmt, ist diese Gleichsetzung unzulässig. Denn die Kombination aus PPP und finiten Formen von *fore* dient zur Bildung eines Konjunktivs Futur, den man auch im Deutschen bilden kann (Lehrbuch S. 245). In der Klammerbemerkung habe ich diese Alternative aufgezeigt. Nun folgt noch der AcI zu *sperans*, eingeleitet durch einen *dass*-Satz. Subjektsakkusativ ist das Reflexivpronomen *se*, das sich auf Catilina selbst bezieht. Der Infinitiv ist wieder ein elliptisches *esse*, das nach dem PFA (hier *usurum*) regelmäßig ausfällt. Mit diesem zusammen bildet es ein einfaches umschriebenes Futur 1 *(Coniugatio periphrastica activa)*. Wie bei allen Formen des Verbs *uti* muss man auch bei *usurum* beachten, dass es nicht mit direktem Objekt, sondern mit Ablativ (hier *Antonio*) steht. Wenn man *uti* nicht mit *benutzen, gebrauchen*, sondern mit *Gebrauch machen von* übersetzt, kann man sich diesen Ablativ mit dem Daumen der Ablativhand *(von wo?)* herleiten.

Neque interea quietus erat, sed omnibus modis insidias parabat Ciceroni.

Aber inzwischen war er nicht ruhig, sondern bereitete (plante) auf alle Arten Attentate dem Cicero (gegen Cicero).

Logisches Subjekt des Satzes bleibt weiterhin Catilina. Das Personalpronomen «*er*» geht nur aus der PN-Kongruenz mit *erat* und der KNG-Kongruenz mit *quietus* hervor. *quietus* ist Prädikativum in Verbindung mit *esse*. Die idiomatische Wendung *insidias parare*, wörtlich: *Fallen bereiten, Hinterhalte stellen*, steht regelmäßig mit indirektem Objekt (hier: *Ciceroni*). Wenn man freier mit *Attentate planen* arbeitet, lässt sich dieses nicht mehr wörtlich übersetzen, sondern nur sinngemäß präpositionalisieren *(gegen Cicero, auf Cicero)*.

Neque illi tamen ad cavendum dolus aut astutiae deerant.
Doch auch jenem (Cicero) fehlten «zum sich Schützen» (um sich zu schützen) nicht List oder Intrigen.

Subjekte des Satzes sind *dolus* und *astutiae*. *astutia*, im Singular synonym mit *dolus: List*, hat im Plural die Bedeutung *Intrigen*. Das Prädikat *deerant* (von *deesse*, fehlen) steht regelmäßig mit Dativobjekt, hier dem Pronomen *illi*. *cavendum* ist ein substantivierter Infinitiv, weil die Form kein kongruentes Bezugswort aufweist. Die wörtliche Übersetzung klingt wegen des deutschen Reflexivpronomens *sich* etwas umständlich, daher greift man auf die Technik mit *um zu* + Infinitiv zurück.

Namque a principio consulatus sui multa pollicendo per Fulviam effecerat, ut Q. Curius, de quo paulo ante memoravi, consilia Catilinae sibi proderet.
Denn von Beginn seines Konsulates an hatte er «durch das viele Dinge Versprechen» (durch Versprechen vieler Dinge) mittels Fulvia bewirkt, dass Quintus Curius, über welchen ich kurz vorher Erwähnung getan habe (welchen ich erwähnt habe), die Pläne Catilinas ihm verriet.

Subjekt des Satzes ist nun Cicero, der im voraufgegangenen Satz als Dativobjekt in Erscheinung getreten war. *consulatus sui* ist nachgestelltes Genitivattribut (*consulatus* ist u-Deklination) zu *principio*. *sui* bezieht sich dabei auf Cicero, der anstelle Catilinas zum Konsul des Jahres 63 an der Seite des oben erwähnten Antonius gewählt worden war. *pollicendo* ist substantivierter Infinitiv. Die besondere Herausforderung für die deutsche Übersetzung bietet hier das substantivierte Adjektiv Plural Neutrum *multa, vieles, viele Dinge*, als Akkusativobjekt zu *pollicendo*. Denn wenn man den Ablativus modi *pollicendo* wörtlich «durch das Versprechen» übersetzt, lässt sich ein direktes Objekt zu Versprechen *(wen versprechen)* nur mit brachialer Gewalt durchsetzen («*durch das viele Dinge Versprechen»)*. Um diesem Problem auszuweichen, sollte man sich den Sinn klar machen und dann nach einem freieren Ausweg suchen: «*Cicero verspricht viele Dinge um Fulvia auf seine Seite zu bringen.»* Anschließend kann man zum Beispiel das lateinische Objekt *multa* im Deutschen genitivieren *(das Versprechen vieler Dinge)*. *memorare*, wörtlich: *erinnern an, erwähnen*, lässt sich mit der Präposition *de* nicht wörtlich übersetzen (also nicht: «*in Bezug auf welchen ich kurz vorher erwähnt habe»*). Entweder man umschreibt *memorare* wie in meinem Vorschlag oder wandelt den präpositionalen Ausdruck *de quo* in ein Akkusativobjekt um *(«welchen ich kurz vorher erwähnt habe»)*. Subjekt des *ut*-Satzes ist *Q. Curius*, Prädikat *proderet*, direktes Objekt *consilia* mit dem Genitivattribut *Catilinae* und indirektes Objekt das Reflexivpronomen *sibi*, das sich logisch nur auf Cicero *(ihm)* beziehen kann, weil es wenig Sinn machen würde, wenn Quintus Curius «sich selbst» die Pläne verraten würde.

Ad hoc conlegam suom Antonium pactione provinciae perpulerat, ne contra rem publicam sentiret.
Zudem hatte er seinen Kollegen Antonius durch den Handel der (mit der) Provinz (Provinzendeal) dazu gebracht, dass er nicht gegen die Republik gesonnen war.

Das Akkusativobjekt dieses Satzes ist *Antonium* mit dem substantivischen Attribut *conlegam suom*. Die merkwürdige Form des Possessivpronomens *suom* geht auf den Stammauslaut o der o-Deklination zurück, der ursprünglich nicht durch u überdeckt war. In allen Formen, in denen doppeltes u oder v aufeinandertreffen, wie in *suus, suum*, tritt bei Sallust zur Unterscheidung wieder das alte o ein. Das Genitivattribut *provinciae* ist objektiv, weil die Provinz selbst nicht Inhaber des Handels ist, sondern Objekt. Folglich sollte man auch mit einem präpositionalen Ausdruck operieren (z.B. *Handel mit der Provinz*) Bei *sentire*, wörtlich: *fühlen, denken*, muss man freier *(gesonnen sein, Gedanken hegen)* werden.

Circum se praesidia amicorum atque clientium occulte habebat.
Rings um sich hielt er Schutzwachen von Freunden und Klienten heimlich.

Subjekt ist weiterhin gedanklich Cicero, grammatisch das aus dem Prädikat *habebat* extrahierte Personalpronomen *er*. Direktes Objekt ist der Akkusativ Plural Neutrum *praesidia, Schutzmaßnahmen, Schutzwachen*. *occulte* ist Adverb der a-/o-Deklination auf *-e*.

Postquam dies comitiorum venit et Catilinae neque petitio neque insidiae, quas consulibus in campo fecerat, prospere cessere, constituit bellum facere et extrema omnia experiri, quoniam, quae occulte temptaverat, aspera foedaque evenerant.

Nachdem der Tag der Komitien (Konsulwahlen) gekommen war und für Catilina weder die Bewerbung noch die Anschläge, welche er den Konsuln auf dem Campus gemacht hatte, erfolgreich verlaufen waren, beschloss er Krieg zu machen und alles Äußerste (alle Möglichkeiten, alle Maßnahmen) zu probieren, weil, was er heimlich versucht hatte, schlecht und dumm ausgegangen war.

Das Tempus des *postquam*-Satzes muss in vorzeitiges Verhältnis zum nächst übergeordneten Satz gebracht werden. Nun kann das übergeordnete Prädikat *constituit* sowohl Präsens als auch Stammperfekt sein, was in diesem Zusammenhang wahrscheinlicher ist. Somit tritt das Perfekt *venit* ins Plusquamperfekt. Das Substantiv *comitia* darf als gängiger Fachausdruck für die Konsulwahlen mit *Komitien* übersetzt werden, ebenso wie weiter unten *campus*, mit dem in diesem Zusammenhang nicht irgendein «Feld», sondern das *Marsfeld* gemeint ist. *Catilinae* ist Dativobjekt zu *cessere* (Nebenform zu *cesserunt*), ebenso wie *consulibus* zu *fecerat*. *prospere* ist Adverb der a-/o-Deklination auf *-e*. Von *constituit* sind zwei einfache Infinitive mit zugehörigen Objekten (keine AcIs!) abhängig: *bellum facere* und *extrema omnia experiri*, wobei *extrema omnia* wieder substantivierte Adjektive im Plural Neutrum sind. In dem *quoniam*-Satz wird das Subjekt durch den Subjektssatz «quae occulte temptaverat» im Nominativ Plural Neutrum repräsentiert, während die zu *quae* kongruenten Adjektive *aspera* und *foeda* Prädikativa in Verbindung mit *evenerant* bilden und deshalb wörtlich-undekliniert (Stammtest) übersetzt werden müssen, damit deutlich wird, dass mit *aspera* und *foeda* der Zustand, bzw. das Ergebnis und nicht eine dauerhafte Eigenschaft seiner Versuche beschrieben werden sollen.

Igitur C. Manlium Faesulas atque in eam partem Etruriae, Septimium quendam Camertem in agrum Picenum, C. Iulium in Apuliam dimisit, praeterea alium alio, quem ubique opportunum sibi fore credebat.

Also schickte er Gaius Manlius nach Faesulae und in diesen Teil von Etrurien, einen gewissen Septimius nach Camerinum ins picenische Land, Gaius Iulius nach Apulien, außerdem jeden anderswohin, von welchem und von wo er glaubte, dass er ihm dort nützlich (strategisch günstig) sein würde.

Die Funktion des logischen Subjektes übernimmt in diesem Satz wieder Catilina, der im vorletzten Satz als indirektes Objekt *(Catilinae)* und dann als Subjekt *er* in Erscheinung getreten war. *in agrum* und *in Apuliam* sind Richtungsangaben mit *in* + Akkusativ. *in* nimmt entsprechend die Bedeutung deutscher Richtungspräpositionen an wie *ins, zum, nach* und zur Not immer auch *in Richtung auf*. *quem* und *ubi* sind Relativpronomen und Frageadverb in einem verschränkten AcI, wobei *ubi* und *-que* nicht zu dem sonst üblichen Adverb *überall* zusammentreten, sondern tatsächlich ihre getrennten Bedeutungen beibehalten *(und wo)*. Einen verschränkten AcI leitet man mit *von* + Dativ des Relativpronomens (hier *quem, von welchem*) oder *von* + Fragewort (hier *ubi, von wo*) ein. Anschließend zieht man den Einleiter des AcI vor (hier *credebat, er glaubte*) und setzt den *dass*-Satz an. Da *quem* und *ubi* in ihrer grammatischen Funktion Subjektsakkusativ und Ortsadverb sind, kommen sie im *dass*-Satz nach vorheriger Ablegung ihres relativen *(von welchem)* bzw. fragenden *(von wo)* Charakters als Subjekt *er* (statt *welcher*) und Ortsadverb *dort* (statt *wo*) zum Einsatz. Der Infinitiv *fore* (Futur von *esse*) verlangt als Prädikativum das Adjektiv *opportunum, passend, gelegen, nützlich*. Dies steht regelmäßig mit Dativobjekt zur Angabe, wem oder für was etwas passend, gelegen oder nützlich ist, hier mit dem Reflexivpronomen *sibi,* dass sich nur auf das Subjekt zu *credebat* beziehen kann, nämlich Catilina selbst. Die Nachzeitigkeit eines Infinitivs Futur, der von einem Verb in der Vergangenheit (Imperfekt) abhängt, kann man im Deutschen nur durch den Konjunktiv Futur deutlich machen (Lehrbuch S. 171), also nicht mit *wird*, sondern *würde* oder *sollte*. Der Sinn dieser Verschränkung ist: «*Catilina setzte diejenigen von seinen Leuten, die er für nützlich hielt, auf Positionen, die er für strategisch günstig hielt.*»

Interea Romae multa simul moliri: consulibus insidias tendere, parare incendia, opportuna loca armatis hominibus obsidere.
Unterdessen setzte er in Rom viele Dinge gleichzeitig in Bewegung: auf die Konsuln plante er Anschläge, bereitete Brandstiftungen vor, besetzte strategische Positionen mit bewaffneten Menschen.

Nicht namentlich genanntes Subjekt dieses Satzes ist weiterhin Catilina. Als Prädikate dienen hier historische Infinitive, deren Funktion meistens in der dramatischen Steigerung der erzählten Handlung besteht. Beachte, dass *moliri* deponent ist und aktiv übersetzt werden muss. Das substantivierte Adjektiv Plural Neutrum *multa, viele Dinge, vieles,* ist in Verbindung mit *moliri* also nicht etwa Subjekt (das selbst in Bewegung setzt), sondern direktes Objekt (das Catilina in Bewegung setzt). Die idiomatische Wendung *insidias tendere* ist synonym mit der oben verwandten *insidias parare* und steht wie dieses mit indirektem Objekt. *incendia* und *opportuna loca* sind ebenfalls direkte Objekte. *armatis hominibus* ist ausnahmsweise Ablativ der Person ohne Präposition, weil hier die bewaffneten Menschen wie Instrumente, also praktisch wie Waffen selbst, aufgefasst werden, eine Form des Instrumentalis. Ob das Verb *obsidere* hier e-Konjugation *(obside-)* in der Bedeutung *besetzt halten* oder konsonantische *(obsid-)* in der Bedeutung *besetzen* ist, lässt sich grammatisch nicht entscheiden. Wahrscheinlicher erscheint die zweite Möglichkeit, weil zuvor von *moliri, in Bewegung setzen,* die Rede war, so dass im Rahmen der allgemeinen Mobilmachung auch die Besetzung strategischer Nester erst noch im Gange ist.

Ipse cum telo esse, item alios iubere, hortari, uti semper intenti paratique essent.
Selbst war er mit Waffe (bewaffnet), ebenso befahl er anderen, (und) ermahnte (sie), dass sie immer aufmerksam und bereit sein sollten.

Das Verb *iubere, befehlen,* steht regelmäßig mit direktem Objekt (hier *alios*) oder AcI, wo wir im Deutschen ein indirektes Objekt *(wem befehlen)* erwarten. Der *uti*-Satz hängt an *iubere* und *hortari* gleichzeitig. Zwischen *iubere* und *hortari* kann man als Brücke im Deutschen ein *und* einfügen, ebenso wie das Objekt *alios* nochmals in pronominaler Form *(sie)* zu *hortari*. Dieses Objekt wird zum logischen Subjekt des *uti*-Satzes, während die Verbaladjektive *intenti* und *parati* Prädikativa in Verbindung mit *essent* sind, die angeben, wer oder was die anderen sein sollen, denen Catilina befiehlt. Obwohl es sich der Form nach um PPPs handelt, dienen diese hier weniger zur Bildung eines Konjunktivs Plusquamperfekt Passiv (PPP + Konjunktiv Imperfekt von *esse*), sondern eines Zustandspassivs ohne *worden* («angespannt und vorbereitet waren»). Dieses kann auch ganz zu adjektivischen Formen mutieren («*aufmerksam und bereit waren*»). Die Formulierung mit *sollen* folgt aus dem Ausdruck des Befehlens und Ermahnens wie auch beim AcI mit *iubere*.

Dies noctisque festinare, vigilare, neque insomniis neque labore fatigari.
Tage und Nächte hetzte er, blieb wach, wurde weder durch Schlaflosigkeit (singularisiert oder «schlaflose Nächte») noch durch Arbeit müde.

Gedankliches Subjekt des Satzes bleibt weiterhin Catilina, ebenso wie auch die Prädikate weiterhin in Form historischer Infinitive vorliegen. *dies* und *noctis* sind Akkusative der zeitlichen Erstreckung, die in der deutschen Übersetzung unverändert übersetzt werden können. *noctis* (von *nox, Nacht*) weist als Nebenform zu *noctes* einen i-Stamm der 3. Deklination auf. Die Doppelkonjunktion *neque ... neque ...* verbindet zwei Ablativi modi. Wenn man das Substantiv *insomnia* mit *Schlaflosigkeit* übersetzt, muss man den Plural *insomniis* singularisieren. Wer im Plural bleiben will, muss mit «*schlaflose Nächte*» übersetzen.

Postremo, ubi multa agitanti ...

Postremo, ubi multa agitanti nihil procedit, rursus intempesta nocte coniurationis principes convocat per M. Porcium Laecam.
Zuletzt, sobald ihm (Catilina), während er vieles versuchte, nichts gelungen ist, ruft er wiederum in tiefster Nacht die Anführer der Verschwörung zusammen durch (mittels) Marcus Porcius Laeca.

Das Präsens *procedit* steht wegen *ubi* in vorzeitigem Verhältnis zum (dramatischen) Präsens *convocat*. Wenn man sich also entschließt *convocat* als Präsens zu übersetzen, muss man *procedit* ins Perfekt zurückstufen. Subjekt des *ubi*-Satzes ist das Pronominalsubstantiv *nihil, nichts*. Das Prädikat *procedit* steht mit dem PPA *agitanti* als indirektem Objekt zur Bezeichnung, wem nichts gelingt. Alleinstehende Partizipien müssen normalerweise substantiviert werden. Doch ausgestattet mit der Information, dass sich *agitanti* auf Catilina bezieht, ergänzen wir im Deutschen entweder *Catilina* oder ein entsprechendes Personalpronomen im Dativ *(ihm)* und schließen das PPA als Prädikativum in konjunktionalisierter Form an. Catilina ist gleichzeitig auch Subjekt des Hauptsatzes in PN-Kongruenz mit *convocat. intempesta nocte* ist Ablativus temporis. *nocte* findest du unter dem Nominativ *nox* im Wörterbuch, der wie alle Nominative der 3. Deklination auf -x *(lex, Gesetz, pax, Friede, rex, König, vox, Stimme)* stark vom Genitivstamm abweicht. *coniurationis* ist vorangestelltes Genitivattribut zum Akkusativobjekt *principes*, in der deutschen Übersetzung gehört es dahinter.

Ibi [...] multa de ignavia eorum questus docet se Manlium praemisisse ad eam multitudinem, quam ad capiunda arma paraverat, item [ad] alios in alia loca opportuna, qui initium belli facerent, seque ad exercitum proficisci cupere, si prius Ciceronem oppressisset: eum suis consiliis multum officere.
Dort, nachdem er vieles über die Unfähigkeit von diesen beklagt hat, erklärt er, dass er Manlius vorgeschickt habe zu dieser Gruppe, welche er zur Ergreifung der Waffen vorbereitet hatte, ebenso (zu) anderen in andere strategische Positionen, welche den Anfang des Krieges machen sollten und dass er zum Heer aufzubrechen wünsche, wenn er vorher Cicero vernichtet hätte: dieser sei seinen Plänen viel im Weg.

Subjekt bleibt weiterhin Catilina, den wir in NP-Kongruenz zu *docet* als «er» ergänzen. Zu diesem Subjekt ist das PPDep *questus* Prädikativum aufgrund seiner prädikatsnahen Stellung. Dieses wird schnell verwechselt mit dem PPP *quaestus* von *quaerere, suchen,* und entsprechend ähnlich klingenden Stämmen. *questus* steht mit einem direkten Objekt in Form des substantivierten Adjektivs Plural Neutrum *multa,* zur Angabe der Dinge, die Catilina beklagt. Als adverbiale Bestimmung tritt noch der präpositionale Ausdruck *de ignavia eorum*. Die gesamte Konstruktion wandle ich in einen konjunktionalen Nebensatz mit *nachdem* um, der vorzeitig zum Präsens *docet,* also im Perfekt stehen muss. Achte bei allen Formen des Deponens *queri* auf die aktive Übersetzung im Deutschen. Das Prädikat *docet* löst eine indirekte Rede in Form einer AcI-Dreierkette aus. Diese besteht aus folgendem Grundgerüst: 1. *se ... praemisisse,* 2. durch -que angehängt: *se ... cupere,* 3. nach dem Doppelpunkt: *eum ... officere.* Das Reflexivpronomen *se* bezieht sich jeweils auf das Subjekt desselben Satzes (Catilina). Da Sallust über Catilina in der 3. Person Singular Maskulinum berichtet, muss auch *se* im Deutschen als 3. Singular Maskulinum *(er)* übersetzt werden. Zum Infinitiv *praemisisse* finden sich außerdem noch ein direktes Objekt *(Manlium)* und eine längere Richtungsangabe in Form eines langen präpositionalen Ausdrucks, der sich von *ad eam multitudinem* bis *facerent* erstreckt. Dazwischen geschaltet sind noch zwei Relativattribute zu *multitudinem (quam)* und zu *alios (qui).* Der präpositionale Ausdruck *ad capiunda arma* beinhaltet eine zu *arma* KNG-kongruente nd-Form, ein sicherer Hinweis auf das Notwendigkeitspartizip (Gerundivum). Ich übersetze unter Beibehaltung der Präposition *(zum, zur)*, Substantivierung der nd-Form *(Ergreifen, Ergreifung)* und Genitivierung des Bezugswortes *(der Waffen)*. Die Präposition *ad* erstreckt sich bis zu *alios,* vor dem sie als Hilfe nochmals in Klammern aufgeführt ist. Dann folgt eine weitere Richtungsangabe mit der Präposition *in* + Akkusativ *(in alia loca opportuna)*. Das Neutrum Plural *loca* weicht im Genus vom Maskulinum Singular *(locus)* ab und nimmt auch nicht die Bedeutung *Orte,* sondern eher *Gegenden, Positionen* an. Etwas nachhinkend meldet sich nun der Relativsatz *qui initium belli facerent* zur Stelle, der nicht zu *loca,* sondern zu *alios* in NG-Kongruenz steht und sich auch nur auf *alios* logisch beziehen kann. Der Konjunktiv *facerent* verleiht dem Relativsatz einen finalen Nebensinn, den ich durch *sollen* ausgedrückt habe. Alternativ kann man auch das Relativpronomen *qui* im Deutschen durch die Konjunktion *damit* + Personalpronomen *(damit sie den Anfang des Krieges machten)* ersetzen. Mit *-que* folgt das zweite Glied in der Kette der AcIs. Subjektsakkusativ ist wieder *se,* Prädikatsinfinitiv ist *cupere*. An diesen schließt sich ein weiterer, einfacher mit *zu* zu übersetzender Infinitiv Deponent an *(proficisci)*. Da es sich bei *proficisci, aufbrechen,* um ein Verb der Bewegung handelt, folgt ein präpositionaler Ausdruck als Richtungsangabe *(ad exercitum)*. Der *si*-Satz *(si prius Ciceronem oppressisset)* muss wörtlich übersetzt werden, da es sich beim Modus um den kritischen Konjunktiv Plusquamperfekt handelt. *prius* ist Adverb im Komparativ auf *-ius*. Nach dem Doppelpunkt, aber immer noch von *docet* abhängig, folgt schließlich ein letzter AcI, diesmal mit anderem Subjektsakkusativ *(eum)*, bezogen auf Cicero aus dem *si*-Satz. Der Prädikatsinfinitiv *officere, hinderlich sein, im Wege stehen,* steht, wie auch im Deutschen, regelmäßig mit Dativobjekt *(suis consiliis)*.

Igitur perterritis ac dubitantibus ceteris C. Cornelius eques Romanus operam suam pollicitus et cum eo L. Vargunteius senator constituere ea nocte paulo post cum armatis hominibus sicuti salutatum introire ad Ciceronem ac de inproviso domi suae inparatum confodere.
Nach Erschrecken und unter Zögern der Übrigen beschlossen Gaius Cornelius, ein römischer Ritter, nachdem er seine Hilfe versprochen hatte, und mit diesem Lucius Vargunteius, ein Senator, in dieser Nacht wenig später mit bewaffneten Leuten so wie zur Begrüßung einzutreten zu Cicero und unvorhergesehen in seinem Haus ihn unvorbereitet (substantiviert: den Unvorbereiteten) niederzustechen.

perterritis ac dubitantibus ceteris ist AmP, einmal mit PPP *(perterritis)*, einmal mit PPA *(dubitantibus)*, so dass man korrekterweise zwei separate Auflösungen anfertigen muss, ob man nun konjunktionalisiert mit *nachdem* und *während* oder präpositionalisiert mit *nach* und *während, bei, unter*. Da die Partizipien nicht erweitert sind, lassen sie sich problemlos substantivieren und ihr gemeinsames Bezugswort genitivieren. Ich beginne also mit der Präposition *nach* wegen des PPPs *perterritis (nach Erschrecken)*, und mache anschließend mit der Präposition *unter* weiter wegen des PPAs *dubitantibus (unter Zögern)*. Erst zum Schluss genitiviere ich das Bezugswort *ceteris (der Übrigen)*. Subjekte sind *C. Cornelius* und *L. Vargunteius*. Das rechtzeitig vorzuziehende Prädikat *constituere* (sallustianische Kurzform für *constituerunt*) teilen sich beide gemeinsam. *C. Cornelius* ist erweitert durch das substantivische Attribut *eques Romanus* und das PPDep *pollicitus*, das ich wegen der Erweiterung durch das direkte Objekt *operam suam* in einen Konjunktionalsatz mit *nachdem (nachdem er seine Hilfe versprochen hatte)* konvertiere. Wer vergisst, vorher den Verstandskasten einzuschalten, kann hier zwei schlimme Vokabelfehler machen: 1. Der römische *eques, Reiter, Ritter*, unterscheidet sich nur in einem Buchstaben von dem wesentlich intelligenzgeminderteren Nutztier der Gattung *equus, Pferd*, auf dem er sitzt. 2. *operam* ist eine Form des Substantivs *opera, Mühe, Eifer, Hilfe*, und nicht von *opus, Arbeit*, oder *ops, Mittel. L. Vargunteius* wird durch das substantivische Attribut *senator* näher beschrieben. Konglomerate von adverbialen Bestimmungen wie *ea nocte paulo post cum armatis hominibus sicuti salutatum* müssen nach funktionalen Sinnabschnitten unterschieden werden: 1. *ea nocte, in dieser Nacht*, 2. *paulo post, wenig später*, 3. *cum armatis hominibus, mit bewaffneten Leuten,* und schließlich 4. in Verbindung mit dem Adverb *sicuti, so wie*, das Supinum 1 *salutatum*, das mit *zu* + substantiviertem Infinitiv übersetzt wird (*zum Begrüßen* oder *zur Begrüßung*; Lehrbuch S. 192). Ähnliches gilt für die zweite Reihe adverbialer Bestimmungen: 1. den präpositionalen Ausdruck *ad Ciceronem, zu Cicero*, 2. die idiomatische Wendung *de inproviso, plötzlich, unvorhergesehen*, 3. den Lokativ *domi suae, in seinem Haus*, wobei sich *suae* natürlich auf Cicero bezieht (falsch wäre also «*in ihrem Haus*»). An das Prädikat *constituere* hängen sich die Infinitive *introire* und *confodere*, die beide mit *zu* + Infinitiv übersetzt werden müssen. Als Bezugswort des verneinten PPPs *inparatum* schwingt gedanklich Cicero aus dem präpositionalen Ausdruck *(ad Ciceronem)* mit. Es ist also nicht erforderlich, aber auch nicht falsch *inparatum* zu substantivieren wie in meinem Klammervorschlag. Eleganter ist die Ergänzung des Personalpronomens *ihn* und die wörtlich-undeklinierte Übersetzung von *inparatum* als Prädikativum.

Interea Manlius in Etruria plebem sollicitare egestate simul ac dolore iniuriae novarum rerum cupidam, quod Sullae dominatione agros bonaque omnia amiserat.
Inzwischen hetzte Manlius in Etrurien die Plebs auf, aus Armut zugleich und aus Schmerz über das Unrecht nach neuen Verhältnissen (einer Revolution, einem Umsturz) begierig, weil sie unter der Gewaltherrschaft Sullas Äcker und alle Güter verloren hatte.

sollicitare ist historischer Infinitiv und muss im Deutschen zum Prädikat des Hauptsatzes konvertiert werden. Objekt ist *plebem*. Auf dieses Objekt bezieht sich ein durch das Prädikat *sollicitare* und zahlreiche Erweiterungen gesperrtes kongruentes Adjektiv *(cupidam)* als Prädikativum. Die kausalen Ablative *egestate* und *dolore* geben den Grund an, warum die Plebs begierig ist. Der Genitivus obiectivus *iniuriae* gibt zunächst den Grund oder das Objekt des Schmerzes an und wird daher nicht wörtlich übersetzt, sondern mit *über* präpositionalisiert. Der Genitivus obiectivus *novarum rerum* wiederum gibt das Objekt der Begierde an und sollte daher ebenfalls nicht wörtlich als Genitiv, sondern präpositional mit *nach* übersetzt werden. *res novae, neue Verhältnisse,* ist eine feststehende Wendung und meint dasselbe wie *Umsturz, Putsch, Revolution*. Das Adjektiv *cupidam* habe ich zwar wörtlich-undekliniert übersetzt um die Stellung nicht zu zerstören, klarer würde der Sinn jedoch durch eine freiere Übersetzung, z.B. durch einen Relativsatz: «*die Plebs, die aus Armut zugleich und aus Schmerz über das Unrecht nach neuen Verhältnissen begierig war*». Mache bei *quod* immer eine routinemäßige *quod*-Satz-Probe (*dass, weil, welch*). Hier ist nur kausales *quod* möglich, das den Grund der Revolutionsstimmung angibt. Logisches Subjekt des *quod*-Satzes ist die Plebs in Form des Personalpronomens *sie*, das grammatisch nur aus der PN-Kongruenz mit dem Prädikat *amiserat* hervorgeht. *Sullae* ist vorangestelltes Genitivattribut zu *dominatione*. *agros* und die substantivierten Adjektive im Plural Neutrum *bona omnia, alle guten Dinge, alles Gut, alle Güter*, sind Akkusativobjekte zu *amiserat*.

Curius, ubi intellegit, quantum periculum consuli inpendeat, propere per Fulviam Ciceroni dolum, qui parabatur, enuntiat.

Curius, sobald er erkannt hat, wie große Gefahr dem Konsul droht, meldet schnell mittels Fulvia dem Cicero die Falle, die vorbereitet wurde.

Subjekt des Haupt- und gleichzeitig des *ubi*-Satzes ist *Curius*. Das Tempus des Prädikates *intellegit* (Präsens) im *ubi*-Satz tritt in ein vorzeitiges Verhältnis zum Tempus des Prädikates *enuntiat* (Präsens) im Hauptsatz. Deshalb muss man es als Perfekt übersetzen. Von *intellegit* hängt ein indirekter Fragesatz ab, erkennbar am Fragepronomen *quantum* und dem Konjunktiv *impendeat*. Das Verb *impendere, drohen*, steht regelmäßig mit indirektem Objekt (hier *consuli*). Das Prädikat des Hauptsatzes *enuntiat* muss spätestens hinter *impendeat* eingefügt werden um noch in Zweitstellung zu stehen. Es nimmt ein direktes *(dolum)* und ein indirektes Objekt *(Ciceroni)* sowie zwei adverbiale Bestimmungen (*propere* und *per Fulviam*) zu sich. Der Relativsatz *qui parabatur* bezieht sich auf *dolum*.

Ea cum Ciceroni nuntiarentur, ancipiti malo permotus, quod neque urbem ab insidiis privato consilio longius tueri poterat neque, exercitus Manli quantus aut quo consilio foret, satis conpertum habebat, rem ad senatum refert iam antea volgi rumoribus exagitatam.

Als diese Dinge Cicero gemeldet wurden, überträgt er durch das doppelte Problem beunruhigt, dass er weder die Stadt vor Anschlägen durch eine private Maßnahme länger schützen konnte noch, wie groß das Heer des Manlius oder von welcher Zielsetzung war, ausreichend in Erfahrung gebracht hatte, die Sache (den Fall) an den Senat, die schon vorher in Gerüchten des Volkes aufgebracht worden war.

Auch dieser Satz hat es in sich, wenn man sich nicht zu Anfang einen Überblick über die syntaktische Struktur verschafft. Die Einleitung bildet ein konjunktivischer *cum*-Satz, der eine adverbiale Bestimmung des Hauptsatzes bildet. Der Hauptsatz selbst beginnt nach dem ersten Komma mit *ancipiti*, weil es keine Nebensatzkonjunktion ist. Zwischen diese beiden Abschnitte gehört im Deutschen das Prädikat des Hauptsatzes, für das man einen weiten Sprung bis gegen Ende des Satzes machen muss *(refert)*. Dazwischen tritt ein langer faktischer *quod*-Satz, der durch *neque´... neque ...* untergliedert ist und sich bis *habebat* erstreckt. Außerdem ist dem *quod*-Satz ein weiterer indirekter Fragesatz untergeordnet. Von *rem* bis zum Ende wird der Hauptsatz fortgesetzt. Nun zurück zum Anfang und ins Detail: *ea* ist substantiviertes Pronomen im Plural Neutrum und Subjekt zu *nuntiarentur*. Die Konjunktion *cum* hängt nach und erfordert einen Platzwechsel mit *ea*. *Ciceroni* ist indirektes Objekt zum Verb *nuntiare, melden*. Im Anschluss ziehe ich das Hauptsatzprädikat *refert* vor. Für *referre* passen hier die Bedeutungen *bringen, berichten, melden, vortragen*, alle. Als logisches Subjekt setze ich *er* für Cicero ein, auf das sich das PPP *permotus* als Prädikativum bezieht und das ich daher wörtlich-undekliniert übersetze. Alternativ besteht auch die Möglichkeit es zu konjunktionalisieren *(nachdem er ... beunruhigt worden war)*, doch wollte ich nicht noch mehr Nebensätze in den ohnehin schon unübersichtlichen Satz einbringen. Das PPP ist seinerseits durch einen Ablativus causae näher bestimmt *(ancipiti malo)*. Der Ablativ *ancipiti* geht auf *anceps, doppelt*, zurück. *malo* wiederum geht auf das substantivierte Adjektiv *malum, das Übel, das Problem*, zurück. An dieses *doppelte Übel* knüpft sich der faktische *quod*-Satz, der angibt, worin es besteht. Nach der *quod*-Satz-Probe scheint zunächst offen zu bleiben, ob es sich um ein kausales oder faktisches *quod* handelt. Aufgrund ihrer funktionalen Nähe ist gelegentlich auch beides denkbar. Eine Übersetzung als relatives *quod*, das zunächst auch als Bezugswort zu *malo* denkbar wäre, erweist sich spätestens dann als falsch, wenn man den *quod*-Satz bis zum Prädikat *poterat* durchexerziert. Denn das Übel ist sinngemäß weder Subjekt noch Objekt des *quod*-Satzes, was es in der relativischen Form von *quod* aber sein müsste. An *poterat* hängt der einfache und unverändert übersetzte Infinitiv *tueri, schützen*, zur Angabe was das Subjekt *(er, Cicero)* konnte. Im Anschluss drängen sich die Fragen *wen?* (Objekt) und *vor wem?* (adverbiale Bestimmung) auf, beantwortet in Form von *urbem* und *ab insidiis*. Der Ablativ *privato consilio* gibt außerdem das Mittel oder die Art des Schutzes an (instrumentalis oder modi). *longius* ist Komparativ des Adverbs mit der Neutrumendung *-ius*. Richtig schwer wird es im Anschluss, wo eine indirekte Frage ihrem Einleiter vorgeschaltet ist und das indirekte Fragepronomen selbst nochmals innerhalb des indirekten Fragesatzes nachhängt. Das Pferd ist von hinten aufgezäumt und in genau dieser Richtung gehen wir auch vor: Die Phrase *conpertum habebat, er (Cicero) hatte in Erfahrung gebracht*, leitet einen indirekten Fragesatz ein. Dieser indirekte Fragesatz steht jedoch davor, eingeleitet durch ein Komma und durch die Fragepronomen *quantus* und *quo consilio*. Diese sind allerdings, wie unschwer zu erkennen, durch das Subjekt *exercitus* und das Genitivattribut *Manli* vom Komma verdrängt, was eine Umstellung erfordert. *quo consilio* ist Ablativus qualitatis und wird mit *von* übersetzt. *foret* tritt bei Sallust für *esset* ein. Beide Fragepronomen geben als Prädikativa in Verbindung mit *foret* als Form von *esse* an, «was» (also *wie groß* und *von welcher Art*) das Subjekt (also *das Heer*) war. Zurück im Hauptsatz bleibt eigentlich nur noch das Objekt *rem*, nachdem wir das zugehörige Prädikat *refert* bereits in Zweitstellung vorgezogen haben. *rem* wird durch das kongruente PPP *exagitatam* näher beschrieben. Das PPP selbst wiederum wird durch die adverbialen Zusätze *iam antea, schon vorher,* und den Ablativ *rumoribus, in Gerüchten,* näher bestimmt. *rumoribus* selbst ist nochmal durch ein vorangestelltes Genitivattribut *(volgi)* erweitert, das im Deutschen dahinter gehört. Die Form *volgus* ist synonym mit der so ausgesprochenen und später auch so geschriebenen Form *vulgus, Volk*. In der Antike wurde zwischen *u* und *v* nicht unterschieden, so dass für *vulgus vvlgus* oder *uulgus* geschrieben wurde. Das *o* tritt im Altlateinischen und dann noch einmal bei Sallust als Ersatzform für das zweite *v* ein. Sperrung und Prädikatsnähe von *exagitatam* sprechen für seine Funktion als Prädikativum und legen wegen der adverbialen Erweiterungen eine konjunktionale Auflösung mit *nachdem* nahe. Ich habe mich für die Relativierung entschieden, die gelegentlich genau so gut für einen Konjunktionalsatz eintreten kann.

Übersetzung und Kommentar: Mündliche Prüfungstexte – Cicero

Quare, cum lex sit civilis societatis ...

Quare cum lex sit civilis societatis vinculum, ius autem legis aequale, quo iure societas civium teneri potest, cum par non sit condicio civium?
Wenn daher das Gesetz das Band der bürgerlichen Gesellschaft ist, das Recht des Gesetzes aber gleich, durch welches Recht kann die Gesellschaft der Bürger aufrecht erhalten werden, wenn die (Lebens-/Ausgangs-)Bedingung der Bürger nicht gleich ist?

Kern des Satzes ist die direkte Hauptsatzfrage: *Quo iure? Durch welches Recht?* Fragepronomen ist übrigens nicht *quare* in der Bedeutung *warum*. *quare* fungiert nicht selten nur als folgerndes Adverb *(daher)* und darf aufgrund seiner Nähe zu *cum* auch in den Nebensatz gezogen werden. *civilis* kann der Form nach sowohl Nominativ als auch Genitiv sein und sich mithin sowohl auf *lex* (Nominativ) als auch auf *societatis* (Genitiv) beziehen. Doch die Sperrung durch *sit* und die Nähe zu *societatis* spricht eindeutig für einen vorangestellten Genitiv. *ius, das Recht,* ist Neutrum, das erklärt die Kongruenz mit *aequale*. Wer für *ius* die Bedeutung *Schweinebrühe* rausgesucht hat, darf gerne einmal herzlich lachen, insbesondere beim Gedanken an «bürgerliche Schweinebrühe» – und das Wort anschließend aus seinem Wörterbuch schwärzen. Solche Schenkelklopfer würde ich nicht erwähnen, wenn sie nicht immer wieder vorkämen. Ganz vergessen solltest du die Soße aber nicht – ist sie doch die Wurzel des Wortes *Bratenius* aus dem Merkspruch zu den Adverbendungen (Lehrbuch S. 149). Im Duden ist das Wort allerdings nur unter der französischen Form *Jus* zu finden. *par* ist einendiger Nominativ der 3. Deklination und hier als Prädikatsattribut zu *sit* mit *condicio* kongruent. Dieses Adjektiv wird auch im folgenden Satz *(iura paria)* wieder aufgegriffen.

Si enim pecunias aequari non placet, si ingenia omnium paria esse non possunt, iura certe paria debent esse eorum inter se, qui sunt cives in eadem re publica.
Wenn man nämlich nicht beschließt Gelder gerecht zu verteilen, wenn die Begabungen von allen nicht gleich sein können, müssen wenigstens unter ihnen (untereinander) die Rechte von diesen gleich sein, welche Bürger in demselben Staate sind.

Solange *si* nicht mit dem Konjunktiv Imperfekt oder Plusquamperfekt steht, muss man nichts besonders beachten. *placet* ist ein unpersönlicher Ausdruck. Ein unpersönlicher Ausdruck ist eine Verbform, die ein neutrales Subjekt enthält, das nur in der deutschen Übersetzung in Form des Pronomens *es* oder *man* zum Ausdruck kommt hier in den Bedeutungen *es gefällt, man beschließt*. Häufig sind von präpositionalen Ausdrücken Infinitivkonstruktionen abhängig, einfache Infinitive, AcIs oder NcIs. In diesem Fall ist *pecunias aequari* ein AcI. *posse, können,* hingegen kann niemals einen AcI oder NcI nach sich ziehen, lediglich direkte Objekte oder einfache Infinitive (hier: *esse*). Gleiches gilt für *debere, müssen* (selten: *schulden*). *se* ist Reflexivpronomen und bezieht sich auf *eorum*. Als Übersetzung für *inter se* ist möglich: *zwischen ihnen, unter ihnen, unter sich* oder, freier, *untereinander*. Der nun folgende Relativsatz bezieht sich wiederum erläuternd auf *eorum*.

Quid est enim civitas nisi iuris societas civium?
Was ist nämlich ein Staat außer einer Gesellschaft des Rechtes von Bürgern?

Wenn *nisi*, wie hier, nicht als Konjunktion gebraucht wird, hat es die Funktion der Präposition *außer*. Gib Acht, dass du die Wörter vom Stamm *civi-* nicht verwechselst: *civis, Bürger, civilis, bürgerlich, civitas, Bürgerschaft,* ähneln sich in Schrift und Klang, bedeuten aber ganz unterschiedliche Dinge.

Nolite, quaeso, iudices, ...

Nolite, quaeso, iudices, brevitate orationis meae potius quam rerum ipsarum magnitudine crimina ponderare.
Ihr sollt nicht, bitte, ihr Richter, aufgrund der Kürze meiner Rede eher als aufgrund der Bedeutung der Dinge selbst die Verbrechen abwägen.

Nolite ist 2. Person Imperativ Plural von *nolle, nicht wollen*. Dieser Imperativ in Verbindung mit einem Infinitiv (hier: *nolite... ponderare*) dient sowohl in der 2. Person Singular *(noli)* als auch Plural *(nolite)* zur Formulierung eines höflichen Verbotes, das mit *nicht sollen* übersetzt wird (Lehrbuch S. 250). *brevitate* und *magnitudine* sind Ablativi causae. *potius, eher,* ist komparatives Adverb und steht mit *quam, als* in Verbindung. Objekt zu *ponderare* ist *crimina*.

Mihi enim properandum necessario est, ut omnia vobis, quae mihi constituta sunt, possim exponere.
Es ist nämlich nötig, dass ich mich beeile, damit ich alle Dinge, welche (von) mir festgesetzt/vorgenommen worden sind, euch darlegen kann.

necessario est, es ist nötig, ist ein unpersönlicher Ausdruck, synonym mit *necesse est, es ist nötig*. Wie viele unpersönliche Ausdrücke ist auch dieser ein potentieller AcI-Einleiter. Der AcI besteht hier aus dem (elliptischen) prädikativen Gerundivum *properandum (esse)*. Auch dabei handelt es sich um einen unpersönlichen Ausdruck, die «Person» oder das Subjekt ist als neutrales «es» im elliptischen *esse* enthalten. Im deutschen *dass*-Satz entfällt es sogar ganz. Ohne *mihi* würde die ganze Konstruktion also lauten: «Es ist nötig, dass sich beeilt wird.» *mihi* ist nun Täterdativ oder *Dativus auctoris*. Dieser kann in der deutschen Übersetzung zum *von*-Agens gemacht werden: «*... dass sich von mir beeilt wird*». Wenn diese Formulierung, wie hier, komisch klingt, kann das dativische Agens (*mihi*) im Deutschen auch zum nominativischen Subjekt konvertiert werden. Dabei muss das Prädikat jedoch aktiviert (also vom Passiv ins Aktiv gekehrt) werden: *... dass ich mich beeilen muss. omnia, alle (Dinge),* ist substantiviertes Neutrum Plural und wird durch den Relativsatz (*quae*) näher beschrieben. Der Dativus auctoris steht nicht nur nach dem passiven Notwendigkeitspartizip (Gerundivum), sondern, wenn auch selten bei Cicero, in Verbindung mit dem gewöhnlichen Passiv, so hier nach *constituta sunt*. Auch hier muss man mit dem *von*-Agens verdeutschen.

Quam ob rem quaestura istius demonstrata primique magistratus et furto et scelere perspecto reliqua attendite.
Aus diesem Grunde achtet, nachdem die Quästur von diesem dargestellt worden ist und nachdem sowohl der Diebstahl als auch das Verbrechen seines ersten Amtes untersucht worden sind, auf die übrigen Dinge.

Im folgenden Satz macht sich ein zäher Ablativus Absolutus breit, der aufgrund seiner Länge nahezu den ganzen Satz dominiert. Einzig nicht davon betroffen sind Einleitungsadverb, Prädikat und Objekt: *quare reliqua attendite*. *reliqua* ist dabei substantiviertes Neutrum Plural und dient hier als Objekt zu *attendere, seine Aufmerksamkeit richten auf, achten auf*. Nun zu dem Absolutus: Genau genommen besteht der Absolutus aus zwei AmPs (*quaestura demonstrata* und *et furto et scelere perspecto*) mit Genitivattributen (*istius* und *primi magistratus*). AmPs von dieser Länge sollte man besser nicht mit der Präpositionalisierungstechnik unter Substantivierung und Genitivierung übersetzen. Das würde in diesem Fall so aussehen: «*nach Darstellung der Quästur von diesem und nach Untersuchung sowohl des Diebstahls als auch des Verbrechens seines ersten Amtes*». Um den Überblick zu behalten empfehle ich eher den Konjunktionalsatz wie in meiner Musterübersetzung. Wichtig ist dabei die Genitivattribute richtig, das heißt: **hinter** ihrem Bezugswort, einzufügen.

In quibus illud tempus Sullanarum proscriptionum ac rapinarum praetermittam.
In diesen will/werde ich jene Zeit der sullanischen Proskriptionen und Raubzüge auslassen.

quibus ist relativer Anschluss und muss als Demonstrativpronomen übersetzt werden. *praetermittam* kann zugleich 1. Person Singular Indikativ a-e-Futur oder Konjunktiv Präsens sein. Es bleibt oft dem Übersetzer überlassen, für welchen Modus er sich entscheidet. Gerade beim Konjunktiv im Hauptsatz berühren sich der Konjunktiv mit seiner optativen oder potentialen Färbung (*wollen, wünschen, können*) und das Futur (*werden*). Informiere dich zur mündlichen Prüfung über Sulla und die Proskriptionen in einem Geschichtsbuch.

Neque ego istum sibi ex communi calamitate defensionem ullam sinam sumere, suis eum certis propriisque criminibus accusabo.
Ich möchte/werde auch nicht zulassen, dass dieser für sich aus einer allgemeinen Krisensituation irgendeine Verteidigung hernimmt, für seine gesicherten (nachweislichen) und eigenen Verbrechen werde ich (ihn) anklagen.

Für die Form *sinam* gilt dasselbe, was ich auch schon zu *praetermittam* im Vorsatz angemerkt habe. Das Verb *sinere, lassen, zulassen,* löst hier einen AcI aus: *istum ... sumere.* Direktes Objekt zu *sumere, nehmen,* ist *defensionem ullam,* indirektes Objekt das Reflexivpronomen *sibi*. Nach dem Komma hängt eher parataktisch ein weiterer Hauptsatz mit Prädikat *(accusabo)*, Objekt *(eum)* und kausalen Ablativen. Die Übersetzung der Ablative mit *für* täuscht einen Dativ nur vor. Möglich wäre beispielsweise auch die Präposition *wegen*.

Ergo, ut omittam tuos peculatus ...

Ergo, ut omittam tuos peculatus, ut ob ius dicendum pecunias acceptas, ut eius modi cetera, quae forsitan alii quoque etiam fecerint, illud, in quo te gravissime accusavi, quod ob iudicandam rem pecuniam accepisses, eadem ista ratione defendes, fecisse alios?
Also, damit ich deine Plündereien auslasse, damit (ich) die Gelder, die wegen des Sprechens eines Urteils angenommen worden sind, (auslasse), damit (ich) die übrigen Dinge von dieser Art (auslasse), welche vielleicht andere auch noch getan haben, wirst du jenes (Verbrechen), in welchem ich dich am schwersten angeklagt habe, (nämlich die Tatsache) dass du wegen der Beurteilung eines Falls Geld angenommen hättest, mit dieser gleichen Methode (diesem gleichen Argument) verteidigen, dass es andere getan hätten?

Drei *ut*-Sätze mit jeweils drei Objekten sind zu Beginn dieses Satzes hintereinandergeschaltet. Gemeinsam teilen sie sich das gleich zu Anfang fallende Prädikat *omittam*. Die drei Objekte sind: *tuos peculatus, pecunias acceptas, cetera.* Das eigenschaftsattributive PPP *acceptas* ist durch den präpositionalen Ausdruck *ob ius dicendum* erweitert. Dieser enthält ein Gerundivum *(dicendum),* weil sich die nd-Form KNG-kongruent auf *ius* bezieht. Eine wörtliche Übersetzung klingt nach dem Brief eines Anwalts, der sein Examen im Fernstudium gemacht hat: *wegen des zu sprechenden Rechts.* Eleganter und klarer ist die Substantivierung-Genitivierung: *wegen des Sprechens eines Urteils, wegen Rechtssprechung. cetera, die übrigen Dinge,* ist substantiviertes Neutrum Plural und durch ein vorangestelltes Genitivattribut *(eius modi)* und durch einen attributiven Relativsatz *(quae)* näher bestimmt. Der eigentliche Hauptsatz ist ein direkter Fragesatz: *illud ... eadem ista ratione defendes, fecisse alios?* Dabei enthält *defendes, du wirst verteidigen,* zugleich Subjekt und Prädikat. *illud* ist Objekt. Dieses neutrale Objekt *illud, jenes,* wird durch einen nun folgenden Relativsatz so präzisiert, dass man dafür gedanklich Begriffe wie *Vergehen, Verbrechen* oder *Schuldvorwurf* ergänzen könnte. An das Prädikat dieses Relativsatzes *accusavi, ich habe angeklagt,* schließt sich ein faktischer *quod*-Satz an, der den Inhalt der Anklage angibt. Dabei ist das Gerundivum *ob iudicandam rem* zu beachten. *pecuniam* ist trotz scheinbarer Kongruenz nicht Bestandteil der Gerundivkonstruktion sondern einfaches direktes Objekt zu *accepisses*. Das Hauptsatzprädikat *defendes, du wirst verteidigen,* leitet auf ungewöhnliche Weise in Verbindung mit dem Ablativus instrumentalis *eadem ista ratione, mit dieser selben Methode,* einen AcI ein: *fecisse alios.*

Ut ego adsentiar orationi, defensionem tamen non probabo.
Wie sehr ich auch deiner Redekunst zustimme, deine Verteidigung werde ich dennoch nicht akzeptieren.

oratio, wörtlich *Rede,* meint hier nicht den Inhalt, sondern die rhetorische Machart der Rede. Hortalus galt vor Cicero als bester Redner Roms. Das Possessivpronomen *dein* ergänze ich sowohl vor *Redekunst* als auch vor *Verteidigung*, weil klar ist, auf wen sich Cicero bezieht.

Potius enim te damnato ceteris angustior locus improbitatis defendendae relinquetur, quam te absoluto alii, quod audacissime fecerunt, recte fecisse existimentur.
Eher nämlich wird nach deiner Verurteilung für die Übrigen engerer Raum der/zur Verteidigung ihrer Schlechtigkeit zurückgelassen werden, als nach deiner Freisprechung geglaubt wird, dass andere (das), was sie höchst unmoralisch getan haben, zu Recht getan hätten.

Das komparativische Adverb *potius* korrespondiert mit der Vergleichskonjunktion *quam, als. te damnato* ist ein Ablativus absolutus in vorzeitigem Verhältnis (PPP). Statt einer Genitivierung von *te* muss ich bei Personalpronomen auf Genitiväquivalente, hier zum Beispiel ein kongruentes Possessivpronomen (*deiner*) zurückgreifen. Das gilt auch für den zweiten AmP *te absoluto*. Das Gerundivum *improbitatis defendendae* ist Genitivattribut zu *locus*, hier mit *Raum, Gelegenheit, Möglichkeit* zu übersetzen. Bei der Substantivierung-Genitivierung kann der Genitiv im Deutschen auch wie ein Obiectivus präpositionalisiert werden (*zur Verteidigung* statt *der Verteidigung*). Abhängig vom Passiv *existimentur* ist ein NcI (*alii fecisse*). Objekt zu *fecisse* ist wiederum der *quod*-Satz. Es handelt sich also um einen Objektsatz. Hier darf im Deutschen auf Wunsch ein Hilfspronomen in den übergeordneten Satz hineingeschraubt werden (*das, dasjenige* oder *dieses*).

Cicero Attico sal.

Cicero Attico sal.
Cicero grüßt Atticus.

Die übliche Begrüßungsfloskel in lateinischen Briefen ist *s. d.* für *salutem dicit, spricht einen Gruß*. Hier stehen mal nicht nur die Initialen *s. d.*, sondern ein monosyllabisches *sal.* für *salutem*, ohne *dicit*, das man sich dazu denken muss.

Ego essem hic libenter atque id cottidie magis, ni esset ea causa, quam tibi superioribus litteris scripsi.
Ich wäre hier gern und dies täglich mehr, wenn (da) nicht diese Sache wäre, welche ich dir in den vorherigen Briefen geschrieben habe.

Der folgende Satz ist eine irreale Periode, bestehend aus Folgesatz (*essem*) und Bedingungssatz (*ni esset*), im Konjunktiv Imperfekt, also im (erfüllbaren) Irrealis der Gegenwart. Statt *nisi* steht hier *ni*, in dem die Silbe *-is-* im Alltagsdialekt verschluckt wurde. *hic* (mit langem *i*) ist hier das Ortsadverb *hier*. Der Komparativ *superior* drückt verschiedene Verhältnisse zeitlicher und räumlicher Maße aus. So kann es *höher, besser*, aber auch *früher* bedeuten. Das Pluralwort *litterae*, wörtlich *Buchstaben*, bezeichnet Textsorten aller Art, meist deutsche Singularwörter, die «*Buchstaben*» in jeder Form enthalten. Dazu gehören die *Schrift*, das *Buch*, die *Literatur* und eben auch der *Brief*, auch wenn die singularische Übersetzung etwas irritiert.

Nihil hac solitudine iucundius, nisi paulum interpellasset Amyntae filius. ὦ ἀπεραντολογίας ἀηδοῦς
Nichts (wäre) angenehmer als diese Einsamkeit (gewesen), wenn nicht kurz der Sohn des Amyntas dazwischengekommen wäre. Oh, diese langweilige Laberei!

Hac solitudine ist Ablativus comparationis nach dem Komparativ Neutrum *iucundius*, der zu *nihil* KNG-kongruent ist. Der erste Satz ist *esse*-elliptisch, hier in Form eines Konjunktiv Plusquamperfekt zur Bildung eines irrealen Vorsatzes. Der Nachsatz wird mit *nisi* eingeleitet und steht ebenfalls mit dem Konjunktiv Plusquamperfekt, hier in der verschliffenen Form *interpellasset* für *interpellavisset*.

Cetera noli putare amabiliora fieri posse villa, litore, prospectu maris, tum his rebus omnibus.
Du sollst nicht glauben, dass andere Dinge lieblicher werden können, als Villa, Strand, Meerblick, dann alle diese Dinge.

Der Imperativ des Verbs *nolle, nicht wollen*, in Verbindung mit dem Infinitiv (hier: *noli putare*) dient sowohl in der 2. Person Singular (*noli*) als auch Plural (*nolite*) zur Formulierung eines höflichen Verbotes, das mit *nicht sollen* übersetzt wird. Näheres dazu siehe Lehrbuch S. 250. *putare* leitet hier einen AcI ein, bestehend aus dem Subjektsakkusativ *cetera*, dem Prädikativum *amabiliora* und *fieri posse*. *cetera* ist substantiviertes Neutrum Plural. Der Komparativ *amabiliora* zieht hier eine asyndetische Aufzählung von Ablativi comparationis nach sich.

Sed neque haec digna longioribus litteris nec erat, quod scriberem, et somnus urgebat.
Aber weder (sind) diese Dinge eines längeren Briefes würdig, noch war (etwas), was ich schreiben konnte, und der Schlaf drängte (mich).

Nach *haec digna* erwartet man *sunt* (Ellipse). Das Adjektiv *dignus, würdig*, steht mit dem Ablativ zur Bezeichnung der Sache, deren jemand würdig ist. Im Deutschen verwendet man dazu den Genitiv. *erat* verfügt hier über kein Prädikativum, sodass es weniger die Bedeutung *sein* hat als vielmehr *geben, existieren, da sein*. *quod scriberem* ist ein Subjektsatz und antwortet auf die Frage: *was war?* Der Konjunktiv *scriberem* verleiht dem Satz einen kausalen Nebensinn: *Es gab nichts (= keinen Grund), weshalb ich schrieb.*

Quod ad me scribis de sorore tua ...

Quod ad me scribis de sorore tua, testis erit tibi ipsa, quantae mihi curae fuerit, ut Quinti fratris animus in eam esset is, qui esse deberet.
Dass du an mich schreibst in Bezug auf deine Tochter, (so) wird sie dir selbst Zeugin sein, wie sehr mir am Herzen gelegen hat, dass das Gefühl meines Bruders Quintus gegen sie dieses wäre, welches es sein müsste.

Es handelt sich bei *quod* um ein faktisches *quod*, weil es für ein Relativpronomen kein Bezugswort im Hauptsatz gibt. Eine Übersetzungsvariante des faktischen *quod* ist die Einleitungsfloskel: *«Was dass angeht, dass ...»*. Sie kürzt die Überleitung zu einem neuen Thema ab. Der Dativus finalis *curae esse* + Dativ der Person, *jemandem am Herzen liegen*, kann durch Quantitätspronomen *(quantae)* erweitert werden. Bei der Übersetzung konvertiere ich solche Formen zu Quantitätsadverbien *(wie sehr, wieviel)*. Die Ergänzung eines Possessivpronomens im Deutschen (hier: meines Bruders) ist zulässig, wenn der Sinn dadurch klarer wird als durch Artikulierung (des Bruders, eines Bruders). Die Präposition *in* hat in der Bedeutung *gegen* nicht nur einen negativen oder ablehnenden Sinn, sondern bezeichnet ursprünglich nur eine Richtungsangabe, wie man auch «gegen» eine Tür rennen, jemandem «entgegen» kommen oder jemandem «gegenüber» Gefühle haben kann. So ist *gegen* auch in diesem Kontext eher im positiven Sinne zu verstehen, da es ja um emotionale Aussöhnung geht. Wer jedoch mit der Präposition *für* den Sinn besser getroffen sieht, darf diese gern verwenden. Möglich ist auch die Wendung *ihr gegenüber*. Der Relativsatz steht mit Konjunktiv, weil darin ein irrealer Nebensinn (Konjunktiv Imperfekt) enthalten ist, den ich auch bei der Übersetzung herausarbeite.

Quem cum esse offensiorem arbitrarer, eas litteras ad eum misi, quibus et placarem ut fratrem et monerem ut minorem et obiurgarem ut errantem.
Als ich glaubte, dass dieser streitlustiger war, schickte ich diesen Brief an ihn, durch welchen ich (ihn) sowohl besänftigte wie einen Bruder und ermahnte wie einen Geringeren (Minderjährigen) und tadelte wie einen Irrenden.

quem ist relativer Anschluss und gleichzeitig Subjektsakkusativ eines AcIs *(quem offensiorem esse)*, der von *arbitrarer* abhängig ist. Die Konjunktion *cum* hängt dabei nach. Das Pluralwort *litterae*, wörtlich *Buchstaben*, bezeichnet Textsorten aller Art, meist deutsche Singularwörter, die «Buchstaben» in jeder Form enthalten. Dazu gehören die *Schrift*, das *Buch*, die *Literatur* und eben auch der *Brief*, auch wenn die singularische Übersetzung etwas irritiert. Auf *litteras* bezogen ist das Relativpronomen *quibus* (hier im instrumentalen Ablativ), das in Verbindung mit dem Konjunktiv einen finalen Nebensinn erhält. *quibus* könnte also auch durch die Konjunktion *ut, damit*, ersetzt werden um denselben Sinn zu produzieren. Die stiltechnische Architektur des Satzes besteht aus polysyndetischem *et*, Homoioteleuton des Ausgangs *-re-m*, Anapher von *ut* und Homoioptoton der Akkusative *(fratrem, minorem, errantem)*. Außerdem ziert den Satz ein Wortspiel mit der Klangähnlichkeit von *monerem* und *minorem*, eine sogenannte Paronomasie.

Itaque ex iis, quae postea saepe ab eo ad me scripta sunt, confido ita esse omnia, ut et oporteat et velimus.
Daher vertraue ich infolge dieser Dinge, welche später oftmals von diesem an mich geschrieben worden sind, dass alles so ist, wie es sowohl sich gehört als auch (wie) wir (es) wollen.

Bezugswort des Relativpronomens *quae* ist *iis*. Beides sind substantivierte, plurale Neutra. *confido* leitet einen AcI ein. Subjektsakkusativ ist *omnia*, Infinitiv *esse* und als Prädikativum dient hier das Modaladverb *ita, so*. Da das *ut* mit dem Konjunktiv steht, denkt man zuerst an die konjunktionalen Bedeutungen *dass, so dass, damit*. Nur dein Sprachgefühl kann dich hier auf die Spur führen, dass es sich in Wahrheit um eine indirekte Frage handelt, in der *ut* mit *wie* übersetzt werden muss. Die Kürze des Lateinischen verlangt hier ergänzende Klammerbemerkungen.

Tullius s. d. Terentiae suae

Tullius s. d. Terentiae suae.
Tullius grüßt seine Terentia.

Die Abkürzung *s. d.* für *salutem dicit*, wörtlich «sagt einen Gruß» oder «grüßt» sollte dir als Begrüßungsfloskel der antiken Briefliteratur geläufig sein. Auch solltest du wissen, dass die Wendung mit dem Dativ steht.

In Tusculanum nos venturos putamus aut Nonis aut postridie.
Wir glauben, dass wir ins Tusculanum kommen werden, entweder an den Nonen oder einen Tag später.

Bei einem Brief von solcher Kürze gehört ein AcI mit Ellipse von *esse* auf das Programm. Dieser findet sich in *nos venturos putamus*. Die Nonen sind der 5. oder 7. Tag des Monats, also der neunte Tag vor den Iden (13. oder 15. Tag).

Ibi ut sint omnia parata!
Dass dort alle Dinge bereit sind!

Obwohl es sich grammatisch bei jedem konjunktivischen *ut*-Satz um einen abhängigen Nebensatz handelt, scheint dieser hier desertiert zu sein und steht entgegen der Regel allein. Gedanklich könnte man zwar auf auf den Inhalt eines vorangegangenen Hauptsatzes schließen (etwa: «Sorge dafür»), grammatisch fehlt jedoch der übergeordnete Satz. So erhält der Satz einen Befehlscharakter. *omnia* ist substantiviertes Neutrum Plural *(alle Dinge)*. *sint parata* kann zwar der Form nach Perfekt Passiv sein, streng genommen handelt es sich jedoch um ein sogenanntes Zustandspassiv, bei dem für die Übersetzung nicht der vergangene Aspekt, sondern der andauernde Aspekt interessanter ist. Ein Zustandspassiv übersetzt man, indem man *worden* weglässt.

Plures enim fortasse nobiscum erunt et, ut arbitror, diutius ibi commorabimur.
Mehrere nämlich werden vielleicht mit uns sein und, wie ich glaube, werden wir länger dort verweilen.

Der Nominativ *plures* ist die substantivierte Form des Adjektivs *multi, viele*, im Komparativ und dient hier als Subjekt. Zum Suffix -*r*- gilt die *Plus-Minus*-Regel (Lehrbuch S. 146). *diutius* ist Komparativ des Adverbs *diu, lange*.

Labrum si in balineo non est, ut sit; item cetera, quae sunt ad victum et ad valetudinem necessaria. Vale.

Wenn nicht eine Waschschüssel im Bad ist, dass sie dort ist; ebenso die übrigen Dinge, welche zum Leben und zur Gesundheit nötig sind. Leb wohl.

Auch dieser Satz hat einen Hauptsatzdefekt. Man muss gedanklich einen Imperativ wie *cura, sorge dafür*, ergänzen. Die ökonomische Kürze des *ut*-Satzes erfordert die Wiederverwertung der Satzteile aus dem *si*-Satz. So muss man wenigstens pronominal das Subjekt in der Form *sie* (die Waschschüssel) wiederaufgreifen und auf die Ortsangabe *(im Bad)* durch ein Ortsadverb *(dort)* verweisen. Da der präpositionale Ausdruck *in balineo* in Verbindung mit *esse* den Ort und damit im weitesten Sinne den Zustand des Subjektes bezeichnet, darf man ihn eher als präpositionales Prädikativum bezeichnen denn als adverbiale Bestimmung. Auch der zweite Teil des Satzes ist gedanklich auf Ergänzungen angewiesen, die man in der Alltagssprache (im Lateinischen genauso wie im Deutschen) auslässt: *cura, ut ibi sint item cetera ... Sorge dafür, dass dort auch die übrigen Dinge sind. cetera* ist substantiviertes Neutrum Plural.

Tullius Terentiae suae s. d.

Tullius Terentiae suae s. d. Maximis meis doloribus excruciat me valetudo Tulliae nostrae, de qua nihil est, quod ad te plura scribam.

Tullius grüßt seine Terentia. In meinen größten Schmerzen quält mich der Gesundheitszustand unserer Tullia, in Bezug auf welche es nichts gibt, welches ich an dich mehr schreiben kann.

nihil est hat kein Prädikativum. *esse* hat also die Bedeutung von *existieren, da sein, geben*. Zwischen *quod* und *plura* besteht keine KNG-Konruenz, was die Vermutung nahelegt, dass *quod* auch ein faktisches *quod* sein könnte. So kann die Wendung *nihil est, quod* auch phraseologisch freier übersetzt werden: *Es gibt keinen Grund, dass ....* *plura* ist in jedem Fall substantiviertes Neutrum Plural, das entweder singularisiert *(mehr)* oder pluralisch mit *Dinge (mehr Dinge)* übersetzt werden muss.

Tibi enim aeque magnae curae esse certo scio.

Dass es dir nämlich gleichermaßen sehr am Herzen liegt, weiß ich gewiss.

Der Dativus finalis *curae esse* + Dativ der Person, *(tibi)*, zusammengenommen als doppelter Dativ bezeichnet, wörtlich «*jemandem zur Sorge gereichen*»; frei *am Herzen liegen* ist hier noch durch das adjektivische Attribut *magnae* erweitert, das ich in der freien Übersetzung zum Adverb *(sehr)* umgeformt habe. Rahmenkonstruktion für diesen doppelten Dativ ist ein AcI, eingeleitet durch *scio*, in dem der neutrale Subjektsakkusativ *(es)* im Infinitiv *(esse)* enthalten ist.

Quod me propius vultis accedere, video ita esse faciendum et iam ante fecissem, sed me multa impediverunt, quae ne nunc quidem expedita sunt.

Dass ihr wollt, dass ich schneller herkomme, sehe ich, dass es so getan werden muss und hätte es schon vorher getan, aber mich hinderten viele Dinge, welche nicht einmal jetzt aus dem Weg geräumt sind.

Ein faktisches *quod* am Anfang eines Satzes kann auch durch einen idiomatischen Einleitungssatz im Deutschen umschrieben werden, um den Sinn etwas schärfer zu artikulieren: «*Was das angeht, dass ...*». Von *velle, nolle* und *malle* hängen bei Cicero auffällig häufig AcIs ab, so dass man nach allen Formen, wie hier nach *vultis*, immer auch mit einem AcI *(me accedere)* und nicht nur mit Infinitivkonstruktionen oder einfachen direkten Objekten rechnen muss. *fecissem* ist Konjunktiv Plusquamperfekt im Hauptsatz und muss als unerfüllbarer Irrealis der Vergangenheit auch übersetzt werden. Nach der 1. Person Singular *ich*, enthalten im Prädikat *video*, taucht im *sed*-Satz ein neues Subjekt auf: das substantivische Neutrum Plural *multa, viele Dinge*, auf das sich auch der *quae*-Satz bezieht. *expedita sunt* ist prädikatives PPP mit *esse* zur Bildung des Perfekts Passiv.

Sed a Pomponio exspecto litteras, quas ad me quam primum perferendas cures velim.
Aber von Pomponius erwarte ich einen Brief, dessen Überbringung an mich du bitte möglichst bald erledigen sollst.

Das Pluralwort *litterae*, wörtlich *Buchstaben*, bezeichnet meist deutsche Singularwörter, die «Buchstaben» in jeder Form enthalten. Dazu gehören *der Text*, *das Buch*, *die Literatur* und eben auch *der Brief*, auch wenn die singularische Übersetzung etwas irritiert. Auf dieses Pluralwort bezieht sich auch das Relativpronomen *quas* und das Gerundivum *perferendas*. Wenn ich das Gerundivum substantiviere, muss ich das Relativpronomen genitivieren: es entsteht die deutsche Form «dessen Überbringung». Diese Akkusative sind Objekte des Prädikates *cures, du sollst erledigen*. *cures* ist Konjunktiv Präsens von *curare, besorgen, erledigen*, der hier in Verbindung mit *velim, bitte,* als Optativus, also als Konjunktiv im Hauptsatz übersetzt werden muss (Lehrbuch S. 219).

Da operam, ut valeas.
Kümmere dich darum, dass du gesund bist.

operam dare, wörtlich «(sich) Mühe geben», hat auch den Sinn von «(sich) kümmern um». *da* ist Imperativ der 2. Person Aktiv, gefolgt von einem *ut*-Satz.

Vitiorum peccatorumque nostrorum ...

Vitiorum peccatorumque nostrorum omnis a philosophia petenda correctio est. [...]
Von unseren Fehlern und Vergehen ist eine Verbesserung ganz von der Philosophie anzustreben. [...]

Subjekt des Satzes ist *correctio*, Prädikat und Prädikativum das Gerundivum *petenda est*. Kongruentes Attribut ist auch *omnis*, das ich aufgrund der Sperrung ebenfalls prädikativ auffasse und daher statt wörtlich-dekliniert (*jede*) wörtlich-undekliniert (*ganz*) übersetze. Das klobige Genitivattribut *vitiorum peccatorumque nostrorum* kann sich nur auf *correctio* beziehen.

O vitae philosophia dux, o virtutis indagatrix expultrixque vitiorum!
Oh Philosophie, Führerin des Lebens, oh Erforscherin der Tugend und Vertreiberin der Fehler!

Diese Anreden sind rhetorisch durchstilisiert. So ist *o vitae philosophia dux* ein doppelter Hyperbaton, denn eigentlich müsste die Reihenfolge lauten: *o philosophia, vitae dux*, so dass sich die zentrale Bitte *o* auf *philosophia* und das Genitivattribut *vitae* auf *dux* bezieht. Die zweite Anrede ist chiastisch gebaut:

o virtutis indagatrix
✕
expultrixque vitiorum

Quid non modo nos, sed omnino vita hominum sine te esse potuisset?
Was hätten nicht nur wir, sondern überhaupt das Leben der Menschen ohne dich sein gekonnt/können?

Eine rhetorische Frage. Da der Konjunktiv hier im Hauptsatz steht (auch direkte Fragesätze zählen als Hauptsätze), muss er übersetzt werden. Der Konjunktiv Plusquamperfekt drückt eine unerfüllbare Vorstellung (Irrealis der Vergangenheit) aus. Unterteilt durch die Gliederungsadverbien *non modo ... sed omnino ...* teilen sich zwei Subjekte (*nos* und *vita*) ein Prädikat, das sich der Form nach nur nach dem Wort richtet, das in unmittelbarer Nähe steht (*vita*). Wegen der Zweitstellung ist das im Deutschen umgekehrt, das Prädikat richtet sich nach der 1. Plural. Ob man zwischen dem streng-grammatisch richtigen *sein gekonnt* oder dem umgangssprachlich gängigeren *sein können* wirklich unterscheiden muss, weiß ich nicht.

Tu urbis peperisti, tu dissipatos homines in societatem vitae convocasti, tu eos inter se primo domiciliis, deinde coniugiis, tum litterarum et vocum communione iunxisti, tu inventrix legum, tu magistra morum et disciplinae fuisti.
Du brachtest die Städte hervor, du riefst die zerstreuten Menschen in die Gesellschaft des Lebens zusammen, du verbandest diese unter sich zuerst in Wohnungen, dann in Bindungen, dann in der Gemeinschaft der Schriften und der Sprachen, du warst die Erfinderin der Gesetze, du warst die Leiterin der Sitten und der Bildung.

Vor allem die stiltechnische Architektur dieses Satzes imponiert: Parallelismus, Anapher von *tu*, Homoioteleuton der 2. Singular Perfekt Aktiv *(-isti)*, Asyndeton. *urbis* ist Akkusativ Plural (Nebenform der 3. Deklination). *peperisti* ist Reduplikationsperfekt von *parere, pario, peperi, partum, zeugen*. Eine Übersetzungshilfe ist auch die Gliederung *primo ..., deinde ..., tum ...* in der Aufzählung von Ablativen. *litterae* und *voces* (von *vox*), wörtlich *Buchstaben und Stimmen,* meint hier wohl in erster Linie die anthropologischen Errungenschaften der Schrift und der Sprache. *morum* findest du unter *mos, moris, Sitte.*

Ad te confugimus, a te opem petimus, tibi nos, ut antea magna ex parte, sic nunc penitus totosque tradimus.
Zu dir fliehen wir, von dir bitten wir um Hilfe, dir übergeben wir uns, wie vorher zum großen Teil, so nun völlig und ganz.

se tradere, sich widmen, ist phraseologisch. Das Reflexivpronomen kann je nach Person natürlich variieren, so hier in der 3. Plural *nos tradimus*. *magna ex parte,* wörtlich «*aus einem großen Teil*», lässt sich ebenfalls idiomatisch übersetzen: *zum großen Teil*. *totos* ist aufgrund seiner KNG-Kongruenz Prädikativum zu *nos*, während *penitus, völlig,* Adverb ist. Beide werden im Deutschen auf die gleiche Weise (wörtlich-undekliniert) übersetzt.

Dici non potest ...

Dici non potest, quam sim hesterna disputatione tua delectatus vel potius adiutus.
Es kann nicht gesagt werden, wie ich durch deine gestrige Argumentation erfreut oder eher unterstützt worden bin.

dici ist Infinitiv Präsens Passiv und hängt an dem unpersönlichen Ausdruck *potest*. *quam* ist indirektes Frageadverb *(wie)* und erklärt den Konjunktiv *sim*, mit dem *delectatus* und *adiutus* prädikativ stehen und einen Konjunktiv Perfekt Passiv bilden.

Etsi enim mihi sum conscius numquam me nimis vitae cupidum fuisse, tamen interdum obiciebatur animo metus quidam et dolor cogitanti fore aliquando finem huius lucis et amissionem omnium vitae commodorum.
Auch wenn ich mir nämlich bewusst bin, dass ich niemals allzu begierig nach Leben gewesen bin, wurde dennoch manchmal (meinem) Geist eine gewisse Furcht und ein Schmerz entgegengeworfen, während er darüber nachdachte, dass irgendwann ein Ende dieses Lichtes (Lebenslichtes) und ein Verlust aller Annehmlichkeiten des Lebens sein würde.

Von *mihi conscius sum, ich bin mir bewusst*, hängt ein AcI *(me cupidum fuisse)* ab. Das Adjektiv *cupidus, begierig,* steht mit dem Genitivus obiectivus, der den Gegenstand, das «Objekt» der Begierde bezeichnet (hier *vitae*). Im Deutschen übersetzt man am besten mit einem präpositionalen Ausdruck *(begierig <u>nach</u> Leben)*. Mit *tamen* beginnt nun der Hauptsatz, in dem *obiciebatur* Prädikat und *metus quidam* und *dolor* Subjekte sind. *obicere*, wörlich *entgegenwerfen*, wirft die Frage nach einem indirekten Objekt im Dativ auf (wem entgegenwerfen?). Dies erscheint hier in der Form *animo*, mit dem in deutlicher Sperrung und prädikativer Stellung das PPA *cogitanti* kongruiert. *cogitari, denken, nachdenken, bedenken,* leitet regelmäßig einen AcI ein, so auch hier in Form der Subjektsakkusative *finem* und *amissionem* und des Prädikatsinfinitivs *fore (=futurum esse)*. Den Genitiv *lucis* findest du im Wörterbuch übrigens unter *lux*.

Hoc genere molestiae sic, mihi crede, sum liberatus, ut nihil minus curandum putem […].
Von dieser Art der Sorge bin ich so, glaube mir, befreit worden, dass ich meine, dass sich um nichts weniger Sorge gemacht werden muss […].

hoc genere ist Ablativus separativus nach dem Verb *liberare, befreien (von).* Das Prädikat des *ut*-Satzes *(putem)* leitet einen elliptischen AcI ein mit der an sich schon schwierigen Form *curare,* hier in der Bedeutung *sich Sorgen machen.* Das lateinische Akkusativobjekt der Sorge (hier: *nihil*) steht im Deutschen in einem präpositionalen Ausdruck *(um etwas).* Dieser muss bei der Übersetzung des Gerundivums beachtet werden. Die Möglichkeit der Substantivierung-Genitivierung ist hier theoretisch auch denkbar, allerdings muss auch hier anstelle der Genitivierung mit *um* präpositionalisiert werden: «*dass um nichts die Sorge geringer ist*».

Nam efficit hoc philosophia: medetur animis, inanes sollicitudines detrahit, cupiditatibus liberat, pellit timores.
Denn dies (Folgendes) bewirkt die Philosophie: sie heilt die Seelen, leere Sorgen nimmt sie ab, von Leidenschaften befreit sie, vertreibt die Ängste.

Das Deponens *mederi, heilen,* steht ausnahmsweise mit Dativobjekt, wo im Deutschen ein Akkusativobjekt zu erwarten ist. *liberare* steht auch hier wie im Vorsatz mit dem Ablativus separativus. Der letzte Satz ist auch stilistisch beachtenswert. Cicero verschont uns mit seinen unsäglichen asyndetisch-anaphorischen Fließbandparallelismen, die man insbesondere als Lateinlehrer irgendwann nicht mehr hören bzw. lesen kann. Vielmehr würzt er sein Fazit mit einem doppelten Chiasmus:

medetur animis

inanes sollicitudines detrahit,

cupiditatibus liberat

pellit timores.

Est enim amicitia …

Est enim amicitia nihil aliud nisi omnium divinarum humanarumque rerum cum benivolentia et caritate consensio.
Es ist nämlich die Freundschaft nichts anderes außer die Übereinstimmung aller göttlichen und menschlichen Dinge mit Zuneigung und Liebe.

Um ein Prädikat, das im Lateinischen Erststellung hat, im Deutschen in Zweitstellung zu rangieren, bedient man sich eines Subjektstellvertreters in Form des unpersönlichen Pronomens *es.* Das Prädikativum zu *est consensio* und Bezugswort des Genitivattributes *omnium divinarum humanarumque rerum* ist hier durch einen präpositionalen Ausdruck *(cum benivolentia et caritate)* versperrt (Sperrung oder Hyperbaton).

Qua quidem haud scio, an excepta sapientia nihil melius homini sit a dis inmortalibus datum.
Im Vergleich zu dieser jedenfalls ist vielleicht, mit Ausnahme der Weisheit, dem Menschen nichts besseres von den unsterblichen Göttern gegeben worden.

qua ist zugleich relativer Satzanschluss und Ablativus comparationis zu *nihil melius, nichts Besseres.* Dieser Fall zeigt, dass man einen Ablativus comparationis nicht genau so behandeln darf wie die Vergleichskonjunktion *quam, als.* Sicher und immer gelingt die Übersetzung mit «*im Vergleich zu*», so auch hier in Kombination mit dem Demonstrativpronomen des relativen Anschlusses. Für *haud scio, an* (wörtlich: *ich weiß nicht, ob*) passt das Adverb *vielleicht* immer. Auch wenn der Konjunktion *an* ein konjunktivischer Nebensatz folgt *(sit),* muss dieser hier nicht übersetzt werden. Das Perfekt Passiv *datum sit* verlangt ein Dativobjekt *(homini)* und einen *Agens (a dis immortalibus).* Die Form *dis* steht regelmäßig für *deis.* Sie hat jedoch grammatisch nichts mit dem Gott der Unterwelt *(Dis)* zu tun.

Divitias alii praeponunt, bonam alii valitudinem, alii potentiam, alii honores, multi etiam voluptates. […]
Die einen bevorzugen Reichtum, die anderen gute Gesundheit, weitere Macht, andere Ehren, viele sogar Lüste. […]

Analog zum Singular *alius ..., alius ..., der eine ..., der andere ...* steht hier der Plural. Beachte die parallelistische Struktur der Akkusativ-Objekte und das damit verbundene Homoioptoton.

Qui autem in virtute summum bonum ponunt, praeclare illi quidem [faciunt], et haec ipsa virtus amicitiam et gignit et continet, nec sine virtute amicitia esse ullo pacto potest.
Welche aber das höchste Gut in der Tugend ansiedeln, jene (handeln) gewiss hervorragend, und diese Tugend selbst zeugt sowohl Freundschaft als auch enthält sie (sie), und nicht ohne Tugend kann die Freundschaft auf irgendeine Weise sein (existieren/bestehen).

Der Satz beginnt mit einem Subjektsatz *(qui)*. Hauptsatzprädikat dazu ist das ergänzte *faciunt*. Die nächsten beiden Hauptsätze folgen polysyndetisch *(et ... nec)*. Im ersten teilen sich zwei Prädikate *(gignit, continet)* ein Objekt *(amicitiam)*, was eine Wiederholung des Objektes in Form eines Pronomens erfordern kann. Im zweiten liegt eine Infinitivkonstruktion vor *(esse potest). ullo pacto* heißt *auf irgendeine Weise*.

Cum essem biennium versatus ...

Cum essem biennium versatus in causis et iam in foro celebratum meum nomen esset, Roma sum profectus.
Nachdem ich zwei Jahre tätig gewesen war in Prozessen und schon auf dem Forum mein Name häufig genannt worden war, brach ich von Rom auf.

versari, sich aufhalten, sich beschäftigen, tätig sein, ist deponent. In Verbindung mit einem Imperfekt von *esse (essem)* hat das PPDep *versatus* also die Funktion eines Plusquamperfekts Aktiv. Das Zeitverhältnis im *cum*-Satz ist also vorzeitig *(nachdem)*. Dass *causa* hier *Gerichtsprozess* heißen muss, wird aus der Einleitung deutlich. *celebrare, häufig nennen, feiern,* steht hier im echten Plusquamperfekt Passiv.

Cum venissem Athenas, sex mensis cum Antiocho veteris Academiae, nobilissimo et prudentissimo philosopho, fui studiumque philosophiae numquam intermissum a primaque adulescentia cultum et semper auctum hoc rursus summo auctore et doctore renovavi.
Nachdem ich nach Athen gekommen war, war ich sechs Monate mit Antiochus von der alten Akademie, einem sehr bekannten und sehr gebildeten Philosophen, und frischte das Studium der Philosophie, das niemals unterbrochen und von früher Jugend an gepflegt und immer gefördert worden war unter diesem größten Förderer und Lehrer erneut auf.

Athenas ist der Form nach Akkusativ Plural Femininum des Stadtnamens *Athenae*, der *per se* nur im Plural steht. Bei Namen von Städten dient jedoch der Akkusativ grundsätzlich der Richtungsangabe (vgl. *Romam, Carthaginem*), die deutsche Präposition *nach* muss also ergänzt werden. Auch die Form *mensis* ist Akkusativ Plural (3. Deklination) und zwar der zeitlichen Erstreckung *(sechs Monate lang)*. Die «alte Akademie» steht der Tradition der platonischen Akademie zeitlich am nächsten. Etwas verspätet kommt nun das Prädikat *fui* dahergehinkt, gefolgt von einem weiteren Hauptsatz, eingeleitet durch *-que*, mit dem Prädikat *renovavi* und dem Objekt *studium*, auf das sich mehrere erweiterte PPPs *(intermissum, cultum, auctum)* attributiv beziehen. *hoc summo auctore et doctore* ist ein nominaler Ablativus absolutus, erkennbar an den Amts- bzw. Funktionsbezeichnungen *auctor* und *doctor* und dem kongruenten Pronomen ohne Partizip.

Eodem tamen tempore Athenis apud Demetrium Syrum, veterem et non ignobilem dicendi magistrum, studiose exerceri solebam.
Doch zur selben Zeit pflegte ich in Athen bei Demetrius Syrus, dem alten und nicht unbekannten Lehrmeister des Redens (der Rhetorik), lernbegierig ausgebildet zu werden.

Athenis steht nun im Ablativ Plural Femininum. Dabei handelt es sich um einen Ablativus loci, also eine Ortsangabe auf die Frage: wo? *dicendi* ist Gerundium und Genitivattribut zu *magistrum*. Statt durch Artikulierung und Großschreibung zu substantivieren (*das Reden*) passt bei *dicere* oft die Bedeutung *Rhetorik*. *exerceri solebam* ist eine Infinitivkonstruktion, die am besten wörtlich aufgeht. Nach *solere, pflegen,* folgt im Deutschen noch die Präposition *zu* vor dem Infinitiv.

Post a me Asia tota peragrata est cum summis quidem oratoribus, quibuscum exercebar ipsis libentibus.
Danach ist von mir ganz Asien durchreist worden mit den gewiss größten Rednern, mit denen ich ausgebildet wurde mit ihrer eigenen Zustimmung.

Das Subjekt in diesem Satz ist *Asia*, das Prädikat ist das Perfekt Passiv *peragrata est*, die eigentlich handelnde Person (Agens) ist in einem präpositionalen Ausdruck verklausuliert (*a me*), was dem Satz alles eine gewisse mechanische Starre verleiht. *ipsis libentibus* ist ein AmP, der etwas mehr Geschick verlangt als nur die formale Anwendung der AmP-Übersetzungstechnik. Für die Präpositionalisierung empfiehlt sich statt *bei* oder *während* eher *mit* oder *unter*. Darauf, dass es ein Verb *libere, belieben, wollen, zustimmen,* überhaupt gibt, muss man erst mal kommen oder göttlich erleuchtet werden – das Wörterbuch hilft dabei kaum. Dort gibt es zwar die Formen *libens* (PPA) und *libet* (unpersönlicher Ausdruck), aber nicht in den passenden Bedeutungen. Bei der Genitivierung muss mit *von* (*von ihnen selbst*) oder einem Possessivpronomen (*ihrer eigenen*) gearbeitet werden.

Non est vobis, Quirites, ...

Non est vobis, Quirites, cum eo hoste certamen, cum quo aliqua pacis condicio esse possit.
Nicht ist euch / Nicht habt ihr, Quiriten, mit diesem (demjenigen) Feind ein/einen Kampf, mit dem irgendeine Bedingung des Friedens sein könnte/kann.

Der Anfang dieses Textes lässt zwei Möglichkeiten der Übersetzung zu, eine wörtliche, eine umschriebene. Für die Umschreibung muss man allerdings wissen, womit man es grammatisch zu tun hat. *vobis* ohne Präposition ist Dativ und tritt hier in Verbindung mit *esse* auf. Einfacher Dativ + *esse* hat die Funktion eines Dativus possessivus, also besitzanzeigender Dativ. *non est vobis* heißt also wörtlich: *nicht ist euch*. Weil sie mit einer wörtlichen Übersetzung nichts anfangen können, fällt der Beginn dieses Textes sehr vielen Anfängern nur deshalb schwer, weil sie entweder wörtlich übersetzen müssen oder den Dativus possessivus nicht kennen. Bei der Umschreibung eines Dativus possessivus macht man das Dativobjekt zum Subjekt des Satzes und umschreibt das Besitzverhältnis mit *haben* statt mit *sein* – das Prädikat wird also in PN-Kongruenz mit dem Subjekt gebracht und als *haben* übersetzt: *nicht habt ihr*. Das ursprüngliche Subjekt (*certamen*) wird zum Objekt. *Quirites, Quiriten,* ist die Anrede der römischen Bürger als politischer Einheit, nach einem alten römischen Stamm, ähnlich dem deutschen «Liebe Mitbürger» oder dem amerikanischen «My fellow citizens». Die nächste Schwierigkeit ist *aliqua*. Im Vergleich mit den Relativpronomen, von denen sich die *Composita* (zusammengesetzte Formen) mit dem Präfix *ali-* herleiten, lässt die Form *-qua* nur den Ablativ Singular zu. Genau das ist aber falsch. Ausnahmsweise gilt bei zusammengesetzten Formen mit *ali-*, dass auch der Nominativ Singular Femininum auf *-qua* statt auf *-quae* auslautet. Der Konjunktiv erklärt sich aus dem konsekutiven Nebensinn des Relativsatzes. Statt *cum quo, mit welchem,* könnte auch als Konjunktion konsekutives *ut, so dass,* stehen.

Neque enim ille servitutem vestram, ut antea, sed iam iratus sanguinem concupiscit.
Denn jener wünscht nicht eure Versklavung, wie früher, sondern bereits erzürnt/zornig (euer) Blut.

Die meisten Schwierigkeiten bereitet in diesem Satz die Form *iratus*. Eigentlich handelt es sich um ein PPDep des Verbs *irasci, irascor, iratus sum, zornig werden, zornig sein*. Aufgrund der gesperrten Stellung hat es am ehesten die Funktion eines Prädikativums ohne *esse*. Als solches darf es wörtlich-undekliniert (*zornig geworden, erzürnt*) oder durch einen Konjunktionalsatz (*nachdem er zornig geworden ist*) übersetzt werden. Die nicht partizipiale Variante *zornig* hat mit dem starken adjektivischen Charakter der Form *iratus* zu tun.

Nullus ei ludus videtur esse iucundior quam cruor, quam caedes, quam ante oculos trucidatio civium.
Variante a): Es scheint, dass ihm kein Spiel angenehmer ist
Variante b): Kein Spiel scheint ihm angenehmer zu sein,
als Blut(vergießen), als Mord, als vor (erg.: seinen) Augen ein Hinmetzeln von Bürgern.

Leitkonstruktion in diesem Satz ist der NcI *(nullus ludus esse)*, eingeleitet durch *videtur*. Weil *videtur* eine der wenigen Formen ist, von denen sich auch im Deutschen ein NcI bilden lässt, der nicht absurd klingt, habe ich mal eine wörtliche Variante b) angeboten. Solche Experimente sollten jedoch die Ausnahme bleiben. Nach dem Komparativ folgt die Vergleichskonjunktion *quam, als,* in dreigliedriger, asyndetischer, anaphorischer Reihung. Der Bezug des Genitivattributes *civium* ist nicht jedem klar. Die Tatsache, dass es hinter *trucidatio* und nicht hinter *oculos* steht, sollte eigentlich ausschließen, dass es sich auf *oculos (ante oculus civium, vor den Augen der Bürger)* bezieht. Intuitiv macht man das aber trotzdem oft falsch, weil man insgeheim lieber wissen möchte, vor wessen Augen die Abschlachtung stattfindet als wer abgeschlachtet wird.

Non est vobis res, Quirites, cum scelerato homine ac nefario, sed cum immani taetraque belua, quae, quoniam in foveam incidit, obruatur.
Nicht ist euch eine Sache/Ihr habt nicht eine Situation, Quiriten, mit einem verbrecherischen und frevelhaften Menschen, sondern mit einer ungeheuren und abscheulichen Bestie, die, weil sie (schon) in eine Grube gefallen ist, verschüttet werden muss.

non est vobis res könnte man freier auch übersetzen mit: «ihr habt es nicht zu tun ...». Die verwechslungsträchtige Form *incidere* (mit kurzem i), *hineinfallen,* steht hier im Perfekt.

Der Konjunktiv im Relativsatz erklärt sich aus dem konsekutiven Nebensinn *(dass, so dass).*

Si enim illinc emerserit, nullius supplicii crudelitas erit recusanda.
Wenn sie nämlich von dort herausgekommen sein wird, wird die Grausamkeit keiner Strafe zurückzuweisen sein/wird man ... zurückweisen dürfen.

emerserit könnte natürlich auch Konjunktiv Perfekt sein, doch das Futur 1 im Hauptsatz *(erit)* spricht für ein vorzeitiges Verhältnis im Nebensatz – daher Futur 2. Dass ein prädikatives Gerundivum auch mit dem Futur 1 von *esse* auftreten kann, mag selten sein, unübersetzbar ist es nicht.

Bezugswort ist hier *crudelitas,* davon abhängig ist der Genitiv *nullius supplicii.* Bei Pronominaladjektiven wie *nullus* erinnere ich an die abweichenden Formen im Genitiv *(-ius)* und Dativ *(-i). supplicium* hat hier die Bedeutung *Strafe.*

Sed tenetur, premitur, urgetur ...

Sed tenetur, premitur, urgetur nunc iis copiis, quas iam habemus, mox iis, quas paucis diebus novi consules comparabunt.
Aber gehalten, gedrückt, gewürgt wird er nun von diesen Truppen, die wir bereits haben, bald von denen, die in wenigen Tagen die neuen Konsuln beschaffen/ausheben werden.

Das Prädikat dieses Satzes ist das dreigliedrige, asyndetische Homoioteleuton *tenetur, premitur, urgetur,* das gleichzeitig das Subjekt enthält. Die Rede ist natürlich von Marcus Antonius. *copiae* sind im militärischen Kontext *Truppen.* Beachte die Gliederung *nunc, jetzt ... mox, bald ....*

Incumbite in causam, Quirites, ut facitis.
Setzt euch ein für diese Sache, Quiriten, wie ihr (es schon) tut.

incumbere in hat die gleiche Bedeutung wie im Deutschen «sich ins Zeug legen für», «sich einsetzen für». *Quirites, Quiriten, Mitbürger,* ist die feierliche Ansprache der Adressaten in Reden vor dem Volk, also der römischen Bürger.

Numquam maior consensus vester in ulla causa fuit, numquam tam vehementer cum senatu consociati fuistis.
Niemals ist eure Übereinstimmung in irgendeiner Sache größer gewesen, niemals seid ihr so sehr (stark) mit dem Senat verbündet gewesen.

vehementer ist Adverb der 3. Deklination. Merke dir den Spruch: *Ahnungslose Omas essen 3 Liter vergleichbar neutralen Bratenius*. *consociati fuistis* ist kein Perfekt Passiv! PPP mit Formen vom Stamm *fu-* bilden ein sogenanntes Zustandspassiv. Der Unterschied besteht darin, dass beim normalen Passiv betont wird, dass man z. B. verbunden worden ist oder verbunden wird, beim Zustandspassiv hingegen, dass man verbunden gewesen ist oder verbunden ist.

Nec mirum: agitur enim non, qua condicione victuri, sed, victurine simus an cum supplicio ignominiaque perituri.
Und (das ist) nicht erstaunlich/Und kein Wunder: Verhandelt wird nämlich nicht (es geht nicht darum), unter welcher Bedingung wir leben/siegen werden, sondern, ob wir leben/siegen (werden) oder mit Qual und Schande zugrunde gehen werden.

agitur, es geht um gehört auf eine Karteikarte. Es folgen zwei indirekte Frage *(qua condicione, unter welcher Bedingung* und *-ne, ob)*. Indirekte Fragen stehen grundsätzlich mit dem Konjunktiv *(simus)*. *supplicium* ist in seinem Bedeutungsspektrum sehr breit gefächert. Von der Grundbedeutung «Kniefall» ausgehend kann es jede Situation bezeichnen, in der man auf die Knie fällt: *Gebet, flehende Bitte, Strafe, Qual, Opfer*. *victuri* ist PFA, alternativ von *vivere, leben*, oder *vincere, siegen*. Beides macht Sinn. *perituri* ist PFA von *perire, zugrunde gehen*. Zu *simus* abschließend noch eine lehrreiche Anekdote: Ich habe Studenten erlebt, die die Form *simus* im Wörterbuch tatsächlich nachgeschlagen haben. Ich selbst kannte die Bedeutung, die man unter *simus* findet, nicht. *simus* existiert auch als Adjektiv in der Bedeutung *plattnasig*. Und *plattnasig* ist falsch! *plattnasig* gehört in den Wortschatz römischer Komödiendichter und Satiriker. *plattnasig* hat im Latinum nichts, aber auch gar nichts verloren. Auch wenn man bisher immer geglaubt hatte, Verben mit Stammwechsel wären irgendeine seltene tropische Pflanze, konnte man auf die Lösung kommen, wenn man wusste, was man in Gegenwart von PFAs zu erwarten hat: Beide PFAs stehen hier prädikativ mit *esse* zur Bildung eines Futur 1. Und *simus* ist nichts anderes als die 1. Person Plural Konjunktiv Präsens von *esse*.

Si tu apud Persas ...

Si tu apud Persas aut in extrema India deprensus, Verres, ad supplicium ducerere, quid aliud clamitares nisi te civem esse Romanum?
Wenn du, nachdem du bei den Persern oder im entferntesten Indien verhaftet worden wärest, zur Strafe geführt würdest, was würdest du (anderes) schreien, außer dass du ein römischer Bürger bist?

Der erste Satz ist eine irreale Periode der Gegenwart, leicht zu erkennen am Konjunktiv Imperfekt *(ducerere, clamitares)*. *ducerere* ist dabei eine eher umgangssprachliche Nebenform zu *ducereris*. Da die Texte bei der Vervielfältigung diktiert wurden, gehen solche Formen nicht selten auf einen Hörfehler des Kopisten zurück. Das PPP *deprensus* muss nicht nur im Zeitverhältnis, sondern auch im Modus dem übergeordneten Prädikat angeglichen werden. Das erklärt hier den deutschen Konjunktiv Plusquamperfekt (vorzeitig und irreal). Analog zu *nihil aliud nisi, nichts anderes außer,* steht hier *quid aliud nisi, was anderes außer*. Von *clamitare* ist ein AcI *(te civem esse Romanum)* abhängig.

Et si tibi ignoto apud ignotos, apud barbaros, apud homines in extremis atque ultimis gentibus positos, nobile et inlustre apud omnis nomen civitatis tuae profuisset, ille, quisquis erat, quem tu in crucem rapiebas, qui tibi esset ignotus, cum civem se Romanum esse diceret, apud te praetorem si non effugium, ne moram quidem mortis mentione atque usurpatione civitatis adsequi potuit?

Und wenn dir (als) Unbekanntem bei Unbekannten, bei Barbaren, bei Menschen, die in den fernsten und letzten Völkern angesiedelt sind, der bei allen bekannte und berühmte Name deiner Staatsbürgerschaft genützt hätte, konnte jener, wer auch immer es war, den du ans Kreuz zerrtest, welcher dir unbekannt war, als/obwohl er sagte, dass er ein römischer Bürger sei, bei dir als Prätor, wenn (schon) nicht eine Zuflucht, nicht einmal einen Aufschub des Todes durch die Erwähnung und Berufung auf die (seine) Bürgerschaft erreichen?

Die Gliederung des zweiten Satzes: NS 1 (Et si ...), HS (ille ...), NS 1 (quisquis ...), NS 2 (quem ...), NS 3 (qui ...), NS 4 (cum ...), HS (apud ...). Auch im zweiten Satz findet sich ein Irrealis, diesmal der Vergangenheit (profuisset) – allerdings nur im si-Satz. Das Prädikat des Hauptsatzes ist Indikativ (potuit) – bitte daran denken dieses rechtzeitig nach profuisset (Ende des ersten Satzteils) und vor ille (Subjekt des Hauptsatzes) vorzuziehen. ignoto und ignotos sollten auf jeden Fall substantiviert werden. ignoto mache ich zum Prädikativum von tibi. Daneben ist auch eine wörtlich-deklinierte Übersetzung (dir Unbekanntem), Apposition (dir, einem Unbekannten, ...) oder wörtlich-undeklinierte Übersetzung (dir, unbekannt bei Unbekannten) möglich. Es folgt ein dreigliedriger, asyndetischer Parallelismus mit Anapher von apud und Homoioptoton im Akkusativ (apud ignotos, apud barbaros, apud homines). Zu homines ist das PPP positos Attribut – deshalb ist der Relativsatz besonders geeignet. omnis nach apud ist Nebenform des Akkusativ Plural der 3. Deklination. Die Stämme von profuisse findet man unter prosum oder prodesse. quisquis, wer auch immer, sollte man lernen. in crucem rapere, wörtlich ans Kreuz zerren ist mit foltern und hinrichten gleichzusetzen. Der cum-Satz hat durchaus einen konzessiven, also einräumenden Sinn und lässt sich daher gut mit obwohl einleiten. Beachte dabei den auf das Opfer reflexiv bezogenen AcI (civem se esse Romanum diceret). Nach si non, wenn schon nicht, ist in der Folge vor allem auf ne ... quidem, nicht einmal ..., zu achten. mortis bezieht sich noch auf mora. Der Genitivus obiectivus civitatis bezieht sich auf mentione und usurpatione zusammen. Mit usurpatio ist hier natürlich nicht der Missbrauch des Bürgerrechts, sondern der rechtliche Gebrauch, also die Berufung darauf zu verstehen.

Est igitur, inquit Africanus ...

Est igitur, inquit Africanus, res publica res populi, populus autem non omnis hominum coetus quoquo modo congregatus, sed coetus multitudinis iuris consensu et utilitatis communione sociatus.

Es ist also, sagte Africanus, die öffentliche Sache (der Staat) eine Sache des Volkes, das Volk aber (ist) nicht jedes Zusammentreten von Menschen, das auf welche Art auch immer verbunden worden ist, sondern ein Zusammentreten einer Menge, die in Übereinstimmung des Rechts und in Gemeinschaft des Vorteils vergesellschaftet worden ist.

Dieser Satz besteht aus zwei parataktischen Hauptsätzen: 1. von est bis populi, 2. von populus bis zum Ende. Zu est gibt es in diesem Satz ein Subjekt (res publica) und ein Prädikativum (res populi). Außerdem greift est auf den zweiten Teil des Hauptsatzes über, wo populus das Subjekt ist und omnis coetus und coetus multitudinis die Prädikativa. Zu diesen beiden Prädikativa treten nochmals zwei PPPs als Eigenschaftsattribute hinzu (congregatus und sociatus). Diese sind durch adverbiale Bestimmungen (quoquo modo und iuris consensu et utilitatis communione) erweitert. quoquo geht auf das zusammengesetzte Pronomen quisquis, welcher auch immer, zurück. Da es hier mit modo, Art und Weise, im Ablativ kongruiert, muss man es in einen etwas ungewohnten präpositionalen Ausdruck (auf welche Art auch immer) überführen.

Eius autem prima causa coeundi est non tam inbecillitas quam naturalis quaedam hominum quasi congregatio [...].

Der erste Grund des Zusammentretens von dieser aber ist nicht so sehr die Schwäche wie ein gewisser natürlicher Herdentrieb der Menschen sozusagen [...].

Subjekt ist prima causa, davon abhängig ein Gerundium im Genitiv (coeundi, von coire, zusammentreten) und ein Genitivus possessivus (eius). Prädikat ist est und Prädikativa sind imbecillitas und congregatio, auf das sich die Attribute naturalis quaedam hominum beziehen in einer Abfolge, die so im Deutschen nicht stehen bleiben kann. quasi (gewissermaßen, sozusagen) ist wegen quaedam (eine gewisse) etwas redundant. Beachte die Korrelativadverbien non tam ... quam, nicht so sehr ... als vielmehr.

Omnis ergo populus, qui est talis coetus multitudinis, qualem exposui, omnis civitas, quae est constitutio populi, omnis res publica, quae, ut dixi, populi res est, consilio quodam regenda est, ut diuturna sit.

Jedes Volk also, welches ein solches Zusammentreten einer Menge ist, wie ich dargestellt habe, jede Gesellschaft, welche eine Verfassung des Volkes ist, jeder Staat, welcher, wie ich sage, Sache des Volkes ist, ist durch einen gewissen Plan zu lenken, damit sie von Dauer ist.

Der letzte Satz weist eine dreigliedrige, asyndetische, Parallelität der Subjekte *populus*, *civitas* und *res publica* auf, die jeweils durch die Anapher *omnis* eingeleitet und durch ein Relativattribut näher bestimmt werden. Prädikat und Prädikativum bildet das Gerundivum *regenda est*, das sich grammatisch nur auf *omnis res publica*, inhaltlich jedoch auf alle drei Subjekte bezieht.

O di immortales! ...

O di immortales! Ubinam gentium sumus?
O unsterbliche Götter! Wo denn unter den Völkern sind wir?

Die Form *di* steht nahezu immer für den Nominativ Plural *dei*, Götter. Dass auch von einem Frageadverb ein Genitivattribut abhängen kann, zeigt die Form *ubi gentium*. Der Genitivus partitivus gibt hier an, «aus welchem Teil» der Völker. Freier würde man übersetzen: «Wo auf der Welt?». *nam* ist öfters angehängt in der gleichen Bedeutung, in der es auch allein steht und die es in ähnlicher Stellung auch im Deutschen hat *(denn)*.

Quam rem publicam habemus? In qua urbe vivimus?
Welchen Staat haben wir? In welcher Stadt leben wir?

Die Fragepronomen *quis, quis, quid (wer/welcher, welche, was)* teilen sich, wie auch im Deutschen, die restlichen Formen mit den Relativpronomen *(welcher, welche, welches)*, wie hier *quam* und *qua*.

Hic, hic sunt in nostro numero, patres conscripti, in hoc orbis terrae sanctissimo gravissimoque consilio, qui de nostro omnium interitu, qui de huius urbis atque adeo de orbis terrarum exitio cogitent.
Hier, hier sind in unserer Zahl, ihr Senatoren, in diesem heiligsten und bedeutendsten Rat der Welt (solche), welche über unser aller Untergang, welche über den Untergang dieser Stadt und sogar über (den Untergang) der Welt nachdenken?

Die stilistische Wiederholung eines Wortes, wie hier die zweimalige Nennung von *hic*, nennt sich Geminatio (Verdopplung). *patres conscripti* ist die traditionelle Ansprache der Senatoren im Senat. Im Hauptsatz vermisst man ein Subjekt, dessen Funktion die Relativsätze übernehmen (Subjektsatz). Es ist zulässig ein Stützsubjekt (wie etwa *sie, solche, diejenigen* oder *diese*) zur Hilfe zu nehmen. *orbis terrae* oder *orbis terrarum* kann man wörtlich mit *Kreis der Welt, Kreis der Länder* oder *Erdkreis* übersetzen, man kann es jedoch auch einfach mit *Welt* wiedergeben. Im letzten Teil des präpositionalen Ausdruckes ist das Bezugswort *(exitio)* nur einmal genannt, während die *Präposition* zweimal steht. Das kann etwas irritieren.

Hos ego video consul et de re publica sententiam rogo, et, quos ferro trucidari oportebat, eos nondum voce vulnero!
Diese sehe ich als Konsul und frage (sie) nach der Meinung in Bezug auf den Staat und, von welchen es nötig war, dass sie mit dem Schwert abgeschlachtet werden, diese verwunde ich noch nicht (einmal) mit der Stimme!

consul passt am besten als Prädikativum zu *ego* wegen der Sperrung und Prädikatsnähe zu *video*. Gegen die Apposition oder das Attribut (*ich, der Konsul* oder *ich Konsul*) spricht allerdings auch nichts. Das Relativpronomen *quos* ist verschränkter Subjektsakkusativ zu dem unpersönlichen AcI-Einleiter *oportebat* (von *oportet, es ist nötig, dass*) und dem Infinitiv Präsens Passiv *trucidari*. Daher muss es mit *von* dativiert werden. *voce* findest du unter *vox, Stimme*.

Itaque quartum quoddam genus ...

Itaque quartum quoddam genus rei publicae maxime probandum esse sentio, quod est ex his, quae prima dixi, moderatum et permixtum tribus [...].
Daher denke ich, dass eine gewisse vierte Art der Staasverfassung am meisten zu begrüßen ist, welche aus diesen dreien, welche ich zuerst nannte, ins richtige Verhältnis gebracht und vermischt worden ist [...].

Von *sentio* hängt hier ein AcI ab. Subjektsakkusativ ist *quartum quoddam genus*, als Infinitiv und Prädikativum dient das Gerundivum *probandum esse*. *tribus* ist nicht etwa der Nominativ Singular von *tribus, Stamm*, sondern der Ablativ Plural von *tres, drei*, das stilistisch sehr weit von seinem Bezugswort *(his)* gesperrt steht (Hyperbaton). *quae* bezieht sich als Neutrum Plural auf *his*. *prima* steht dazu prädikativ und kann wörtlich-undekliniert wie in meinem Vorschlag oder mit *als* übersetzt werden *(welche ich als erste nannte)*. Die Bedeutungen von *moderare* und *permingere* sind dem Kontext der Mischverfassung (siehe Einleitungstext) entnommen.

Sic enim decerno, sic sentio, sic adfirmo, nullam omnium rerum publicarum aut constitutione aut discriptione aut disciplina conferendam esse cum ea, quam patres nostri nobis acceptam iam inde a maioribus reliquerunt.
So nämlich entscheide ich, so denke ich, so behaupte ich, dass keine von allen Verfassungen entweder in der Anlage oder Ausformulierung oder Lehre vergleichbar ist mit dieser, welche unsere Väter uns, nachdem sie schon damals von ihren Vorfahren übernommen worden war, zurückgelassen haben.

Der Satz beginnt mit einem asyndetischen Parallelismus mit Anapher von *sic* und Homoioteleuton der 1. Person Singular Indikativ Präsens Aktiv auf -o. Abhängig von diesen AcI-Einleitern ist ein AcI mit Gerundivkonstruktion *(nullam ... conferendam esse)*. Die Verbindungshäufung der Ablative *(constitutione, discriptione, disciplina)* mit *aut* ist ein Polysyndeton. *acceptam* ist Attribut zu *quam* und wiederum durch *iam inde a maioribus* erweitert. Zu *maioribus*: Jedes Adjektiv, zu dem sich kein weiteres kongruentes Bezugswort findet, muss substantiviert werden. Die *maiores* sind in solchen Zusammenhängen nicht einfach «die Größeren», sondern «die Älteren», die Vorfahren.

Habetis consulem ...

Habetis consulem ex plurimis periculis et insidiis atque ex media morte non ad vitam suam sed ad salutem vestram reservatum.
Ihr habt einen Konsul, welcher aus sehr vielen Gefahren und Attentatsversuchen und mitten aus dem Tode nicht zu seinem Überleben sondern zu eurer Rettung bewahrt worden ist.

Falsch oder zumindest missverständlich wäre es in diesem Satz, wenn man *reservatum* wörtlich-undekliniert übersetzt: *Ihr habt einen Konsul ... gerettet*. Denn dann entstünde der Eindruck, als ob die Angesprochenen den Konsul gerettet hätten und es sich um ein Perfekt Passiv aus PPP + *esse* handelte. Das ist jedoch nicht der Fall und entspricht auch nicht Ciceros Intention bei dieser Formulierung. Daher sollte man das zu *consulem* attributive PPP nicht wörtlich-undekliniert, sondern relativiert übersetzen.

Omnes ordines ad conservandam rem publicam mente, voluntate, voce consentiunt.
Alle Stände stimmen zur Bewahrung des Staates in Geist, Gesinnung, Meinung überein.

ordo hat bei Cicero fast immer die Bedeutung *Stand*. *ad conservandam rem publicam* ist präpositionales Gerundivum. Ich substantiviere die nd-Form und genitiviere das Bezugswort. *mente, voluntate, voce* ist asyndetisches Homoioptoton im Ablativ.

Obsessa facibus et telis impiae coniurationis vobis supplex manus tendit patria communis, vobis se, vobis vitam omnium civium, vobis arcem et Capitolium, vobis aras Penatium, vobis illum ignem Vestae sempiternum, vobis omnium deorum templa atque delubra, vobis muros atque urbis tecta commendat.

Belagert von Brandsätzen und Geschossen einer gottlosen Verschwörung streckt euch flehend das gemeinsame Vaterland die Hände aus, vertraut euch sich, euch das Leben aller Bürger, euch Festung und Kapitol, euch die Altäre der Penaten, euch jenes ewige Feuer der Vesta, euch Tempel und Heiligtümer aller Götter, euch die Mauern und Häuser der Stadt an.

obsessa (von *obsidere, belagern*) ist Prädikativum zum Subjekt *patria*. Ich wähle hier die wörtlich-undeklinierte Arbeitsübersetzung, weil sie sich am direktesten in einen ersten Entwurf einfügt. So kann ich die Erweiterung *facibus et telis impiae coniurationis* ohne Umstellung anhängen. Nach einem Prädikativum muss ähnlich wie nach einem ersten Satzteil das Prädikat folgen, hier *tendit*. Nun ordne ich zwei weitere kongruente Attribute (*supplex* und *communis*) Subjekt und Objekt an. Nach dem Komma folgt ein zweiter Hauptsatz, mit dem Prädikat *commendat*. Subjekt ist noch immer *patria*, das aus dem ersten Satz übernommen wird. Hier gerät der Leser unter einen derart penetranten Dauerbeschuss mit Stilfiguren, dass man sich fragt, ob Cicero diese Rede eher geschrieben hat, um sein Vaterland zu retten oder in die Grammatiken aufgenommen zu werden. Die verwendeten Stilmittel sind: Parallelismus, Anapher von *vobis*, Asyndeton, Homoioptoton von Dativ, Genitiv und Akkusativ, Alliteration *(vobis vita)*, Metonymie (*tecta*, *Dächer* für *Häuser*) und natürlich Personifikation des Vaterlandes.

Siculi nunc populati atque vexati ...

Siculi nunc populati atque vexati cuncti ad me publice saepe venerunt, ut suarum fortunarum omnium causam defensionemque susciperem.

Die Sizilier, die jetzt ausgeplündert und gequält worden sind, sind alle zu mir öffentlich häufig gekommen, damit ich den Fall und die Verteidigung aller ihrer Güter übernahm.

Es klingt ein wenig ahistorisch und nach Mafiakitsch, wenn immer wieder von «Sizilianern» die Rede ist, wo im Lateinischen *Siculi* steht. Zwischen den heutigen *(Sizilianer)* und den antiken Inselbewohnern *(Sizilier)* wird nun einmal differenziert. Zulässig ist daneben die Form *Siculer*. *populati* und *vexati* sind PPPs als Eigenschaftsattribute. Die Form *cuncti* ist genau so zu übersetzen wie *omnes*. Verwende bitte keine Fertigbauelemente aus dem Wörterbuch wie etwa «in ihrer Gesamtheit», das hat genau so viel Stil wie ein Stück Styropor. *susciperem* ist Konjunktiv Imperfekt und bleibt, auch wenn der Konjunktiv nicht übersetzt wird, im Präteritum.

Me saepe esse pollicitum, saepe ostendisse dicebant, si quod tempus accidisset, quo tempore aliquid a me requirerent, commodis eorum me non defuturum.

Sie sagten, dass ich oft versprochen, oft angeboten hätte, wenn irgendeine Zeit eintreten sollte, zu welcher (Zeit) sie irgendwas von mir brauchen sollten, dass ich den Interessen von diesen nicht fern sein würde.

dicebant leitet einen AcI mit zwei Infinitiven ein *(me esse pollicitum ... ostendisse)*, von denen wiederum ein elliptischer AcI *(me non defuturum)* abhängt. Das prädikative *defuturum (esse)* kommt von *deesse, fehlen, fern sein*. Dazwischen geschoben ist ein *si*-Satz und ein Relativsatz. Dass nach *si* das Präfix *ali-* wegfällt, kommt öfters vor. Die Wiederholung des Bezugswortes im Relativsatz *(quo tempore)* ist dagegen seltener und darf im Deutschen ignoriert werden.

Venisse tempus aiebant, non iam ut commoda sua, sed ut vitam salutemque totius provinciae defenderem.

Gekommen sei die Zeit, sagten sie, dass ich nicht mehr ihre Interessen, sondern dass ich Leben und Wohl der ganzen Provinz verteidigte.

Hier verzichte ich zur Abwechslung auf einen *dass*-Satz. Die indirekte Rede ist dann nur noch am Konjunktiv erkennbar. Der Vorteil dieser Methode besteht darin, dass man nicht mehr an der Stellung des Einleiterprädikates herumfuhrwerken muss. Wenn kein Einleiterprädikat vorhanden ist, wie bei längeren Abschnitten in indirekter Rede, bleibt einem ohnehin nichts anderes übrig (Näheres zu dieser Methode siehe Lehrbuch S. 54).

Est autem maritimis urbibus ...

Est autem maritimis urbibus etiam quaedam corruptela ac demutatio morum.
Die am Meer gelegenen Städte haben auch eine gewisse Zerrüttung und Entartung der Sitten.

In Verbindung mit *esse* bildet ein Dativobjekt (hier: *maritimis urbibus*) meist einen Dativus possessivus. Einen Dativus possessivus sollte man möglichst nicht wörtlich übersetzen (*«Es ist den am Meer gelegenen Städten eine Zerrüttung und Entartung»*), weil mer nit en Kölle sin. Bei der umschreibenden Übersetzung macht man das Dativobjekt zum Subjekt *(die Städte)*, das vorherige Subjekt zum Objekt *(eine Zerrüttung und Entartung)* und übersetzt *esse* mit *haben*. Die Form *morum* findet man unter *mos, Sitte*.

Admiscentur enim novis sermonibus ac disciplinis et inportantur non merces solum adventiciae, sed etiam mores, ut nihil possit in patriis institutis manere integrum.
Vermischt werden sie nämlich mit neuen (fremden) Sprachen und Kenntnissen und eingeführt werden nicht nur fremde Waren, sondern auch Sitten, so dass nichts in den traditionellen Bräuchen unangetastet bleiben kann.

Die Form *merces* kommt nicht wörtlich von *merces, mercedis, Lohn*, sondern von *merx, mercis, Ware*. Einige Formen beider Substantive sind zwar identisch, doch hier kann es sich wegen der Numeruskongruenz mit dem Prädikat *(inportantur)* nur um einen Nominativ Plural von *merx* handeln. Der Nominativ von *merces* würde lauten: *mercedes*. Wegen der starken Divergenzen zwischen Nominativ Singular und Stamm sind solche «Nix»-Nominative der 3. Deklination besonders schwer im Wörterbuch zu finden. Dazu gehören neben *merx, Ware*, unter anderem noch: *genus, Art, iter, Weg, lex, Gesetz, mos, Sitte, ops, Mittel, opus, Arbeit, rex, König, vis, Gewalt*.

Iam, qui incolunt eas urbes, non haerent in suis sedibus, sed volucri semper spe et cogitatione rapiuntur a domo longius atque etiam, cum manent corpore, animo tamen exulant et vagantur.
Bald bleiben, welche diese Städte bewohnen, nicht in ihren Wohnsitzen, sondern werden immer in flüchtiger Hoffnung und Vorstellung weiter von Zuhause fortgerissen und auch, wenn sie mit dem Körper bleiben, schweifen sie im Herzen doch in die Ferne und irren umher.

Gleich vier Prädikate *(haerent, rapiuntur, exulant, vagantur)* stellt uns der Hauptsatz zur Auswahl. Diese müssen sorgfältig der Reihe nach übersetzt werden. Das Prädikat steht im deutschen Satz an zweiter Stelle und so muss auch hier das erste *(haerent)* rechtzeitig vorgezogen werden, in unserem Beispiel hinter *iam*, egal wo es im Lateinischen steht. Was der Hauptsatz hingegen gar nicht hat, ist ein explizites Subjekt. Dieses Phänomen kann drei Ursachen haben: 1. das Subjekt steckt im Prädikat. 2. das Subjekt ist ein unpersönliches, neutrales «es», das im Lateinischen nicht genannt wird. 3. einer der Relativsätze ist ein Subjektsatz, also ein Nebensatz, der das Subjekt vertritt. Dieser letzte Fall liegt hier in Form des Relativsatzes *«qui incolunt eas urbes»* vor. Nun kann man sich zur Not auch beim Subjektsatz damit behelfen, dass man vom ersten Fall ausgeht (Subjekt steckt im Prädikat) und einfach ein Subjekt (hier: *sie*) ergänzen, an das man dann den Relativsatz dranhängt. Ich halte das allerdings nicht unbedingt für nötig. *volucris, fliegend, flüchtig*, ist ein Adjektiv der 3. Deklination, das mit *spe* und *cogitatione* im Ablativ Singular kongruiert. Es hat *semper* «übersprungen» (Hyperbaton) und steht nun gesperrt. Damit man es nicht für ein alleinstehendes Substantiv hält und mit *Vögeln (volucres)* anfängt, sollte man seinen Focus bei der Übersetzung auf mehr als immer nur ein oder zwei Wörter erweitern. *longius, weiter*, ist Komparativ des Adverbs und gleicht in der Form dem Komparativ des Neutrum *(«vergleichbar neutraler Bratenius»)*. *cum* steht hier mit dem Indikativ in den Bedeutungen *wenn, als*. Stilistisch ist hier ein Chiasmus hervorzuheben:

manent corpore

><

animo exulant

282

Carus fuit Africano superiori ...

Carus fuit Africano superiori noster Ennius.
Lieb war dem älteren Africanus unser Ennius.

carus, lieb, steht prädikatsnah und zu seinem kongruenten Bezugswort *(noster Ennius)* in Hyperbaton (Sperrung) – ein klares Indiz für seine Funktion als Prädikativum. Daher übersetze ich es wörtlich-undekliniert *(lieb)*, statt wörtlich-dekliniert wie ein Attribut (in dem mehr als fraglichen Sinne: «*unser lieber Ennius war dem älteren Africanus*»). Der Dativ der Person mit *esse* hat immer eine possessive Funktion. So könnte man statt der wörtlichen Übersetzung auch mit *haben* arbeiten. Dabei konvertiert man den Dativ der Person (hier: *Africano superiori*) zum Subjekt und das eigentliche Subjekt (hier: *noster Ennius*) zum direkten Objekt: *Lieb hatte der ältere Africanus unseren Ennius.*

Itaque etiam in sepulcro Scipionum putatur is esse constitutus ex marmore.
Daher wird vermutet, dass auch auf dem Grab der Scipionen dieser aufgestellt worden sei aus Marmor.

Auf *putatur* folgt ein NcI *(is esse constitutus)* und wenn die Welt dabei untergeht. Das prädikative PPP + *esse (esse constitutus)* ist natürlich Perfekt Passiv. Das Scipionengrab, *sepulcrum Scipionum*, ist bis heute eine Touristenattraktion in Rom.

At eis laudibus certe non solum ipse, qui laudatur, sed etiam populi Romani nomen ornatur [...].
Aber durch diese Lobschriften wird gewiss nicht nur er selbst, welcher gelobt wird, sondern auch der Name des römischen Volkes geschmückt [...]

Laus, laudis, wörtlich: *Lob*, kann auch jedes Medium bezeichnen, das Lob vermittelt *(Lobrede, Lobgedicht, Lobgesang, Lobschrift)*. Die Gliederungsadverbien *non solum ... sed etiam ...* fallen sofort ins Auge. Zwei Subjekte *(ipse* und *nomen)* teilen sich ein gemeinsames Prädikat *(ornatur)*, das sich im Numerus nur nach dem nächstliegenden Subjekt richtet. *populi Romani* ist vorangestelltes Genitivattribut.

Ergo illum, qui haec fecerat, Rudinum hominem, maiores nostri in civitatem receperunt.
Also nahmen jenen, welcher diese Dinge getan hatte, einen Menschen aus Rudiae, unsere Vorfahren in die Bürgerschaft auf.

Das Prädikat *receperunt* muss rechtzeitig an die Stelle des zweiten Satzteils vorgezogen werden. Dass die Apposition *Rudinum hominem* (also ein kongruentes substantivisches Attribut zu *illum*) etwas nachhängt, ist sicher kein Zufall. Durch die verzögerte Stellung hebt Cicero die Tatsache hervor, dass es sich bei Ennius um einen Nicht-Römer handelt. *maiores* ist zwar komparatives Adjektiv, steht jedoch ohne substantivisches Bezugswort. In einem solchen Fall muss es selbst substantiviert werden. *maiores* in substantivierter Form hat meist die Bedeutung *Vorfahren*.

Nos hunc Heracliensem multis civitatibus expetitum, in hac autem legibus constitutum de nostra civitate eiciamus?
Sollen wir diesen Heraclier, der von vielen Bürgerschaften umworben, in dieser (Bürgerschaft) aber durch Gesetze anerkannt worden ist, aus unserer Bürgerschaft herauswerfen?

Dieser Satz ist eine direkte Frage. Bei direkten Fragesätzen gilt im Deutschen die Regel: Das Prädikat steht an erster Stelle. Aus diesem Grunde müssen wir als ersten Schritt das Prädikat *eiciamus* vorziehen. Als Nächstes müssen wir den Modus beachten: *eici-a-mus* ist Konjunktiv Präsens – und das im Hauptsatz. Wir müssen ihn also als Optativus *(wollen wir?)*, Potentialis *(können wir?)* oder, da es sich um eine Frage in der 1. Person handelt, als Deliberativus *(sollen wir?)* übersetzen. Als Nächstes nehmen wir uns das Objekt *hunc Heracliensem* vor: es ist durch umfangreiche PPP-Konstruktionen *(multis civitatibus expetitum, in hac autem legibus constitutum)* eigenschaftsattributiv ergänzt, für deren Übersetzung sich Relativsätze eignen. Hinter *hac* lässt sich zur Erklärung in Klammern Bürgerschaft *(civitate)* ergänzen. Die PPPs *expetitum*, wörtlich: *angestrebt, gesucht*, und *constitutum*, wörtlich: *festgesetzt*, passe ich in der Bedeutung etwas an. Auch die anderen adverbialen Bestimmungen dieser PPPs müssen in die Relativsätze rein. *de nostra civitate* schließlich ist wieder adverbiale Bestimmung zum Prädikat *eiciamus*.

Quam multos scriptores rerum suarum ...

Quam multos scriptores rerum suarum magnus ille Alexander secum habuisse dicitur!
Von wie vielen Schriftstellern seiner Taten wird es gesagt, dass sie jener große Alexander mit sich gehabt habe!

Für die Übersetzung dieses ersten Satzes gibt es so keine Regeln im Lehrbuch. Ohne Hilfen und Hinweise kriegt man ihn nur mit viel Sprachgefühl geknackt. Der Problemherd liegt in der Kombination aus *quam* mit NcI, die einen verschränkten Fragesatz bilden. Die vier grundverschiedenen Bedeutungen von *quam* erfordern einen *quam*-Test mit *als, wie, welch, möglichst.* Als Fragepronomen in der Bedeutung *wie* leitet *quam* hier einen ausrufenden Fragesatz (erkennbar am Ausrufezeichen!) ein. *Quam* modifiziert dabei das Objekt des Satzes *multos scriptores*: *wie viele Schriftsteller*. Mit diesem Einleiter und einem NcI als Leitkonstruktion muss der Satz wie ein verschränkter NcI aufgelöst werden. Man beginnt also mit *von + wie + Dativ* des Bezugswortes *multos scriptores*, da *quam, wie,* nicht dekliniert werden kann: «*von wie vielen Schriftstellern*». An dieser Stelle darf man nicht vergessen zu *scriptores* das Genitivattribut *rerum suarum* einzufügen. *suarum* ist Possessivpronomen in der Bedeutung *seiner* oder *ihrer*. Der spätere Sinn des Satzes macht eindeutig, dass die Schriftsteller nicht ihre, sondern Alexanders Taten beschreiben, es also *seiner Taten* heißen muss. Anschließend leitet man den NcI mit unpersönlichem *es*-Subjekt ein: «*wird es gesagt*». Im *dass*-Satz reicht ein einfacher pronominaler Ersatz für das bereits genannte Objekt: «*dass sie*». Nun folgen der Reihe nach Subjekt *(magnus ille Alexander)*, adverbiale Bestimmung *(secum)* und der Infinitiv *(habuisse)* als Prädikat: «*jener große Alexander mit sich gehabt habe*». In der indirekten Rede beachten wir den deutschen Konjunktiv 1.

Atque is tamen, cum in Sigeo ad Achillis tumulum astitisset:
Und dieser sagte dennoch, als er in Sigeun beim Grab des Achilles gestanden hatte:

Achillis ist eingeklammerter Genitiv zwischen Präposition *(ad)* und Bezugswort *(tumulum)*. *tumulus, Hügel, Grab,* bitte nicht verwechseln mit *tumultus, Aufruhr*. Vor dem Doppelpunkt findet sich kein Hauptsatzprädikat. Dieser Fall tritt immer dann ein, wenn eine direkte Rede mit *inquit, er sagte,* eingeleitet wird. Anders als im Deutschen steht das Verb des Sagens nicht vor dem Doppelpunkt und den Anführungszeichen, sondern hängt mitten im wörtlichen Zitat nach (siehe nächster Satz). Dort darf es nicht stehenbleiben! Bei der Übersetzung müssen wir es grundsätzlich frühzeitig vorziehen wie jedes andere Prädikat auch. So schafft man die Form auch aus dem Weg, wenn man später die direkte Rede übersetzt, und läuft nicht Gefahr sie mit dieser in Verbindung zu bringen und am Ende falsch zu beziehen. *inquit* kommt übrigens nur in dieser und in Form der 1. Person *(inquam)* vor.

«O fortunate,» inquit, «adulescens, qui tuae virtutis Homerum praeconem inveneris!»
«O gesegneter junger Mann, welcher du als Lobredner deiner Tapferkeit Homer gefunden hast!»

fortunate, vom PPP *fortunatus, gesegnet, beglückt,* ist Vokativ Singular der o-Deklination auf -e (Lehrbuch S. 64). Es kongruiert mit dem Vokativ *adulescens* aus der 3. Deklination und ist nicht etwa eine Verbform. Dies könnte man aus zwei Gründen vermuten: Erstens gibt es ja tatsächlich den Stamm *fortuna-, segnen, beglücken. fortunate* könnte der Form nach also auch Imperativ der 2. Person Plural sein. Zweitens findet sich in diesem Satz kein Hauptsatzprädikat, es findet sich nicht einmal ein echter Hauptsatz. Diese Tatsache verleitet viele zu der irrigen Annahme *fortunate* sei ein Prädikat. *inquit* habe ich bereits im Vorsatz kommentiert. Wenn sich Relativpronomen (hier: *qui*) auf eine 1. oder 2. Person (hier der Angesprochene im Vokativ Singular) bezieht, muss ich diese Person hinter dem Relativpronomen nochmals nennen *(welcher ich, welcher du, welche wir, welche ihr)*, sonst klingt der Satz schräg. Das Objekt des Relativsatzes ist *Homerum*. Dazu ist *praeconem* ein substantivisches Bezugswort. Bei den meisten Bezugswörtern ist nicht sofort eindeutig klar, ob sie Eigenschafts- oder Zustandsfunktion haben, also ob sie eine dauerhafte Eigenschaft (Attribut) oder einen mit der Prädikatshandlung vorübergehenden Zustand (Prädikativum) beschreiben. In Verbindung mit *invenire* ist theoretisch beides denkbar. Als Attribut würde man *praeconem* mit wörtlich-dekliniertem Artikel auf Homers dauerhaften Beruf beziehen: «*Homer den Lobredner*». Als Prädikativum gilt die Funktion oder das Amt des Lobredners für Homer erst, nachdem Achilles ihn entdeckt und als solchen eingesetzt oder für sich begeistert hat. Für die Übersetzung als Prädikativum sollte man mit Hilfe des Präpositionentests mit *als/für/zu* prüfen, was am besten klingt: «*Homer als Lobredner*», «*Homer für den Lobredner*», «*Homer zum Lobredner*». Die erste Variante gefällt mir am besten. Das Genitivattribut *tuae virtutis* passt vom Sinn her am besten zu *praeconem*.

Et vere.
Und wahrhaftig.

Selbst bei solchen Zweiwortsätzen kann man noch Fehler machen. Immer wieder kommt es vor, dass der Prüfling nicht an das Adverb *vere* denkt, sondern das Wörterbuch aufschlägt und das Substantiv *ver, Frühling,* heraussucht und so die Handlung mal eben kurz – grammatisch richtig, inhaltlich falsch – in den Frühling verlegt, sei es aus Unkenntnis oder einem Anflug von Poesie. Gemeint ist vielmehr ein Kommentar wie: «*Und zu recht!*»

Nam, nisi Ilias illa exstitisset, idem tumulus, qui corpus eius contexerat, nomen etiam obruisset.
Denn, wenn nicht jene Ilias existiert hätte, hätte derselbe Hügel, welcher den Körper von diesem bedeckt hatte, auch seinen Namen verschüttet.

Der Hauptsatz besteht aus drei Abschnitten, die durch zwei Nebensätze unterteilt werden. *nisi* leitet einen Konditionalsatz im Irrealis der Vergangenheit ein, der Konjunkiv Plusquamperfekt *(exstitisset)* macht die Aussage unerfüllbar. Der Folgesatz (hier Hauptsatz) steht ebenfalls im Konjunktiv Plusquamperfekt *(obruisset)*. Beide Prädikate müssen natürlich wörtlich übersetzt werden. *nomen* ist Objekt im Neutrum Singular. Zumindest der Titel *Ilias* sollte dir etwas sagen. Es handelt sich um ein Epos des Homer, in dem es nicht, wie oft fälschlich angenommen, um die Zerstörung Trojas geht, sondern um den Zorn des Achill. Informiere dich für die mündliche Prüfung in einem Lexikon über Homer, Ilias und Odyssee, sowie über Aeneas.

Übersetzung und Kommentar: Mündliche Prüfungstexte – Caesar

Caesar ad flumen Tamesim ...

Caesar [...] ad flumen Tamesim in fines Cassivellauni exercitum duxit.
Caesar führte zum Fluss Tamesis (Temse) in die Grenzen (singularisiert: das Gebiet) des Cassivellaunus sein Heer.

Die Präposition *in* in Verbindung mit dem Akkusativ *(in fines)* gibt eine Richtung an. Der Plural *fines*, wörtlich: *Grenzen*, hat oft die Singularbedeutung *Gebiet*. Das Genitivattribut *Cassivellauni* bezieht sich nachgestellt auf *fines*, nicht auf *exercitum*.

Quod flumen uno omnino loco pedibus atque hoc aegre transiri potest.
Dieser Fluss kann insgesamt (nur) an einem Ort mit Füßen (zu Fuß) und dies (nur) schwer durchschritten werden.

Das Relativpronomen *quod* bildet einen relativen Anschluss an *flumen* aus dem Vorsatz und wird in demonstrativer Form übersetzt. Es bezieht sich jedoch in KNG-Kongruenz auf ein zweites *flumen* in diesem Satz, mit dem es zusammen das Subjekt bildet. Die Form *pedibus* erscheint im Wörterbuch unter dem Nominativ Singular *pes, Fuß*. Die Stammänderung von *ped-* zu *pes* könnte ein Grund dafür sein, dass du die Form nicht auf Anhieb gefunden hast. Das Demonstrativpronomen *hoc* steht hier in substanivierter Form als zweites Subjekt nach *atque*. Gedanklich bezieht sich die Angabe auf den komplexen Vorgang der Flussüberquerung zu Fuß. *aegre* ist Adverb. Nach dem Prädikat *potest* steht ein Infinitiv Passiv *(transiri)*, der unverändert übersetzt werden muss.

Eo cum venisset, animadvertit ad alteram fluminis ripam magnas esse copias hostium instructas.
Nachdem er dorthin gekommen war, bemerkte er, dass beim anderen Ufer des Flusses große Truppen der Feinde aufgestellt (worden) waren.

eo hat insbesondere in der Umgebung von Verben der Bewegung oder Richtung die adverbiale Bedeutung *dorthin*. *cum* mit dem Konjunktiv Plusquamperfekt *(venisset)* leitet einen vorzeitigen Nebensatz ein und wird mit *nachdem* übersetzt. *animadvertit* könnte der Form nach sowohl Präsens als auch Stammperfekt sein. Für das Perfekt entscheide ich mich aus dem Kontext heraus. Von *animadvertit*, einem Verb der sinnlichen Wahrnehmung hängt ein AcI ab, bestehend aus dem Subjektsakkusativ *magnas copias*, dem Infinitiv *esse* und dem prädikativen PPP *instructas*, das mit *esse* ein Perfekt Passiv oder ein Zustandspassiv (ohne *worden*) bildet. Lass dich nicht durch die Sperrung des PPPs irritieren. Zementiere zunächst die Grundpfeiler des AcI auf einem Notizblatt: «dass ... große Truppen ... aufgestellt worden sind/waren». Den Rest trägst du nach. Das Genitivattribut *fluminis* wird von den beiden präpositionalen Bezugsakkusativen *alteram* und *ripam* umklammert und muss im Deutschen nach hinten gestellt werden.

Ripa autem erat acutis sudibus praefixisque munita eiusdemque generis sub aqua defixae sudes flumine tegebantur.
Das Ufer aber war mit spitzen und vorne verstärkten Pfählen befestigt und von derselben Art unter Wasser befestigte Pfähle wurden durch den Fluss verdeckt.

Das Prädikat *erat* tritt als Imperfekt von *esse* mit dem PPP *munita* zu einem Plusquamperfekt Passiv zusammen. Der instrumentale Ablativ *sudibus* ist durch die beiden Adjektive *acutis* und *praefixis* KNG-kongruent attribuiert, wobei das PPP *praefixus* hier zum reinen Adjektiv erstarrt ist und als Attribut dient. Nach *-que* beginnt ein neuer paratakischer Hauptsatz mit dem Subjekt *sudes* und dem Prädikat *tegebantur*. Das Genitivattribut *eiusdem generis* bezieht sich auf *sudes*, scheint jedoch von diesem durch das Partizip *defixae* und den auf dieses bezogenen präpositionalen Ausdruck *sub aqua* gesperrt zu stehen. Tatsächlich könnte man es also auch dahinter stellen, ebenso wie man das Partizip nicht, wie in meinem Vorschlag, unbedingt wörtlich-dekliniert übersetzen muss, sondern beispielsweise auch relativieren kann («Pfähle von der selben Art, die unter Wasser festgemacht worden waren»). In beiden Fällen hat das Partizip den Charakter eines Attributes.

His rebus cognitis a perfugis captivisque Caesar praemisso equitatu confestim legiones subsequi iussit.
Nachdem diese Dinge von Überläufern und Gefangenen erfahren worden waren, befahl Caesar, dass nach Vorschicken der Reiterei sofort die Legionen folgen sollten.

Wie so oft bei Caesar beginnt dieser Satz mit einem AmP *(his rebus cognitis)*, den ich mit *nach* unter Substantivierung des Partizips *cognitis (Erkennen, Erkenntnis)* und Genitivierung des Pronomens *his* und des Bezugssubstantivs *rebus (dieser Dinge)* präpositionalisieren könnte. Da jedoch der nachgestellte präpositionale Ausdruck *a perfugis captivisque* zu *cognitis* hinzutritt, sollte man auf diese Option zugunsten der Übersichtlichkeit verzichten und konjunktionalisieren wie in meinem Vorschlag. Das Prädikat *iussit* bedingt einen AcI mit dem Subjektsakkusativ *legiones* und dem Prädikatsinfinitiv *subsequi*. Da es sich um ein Verb des Befehlens handelt, übersetzt man mit *sollen*. In den AcI hinein spielt ein zweiter AmP: *praemisso equitatu*. Diesmal lässt sich die Konstruktion unkompliziert mit *nach* präpositionalisieren, das PPP substantivieren und das Bezugssubstantiv genitivieren.

Sed ea celeritate atque eo impetu milites ierunt, cum capite solo ex aqua extarent, ut hostes impetum legionum atque equitum sustinere non possent ripasque dimitterent ac se fugae mandarent.
Aber mit solcher Geschwindigkeit und solchem Ansturm liefen die Soldaten, während sie mit dem Kopf allein aus dem Wasser herausragten, dass die Feinde den Angriff der Legionen und Reiter nicht aufhalten konnten und die Ufer freigaben und sich der Flucht anvertrauten.

Subjekt des Hauptsatzes ist *milites*, das man unter dem Nix-Nominativ *miles, Soldat*, im Wörterbuch findet. Mit *während* wird *cum* hier übersetzt, weil sich das Prädikat *extarent* im gleichzeitigen Verhältnis zum Hauptsatzprädikat *ierunt* befindet und einen konzessiven (einräumenden) Sinn hat *(obwohl sie nur mit dem Kopf aus dem Wasser herausragten)*. *solo* leitet sich von dem Pronominaladjektiv *solus, einzig, allein*, her. Große Verwechslungsgefahr besteht zu *sol, Sonne*, *solum, Boden*, und einer Reihe weiterer Wörter, die mit dem Stamm *sol-* beginnen. Es steht in KNG-Kongruenz zu *capite*, muss aber trotz der Nähe zu seinem Bezugswort prädikativ übersetzt werden, entweder durch Präpositionalisierung mit *als, für, zu (mit dem Kopf als einzigem)*, oder wörtlich-undekliniert *(mit dem Kopf allein, einzig mit dem Kopf)*. Falsch wäre die Übersetzung als Attribut *(«mit dem einzigen Kopf, mit dem alleinigen Kopf»)*, weil dadurch der Eindruck entstünde, es gäbe mehrere Köpfe. Subjekt des *ut*-Satzes ist *hostes*, Prädikat ist zunächst *possent*, dem ein einfacher Infinitiv *(sustinere)* folgt. Zu diesem Infinitiv ist *impetum* Objekt. Nach *-que* folgt ein weiteres Prädikat *(dimitterent)* mit dem Akkusativobjekt *ripas*. Das letzte Prädikat *mandarent* schließlich ist Teil eines phraseologischen Ausdrucks: *se fugae mandare, sich der Flucht anvertrauen*, oder freier: *sich auf die Flucht begeben*.

Agri culturae non student ...

Agri culturae non student maiorque pars eorum victus in lacte, caseo, carne consistit.
Um Landwirtschaft bemühen sie sich nicht und der größere Teil der Nahrung von diesen besteht aus Milch, Käse, Fleisch.

Logisches Subjekt zu *student* sind die Germanen. Wenn das Verb *studere* in der Bedeutung *sich bemühen, sich kümmern um*, ein Objekt mitbringt, so steht dieses Objekt im Dativ, hier *culturae*. Dieses Substantiv wird wiederum durch den Genitiv *agri* näher beschrieben, so dass man wörtlich *Bebauung des Ackers, Ackerbau*, freier *Landwirtschaft* übersetzt. Nach *-que* findet ein Subjektswechsel zu *maior pars* statt. Sowohl *eorum* als auch *victus* sind Genitive, wobei sich *victus* nachgestellt auf *pars*, *eorum* vorangestellt auf *victus* bezieht. Die Reihenfolge muss im Deutschen umgekehrt werden. Auch die phraseologische Wendung *consistere in* + Ablativ, *beruhen auf, bestehen aus*, solltest du dir merken.

Neque quisquam agri modum certum aut fines habet proprios [...].
Und nicht irgendeiner hat eine bestimmte Fläche von Acker oder eigene Grenzen [...].

Das Genitivattribut *agri* ist vorangestellt und bezieht sich auf das Akkusativobjekt *modum*, wörtlich *Maß, Menge*, hier freier mit *Fläche* übersetzt. *proprios* ist zwar durch das Prädikat *habet* gesperrt, bezieht sich aber auf *fines*. Als Folge könnte man es auch als Prädikativum übersetzen z. B. mit der Präposition *als («er hat die Grenzen als eigene»)*. *fines* kann im Plural auch die Singularbedeutung *Land, Gebiet* haben. In diesem Fall müsste man mit *eigenes Gebiet, eigenes Land* singularisieren.

Eius rei multas adferunt causas:
Von dieser (für diese) Sache tragen sie viele Gründe vor:

Das Genitivattribut *eius rei* steht, ebenso wie das Attribut *multas* von seinem Bezugswort *causas* durch das Prädikat *adferunt* gesperrt. Man kann den Genitiv auch nachstellen *(Gründe für dieser Sache)*. Statt einer wörtlichen Übersetzung *(Gründe dieser Sache)*, schlage ich eine Umschreibung mit *von* oder *für* vor (Genitivus obiectivus).

ne adsidua consuetudine capti studium belli gerendi agri cultura commutent;
damit sie nicht durch ständige Gewohnheit befangen (beeinflusst) die Fähigkeit des Führens von Krieg mit Landwirtschaft vertauschen.

Beachte hier und im Folgenden die Anapher der Konjunktion *ne* und die parallelistische und asyndetische Struktur der Nebensätze, die sie einleitet. Logisches Subjekt des Satzes sind die Germanen *(sie)*. Auf diese bezieht sich in KNG-Kongruenz das PPP *capti* als Prädikativum. Auf dieses bezieht sich seinerseits der Ablativ *adsidua consuetudine* als adverbiale Bestimmung. Übersetzt wird wörtlich-undekliniert (wie in meinem Vorschlag) oder durch Konjunktionalisierung *(nachdem sie durch ständige Gewohnheit beeinflusst worden waren)*. *gerendi* ist ein Notwendigkeitspartizip (Gerundivum), weil es sich kongruent auf *belli* bezieht. Eine wörtliche Übersetzung *(des zu führenden Krieges)* ist zu meiden. Ich schlage die Substantivierung von *gerendi* und die Genitivierung von *agri* vor: *des Führens von Krieg* (wobei ich den zweiten Genitiv mit *von* umschreibe, weil *gerendi* an sich schon Genitiv ist) oder *Kriegsführung*. *agri* ist wieder vorangestelltes Genitivtribut zu *cultura*. *cultura* selbst ist Ablativus instrumentalis, der auf die Frage antwortet: «*Womit vertauschen sie die Fähigkeit der Kriegsführung?*»

ne latos fines parare studeant potentioresque humiliores possessionibus expellant;
damit sie nicht versuchen die Grenzen weit zu machen und die Mächtigeren die Niedrigeren aus ihren Besitzen vertreiben;

studere nimmt mit dem Infinitiv (hier *parare*) meist die Bedeutung *versuchen, sich bemühen* an, wobei der Infinitiv mit *zu* übersetzt werden muss. *parare* steht hier mit doppeltem Akkusativ *(latos fines)* in der Bedeutung *machen*. *latos* ist dabei Prädikativum, das angibt, zu was die Grenzen gemacht werden, in welchen Zustand sie versetzt werden. Eine Übersetzung als Attribut ist allerdings auch nicht falsch, wenn man *parare* mit *sich verschaffen* übersetzt: «*sich breite Grenzen zu verschaffen*». Nach *-que* wechselt das Subjekt von den Germanen allgemein zu den *potentiores*, den *Mächtigeren*. *humiliores* übernimmt die Funktion des direkten Objektes zu *expellant*. Das Verb *expellere, vertreiben*, führt eine Trennung herbei und steht deshalb mit dem Ablativus separativus *possessionibus*.

ne accuratius ad frigora atque aestus vitandos aedificent;
damit sie nicht sorgfältiger zur Vermeidung von Kälte und Hitze (beide singularisiert) bauen.

accuratius ist Komparativ des Adverbs mit der Neutrum-Singular-Endung *-ius*. Das Gerundivum *vitandos* bezieht sich KNG-kongruent nur auf *aestus* (Akkusativ Plural der u-Deklination), logisch jedoch auch noch auf das Neutrum Plural *frigora* (von *frigus, Kälte*). Da sich weder Kälte noch Hitze im Deutschen pluralisieren lässt, bleibt man entweder im Singular oder operiert mit Umschreibungen wie Kälte- und Hitzeperioden. Eine wörtliche Wiedergabe *(«zu der zu vermeidenden Kälte und Hitze»)* klingt wie die schlechte Übersetzung einer in China hergestellten Espressomaschine. Eleganter sind Substantivierung-Genitivierung wie in meinem Vorschlag oder die Übersetzung *um zu* + Infinitiv *(um Kälte und Hitze zu vermeiden)*.

ne qua oriatur pecuniae cupiditas, qua ex re factiones dissensionesque nascuntur;
damit nicht irgendeine Gier nach Geld aufkommt, infolge welcher Sache Klüngeleien und Konflikte entstehen.

«*Nach si, nisi, ne und num – fällt der kleine ali- um.*» Diesen besonders tiefsinnigen Merkspruch sollte man sich an dieser Stelle wieder einmal ins Gedächtnis rufen, wer möchte auch mit der Version: «*fällt das Präfix -ali um!*» Kurz: Vor -*qua* ist also *ali-* zu ergänzen. Die nächste Besonderheit betrifft die Form *aliqua* selbst. Analog zu *qua* als Relativpronomen denkt man bei *qua* an den Ablativ und dabei denkt man falsch! *qua* ist in Verbindung mit *ali-* vielmehr eine Ausnahme im Nominativ Singular. Somit kongruiert hier *aliqua* als Attribut mit dem Subjekt *cupiditas*. Attribut zu *cupiditas* ist auch der Genitivus obiectivus *pecuniae*, der das Objekt der Begierde angibt und präpositional mit *nach* übersetzt werden sollte, weil im Sinne von «*Gier des Geldes*» das Geld selbst begehren würde. Der präpositionale Ausdruck *qua ex re* leitet einen Relativsatz ein, der kein direktes grammatisches Bezugswort im übergeordneten Satz hat, sondern sich gedanklich auf den übergeordneten Satz als Gesamtheit bezieht. Dabei dient das Substantiv *re* als Umschreibung der Gesamtaussage in dem Sinne: «*Es entsteht Gier nach Geld. Infolge dieser Sache (dieses Umstandes) entstehen Konflikte ...*» Übersetzen kann man dieses Phänomen also auch wie einen relativen Anschluss. *oriri, entstehen,* ist deponent. *nasci* hingegen scheint nur deshalb deponent, weil die passive Grundbedeutung *geboren werden* eine aktive Umschreibung mit *entstehen* zulässt. Übrigens könnten solche Kommentare auch aus der Feder Sallusts stammen, der Friede, Wohlstand und Sittenverfall sowohl im Catilina als auch im Joghurtkrieg exzessiv kritisiert. Es existiert übrigens ein Briefwechsel zwischen Caesar und Sallust, der in Auszügen schon Gegenstand von Latinumsklausuren war, ebenso wie die Schmähreden *(declamationes)* Ciceros und Sallusts gegeneinander, in denen sie sich mit Beleidigungen und Beschimpfungen gegenseitig überhäufen, deren Echtheit allerdings umstritten ist.

ut animi aequitate plebem contineant, cum suas quisque opes cum potentissimis aequari videat.
damit sie das Volk in Ausgeglichenheit der (politischen) Gesinnung halten, wenn jeder sieht, dass seine eigenen (finanziellen) Mittel mit den Mächtigsten gleichgestellt werden.

Das Genitivattribut *animi* bezieht sich vorangestellt auf den *Ablativus loci aequitate*. *plebs* meint hier nicht etwa die römische Plebs als politisch-historischen Begriff, sondern das Volk allgemein und zwar das germanische. *cum* steht zwar mit Konjunktiv Präsens und sollte schematisch mit *während* übersetzt werden. Deutlicher lässt sich der Sinn jedoch herauspräparieren, wenn man mit *wenn* oder *indem* arbeitet. Subjekt des *cum*-Satzes ist das substantivierte Pronominaladjektiv *quisque, jeder*. Nach einem Verb der sinnlichen Wahrnehmung wie *videat* erwarten wir einen AcI, der hier in Form des Subjektsakkusativs *suas opes* und des Prädikatsinfinitivs *aequari* vorliegt. Das gedankliche Bezugswort des Possessivpronomens auf *su-* muss in jedem Satz neu bestimmt werden. Hier kann es sich sinnlogisch nur auf das Subjekt *quisque, jeder,* beziehen und muss folglich mit *sein,* nicht mit *ihr* übersetzt werden. Der Nominativ Singular zu *opes (ops)* gehört zu den Nix-Nominativen der 3. Deklination und sollte nicht mit *opus, Arbeit,* oder *opera, Mühe,* verwechselt werden. Das Verb *aequare, gleichstellen,* steht wie im Deutschen mit der Präposition *cum, mit*.

Ac fuit anta tempus

Ac fuit antea tempus, cum Germanos Galli virtute superarent, ultro bella inferrent, propter hominum multitudinem agrique inopiam trans Rhenum colonias mitterent. [...]
Und es war (gab) vorher eine Zeit, als die Gallier die Germanen an Tapferkeit übertrafen, von sich aus Kriege vortrugen, wegen der Menge an Menschen und des Mangels an Ackerland über den Rhein Kolonien schickten.

fuit steht hier ohne Prädikativum, weil *tempus* nur als Subjekt in Frage kommt. In solchen Fällen hat *esse* die Bedeutung *existieren, geben*. *cum* mit Konjunktiv Imperfekt *(superarent)* übersetzt man mit *als*. Die deutsche Übersetzung erfordert eine Umstellung des Objekts *Germanos* hinter das Subjekt *Galli*, damit die Unterscheidung deutlich wird. *virtute* ist Ablativus modi zur Angabe, worin oder wodurch die Germanen von den Galliern übertroffen wurden. *bellum inferre* habe ich der Wörtlichkeit wegen als *Krieg vortragen* übersetzt. Freier geht auch *Krieg beginnen, Krieg führen*. Die Präposition *propter* steht mit zwei Akkusativen: *multitudinem*, mit dem sie den Genitiv *hominum* einklammert, und *inopiam*, mit dem sie den Genitiv *agri* einklammert.

Nunc, quoniam in eadem inopia, egestate patientiaque Germani permanent, eodem victu et cultu corporis utuntur.
Nun, weil in demselben Mangel, Armut und Leid die Germanen verharren, ziehen sie aus derselben Lebensweise und Übung des Körpers Nutzen.

Die Präposition *in* bezieht sich auf die Ablative *inopia, egestate* und *patientia* zusammen. Das Subjekt des *quoniam*-Satzes *(Germani)* folgt für deutsche Verhältnisse relativ spät. Wen das stört, zieht entsprechend vor *(weil die Germanen ...)*. Das Verb *uti* übersetze ich hier zur Abwechslung mal mit *Nutzen ziehen aus*, statt *Gebrauch machen von*. In jedem Fall muss ich es auf die Ablative *eodem victu* und *cultu* beziehen, die ich mit separativen Präpositionen *(aus, von)* übersetze. Wiederhole bei der Gelegenheit noch einmal die Verben mit abweichendem Kasus (Lehrbuch S. 209).

Gallis autem provinciarum propinquitas et transmarinarum rerum notitia multa ad copiam atque usum largitur.
Den Galliern aber bringt die Nähe der Provinzen und Kenntnis (Verkehr) von Überseegütern viele Dinge zu Wohlstand und Nutzen.

Das deponente Verb *largiri, schenken, geben, bringen*, lässt vermuten, dass zusätzlich zu einem direkten Objekt ein indirektes Objekt vorliegt. Für diese Funktion bietet sich der Dativ *Gallis* an. Das direkte Objekt liegt in Form des substantivierten Adjektivs Plural Neutrum *multa, viele Dinge, vieles*, vor. Wie immer aber musst du das Prädikat *largitur* rechtzeitig an die zweite Stelle vorziehen. Auf der Suche nach Subjekten stoßen wir in diesem Satz nur auf die beiden Nominative *propinquitas* und *notitia*, die jeweils durch vorangestellte Genitivattribute *(provinciarum, transmarinarum rerum)* beschrieben werden.

Paulatim adsuefacti superari multisque victi proeliis ne se quidem ipsi cum illis virtute comparant.
Allmählich (daran) gewöhnt übertroffen zu werden und in vielen Schlachten besiegt vergleichen sie nicht einmal sich selbst mit jenen in Tapferkeit.

Logisches Subjekt des Satzes sind die Gallier, die als «sie» aus der PN-Kongruenz mit *comparant* hervorgehen. Die beiden dazu KNG-kongruenten PPPs *adsuefacti* und *victi* übersetze ich als prädikative Zustandsattribute streng stellungskonservativ und wörtlich-undekliniert. Auf das Verb *adsuefacere, (daran) gewöhnen*, folgt meist ein einfacher Infinitiv, hier das Passiv *superari*, der im Deutschen in Verbindung mit der Präposition *zu* übersetzt wird. Das zweite PPP *(victi)* wird durch die beiden kongruenten Ablative *multis* und *proeliis* eingeklammert. *ne* und *quidem* treten zu der Bedeutung *nicht einmal ...* zusammen und klammern dabei das verneinte Bezugswort, hier das Akkusativobjekt *se*, ein. *se comparare, sich vergleichen*, steht regelmäßig mit Ablativ (hier *virtute*) zur Angabe der Sache, in der sich verglichen wird, und mit einem präpositionen Ausdruck mit *cum, mit*, zur Angabe der Person, mit der sich verglichen wird.

Depopulata Gallia ...

Depopulata Gallia magnaque inlata calamitate Cimbri finibus quidem nostris aliquando excesserunt atque alias terras petierunt.
Nach Verwüstung Galliens und Einbringen großen Unglücks sind die Cimbern jedenfalls irgendwann aus unseren Grenzen (singularisiert: unserem Land) abgezogen und haben andere Länder aufgesucht.

Der Satz beginnt mit zwei durch *-que* verbundenen AmPs *(depopulata Gallia* und *magna inlata calamitate)*, deren PPPs *(depopulata* und *inlata)* sich beide bequem substantivieren und mit *nach* präpositionalisieren lassen. Die Bezugssubstantive *Gallia* und *calamitate* werden genitiviert. Es folgt das Subjekt *Cimbri*, das über zwei Prädikate *(excesserunt, petierunt)* verfügt. *excesserunt* steht als Verb der Trennung und Entfernung mit dem Ablativus separativus *finibus nostris*. Das Perfekt *petierunt* weist einen obliterierten Perfektstammauslaut auf: aus der ursprünglichen Form *petiverunt* entsteht durch Abschleifungen *petierunt*. Erkennen wird man die Form jedoch noch immer an der charakteristischen Endung *-erunt*.

Iura, leges, agros, libertatem nobis reliquerunt.
Rechte, Gesetze, Äcker (singularisiert: Land), Freiheit haben sie uns gelassen.

iura, leges, agros und *libertatem* sind Akkusativobjekte zu *reliquerunt* im Stil eines Asyndeton. *nobis* ist Dativobjekt dazu.

Romani vero, quid petunt aliud aut quid volunt nisi invidia adducti, quos fama nobiles potentesque bello cognoverunt, horum in agris civitatibusque considere atque his aeternam iniungere servitutem?
Die Römer aber, was erstreben sie anderes oder was wollen sie außer bewegt von Neid in dem Land (singularisiert) und den Bürgerschaften von diesen sich niederzulassen, welche sie als edel im Ruf und mächtig im Krieg erkannt haben, und diesen ewige Sklaverei aufzuerlegen?

Der Satz ist eigentlich ein direkter Fragesatz, eingeleitet durch die zwei Fragepronomen *quid* und markiert durch das Fragezeichen am Ende. Zur besonderen Hervorhebung ist jedoch das Subjekt *(Romani)* an den Anfang gestellt, durch *vero* von den Cimbern abgegrenzt und durch ein künstliches Komma betont. Das erste *quid* bildet mit dem KNG-kongruierenden Attribut *aliud (was anderes)* das Objekt zu *petunt*, das zweite *quid* das Objekt zu *volunt*. *aliud* nimmt Beziehungen zu *nisi* in der Bedeutung *außer* auf. In weitem Hyperbaton zu seinem Bezugssubstantiv *Romani* steht das PPP *adducti* als Prädikativum. Hinzu tritt *invidia* als Ablativus causae. Ich habe wörtlich-undekliniert übersetzt, jederzeit möglich ist aber auch die Konjunktionalisierung mit *nachdem*, allerdings unter strenger Beachtung des vorzeitigen Verhältnisses zu den präsentischen Hauptsatzprädikaten (*«nachdem sie von Neid bewegt worden sind»*). Die weitere Abfolge der Satzteile erfordert einen gravierenden Eingriff in die deutsche Stellung. Der zunächst folgende Relativsatz *(quos)* bezieht sich auf das substantivierte Pronomen *horum*, das seinerseits Genitivattribut zu *agris* und *civitatibus* ist. Diese beiden Ablative sind wiederum eingebunden in einen präpositionalen Ausdruck *(in)*, so dass eine verständliche Stellung im Deutschen nur in der Sequenz *Präposition-Bezugswort-Genitivattribut-Relativsatz* abfolgen kann, also genau umgekehrt zur lateinischen Vorlage: *in agris civitatibusque horum, quos*. Das Verb *cognoscere* (hier in der Form *cognoverunt*) steht meist mit AcI in der Bedeutung *erkennen, dass,* und nur selten mit doppeltem Akkusativ in der Bedeutung *erkennen als*. Dieser seltene Fall tritt jedoch hier ein: direktes Objekt des Erkennens ist das Relativpronomen *quos*; als Prädikativa, die angeben, als was das Objekt erkannt wird, dienen die kongruenten Adjektive *nobiles* und *potentes*. Der Plural *agri*, wörtlich: *Äcker*, steht oft als zusammenfassender Begriff für *Land, Gebiet*, weil mehrere Äcker ein Land konstituieren. Daher wird dieser Plural in der deutschen Übersetzung oft singularisiert. Die beiden nun folgenden Infinitive *considere* und *iniungere* hängen grammatisch vor allem von *volunt* (und *petunt*) ab und müssen im Deutschen wörtlich unter Zusatz der Präposition *zu* translatiert werden. *iniungere* steht dabei noch mit einem indirekten Objekt *(his)* zur Angabe, wem die Römer das direkte Objekt *(servitutem)* auferlegen wollen.

Neque enim umquam alia condicione bella gesserunt.
Denn nicht jemals (niemals) haben sie unter einer anderen Bedingung Kriege geführt.

Logisches Subjekt sind die Römer *(sie)*, während *bella* Akkusativobjekt zu *gesserunt* ist. Der phraseologische Ausdruck *bellum gerere, Krieg führen,* gehört zu den ersten, die man lernen muss, wenn man Latein lernt. Wie kein anderes Thema beherrscht der Krieg die römische Geschichte und Literatur.

Quodsi ea, quae in longinquis nationibus geruntur, ignoratis, respicite finitimam Galliam, quae in provinciam redacta, iure et legibus commutatis, securibus subiecta perpetua premitur servitute.
Wenn ihr aber das, was in fernen Nationen getan wird, nicht wisst, so schaut auf das benachbarte Gallien, welches, nachdem es in eine Provinz überführt worden ist unter Änderung von Recht und Gesetzen, nachdem es der römischen Amtsgewalt unterworfen worden ist, von ewiger Knechtschaft gequält wird.

quodsi leitet einen, hier indikativischen, Nebensatz ein. Beachte zunächst das Prädikat: *ignorare* darf <u>nicht</u> mit *ignorieren* übersetzt werden, auch wenn diese Bedeutung hier zu passen scheint. Direktes Objekt zu *ignoratis* ist das substantivierte Pronomen im Akkusativ Plural Neutrum *ea*. Auf dieses bezieht sich auch der Relativsatz nach dem phraseologischen Schema *ea, quae, diese Dinge, welche, das, was*. Prädikat des Hauptsatzes ist eine 2. Plural Imperativ Aktiv (*respicite*). Zu *respicere, beachten, berücksichtigen,* ist *finitimam Galliam* direktes Objekt. Wenn man freier mit *schauen auf* übersetzt, muss man dieses Objekt zum dativischen Bezugswort der Präposition *auf* machen. An *Galliam* schließt sich ein weiterer Relativsatz (*quae*) an. Subjekt ist das Relativpronomen selbst, ergänzt durch das Prädikativum *redacta*, dem wiederum *in provinciam* als adverbiale Bestimmung der Richtung (*in* + Akkusativ) vorgeschaltet ist. Abgesetzt in Kommata findet sich ein AmP: *iure et legibus commutatis*, wobei sich der Singular *iure* und der Plural *legibus* das PPP *commutatis* gemeinsam teilen. In meiner Übersetzung wende ich die PSG-Technik (Lehrbuch S. 211) an. So vermeide ich ein Triplett der Konjunktion *nachdem*, das grausam klingt und atemlos macht, aber nicht grundsätzlich falsch ist (*«nachdem es in eine Provinz überführt worden ist, nachdem Recht und Gesetze geändert worden sind, nachdem es der römischen Amtsgewalt unterworfen worden ist»*). Parallel zu *redacta* ist auch das zweite mit *quae* KNG-kongruente PPP *subiecta* konstruiert, nur dass dieses nicht durch einen präpositionalen Ausdruck, sondern durch ein indirektes Objekt (*securibus*) erweitert ist. Schließlich folgt das Prädikat des Relativsatzes *premitur*. Adverbial bestimmt und umklammert ist es durch einen Ablativus modi (*perpetua servitute*).

Postero die Vercingetorix ...

Postero die Vercingetorix concilio convocato id bellum se suscepisse non suarum necessitatum, sed communis libertatis causa demonstrat et, quoniam fortunae sit cedendum, ad utramque rem se illis offerre, seu morte sua Romanis satisfacere seu vivum tradere velint.
Am folgenden Tag weist Vercingetorix nach Einberufung einer Versammlung darauf hin, dass er diesen Krieg unternommen habe nicht seiner (eigenen) Interessen, sondern der gemeinsamen Freiheit wegen und, weil dem Schicksal nachzugeben sei, er sich zu jeder von beiden Sachen (Verfahrensweisen) jenen anbiete, ob sie durch seinen Tod den Römern Genugtuung verschaffen oder ob sie (ihn) lebend ausliefern wollten.

concilio convocato ist ein simpler AmP, den du virtuos präpositionalisieren können musst. Ein Blick auf das Prädikat *demonstrat* lässt die Existenz eines AcI nicht unvorhersehbar erscheinen. Man muss nur Subjektsakkusativ (*se*) und normale Akkusativobjekte (*id bellum*) unterscheiden. Prädikatsinfinitiv ist *suscepisse*. Der AcI setzt sich später noch weiter fort. Doch zunächst folgt ein ausgedehnter postpositionaler Ausdruck mit *causa* und zwei Genitiven (*suarum necessitatum* und *communis libertatis*). Da Vercingetorix sich selbst zum Subjektsakkusativ (*se*) gemacht hat, ist auch der Bezug des Possessivpronomens *suarum* klar. In dem *quoniam*-Satz findet sich ein unpersönlich konstruiertes prädikatives Gerundivum mit *esse*. Der Konjunktiv *sit* erklärt sich aus dem Kontext der indirekten Rede und darf auch im Deutschen nicht unberücksichtigt bleiben. Im Deutschen richten wir uns jedoch nach den Regeln der deutschen indirekten Rede, so dass wir *sit* aus anderen Gründen und nach anderen Regeln als Konjunktiv übersetzen müssen, als sie das Lateinische vorgibt. Als Subjekt kann man im Deutschen ein neutrales *es* mitdenken (in dem Sinne: «*es muss nachgegeben werden*»), herzuleiten aus der KNG-Kongruenz mit der Endung auf *-um*. Das Verb *cedere, weichen, nachgeben,* steht regelmäßig mit indirektem Objekt, hier in Form des Dativs *fortunae*. Nach *et* und dem *quoniam*-Satz schließt sich ein weiterer, nach wie vor von *demonstrat* abhängiger AcI an. Dieser übernimmt den Subjektsakkusativ *se* aus dem ersten AcI. Infinitiv ist *offerre, anbieten*. Das andere Pronomen *se* an dieser Stelle ist nicht, wie man meinen könnte, Subjektsakkusativ, sondern Akkusativobjekt zu *offerre* zur Angabe, wen oder was Vercingetorix anbietet, nämlich sich selbst. Neben einem direkten Objekt verlangt *offerre* auch noch ein indirektes Objekt zur Angabe, wem Vercingetorix sich anbieten will, hier in Form des Pronomens *illis, jenen*, womit natürlich die Römer gemeint sind. Das Pronominaladjektiv *utramque* wird entweder mit *jede von beiden* oder einfach mit *beide* übersetzt. Die Doppelkonjunktion *seu ... seu ..., ob ... oder ob ...,* leitet faktisch einen Nebensatz ein. Logisches Subjekt sind weiterhin die angesprochenen gallischen Verhandlungsführer. Prädikat ist *velint*. Von *velint* hängen, wie so oft von Verben des Wollens, Infinitive ab: *satisfacere* und *tradere*, die beide regelmäßig mit indirektem Objekt stehen (hier dem Dativ *Romanis*). Der Akkusativ *vivum* ist Prädikativum zu einem gedanklichen direkten Objekt zu *tradere*, nämlich wieder Vercingetorix selbst (*se, ihn*), den man aus dem Zusammenhang hinzudenken muss. Ansonsten böte sich nur die Möglichkeit das Adjektiv *vivum* zu substantivieren, wodurch der Sinn verzerrt würde (*«den Lebenden auszuliefern»*). Deshalb übersetzt man *vivum* wörtlich-undekliniert: *«ihn lebend auszuliefern»*.

Mittuntur de his rebus ad Caesarem legati.
Geschickt werden in Bezug auf diese Angelegenheiten zu Caesar Gesandte.

Wenn, wie hier, das Prädikat des lateinischen Satzes die erste Position einnimmt, kann man im Deutschen entweder ein neutrales Subjekt (*es*) ergänzen: «*es werden ... Gesandte geschickt*» oder bei zusammengesetzten Verben (wie hier dem zweiteiligen *werden geschickt*) mit dem nicht konjugierten Teil *(geschickt)* beginnen, so dass der konjugierte Teil *(werden)* automatisch in Zweitstellung rückt. Dann kann man das Subjekt in Ruhe lassen, auch wenn hier die Letztstellung von *legati* ein wenig affektiert klingt.

Iubet arma tradi, principes produci.
Er befiehlt, dass die Waffen ausgeliefert, die Anführer vorgeführt werden sollen.

Leitkonstruktion dieses auf militärische Kürze zusammengeschnürten Satzes ist ein im Grunde simpler AcI, solange man die Subjektsakkusative *arma* und *principes* auch wirklich zu Subjekten des deutschen *dass*-Satzes macht und die Prädikatsinfinitive *tradi* und *produci* in der richigen Diathese übersetzt, nämlich Passiv. Eingeleitet wird der AcI durch das Verb des Befehlens *iubet*, das eine Übersetzung mit *sollen* erfordert.

Ipse in munitione pro castris considit. Eo duces producuntur. Vercingetorix deditur, arma proiciuntur.
Selbst lässt er sich auf der Befestigung vor dem Lager nieder. Dorthin werden die Anführer vorgeführt. Vercingetorix wird ausgeliefert, die Waffen niedergeworfen.

Beachte die präpositionalen Ausdrücke und übersetze diszipliniert: *in* steht mit Ablativ *(munitione)*, *pro* steht mit Ablativ *(castris)*: beide sind also Ortsangaben. Beachte das dramatische oder historische Präsens von *considit*, genauso wie zuvor von *mittuntur*, *iubet* und anschließend *producuntur*. Ob du dieses in deutsches Erzähltempus Präteritum konvertierst, bleibt dir überlassen – wichtig ist nur Einheitlichkeit. *eo* ist Adverb der Richung: *dorthin*. Darauf kann man kommen, wenn man sich die Situation bildlich vor Augen hält mit Blick auf das Verb *producuntur*. Caesar thront auf dem Wall vor Alesia, zu dem hin die Stammesfürsten aus den Toren der Stadt geführt werden. Es ist gut vorstellbar, welche schreckliche Tragik sich hinter der betont knappen, militärischen Parataxe und dem Homoioteleuton passiver Verbformen *(-tur)* verbirgt. Jedenfalls ist diese Szene wegen ihrer symbolischen und historischen Tragweite in mehreren Filmen und Dokumentationen portraitiert *(Rome, Vercingetorix)*.

Übersetzung und Kommentar: Mündliche Prüfungstexte – Sallust

Iam primum adulescens ...

Iam primum adulescens Catilina multa nefanda stupra fecerat, cum virgine nobili, cum sacerdote Vestae, alia huiusce modi contra ius fasque.
Schon längst als junger Mann hatte Catilina viele unaussprechliche Hurereien betrieben, mit einer adligen Jungfrau, mit einer Priesterin der Vesta, andere Dinge dieser Art gegen Recht und Moral.

adulescens lässt sich sowohl als Attribut *(der junge Mann Catilina)* als auch als Prädikativum *(Catilina als junger Mann)* auffassen. Die prädikative Lesart ist meist eleganter. *alia* ist prädikative Neutrum Plural. *huiusce* ist synonym mit *huius*.

Das Demonstrativsuffix *-ce* bedeutet soviel wie «hier» und findet sich noch in Wendungen wie *ecce, schau hier,* oder in Resten an Pronominalformen wie *hic, haec, hoc, huic, hunc, hanc* und *hac*. Es muss aber nicht übersetzt werden!

Postremo captus amore Aureliae Orestillae, quoius praeter formam nihil umquam bonus laudavit, quod ea nubere illi dubitabat timens privignum adulta aetate, pro certo creditur necato filio vacuam domum scelestis nuptiis fecisse.
Zuletzt, nachdem er ergriffen worden war von der Liebe der/zu Aurelia Orestilla, von welcher außer ihrer Schönheit nichts jemals ein Anständiger lobte, weil diese zögerte jenen zu heiraten, weil sie den Stiefsohn von erwachsenem Alter fürchtete, wird es für sicher gehalten, dass er nach Ermordung seines Sohnes das Haus frei für die verbrecherische Hochzeit gemacht hat.

Das Subjekt des Satzes (Catilina) wird aus dem Vorsatz übernommen. *captus* ist dazu prädikatives Partizip ohne *esse*, kann also wörtlich-undekliniert *(ergriffen)* oder konjunktional *(nachdem er ergriffen worden war)* übersetzt werden. *Aureliae Orestillae* ist Genitivus obiectivus, da die Frau «Objekt», nicht «Inhaberin» der Begierde ist. Der Hauptsatz wird erst nach zwei Nebensätzen *(quoius* und *quod)* mit *pro certo creditur* fortgesetzt, einem Signalverb, das mich reflexartig an einen NcI denken lässt. *creditur* selbst enthält in diesem Fall grammatisch den «Subjektsnominativ», *fecisse* ist der Infinitiv, zu dem man seinerseits den doppelten Akkusativ *vacuam domum (domus, Haus,* ist feminin) beachten muss. Ich leite unpersönlich mit *es* ein: «*Es wird für sicher gehalten* ...». Nun lasse ich einen *dass*-Satz mit pronominalem Subjekt folgen: «*..., dass er ...*». Dann prüfe ich durch Ausprobieren die Übersetzungsmöglichkeiten für *domum vacuam*. Wenn ich *vacuam* als reines Attribut zu *domum* auffasse, geht es so weiter: «*... das leere Haus gemacht hat*». Wenn ich *vacuam* als Prädikativum zu *domum* auffasse, passt die wörtlich-undeklinierte Form besser: «*das Haus leer gemacht hat*». Der Dativ *nuptiis* kommt vom Pluralwort «*nuptiae*», das singularisch als *Hochzeit* übersetzt wird. Nun zu den Nebensätzen. *quoius* ist altlateinisch für *cuius*. Es ist zwar grammatisch Nebensatzeinleiter, gehört jedoch als Genitivattribut eigentlich hinter sein Bezugswort *formam. formam* wiederum gehört auch im Deutschen hinter die Präposition *praeter, außer,* so dass ich *quoius praeter formam* in der Übersetzungsabfolge eigentlich umstellen muss: *außer deren Schönheit*. Solange ich aber pronominale Genitivattribute mit *von* + Dativ übersetze, kann ich die Stellung sogar belassen *(von welcher außer ihrer Schönheit)*. Subjekt des Satzes ist das Adjektiv *bonus*. Da es kein kongruentes Bezugswort hat, muss ich es substantivieren durch Artikulierung und Großschreibung *(ein Guter, ein Anständiger)*. Objekt ist das neutrale *nihil*. Der nun folgende Nebensatz ist ein kausaler *quod*-Satz. Er begründet allerdings nicht den voranstehenden Nebensatz, sondern den Inhalt des Hauptsatzes. *ea* ist Nominativ und bezieht sich auf *Aurelia Orestilla*. Das Verb *nubere, heiraten,* bedeutet im ursprünglichen Wortsinne «sich verschleiern» und kann deshalb nur mit einem indirekten Objekt im Dativ (hier: *illi*) stehen. Mit *ea* kongruiert das PPA *timens*, das ich hier in Form eines Kausalsatzes *(weil)* auflöse. *während* würde aber ebenso gehen wie eine wörtlich-undeklinierte *(fürchtend)* oder präpositionalisierte Übersetzung *(aus Furcht)*. *adulta aetate* ist Ablativus qualitatis zu *privignum*, kann mit *von* + Dativ *(den Stiefsohn von erwachsenem Alter)* oder als Attribut *(den erwachsenen Stiefsohn)* übersetzt werden.

Quae quidem res mihi in primis videtur causa fuisse facinus maturandi.
Es scheint mir jedenfalls, dass diese Sache besonders die Ursache gewesen ist des Beschleunigens des Verbrechens (um das Verbrechen zu beschleunigen).

Dieser letzte Satz ist erneut durch einen NcI gekennzeichnet, bestehend aus einem Subjekt in relativem Anschluss *(quae res)*, einem Infinitiv Perfekt Aktiv von *esse (fuisse)* und durch diesen bedingt auch ein Prädikativum im Nominativ *(causa)*. Aufmerksamkeit verdient schließlich noch das Gerundium *maturandi*, weil es als substantivierter Infinitiv ein Objekt *(facinus)* im Akkusativ bei sich hat. Diese Gerundia mit Objekten zu übersetzen ist besonders haarig, weil man hier nicht mehr so gut mit wörtlichen Wiedergaben durchkommt wie bei alleinstehenden, nicht erweiterten Gerundia. Grundsätzlich ist es zwar möglich, aber «*die Ursache des das Verbrechen Beschleunigens*» klingt grenzwertig. Eine Alternative ist hier die Genitivierung des Objektes («*die Ursache des Beschleunigens des Verbrechens*») oder ein Infinitivausdruck mit *zu* («*die Ursache das Verbrechen zu beschleunigen*»).

Sed iuventutem ...

Sed iuventutem, quam, ut supra diximus, inlexerat, multis modis mala facinora edocebat.
Aber die Jugend, welche er, wie wir oben sagten, angelockt hatte, lehrte er auf viele Weisen schlimme Verbrechen.

Subjekt des Satzes ist Catilina. Das Verb *docere* oder *edocere, lehren*, steht mit zwei Akkusativobjekten, von denen das eine die Person (hier: *iuventutem*) ist, die gelehrt wird, das andere der Gegenstand der Lehre (hier: *mala facinora*). Die entstehende Wendung ist vergleichbar mit dem deutschen Ausdruck «jemanden etwas lehren» oder mit Kasuswechsel: «jemanden in etwas ausbilden» oder «jemandem etwas beibringen». Dieser «doppelte Akkusativ» hat jedoch nichts zu tun mit dem sonst bekannten doppelten Akkusativ der Kasuslehre, also der Verbindung aus Akkusativobjekt und Prädikativum nach bestimmten Verben.

Ex illis testis signatoresque falsos commodare; fidem, fortunas, pericula vilia habere; post, ubi eorum famam atque pudorem adtriverat, maiora alia imperabat.
Aus jenen formte er falsche Zeugen und Urkundenfälscher; Vertrauen, Vermögen, Gefahren hielt er für billig; später, sobald er den sozialen Stand und die Hemmschwelle von diesen zermürbt hatte, befahl er anderes Größeres.

«Prädikat» des Satzes ist der historische Infinitiv *commodare*, Subjekt ist natürlich noch immer Catilina. *testis* (mit langem i!) ist Akkusativ Plural 3. Deklination mit i im Stamm, als Akkusativ auch daran zu erkennen, dass es durch *-que* in einem Atemzug mit dem Akkusativ *signatores falsos* genannt wird. Auch *habere* im nächsten Satz ist historischer Infinitiv. In der Bedeutung *halten für* steht es mit doppeltem Akkusativ. Die drei asyndetischen, teils alliterativen Akkusative *fidem, fortunas, pericula* sind Objekte, *vilia* ist gemeinsames Prädikativum, richtet sich in KNG jedoch nur nach der Form, die ihm am nächsten steht *(pericula)*. Das Imperfekt *imperabat* hat durativen oder iterativen Aspekt, es handelte sich also nicht um ein einmaliges Ereignis, sondern um wiederholte oder andauernde Einflüsse. Auch das Objekt des Befehlens (also das, was Catilina befahl) steht im Akkusativ (hier das substantivierte Neutrum Plural: *maiora alia*, singularisiert: *anderes Größeres*). Wenn ich mir zuweilen eine modernere und nicht immer wörterbuchkonforme Übersetzung erlaube, hat das zwei Gründe: 1. kannst du in einem soziologischen Kontext heute mit Begriffen wie sozialem Stand und Hemmschwelle mehr anfangen als mit Leumund und Scheu. 2. möchte ich dir den Inhalt der Texte möglichst unverstaubt und unspießig präsentieren. Was ich von den handelsüblichen Wörterbüchern halte, habe ich ja bereits im Lehrbuch auf S. 103 kundgetan.

Si causa peccandi in praesens minus suppetebat, nihilo minus insontis sicuti sontis circumvenire, iugulare.
Wenn ein Motiv der Kriminalität für die Gegenwart nicht zur Verfügung stand, überfiel er um nichts weniger Schuldige wie Unschuldige, brachte sie um.

Vom Subjekt des *si*-Satzes *causa (Anlass, Ursache, Grund, Motiv)* ist ein Gerundium *(peccandi)* als Genitivattribut abhängig. Die meisten Gerundia können wörtlich als substantivierter Infinitiv *(des Vergehens)*, aber auch durch ein passenderes, nicht-infinitivisches Substantiv *(Kriminalität)* übersetzt werden. *in* mit dem Akkusativ der zeitlichen Erstreckung *(praesens*, Neutrum Singular) kann die Bedeutung *für* haben. Im Hauptsatz findet ein stiller Subjektswechsel zu Catilina statt. *nihilo minus, trotzdem, um nichts weniger*, gehört in deine Karteikartensammlung. *insontis* und *sontis* sind altlateinische Begriffe für *unschuldig* und *schuldig*, hier substantiviert im i-stämmigen Akkusativ Plural der 3. Deklination. *circumvenire* und *iugulare* sind historische Infinitive in Prädikatsfunktion.

Scilicet ne per otium torpescerent manus aut animus, gratuito potius malus atque crudelis erat.
Offenbar damit durch Untätigkeit Hand oder Geist nicht erschlafften, war er freiwillig lieber böse und grausam.

Die Konjunktion *ne* hinter *scilicet*, hängt etwas nach. *torpescere* hat hier den Sinn von «aus der Übung kommen», was auch als freiere Übersetzung in Frage kommt. *potius* ist adverbialer Komparativ. Denke daran, dass der Komparativ des Adverbs auf *-ius* identisch ist mit dem Komparativ Nominativ/Akkusativ Singular Neutrum *(«vergleichsweise neutraler Bratenius»)*.

His amicis sociisque confisus ...

His amicis sociisque confisus Catilina, simul quod aes alienum per omnis terras ingens erat et quod plerique Sullani milites largius suo usi rapinarum et victoriae veteris memores civile bellum exoptabant, opprimundae rei publicae consilium cepit.
Im Vertrauen auf diese Freunde und Komplizen fasste Catilina, zugleich weil die Schuldenlast durch alle Länder gewaltig war und weil die meisten sullanischen Soldaten, unter großzügigerem (gem.: verschwenderischerem) Gebrauch von Ihrem (gem.: ihrem Besitz), in Erinnerung an die Beutezüge und ihren früheren Erfolg einen Bürgerkrieg herbeiwünschten, den Plan gegen den Staat zu putschen.

In diesem Satz klammern zwei Hauptsatzhälften (1. *His ... Catilina*, 2. *opprimundae ... cepit*) einen doppelten *quod*-Satz *(simul quod ... et quod ...)* ein. Wir sollten zunächst Subjekt und Prädikat sichern. Subjekt ist *Catilina*, dem ein PPDep als Prädikativum *(confisus)* vorgeschaltet ist. *confidere* ist eigentlich ein semideponentes Verb *(confido, confisus sum, vertrauen)*. Das Objekt des Vertrauens steht entweder, wie im Deutschen, mit dem Dativ oder mit dem Ablativ. In diesem Fall ist an der Form nicht zu entscheiden, welches von beiden *his amicis sociisque* ist. PPDeps lassen sich gelegentlich elegant präpositionalisieren, so ersetzt hier die Wendung «*im Vertrauen auf*» sowohl die etwas verkorkst klingende wörtliche Übersetzung («*vertraut habend auf*») als auch die umständliche konjunktionale Umschreibung («*nachdem er vertraut hatte auf ...*»). Ich ziehe der Übersicht halber zunächst den zweiten Teil des Hauptsatzes vor und hier vor allem Prädikat und direktes Objekt *(consilium cepit)*. Bei der Wendung *consilium capere, einen Plan fassen*, solltest du spätestens in der Prüfung nicht mehr überlegen müssen. Genitivattribut zu *consilium* ist das Gerundivum *opprimundae rei publicae*. Elegant ist entweder die Substantivierung-Genitivierung *(der Plan der Zerstörung des Staates)* oder der präpositionale Ausdruck mit *um zu (um den Staat zu zerstören)*. Ich habe mir in der Musterübersetzung die Freiheit genommen statt *zerstören* mit *putschen* zu arbeiten. Nun zurück zum *quod*-Satz: *omnis* bezieht sich als i-stämmiger Akkusativ Plural natürlich auf *terras*. Das nächste Problem ist ebenfalls ein PPDep: *usi*, von *uti, Gebrauch machen (von)*. Es ist kongruentes Attribut zu *Sullani milites*. Auch *usi* lässt sich präpositionalisieren *(unter Gebrauch von)* und man umgeht so umständlichere Formulierungen. Denke aber auch bei *usi* an den abweichenden Kasus. Es steht mit Ablativus separativus, hier mit dem substantivierten Neutrum Singular *suo*, von *suum, das Seine/Ihre, sein/ihr Besitz* oder *Sold*. Auch das Adjektiv *memores* (von *memor*, wörtlich *eingedenk, im Gedanken an*) kongruiert mit *Sullani milites*. Das Objekt des Gedankens, das, woran man denkt, steht im Genitivus obiectivus, hier *rapinarum et victoriae veteris*.

In Italia nullus exercitus; Cn. Pompeius in extremis terris bellum gerebat; ipsi consulatum petenti magna spes; senatus nihil sane intentus; tutae tranquillaeque res omnes, sed ea prorsus opportuna Catilinae.

In Italien (war) kein Heer, Cn. Pompeius führte in den fernsten Ländern Krieg, ihm selbst (war), während er den Konsulat erstrebte, große Hoffnung, der Senat (war) auf überhaupt nichts gefasst: sicher und ruhig (waren) alle Verhältnisse, aber das (kam) Catilina geradezu gelegen.

Der kompakte Nominalstil dieser Parataxen lässt wenig Platz für Prädikate, insbesondere nicht für *esse* (Ellipse). Die entsprechenden Formen müssen in Klammern ergänzt werden. Der Dativ *ipsi petenti* wird durch Einfügung von *esse* zum Possessivus, ob man nun wörtlich übersetzt oder den Dativ zum Subjekt macht und mit *haben* umschreibt *(er selbst hatte ... große Hoffnung)*. Beachte, dass *consulatum* Objekt zu *petenti* ist. *ea* ist substantivierter Neutrum Plural, den ich hier zur Abwechslung singularisiere *(das)* und die Ellipse mit *kam* ausfülle.

Ea tempestate plurumos quoiusque generis ...

Ea tempestate plurumos quoiusque generis homines adscivisse sibi dicitur, mulieres etiam aliquot, quae primo ingentis sumptus stupro corporis toleraverant.

Es wird gesagt, dass er zu dieser Zeit sehr viele Menschen jeder Art für sich eingenommen habe, auch einige Frauen, welche zuerst ihre ungeheuren Bedürfnisse mit Prostitution ihres Körpers bestritten hatten.

Tempestas ist bei Sallust synonym mit *tempus*. Bei Cicero dagegen ist *tempestas* entweder ein Unwetter oder eine schwere, unglückliche, krisengeschüttelte Zeit. Ein NcI-Einleiter *(dicitur)* ist das Prädikat des Satzes. Subjekt und «Subjektsnominativ» des NcI ist Catilina, der grammatisch nur in der Endung des finiten Verbs *dicitur* enthalten ist. Auf Catilina bezieht sich auch das Reflexivpronomen und indirekte Objekt *sibi*. Infinitiv ist *adscivisse* (von *adsciscere, aufnehmen, einnehmen*). *plurumos* und *quoiusque* sind Archaismen: *plurumos* steht für *plurimos*. Das klassische Präfix *cu-* (wie in *cum, cui, cuius*) ersetzt Sallust regelmäßig durch *quo-*. So entsteht auch die Form *quoiusque* von *quisque, jeder*. Der Genitiv *quoiusque generis, von jeder Art,* ist zwischen den kongruenten Formen *plurumos* und *homines* eingeklammert. Wer *generis* nicht findet oder auf *gener, Schwiegersohn,* zurückführt, der sollte mal unter *genus, Geschlecht, Gattung, Art,* nachschlagen und Erleuchtung finden. *genus* ist ohnehin so häufig, dass es sich sogar lohnt es als Vokabel zu lernen. Das Pronominaladjektiv *aliquot, einige,* ist nicht deklinierbar und erscheint in allen Kasus gleich. *ingentis* ist Akkusativ Plural 3. Deklination mit i-Stamm. Als solcher bezieht er sich auf *sumptus*, ebenfalls ein Akkusativ Plural u-Deklination. Ob man *stuprum* nun mit den etwas prüden und ältlichen Bezeichnungen «Unzucht» oder «Entehrung» übersetzt, oder als das bezeichnet, was *de facto* dahinter steckt, nämlich *Hurerei* und *Prostitution,* sagt mehr über den Übersetzer aus als über den Autor.

Post, ubi aetas tantummodo quaestui neque luxuriae modum fecerat, aes alienum grande conflaverant.

Später, sobald der Alterungsprozess nur ihrer Erwerbsquelle aber nicht ihrem luxuriösen Lebenswandel eine Grenze gemacht hatte, hatten sie große Schulden aufgehäuft.

Mit adverbialem *post, später,* und vorzeitig-konjunktionalem *ubi, sobald,* beginnt bei Sallust jeder fünfte Satz. Hier steht *ubi* primär bereits mit Prädikat im Plusquamperfekt *(fecerat)*, so dass du dir über das Zeitverhältnis keine Gedanken zu machen brauchst. Beachte die beiden Dativobjekte *quaestui* und *luxuriae* in Verbindung mit dem phraseologischen Ausdruck *modum facere,* der synonym ist zu *finem facere, ein Ende machen, eine Grenze ziehen.*

Per eas se Catilina credebat posse servitia urbana sollicitare, urbem incendere, viros earum vel adiungere sibi vel interficere.
Durch diese glaubte Catilina, dass er die städtische Sklavenschicht (singularisiert) aufwiegeln könnte, die Stadt anzünden, die Männer von diesen entweder auf seine Seite bringen oder töten könnte.

credebat ist AcI-Auslöser für den Subjektsakkusativ *se* und den Prädikatsinfinitiv *posse*. Von *posse* ist wiederum ein Infinitiv *(sollicitare, aufwiegeln)* abhängig und von diesem ein normales Objekt *(servitia urbana, die städtische Sklavenschicht)*. *servitia urbana* ist von Hause aus Neutrum Plural. Wenn man solche Substantive singularisiert, spricht man von einem kollektiven Singular. In deiner Übersetzung solltest du solche Aktionen kenntlich machen, damit der Korrektor nicht denkt, dass du Numerus-blind bist. Beachte im folgenden noch die Doppelkonjunktion *vel ... vel ..., entweder ... oder ...*, und die Wendung *sibi adiungere*, «sich anschließen», *auf seine Seite bringen*.

Sed multi mortales ...

Sed multi mortales, dediti ventri atque somno, indocti incultique vitam sicuti peregrinantes transigere.
Aber viele Menschen, ihrem Magen (Appetit) und Schlaf(-bedürfnis) hingegeben, verbrachten ungebildet und unkultiviert ihr Leben so wie Landstreicher.

Auch für das Substantiv *Mensch* benutzt Sallust selten das Substantiv *homo*. Stattdessen nimmt er regelmäßig das substantivierte Adjektiv *mortalis, der Sterbliche*, eine Marotte für pathetische Formulierungen. Als Prädikat dieses Satzes zählt der historische Infinitiv *(transigere)*. Die Wendung *vitam transigere* entspricht dem klassischen *vitam agere, das Leben verbringen*. Das PPP *dediti (von dedere, ausliefern, hingeben)* ist ein Prädikativum zu *mortales*. Es kann konjunktional (hier z.B. als kausales Zustandspassiv: «weil sie ihrem Appetit und Schlafbedürfnis hingegeben sind») oder wörtlich-undekliniert *(hingegeben)* übersetzt werden. Dazu ist *ventri* (von *venter, Magen*, 3. Deklination) Dativobjekt. Der Bauch steht hier metonymisch (in übertragener Bedeutung) zu jeder Form von Lustbefriedigung. *somnus, Schlaf,* ist synonym für *Faulheit*. PPPs, die durch das Präfix *in-* verneint werden (wie hier: *indocti* und *inculti*, vgl. *doctus* und *cultus*), haben grundsätzlich eher adjektivischen Charakter, sind nicht erweitert und sollten daher wörtlich übersetzt, nicht konjunktional oder relativ aufgelöst werden. Weil sie noch hinter *dediti* und dem Prädikat am nächsten stehen, handelt es sich um Prädikativa – deshalb übersetze ich wörtlich und undekliniert. *peregrinantes*, wörtlich: *Wandernde, Reisende*, ist substantivisches PPA (kein Bezugswort), das ich im Sinne Sallusts mit «Landstreicher» noch etwas sarkastischer und schwärzer eingefärbt habe.

Quibus profecto contra naturam corpus voluptati, anima oneri fuit.
Diesen war (diente/gereichte) allerdings wider die Natur ihr Leib zum Vergnügen, ihre Seele zur Last.

Wer mit Sallust in der Prüfung rechnen muss, sollte sich unbedingt den doppelten Dativ (Lehrbuch S. 205) gründlich ansehen. Dieser besteht aus einem Dativ der Person und einem Dativ des Zwecks, der Folge, des Vor- oder Nachteils (zusammengefasst *Dativus finalis*) und schließlich einer Form von *esse*, die entweder mit *sein* oder mit *dienen, gereichen, gut sein zu*, übersetzt wird. Der relative Anschluss *quibus (diesen, für diese)* ist hier der Dativ der Person. *voluptati, zum Vergnügen*, und *oneri, zur Last*, sind die finalen Dative. *profecto* hat mit dem Deponens *proficisci, aufbrechen*, nichts zu tun. Vielmehr steht es für den präpositionalen Ausdruck *pro facto*, «für eine Tatsache». In dieser Form ist es in den meisten Fällen zu einem Adverb erstarrt in der Bedeutung *tatsächlich, natürlich, allerdings*.

Eorum ego vitam mortemque iuxta aestumo, quoniam de utraque siletur.
Ich beurteile Leben und Tod von diesen gleich, weil ja in Bezug auf beides geschwiegen wird.

Das Genitivattribut *eorum* überspringt das Subjekt *ego* und ist dadurch von seinem Bezugswort *(vitam mortemque)* gesperrt. *iuxta aestumare, gleich beurteilen*, ist wieder «Sallust-Slang». *utraque* ist Ablativ Singular Femininum von *uterque, jeder von beiden, beide*, weil sowohl *vita, Leben*, als auch *mors, Tod*, feminin sind. Das unpersönliche Passiv *siletur, es wird geschwiegen*, bezieht sich auf die Erinnerung und den Ruhm der Nachwelt. Der Sinn: «*Weder das Leben noch der Tod der faulen Konsumisten hinterlässt irgendein denkwürdiges Beispiel, das sie vor dem endgültigen Vergessen bewahrt und unsterblich macht.*»

Verum enim vero is demum mihi vivere atque frui anima videtur, qui aliquo negotio intentus praeclari facinoris aut artis bonae famam quaerit.
Es scheint mir aber, dass dieser erst wahrhaft lebt und Freude an seiner Seele hat, welcher, nachdem er auf irgendeine Arbeit konzentriert ist, den Ruhm einer herausragenden Tat oder einer guten Eigenschaft sucht.

Leitkonstruktion des Hauptsatzes ist ein NcI *(is vivere atque frui)*, eingeleitet von *mihi videtur, es scheint mir, dass*. Das Verb *frui, in den Genuss kommen von*, hat sein «Objekt» logischer im Ablativus separativus. Der Einfachheit halber darf man es im Deutschen auch als *genießen* mit dem Akkusativ übersetzen. Subjekt des Relativsatzes ist das Relativpronomen selbst *(qui)*, das PPP *intentus (von intendere, richten auf, konzentrieren auf)* ist dazu Prädikativum. Dem Objekt *famam* vorangestellt stehen zwei Genitivattribute *(praeclari facinoris aut artis bonae)*, die den Grund oder das Objekt des Ruhmes näher beschreiben (Genitivus obiectivus). Deshalb könnte man auch übersetzen: «*den Ruhm für eine herausragende Tat oder eine gute Eigenschaft*». Aber nicht alle *artes bonae* bringen Ruhm.

Ea cum Ciceroni nuntiarentur ...

Ea cum Ciceroni nuntiarentur, ancipiti malo permotus, quod neque urbem ab insidiis privato consilio longius tueri poterat neque, exercitus Manli quantus aut quo consilio foret, satis conpertum habebat, rem ad senatum refert iam antea volgi rumoribus exagitatam.
Als diese Dinge Cicero gemeldet wurden, meldet er, nachdem er durch ein doppeltes Übel aufgebracht worden war, weil er weder die Stadt von Putschversuchen durch eine private Maßnahme länger schützen konnte noch ausreichend in Erfahrung brachte (bringen konnte), wie groß oder von welcher Zielsetzung die Truppe des Manlius war, die Sache an den Senat, die schon vorher in den Gesprächen des Volkes verbreitet worden war.

Bei so langen Sätzen solltest du dir den Satz in Form einer Skizze gliedern:
NS 1 *(cum)*, HS *(ancipiti)*, NS 1 *(quod neque ... neque)*, NS 2 *(quantus aut quo consilio)*, NS 1 (Fortsetzung: *satis*), HS *(rem)*.
cum ist nachhängende Konjunktion hinter *ea, diese Dinge* (substantiviertes Pronomen im Neutrum Plural). mit *ancipiti* (von *anceps, doppelt*) beginnt der Hauptsatz. Ziehe das Prädikat vor! Das Hauptsatzprädikat hat spätestens nach dem ersten Satzteil oder Nebensatz höchste Priorität – das kann man nicht oft genug betonen, weil es oft genug vergessen wird. Das Hauptsatzprädikat ist *refert, trägt vor/meldet/berichtet*, denn *habebat* gehört neben *poterat* in den *quod*-Satz. *permotus, bewegt, erschüttert, aufgebracht*, ist prädikatives PPP ohne *esse* und bezieht sich auf das Subjekt des Satzes *(Cicero)*, das grammatisch zwar nur im Prädikat steckt *(er)*, inhaltlich jedoch aus dem Nebensatz *(Ciceroni)* hervorgeht. Als Übersetzung kommt also in erster Linie ein Konjunktionalsatz mit *nachdem* in Frage. Erweitert wird *permotus* durch den Ablativ *ancipiti malo*, begründet wird es durch den nun folgenden *quod*-Satz. Dieser ist durch *neque ... neque ... weder ... noch ...* in zwei Teile gegliedert. *consilium* lässt sich hier gut mit *Maßnahme* übersetzen, aber auch *Planung, Vorsicht* oder *Mittel* sind denkbar. Der zweite Teil wird durch einen indirekten Fragesatz unterbrochen, der eigentlich erst von dem Prädikat abhängt, das danach steht *(conpertum habebat)*. Deshalb würde ich dieses Prädikat sichern und vorziehen, bevor beide, indirekter Fragesatz und Einleiterprädikat, ohne Sinn und Bezug irgendwo herumvagabundieren. Das Imperfekt *habebat* drückt hier den konativen (versuchsweisen) oder durativen (dauerhaften) Aspekt von Ciceros erfolglosen Ermittlungen aus – deshalb passt *konnte* ganz gut. Weil gleich zwei Wörter, das Subjekt *exercitus* und das Genitivattribut *Manli* (Kurzform für *Manlii*), die nebensatzeinleitenden Fragepronomen *quantus, wie groß* und *quo consilio, von welcher Zielsetzung (Ablativus qualitatis)* versperren, ist der indirekte Fragesatz nur bei genauerem Hinschauen zu diagnostizieren. Ein Hinweis kann der Konjunktiv *foret (= esset)* sein. Zur Erinnerung: Die Form *fore-* steht bei Sallust regelmäßig zur Bildung des Konjunktivs Imperfekt von *esse* (also auch beim Konjunktiv Plusquamperfekt Passiv). Nachdem wir nun schon längst unser Hauptsatzprädikat *(refert)* in die Zweitstellung transplantiert haben, folgen nun endlich die restlichen Satzteile: Objekt *(rem)*, adverbiale Bestimmung *(ad senatum)* und ein kongruentes Attribut zu *rem*, das PPP *exagitatam*. Dieses ist nochmals durch die Adverbien *iam antea, schon vorher* und den Ablativ *volgi rumoribus, in den Gesprächen des Volkes* erweitert. Daher wähle ich die Relativierung *(Sache, die ... verbreitet worden war)* oder Konjunktionalisierung *(nachdem sie ... verbreitet worden war)*.

Itaque, quod plerumque in atroci negotio solet, senatus decrevit, darent operam consules, ne quid res publica detrimenti caperet.
Daher beschloss der Senat, was er meistens in einer schlimmen Situation pflegt/gewöhnlich tut, (dass) die Konsuln sich Mühe geben sollten (dafür sorgen sollten), dass der Staat nicht irgendwas an Schaden (irgendeinen Schaden) nahm.

quod leitet hier einen relativen Objektsatz zu *decrevit* ein. *solere*, wörtlich *pflegen*, kann man auch durch *gewöhnlich tun* umschreiben. *negotium* ist Sallusts Füllspachtel, wenn ihm gar nichts mehr einfällt um die Lücken, Risse und Fugen seines primitiven Wortschatzes zu stopfen. Es entspricht der klassischen *res* und darf je nach Zusammenhang mit vergleichbaren deutschen Wortblasen übersetzt werden *(Sache, Angelegenheit, Situation, Punkt, Umstand, Tatsache)*. Der Inhalt des Senatsbeschlusses ist so zur Klausel erstarrt, dass das einleitende *ut* sogar ausfällt. Die traditionelle Wendung «*darent consules operam, ne quid detrimenti res publica capiat*» stattet einen der Konsuln mit diktatorischer Vollmacht aus, wenn ein übergesetzlicher Notstand eintritt. Achte darauf, dass *opera, Mühe, Acht,* ein eigenes Substantiv ist und sich nicht etwa von *opus, operis, Arbeit,* ableitet. Außerdem ist das Genitivattribut *detrimenti* von seinem Bezugswort *quid* (aus *aliquid* nach *ne*; vgl. Lehrbuch S. 197) gesperrt. Nach Quantitätsangaben wie hier *aliquid, irgendetwas,* bezeichnet der Genitivus partitivus das, wovon die Menge angegeben wird (hier: *detrimeni, an Schaden*). Im Deutschen muss hier kein Genitiv erscheinen *(irgendein Schaden)*.

Ea potestas per senatum more Romano magistratui maxuma permittitur: exercitum parare, bellum gerere, coercere omnibus modis socios atque civis, domi militiaeque imperium atque iudicium summum habere.
Diese Macht wird durch den Senat nach römischer Sitte einem Beamten als höchste verliehen: ein Heer auszuheben, Krieg zu führen, mit allen Mitteln Bundesgenossen und Bürger zu disziplinieren, in Krieg und Frieden die höchste Macht und Entscheidungsgewalt zu haben.

Das Hyperbaton («Überspringung» = Sperrung) von *maxima* und seine Prädikatsnähe zu *permittitur* ist ein Indiz für seine Funktion als Prädikativum und auch der Präpositionentest mit *als, für, zu* passt. Wenn man es als Attribut zu *potestas (diese größte Macht)* nimmt, macht man natürlich grammatisch nichts falsch. Die nun folgende asyndetische Auflistung von Infinitiven gibt an, worin die Machtbefugnisse eines Diktators bestehen. Folgende Punkte verdienen Erwähnung: *civis* ist Akkusativ Plural der 3. Deklination mit i-Beimischung. Der Lokativ *domi militiaeque*, wörtlich *zu Hause und im Militär* ist eine feststehende idiomatische Wendung, die am ehesten unserem *in Krieg und Frieden* entspricht.

Praeterea regis Bocchi proxumos ...

Praeterea regis Bocchi proxumos magnis muneribus et maioribus promissis ad studium sui perducit, quis adiutoribus regem adgressus inpellit, uti advorsus Romanos bellum incipiat.
Außerdem brachte er die Nächsten/Nächststehenden (die Verwandten) des Königs Bocchus durch große Geschenke und größere Versprechen auf seine Seite, mit Hilfe derer er den König, nachdem er ihn angegangen war, dazu brachte, dass er gegen die Römer Krieg begann.

Der Superlativ *proxumos, die Nächsten* (für klassisch: *proximos*) muss hier in Ermangelung eines substantivischen Bezugswortes selbst substantiviert werden und erhält dadurch die Bedeutung von *Nächststehenden* oder *Verwandten*. Die Form *muneribus* kannst du womöglich nicht sofort zuordnen, weil du den unregelmäßigen Nominativ nur unter dem Eintrag *munus, Dienst, Leistung, Geschenk,* findest. *promissis* ist PPP von *promittere, versprechen*. Auch ihm fehlt ein substantivisches Bezugswort, so dass wir es substantivieren müssen. *promissum*, wörtlich *das Versprochene*, wird zum *Versprechen*. Zur Erklärung der Hilfe: *studium sui* heißt wörtlich *das Interesse seiner (selbst)*, wobei *sui* Genitivus obiectivus ist, also das Objekt der Begeisterung oder des Interesses darstellt und am besten mit *Interesse an ihm* übersetzt wird. Zusammengenommen mit *perducere*, wörtlich *hinführen, hinbringen*, erhält man die Übersetzung: «*er brachte sie hin zum Interesse an ihm*». Nun darf man im angegebenen Sinne auch ruhig etwas freier werden. *quis adiutoribus*, für *quibus adiutoribus* ist ein nominaler Ablativus Absolutus in relativer Verschränkung. Der nominale Absolutus lässt sich am besten durch Präpositionalisierung mit *unter, während, bei* übersetzen. Das geht nur, wenn man das Amts-, Funktions- oder Zustandssubstantiv (hier *adiutor, der Helfer*) in depersonalisierter Form substantiviert, also aus *Helfer Hilfe* macht und das Bezugswort (hier: *quis*) genitiviert. Praktisch geht das so: Ich leite den Relativsatz mit der Präposition *unter* ein, in diesem Fall passt besonders gut auch die Präposition *mit*. Ich substantiviere das Amts-, Funktions- oder Zustandssubstantiv des nominalen Absolutus in depersonalisierter Form – aus *adiutor, Helfer* mache ich *Hilfe*: «*mit Hilfe*». Ich genitiviere das Bezugswort *quis (= quibus)*: *mit Hilfe derer* oder, da es sich um ein Relativpronomen handelt : *mit Hilfe von welchen*. Daneben darf auch umgestellt werden: «*mit deren Hilfe*». Es folgt ein scheinbar bezugsloses PPDep *adgressus* (von *adgredi* oder *aggredi, angreifen, angehen*) ohne *esse*. In Wirklichkeit bezieht es sich auf das Subjekt des Relativsatzes, das im Prädikat *inpellit, er brachte dazu,* enthalten ist. Daher wähle ich den Konjunktionalsatz mit *nachdem*: «*nachdem er angegangen war*». Da das Objekt *regem* in diesem Satz fast schon einen Doppelbezug zu *adgressus* und *inpellit* hat, darf man es auch als Objekt zu *adgressus* im Nebensatz anklingen lassen *(«nachdem er ihn angegangen war, brachte er den König dazu»)*. *advorsus* (für klassisch: adversus) wird normalerweise als Adverb mit *entgegen* übersetzt, erfüllt hier jedoch in Verbindung mit dem Akkusativ *(Romanos)* die Funktion der Präposition *gegen*.

Id ea gratia facilius proniusque fuit, quod Bocchus initio huiusce belli legatos Romam miserat foedus et amicitiam petitum, quam rem opportunissumam incepto bello pauci inpediverant caeci avaritia, quis omnia honesta atque inhonesta vendere mos erat.
Dieses war dank diesem (Umstand) leichter und günstiger, dass Bocchus zu Beginn dieses Krieges Gesandte nach Rom geschickt hatte um einen Vertrag und Freundschaft zu erbitten. Diese äußerst günstige Sache (Situation) hatten nach Beginn des Krieges wenige verhindert, blind aus Gier, welchen die Angewohnheit war (welche die Angewohnheit hatten) alle Dinge, moralische und unmoralische, zu verkaufen.

Die Prädikatsattribute *facilius* und *pronius* sind Komparative im Nominativ Neutrum Singular wegen der KNG-Kongruenz zum Subjekt *id*. Ob man den *quod*-Satz hier als faktisch oder als kausal auffasst, läuft nahezu auf das Gleiche hinaus. Dass der bloße Akkusativ bei Städtenamen eine Richtungsangabe ist, sollte dir bekannt sein: *Romam* heißt *nach Rom*. *petitum* ist Supinum 1. Es kann substantiviert und dann mit *zum* präpositionalisiert werden oder durch einen präpositionalen Ausdruck mit *um zu* + Infinitiv übersetzt werden. Die Übersetzung mit *um zu* empfiehlt sich immer dann, wenn das Supinum durch Objekte erweitert ist wie hier *foedus amicitiam*. Der folgende Relativsatz enthält sein Bezugswort *(rem opportunissumam)* bereits selbst. Dieses Bezugswort könnte auch wie eine Apposition (substantivisches Attribut) vor das Relativpronomen *quam* gestellt werden *(... petitum, rem opportunissimam, quam ...)*, so dass es das Freundschaftsgesuch des Bocchus aus dem Vorsatz noch einmal beschreibend zusammenfasst, der Relativsatz könnte so erhalten bleiben *(... zu erbitten, eine äußerst günstige Situation, welche ...)*. Einen relativen Anschluss müssen wir jedoch in einen demonstrativen Anschluss *(diese äußerst günstige Situation)* umbauen. *bello incepto* ist AmP, der sich schön präpositionalisieren (PPP, vorzeitig: *nach*), substantivieren *(incepto: Beginn)* und genitivieren lässt *(bello: des Krieges)*. *caeci* Prädikativum zum Subjekt *pauci, wenige,* und sollte wörtlich-undekliniert übersetzt *(blind)* werden. Es folgt ein dativisches Relativpronomen mit *esse (quis ... erat)*. Dabei denken wir immer an einen Dativus possessivus, ob wir ihn wörtlich *(welchen ... war)* oder umschrieben *(welche ... hatten)* übersetzen. Bei der Umschreibung denken wir immer daran, dass das Dativobjekt (hier: *quis*) zum Subjekt, die Form von *esse* (hier: *erat*) zu einer Form von *haben* (hier: *hatten*) und das Subjekt (hier: *mos*) zum direkten Objekt wird. Von *mos* ist hier noch eine Infinitivkonstruktion (kein AcI!) abhängig *(vendere)*, die im Deutschen mit der Präposition *zu* + Infinitiv übersetzt wird. *omnia honesta et inhonesta* ist substantiviertes Neutrum Plural.

Et iam antea Iugurthae filia ...

Et iam antea Iugurthae filia Boccho nupserat.
Auch schon vorher hatte die Tochter des Iugurtha Bocchus geheiratet.

Zu *nubere, nubo, nupsi, nuptum, heiraten,* muss man wissen, dass es anders als im Deutschen nicht mit einem Akkusativobjekt, sondern mit einem Dativobjekt steht. Das erklärt hier den Dativ *Boccho* (Nominativ: *Bocchus*).

Verum ea necessitudo apud Numidas Maurosque levis ducitur, quia singuli pro opibus quisque quam plurumas uxores, denas alii, alii pluris habent, sed reges eo amplius.
Aber diese enge Verbindung wird bei den Numidern und Mauren für unbedeutend gehalten, weil einzelne in Anbetracht ihrer Mittel jeder möglichst viele Frauen, die einen (je) zehn, die anderen mehr haben, aber die Könige umso mehr.

ducere mit doppeltem Akkusativ heißt *halten für,* dementsprechend *duci* (Passiv) mit doppeltem Nominativ *gehalten werden für.* Neben dem Subjekt *ea necessitudo* steht als zweiter Nominativ *levis, leicht, unbedeutend,* zur Verfügung. Der folgende Satzabschnitt kann am einfachsten gelöst werden, wenn man möglichst wörtlich und möglichst stellungsgetreu runterübersetzt: *pro* hat hier die seltenere Bedeutung *in Anbetracht.* Mit *opes, Mittel,* sind natürlich vor allem *Reichtümer* gemeint. Der Singular *quisque* kongruiert weder mit dem vorgegebenen Subjekt *singuli* noch mit dem Prädikat *habent,* meint aber dasselbe. Denn ob von «einzelnen» oder von «einem jeden einzelnen» die Rede ist, tut dem Sinn keinen Abbruch und so wirkt dieser Numeruswechsel natürlich, so lange man gar nicht darüber nachdenkt und ihn einfach so stehen lässt. *quam* vor Superlativ *(plurumas* für klassisch: *plurimas)* muss mit *möglichst* übersetzt werden. Entsprechend *alius ... alius ..., der eine ... der andere ...,* heißt *alii ... alii ... die einen ... die anderen ....* Bei *pluris* ist i im Akkusativ Plural erhalten. *eo* vor Komparativ *(amplius)* heißt *um so.*

Ita animus multitudine distrahitur: Nulla pro socia obtinet, pariter omnes viles sunt.
So wird ihre Aufmerksamkeit durch die Menge auseinandergerissen: keine nimmt den Rang als Lebensgefährtin ein, gleichermaßen sind alle billig.

animus habe ich hier etwas moderner mit *Aufmerksamkeit* übersetzt. Gut passt auch *Gefühl* oder *Herz*. Wichtig ist der Sinn von emotionaler Beliebigkeit und Unverbindlichkeit. *socia* meint hier eine ernsthafte *Lebensgefährtin*, zu der man in einer engen Beziehung steht. *pariter* ist Adverb der 3. Deklination («3 Liter»).

Superioribus annis taciti …

Superioribus annis taciti indignabamini aerarium expilari, reges et populos liberos paucis nobilibus vectigal pendere, penes eosdem et summam gloriam et maxumas divitias esse.
In den früheren Jahren habt ihr euch insgeheim geärgert, dass die Staatskasse ausgeplündert wurde, dass Könige und freie Völker wenigen Adligen Steuer bezahlten, dass in der Gewalt derselben sowohl größter Ruhm als auch größte Reichtümer waren.

Der Komparativ *superior* drückt verschiedene Verhältnisse zeitlicher und räumlicher Maße aus. So kann er *höher*, *besser*, aber auch *früher* bedeuten. *superioribus annis* ist Ablativus temporis. Das PPP von *tacere*, *schweigen*, ist *tacitus*, *verschwiegen*. Weil diese Form in die Nähe zu Adjektiven wie *heimlich*, *insgeheim*, *still* und sogar zum PPA *schweigend* rückt, darf sie hier als reines Adjektiv aufgefasst werden. Als solches habe ich es wörtlich-undekliniert belassen. *indignare*, *sich ärgern*, bedingt hier eine asyndetische AcI-Serie *(aerarium expilari, reges et populos liberos … expendere, … gloriam et maxumas divitias esse)*. *nobilis*, *adlig*, kann wie jedes Adjektiv ohne substantivisches Bezugswort auch substantiviert werden, indem man es groß schreibt und artikularisiert *(der Adlige)*. Die Präposition *penes* mit Akkusativ, *in der Gewalt / im Besitz von* ist häufig genug, um sie sogar zu lernen.

Tamen haec talia facinora inpune suscepisse parum habuere, itaque postremo leges, maiestas vostra, divina et humana omnia hostibus tradita sunt.
Dennoch hatten sie nicht genug davon diese derartigen Verbrechen ungestraft begangen zu haben, daher wurden zuletzt Gesetze, euer Ansehen, göttliche und menschliche Dinge alle den Feinden übergeben.

haec talia facinora ist vollständig kongruent im Neutrum Plural. Das Problem besteht lediglich für einen Moment darin ein Demonstrativpronomen *(haec)* mit dem Pronominaladjektiv *talis*, *solch*, *derartig* zusammenzubringen. *inpune* oder *impune*, *ungestraft*, ist Adverb der a-/o-Deklination und bezieht sich auf den Infinitiv Perfekt *suscepisse*, das von *suscipere*, *unternehmen*, *begehen*, kommt. Beachte bei *habuere* die Schreibweise: *habu-* ist Perfektstamm, *-ere* ist Kurzform für *-erunt*. Parataktisch folgt nun ein zweiter Hauptsatz mit einer Aufzählung von Subjekten *(leges, maiestas vostra, divina et humana omnia)*, *hostibus* als indirektem Objekt und *tradita sunt* als gemeinsamem Prädikat. *divina et humana omnia* ist natürlich wieder einmal substantiviertes Neutrum Plural. Es bleibt dir selbst überlassen, ob du hier lieber *alle göttlichen und menschlichen Dinge* oder *alles Göttliche und Menschliche* übersetzt.

Neque eos, qui ea fecere, pudet aut paenitet, sed incedunt per ora vostra.
Und diese, welche diese Dinge taten, reut es nicht oder beschämt sie, sondern sie laufen herum vor euren Angesichtern.

Die beiden unpersönlichen Ausdrücke *pudet* und *paenitet* weisen eine etwas ungewohnte Konstruktion auf: Sie entsprechen dem Deutschen in den Wendungen *es beschämt* und *es reut*. Die Personen, die von Scham oder Reue betroffen sind, stehen im Akkusativ (hier: *eos*). *fec-ere* ist Kurzform für die 3. Plural Indikativ Perfekt Aktiv *fec-erunt*. Für *incedere* sind natürlich auch noch andere Bedeutungen wie *eintreten*, *einhergehen* möglich.

Piso in citeriorem Hispaniam ...

Piso in citeriorem Hispaniam quaestor pro praetore missus est adnitente Crasso, quod eum infestum inimicum Cn. Pompeio cognoverat.

Piso wurde ins diesseitige Spanien als Quaestor anstelle eines Prätors geschickt auf Betreiben Crassos, weil er diesen als gefährlichen Feind für Gnaius Pompeius erkannt hatte.

Subjekt dieses Satzes ist *Piso*, zu dem sich das Substantiv *quaestor* als Prädikativum in Hyperbaton befindet. An solchen einsamen Nominativen sollte man immer den Stamm- und Präpositionentest durchführen, um eine passende Übersetzung zu eruieren, hier mit *als*. Der präpositionale Ausdruck *in citeriorem Hispaniam* ist eine Richtungsangabe mit dem Akkusativ. Richtig: <u>ins</u> *diesseitige Spanien*. Falsch: <u>im</u> *diesseitigen Spanien*. Das Prädikat des Hauptsatzes setzt sich zusammen aus dem prädikativen PPP *missus* und dem Präsens *est*, so dass ein Perfekt Passiv entsteht. *adnitente Crasso* ist AmP mit gleichzeitigem PPA *(adnitente)*. Da es über keine Erweiterungen verfügt, wende ich die Präpositionalisierung mit *während, bei, unter*, oder hier *auf* an, substantiviere das PPA *(Betreiben, Anstrengen)* und genitiviere das Bezugswort *(Crassos)*. Im *quod*-Test besteht von *dass, weil, welch* nur *weil*. Das Verb *cognoscere* (hier in der Form *cognoverat*) steht meist mit AcI in der Bedeutung *erkennen, dass* und nur selten mit doppeltem Akkusativ in der Bedeutung *erkennen als*. Dieser seltene Fall tritt jedoch hier ein: direktes Objekt des Erkennens ist das Pronomen *eum*; das dazu kongruente Prädikativum, das angibt, als was das Objekt erkannt wird, ist *infestum inimicum*. Das Substantiv *inimicus, Feind*, erscheint nicht selten in Begleitung eines Dativobjektes (hier *Cn. Pompeio*) zur Angabe, wem jemand feindlich gesonnen oder ein Feind ist.

Neque tamen senatus provinciam invitus dederat, quippe foedum hominem a re publica procul esse volebat, simul quia boni complures praesidium in eo putabant et iam tum potentia Pompei formidulosa erat.

Doch auch nicht der Senat hatte die Provinz unwillig vergeben, weil er wollte, dass der üble Mensch vom Staat fern war, zugleich weil mehrere Optimaten einen Schutz in ihm sahen und schon damals die Macht des Pompeius bedrohlich war.

Das Adjektiv *invitus* steht hier als Prädikativum, weil es von seinem kongruenten Bezugswort *senatus* durch das Objekt *provinciam* gesperrt steht und sich gleichzeitig in unmittelbarer Nähe des Prädikates aufhält. Als solches kann es nach dem Stammtest wörtlich-undekliniert stehen bleiben. Erkenne *ded-era-t* als Plusquamperfekt von *dare*. *quippe, weil*, leitet einen konjunktionalen Nebensatz ein. *volebat* initialisiert einen AcI. Subjektsakkusativ ist *foedum hominem*, Prädikatsinfinitiv ist *esse*. Die Funktion eines Prädikativums nach *esse* übernimmt hier ausnahmsweise das undeklinierbare Adverb *procul*. *boni* liegt hier in substantivierter Form vor (siehe die Hilfe), während das Pronominaladjektiv *complures* als Attribut hinzutritt. Der Genitiv *Pompei* bezieht sich auf *potentia*. Er weist eine obliterierte Endung auf, die aus der ursprünglich reinen Form *Pompeii* hervorgegangen ist.

Sed is Piso in provincia ab equitibus Hispanis, quos in exercitu ductabat, iter faciens occisus est.

Aber dieser Piso ist in der Provinz von spanischen Reitern, welche er in seinem Heer mitführte, während er eine Reise machte, getötet worden.

Wisse, woher die Form *equitibus* kommt und kenne die Differentialvokabeln: *eques* ist der Ritter, *equus* ist das Pferd. Das PPA *faciens* ist Prädikativum zum Subjekt *Piso*. Es nimmt ein Objekt *(iter)* zu sich. Die Wendung *iter facere, eine Reise machen*, sollte bekannt sein. Weil eine wörtlich-undeklinierte Übersetzung reichlich maniriert, wenn auch nicht falsch klingt *(eine Reise machend)*, nehmen wir die Konjunktion *während* und bauen daraus einen Nebensatz. Das Prädikat setzt sich aus dem Präsens *est* und dem PPP *occisus* (von *occidere, töten*, <u>nicht</u> von *occidere, untergehen*) zusammen – es entsteht ein Perfekt Passiv.